KOMMISSION FÜR ALTE GESCHICHTE UND EPIGRAPHIK
DES DEUTSCHEN ARCHÄOLOGISCHEN INSTITUTS

VESTIGIA

BEITRÄGE ZUR ALTEN GESCHICHTE
BAND 41

ERNST BALTRUSCH

Regimen morum

Die Reglementierung des Privatlebens
der Senatoren und Ritter in der römischen Republik
und frühen Kaiserzeit

C. H. BECK'SCHE VERLAGSBUCHHANDLUNG
MÜNCHEN

CIP-Titelaufnahme der Deutschen Bibliothek

Baltrusch, Ernst:
Regimen morum : d. Reglementierung d. Privatlebens d.
Senatoren u. Ritter in d. röm. Republik u. frühen Kaiserzeit /
Ernst Baltrusch. – München : Beck, 1988
   (Vestigia ; Bd. 41)
   ISBN 3-406-33384-2
NE: GT

ISBN 3 406 33384 2

© C.H. Beck'sche Verlagsbuchhandlung (Oscar Beck), München 1989
Satz und Druck: Appl, Wemding
Printed in Germany

Inhaltsverzeichnis

Vorwort

Das vorliegende Buch ist die geringfügig überarbeitete Fassung meiner im Jahre 1986 von der Philosophischen Fakultät der Georg-August-Universität Göttingen angenommenen Dissertation.

Angeregt hat diese Untersuchung Herr Prof. Dr. Jochen Bleicken, dem ich für seine überaus hilfreiche Kritik und fruchtbaren Ratschläge zu großem Dank verpflichtet bin. Ausdrücklich möchte ich ferner Herrn Prof. Dr. Carl Joachim Classen für die im Verlaufe meiner Arbeit gewährte Unterstützung danken, deren Ausmaß ich hier nur andeuten kann.

Von meinen Göttinger Freunden möchte ich in erster Linie Dietrich Ramba für seine Hilfe beim Korrekturlesen, v. a. aber für seine ansteckende Heiterkeit danken.

Der Kommission für Alte Geschichte und Epigraphik und ihrem Direktor, Herrn Prof. Dr. Michael Wörrle, gilt mein aufrichtiger Dank für die Aufnahme dieser Untersuchung in die Schriftenreihe „Vestigia". Herrn Prof. Dr. Dieter Hennig danke ich für seine umsichtige Hilfe bei der Drucklegung des Manuskripts.

Berlin, im September 1988   Ernst Baltrusch

1. Einleitung

Daß der moralische Standard des Einzelnen Triebfeder des historischen Ablaufs ist, war eine in der Antike weitverbreitete Auffassung und kommt insbesondere in dem Ennius-Vers *moribus antiquis res stat Romana virisque* – von Cicero wegen seines pointiert formulierten Wahrheitsgehaltes mit einem Orakelspruch verglichen – zum Ausdruck.[1] Alle antiken Erklärungsversuche der spätrepublikanischen Krise gehen daher von einem allgemeinen Sittenverfall oder besser von einer Abkehr von den Sitten der Vorfahren als Ursache aus. Die Ausprägung dieser Vorstellung ging einher mit der territorialen Ausdehnung und dem daraus resultierenden Zufluß östlicher Kultur und Reichtümer, der die bisher wie selbstverständlich akzeptierten politischen, sozialen und privaten Verhaltensweisen in Frage stellte.[2] Von der römischen Geschichtsschreibung wurden in diesem Zusammenhang sogenannte Epochenjahre – allesamt Jahre großer außenpolitischer Erfolge – eingeführt,[3] die als Erklärung für innenpolitische Krisen herhalten mußten: Schon hinter diesem Erklärungsansatz verbirgt sich ein zutiefst konservatives Mißtrauen gegen den übermäßigen, weil verändernden Erfolg, von dem man ahnte, daß er den römischen Stadtstaat vor unlösbare Probleme stellte.[4] Die durch die veränderten wirtschaftlichen und politischen

---

[1] Cic. rep. 5, 1: *Moribus antiquis res stat Romana virisque, quem quidem ille versum vel brevitate vel veritate tamquam ex oraculo mihi quodam esse effatus videtur.*

[2] Vgl. bes. D. Earl, The moral and political tradition of Rome, London 1967 (ND 1984); A. Lintott, Historia 21, 1972, 626–638; J. Bleicken, Lex publica, 371 ff.; 387 ff.; K. Bringmann, A & A 23, 1977, 28 ff.

[3] Am häufigsten wird der Einschnitt in das Jahr der Zerstörung Karthagos, 146, gelegt, z. B. Diod. 34/35, 33, 3 f.; Sall. Cat. 10, 2; Jug. 41, 2 ff.; Vell. 2, 1, 1 f.; Plin. n. h. 33, 150; Flor. 1, 47, 2; 1, 34, 19. Weitere Einschnitte sind 187 (das Jahr der Rückkehr des Heeres aus Asien): Liv. 39, 6, 7; Plin. n. h. 34, 14, und 168 (Sieg über Perseus): Polyb. 6, 51, 3; 31, 25, 3. Zu weiteren Daten, die den Zeitraum von 201–60 v. Chr. umfassen (überliefert ist auch die Ansicht, daß die Römer schon durch die Eroberung des Sabinerlandes den Reichtum kennengelernt haben: Strab. 5, 3, 1): U. Knoche, Der Beginn des römischen Sittenverfalls, NJb f. Antike u. dt. Bildung 1938, 99–108; 145–162; D. Earl, Tradition, 17 f.; H. Schneider, Wirtschaft und Politik, 185 ff.; J. H. W. G. Liebeschütz, Continuity and change in Roman religion, Oxford 1979, 90 f.; ferner die in Anm. 2 Genannten.

[4] Diese Zurückhaltung gegenüber der allzu stürmischen Ausweitung des Herrschaftsgebietes kommt in der Änderung des zensorischen Gebetstextes durch Scipio Aemilianus zum Ausdruck, Val. Max. 4, 1, 10. Ähnlich Flor. 1, 47, 6 f.: *Ac nescio an satius fuerit populo Sicilia et Africa contento fuisse, aut his etiam ipsis carere dominanti in Italia sua, quam eo magnitudinis crescere, ut viribus suis conficeretur. Quae enim res alia civiles furores peperit quam nimiae felicitates.*

Verhältnisse hervorgerufenen Krisensymptome[5] bildeten so erst die Voraussetzung dafür, daß auf die Verhaltensweisen in der ‹guten alten Zeit› überhaupt reflektiert wurde,[6] deren Sittenstrenge dann im Gefolge der sogenannten Epochenjahre entweder durch die machtpolitische Unangreifbarkeit – das Fehlen des *metus hostilis* – oder den übermäßigen Zufluß materieller Reichtümer und östlicher Sitten korrumpiert wurde. Diese Verabsolutierung des *mos maiorum*[7] erweckte (und sollte erwecken) den Eindruck, daß die Lösung für alle Probleme der Gegenwart und Zukunft in der Rückbesinnung auf die Vergangenheit liege. Andere Vorstellungen – etwa eine Verfassungsänderung, die der Realität eines Weltreiches gerecht würde – haben nie ernsthaft zur Debatte gestanden.[8] Die Idealisierung des *mos maiorum* beinhaltete also gleichzeitig ein Postulat für die Gegenwart, dem durch Rückgriff auf herausragende *exempla maiorum*, die die Vorfahren allgemein oder unter Hervorhebung einzelner Persönlichkeiten repräsentieren sollten,[9] Nachdruck verliehen wurde.[10] Dieses moralische Postulat war nicht auf den öffentlichen Bereich beschränkt. In einer aristokratischen Ordnung wie der römischen, deren Funktionsfähigkeit von einem gewissen Grad an Übersichtlichkeit einerseits und der Homogenität der Führungsschicht andererseits abhängig war, sind alle Handlungen, also auch solche, die wir der Privatsphäre zuordnen, von öffentlichem Interesse.[11] Wenn daher der *mos maiorum* als Norm gesetzt wurde, waren davon vor allem die Träger der Herrschaft, die Senatoren, betroffen, die dementsprechend höhere moralische Anforderungen zu erfüllen hatten.[12] Die catonische Forderung, *clarorum virorum atque magnorum non minus otii quam negotii rationem extare*

---

[5] Die Dekadenzvorstellungen spiegeln natürlich tatsächlich vorhandene Krisenerscheinungen wider und sind also keineswegs nur Ausdruck «einer durch die Begegnung mit dem griechischen Geist empfindlicher und Gewissen-hafter gewordenen Zeit» (so F. Hampl, Römische Politik in Republikanischer Zeit und das Problem des «Sittenverfalls», HZ 188, 1959, 513 = Geschichte als kritische Wissenschaft III, Darmstadt 1979, 36).

[6] Das wird oft verkannt, z. B. von H. Rech, Mos maiorum, 19: «auch der hochstrebende junge römische Staat hat sicher als oberstes ungeschriebenes Gesetz befolgt: Festhalten am *mos maiorum*». Damit wird ein zu dieser Zeit sicher noch nicht vorhandenes Bewußtsein vorausgesetzt.

[7] Die Unantastbarkeit der Vorfahren z. B. bei Cic. har. resp. 18; leg. 2, 27, wo die Vergangenheit in eine göttliche Sphäre gehoben wird. Die direkte Gegenüberstellung von Gegenwart und Vergangenheit bei Cic. rep. 5, 1.

[8] Auch die an Cäsar gerichteten Neuerungsvorschläge von Sallust (in seinen Briefen) und Cicero (Marc. 23: *constituenda iudicia, revocanda fides, comprimendae libidines, propaganda suboles, omnia quae dilapsa iam diffluxerunt severis legibus vincienda sunt*) sind überwiegend moralischer Natur.

[9] Vgl. J. Bleicken, Lex publica, 374. Vgl. auch die Bemerkungen des Augustus, res gest. 8.

[10] Entsprechend sollte das Anführen der *nova exempla* abstoßende Effekte erzielen.

[11] Vgl. J. Bleicken, Lex publica, 364.

[12] Ausdrücklich bei Cic. Cluent. 150: *quis umquam hoc senator recusavit, ne quo altiorem gradum dignitatis beneficio populi Romani esset consecutus, eo se putaret durioribus legum condicionibus uti oportere;* ähnlich 128 f.; 154; vgl. auch unten S. 9 ff.

oportere,[13] war Maxime auch der spätrepublikanischen Zeit, wovon insbesondere die Reden Ciceros mit den Verunglimpfungen der Verres, Clodius, Catilina und Antonius oder den Lobeshymnen auf das untadelige Privatleben der von Cicero verteidigten Personen zeugen.[14] Wenn von der römischen Geschichtsschreibung gerade der Zusammenhang von erfolgreicher Ostpolitik und Sittenverfall herausgestellt wird,[15] so deshalb, weil der Zufluß materieller und geistiger Güter natürlich auch die privaten Lebensgewohnheiten der Aristokraten veränderte und damit die Homogenität der Führungsschicht in Frage stellte. Das Resultat der von diesen Veränderungen veranlaßten Besinnung auf die Gewohnheiten der Vorfahren (oder das, was man dafür hielt), d. h. also der Zeit vor der territorialen Ausdehnung, war, daß man die Einhaltung des *mos maiorum* kontrollierte[16] und sogar im Recht objektivierte. Die Jurifizierung des *mos maiorum*[17] in dem Bereich, den wir dem Amtsrecht zuordnen, namentlich durch die *leges annales, de ambitu* und *de repetundis,* hat eben wegen ihrer Beziehung zu Institutionen sowohl in allgemeinen Darstellungen als auch in Einzeluntersuchungen großes Interesse gefunden. Die Verrechtlichung privater Verhaltensweisen wurde dagegen von der modernen Forschung weitgehend vernachlässigt, da sie lediglich die moralische Geschichtsauffassung widerzuspiegeln, ansonsten aber ohne politische Bedeutung zu sein schien. Abgesehen davon, daß eine Gesamtdarstellung der Eingriffe in das Privatleben (im folgenden der Einfachheit halber unter den Begriff Sittengesetzgebung gefaßt) überhaupt fehlt, mangelt es auch an ernstzunehmenden Auseinandersetzungen mit dem politischen Aspekt dieser Reglementierung. Das gilt selbst für die so folgenreichen augusteischen Ehegesetze, deren Bestimmungen und Fortentwicklung zwar Gegenstand zahlreicher meist juristischer Abhandlungen sind, deren politische Einordnung und Intentionen dagegen nur ungenügend berücksichtigt wurden. Umso mehr trifft es für die *leges sumptuariae* zu, die höchstens am Rand als Kuriosität vermerkt werden, substantiell bisher aber kaum untersucht wurden. Und wenn einmal *regimen morum* oder *leges sumptuariae* über eine bloße Aufzählung der Bestimmungen bzw. Strafverhängungen hinaus behandelt wurden, so geriet das Unternehmen oftmals eher zu einer Sittengeschichte und

---

[13] Cic. Planc. 66; vgl. Plut. Cat. mai. 16. Cic. rep. 2, 46: *primusque in hac civitate docuit* (sc. Brutus) *in conservanda civium libertate esse privatum neminem.*

[14] Die Begründung liefert Cicero Cluent. 70: *Nam perinde ut opinio est de cuiusque moribus, ita quid ab eo factum aut non factum sit existimari potest.*

[15] Z. B. Liv. 39, 6, 7; Val. Max. 9, 1, 3; Plin. n. h. 33, 148; 34, 14.

[16] Nämlich durch das *regimen morum* der Zensoren oder auch mit Hilfe des politischen Prozesses, vgl. C. Wirszubski, Libertas, 34 ff.; J. Bleicken, Lex publica, 371 ff.; K. Bringmann, A & A 23, 1977, 29 f.

[17] Der Begriff *mos maiorum* ist nicht auf einen bestimmten Bereich beschränkt, sondern umfaßt den öffentlichen, sakralen und privaten Bereich gleichermaßen, vgl. H. Kornhardt, Exemplum. Eine bedeutungsgeschichtliche Studie, Diss. Göttingen 1936; ferner die Wortuntersuchung bei J. Bleicken, Lex publica, 364 ff., Anm. 76. Das Quellenmaterial (aber nicht mehr) bietet H. Rech, Mos maiorum. Zum Verhältnis *mos* und *ius / lex* J. Bleicken, Lex publica, 347 ff.

Bestätigung des Sittenverfalls denn zu einer eingehenden Klärung der Hintergründe.[18]

Die folgende Untersuchung hat sich daher zum Ziel gesetzt, eine systematische Darstellung der Eingriffe in die Privatsphäre zu geben, diese aber gleichzeitig durch Einordnung in den politischen Zusammenhang – also Frage nach Urheber, Adressat, Opposition etc. – und Berücksichtigung der entwicklungsgeschichtlichen Komponente zu ergänzen, um auf diese Weise der praktischen politischen Bedeutung der Gesetze, Senatsbeschlüsse, Edikte und auch Institutionen gerecht zu werden.

Den zeitlichen Rahmen der Arbeit bilden Republik (seit dem Auftauchen einer derartigen Reglementierung) und früher Prinzipat, für den ebenfalls – sieht man von der Sittengeschichte Friedländers ab – eine Darstellung der Sittengesetzgebung fehlt. Es soll auf diese Weise deutlich werden, wie von den Kaisern das vorhandene Instrumentarium übernommen und ihren Zielen angepaßt wurde.

---

[18] Das gilt insbesondere für die Arbeiten des 19. Jahrhunderts (s. unten S. 40, Anm. 1), aber auch z. B. für E. Schmähling, Sittenaufsicht.

2. Die Republik

2.1 Das *regimen morum* der Zensoren

2.1.1 Vorbemerkungen

Das *regimen morum* gilt als der Inbegriff staatlicher Eingriffsrechte in das private Leben des Einzelnen. Jeder Bürger sollte auf die Einhaltung überlieferter und allgemein akzeptierter Regeln verpflichtet werden. Abweichungen vom Verhaltenskodex wurden mit dem Verlust der Ehrenrechte und gesellschaftlicher Ächtung bestraft. Die Aufgabe, die Lebensführung der Bürger zu überprüfen, oblag dem Zensor, der in den Quellen deshalb als *praefectus moribus*,[1] *moribus nostris praepositus*[2] und *magister veteris disciplinae ac severitatis*[3] erscheint. Man sah in der Sittenkontrolle überhaupt die wichtigste Aufgabe der Zensoren[4] und verstand sie nicht nur als reagierendes Institut, das Unwürdige aus der Gesellschaft ausschloß; vielmehr sollten auch entweder durch Edikte oder durch das abschreckende Beispiel der Strafen[5] verhängnisvolle Entwicklungen gekennzeichnet und damit korrigiert bzw. verhindert werden. Bereits die inhaltliche Definition des *regimen morum* bereitet allerdings Schwierigkeiten, da es keinen festumgrenzten ‹Sittenkatalog› gab, nach dem sich die Zensoren bei ihrer Straftätigkeit richten konnten. Noch mehr im Dunkeln liegen Ursprung und Datierung der Sittenaufsicht, die erst im 3. Jahrhundert nachweisbar als integraler Bestandteil der Zensur erscheint. Es hat jedoch nicht an Versuchen gefehlt, ein vorzensorisches, gentilizisches *regimen morum* als Vorläufer der zensorischen Sittenaufsicht zu konstruieren.[6] Für diese Hypothese bieten aber weder die Quellen einen Anhalt, noch entspricht sie überhaupt dem Entwicklungsstand der Frühzeit. Ein *regimen morum* seitens der *gens* setzt das Bewußtsein seiner Notwendigkeit voraus: es hätte gleichsam als Korrektiv gegen den

---

[1] Cic. Cluent. 46, 129.

[2] Liv. 40, 46, 1.

[3] Cic. Cluent. 46, 129. Vgl. auch die Bezeichnung der Zensur als *morum severissimum magisterium*, Cic. prov. cons. 19, 46.

[4] Liv. 42, 3, 7: *moribus regendis creatus;* vgl. auch Cic. Cluent. 42, 119; dom. 131; leg. 3, 3, 7; Liv. 4, 8, 2; Dion. Hal. 19, 6; 20, 13; Zon. 7, 19.

[5] Vgl. v. a. Dion. Hal. 19, 16, wo die Angst vor dem zensorischen Sittengericht das Handeln entscheidend beeinflußt.

[6] R. v. Jhering, Geist I, 183 ff.; E. Schmähling, Sittenaufsicht, 4 (vgl. auch M. Kaser, ZRG 59, 1939, 614 ff., in der Rezension zu Schmähling); U. v. Lübtow, Das römische Volk, 34; P. de Francisci, Primordia civitatis, Rom 1959, 181 ff.; ders., Studi Segni I, 613 ff.; E. Pólay, Studi Volterra III, 263. Ablehnend J. Bleicken, Lex publica, 381; vgl. schon A. H. J. Greenidge, Infamia, 61.

Mißbrauch der rechtlich nahezu unbeschränkten Freiheit der Gentilen geschaffen werden müssen. Dies ist aber durchaus modern gedacht und kann in der römischen Frühzeit nicht erwartet werden. Die für das römische Selbstverständnis so gewaltige Bedeutung der *mores maiorum* können wir wohl frühestens erst vom 3. Jahrhundert an voraussetzen, als mit den expansionsbedingten Auflösungserscheinungen auch die Idealisierung der Lebensweise der Vorfahren einsetzte und der *mos maiorum* als die Grundlage für die Erfolge und Größe Roms angesehen wurde.[7] Man kann ihn deshalb nicht als quasi-juristische Norm schon in die Frühzeit – und also auch nicht ein übergeordnetes *regimen morum* – projizieren.[8] Das Sittengericht kann sich allein schon aus dieser Überlegung heraus frühestens im 4., wahrscheinlich aber erst im 3. Jahrhundert gebildet haben. Grenzen der Freiheitsausübung bestanden zwar in den stillschweigend anerkannten Regeln der römischen Gesellschaft,[9] deren Überschaubarkeit und Durchsichtigkeit jedoch in der frühen Republik eine institutionalisierte Kontrolle überflüssig gemacht hatte. Der Willkür der *patres familias* setzte vielleicht auch das Hausgericht Schranken, wenngleich auch dieses keineswegs rechtlich verbindlich war.[10] In Zweifelsfällen diente es aber dem gesellschaftlichen Ansehen des Hausherrn, wenn er sich möglicherweise strittige Urteile gegen seine Gewaltunterworfenen legitimieren ließ.[11] Hatte er hier oder

---

[7] Vgl. E. Volterra, RAL 8. Ser. 4, 1949, 534.

[8] So P. de Francisci, Primordia civitatis, 162 ff.; ders., Studi Segni I, 630 f.; 635; vgl. A. Guarino, L'ordinamento giuridico romano, Neapel 1956[2], 70, Anm. 31 b; G. Piéri, L'histoire du cens, 108 ff.; anders: E. Volterra, RAL 8. Ser. 4, 1949, 534. Zum Begriff *mos* vgl. M. Kaser, ZRG 59, 1939, 96 ff., der eingehend die juristischen Quellen untersucht, um die begriffliche Scheidung von *ius* und *mos* zu belegen; anders: A. Guarino, L'ordinamento, 63 ff.; P. de Francisci, Studi Segni I, 616, Anm. 2; zweifelnd H. Siber, Römisches Verfassungsrecht in geschichtlicher Entwicklung, Lahr 1952, 221, der eine allzu strenge Scheidung von Recht und Sitte ablehnt. Vgl. auch M. Kaser, Gemeinschaftsordnung, 9 ff.; ders., Eigentum, 187 ff.; ders., Ius, 61 f.; U. v. Lübtow, De iustitia et iure, ZRG 66, 1948, 536; J. Bleicken, Lex publica, 371 ff.

[9] Vgl. M. Kaser, Privatrecht I, 60 ff.; F. de Martino, Storia della costituzione romana I, 13 (= 2. Aufl. 19).

[10] Zum sogenannten *iudicium domesticum* und seinem Verhältnis zur *patria potestas* hat sich eine lebhafte Forschungskontroverse entwickelt, die ihren Ursprung in der unbestimmten Terminologie der nichtjuristischen Quellen hat. P. Bonfante, Corso I, 74; R. Düll, ZRG 63, 1943, 59 ff.; W. Kunkel, ZRG 83, 1966, 219 ff.; A. Balducci, AG 191, 1976, 69 ff., gehen von der Rechtlichkeit des Hausgerichts und der richterlichen Gewalt des *pater familias* aus; anders: Th. Mommsen, Strafrecht, 16 ff.; E. Volterra, RISG 2, 1948, 103 ff.; E. Pólay, Studi Volterra III, 263 ff.; bes. 281 ff.; vgl. M. Kaser, ZRG 58, 1938, 68 f.; A. M. Rabello, Effetti I, 18. Der Hausherr bestimmte jedenfalls Einberufung und Zusammensetzung des Hausgerichts, das über Gewaltunterworfene, also Frauen, Söhne und Töchter und sogar Sklaven zusammentrat, und fällte das Urteil allein. Er war nicht an den Spruch des Consiliums gebunden.

[11] So konnten in späterer Zeit willkürlich anmutende Entscheidungen zensorisch notiert werden, vgl. den Fall des Senators L. Annius, der im Jahre 307 angeblich von den Zensoren aus dem Senat entfernt wurde, weil er seine Frau *nullo amicorum consilio adhibito* verstoßen

durch sein sonstiges Verhalten gegen allgemein anerkannte Regeln verstoßen, leitete die Gesellschaft von sich aus einen Boykott der Person ein. Eine institutionalisierte Kontrolle hat es wahrscheinlich bis ins 3. Jahrhundert hinein nicht gegeben.[12]

2.1.2 Die Einrichtung der Zensur

Die Konstruktion einer Sittenaufsicht vor der Zensur beruht also nach dem Gesagten auf der (modernen) Vorstellung, daß rechtlich unbegrenzte Freiheit einer anderweitigen institutionalisierten Kontrolle bedürfe. Das Bewußtsein von der Notwendigkeit einer solchen Kontrolle konnte aber erst mit der Infragestellung der überlieferten Verhaltensweisen entstanden sein. Daher ist auch im Zusammenhang mit der in der Mitte des 5. Jahrhunderts, vielleicht 443[13] einge-

hatte: Val. Max. 2, 9, 2. Dieser Gefahr entzog sich 231 Sp. Carvilius, der sich *de amicorum sententia* von seiner Frau trennte, Val. Max. 2, 1, 4; Gell. 17, 21, 44; vgl. Dion. Hal. 2, 25, 7; Plut. quaest. rom. 14; comp. Thes. et Rom. 6; 35, 3 f.; comp. Lyc. et Numa 25, 12 f.; Tert. apol. 6; de monog. 9. Aber es stand ganz im Ermessen des Familienvaters, ob er solche Legitimation für nötig hielt: Die Einberufung oder Nichteinberufung des Familiengerichts hängt nicht mit dem Delikt zusammen: vgl. mit Hausgericht entschiedene Fälle z. B. bei Dion. Hal. 2, 25, 6 (allerdings zweifelhaft, vgl. M. Kaser, ZRG 58, 1938, 71; E. Pólay, Studi Volterra III, 307 f.); Val. Max. 5, 8, 2; Sen. clem. 1, 15, 2; Plin. n. h. 14, 13, 89; Tac. ann. 2, 50; ohne Hausgericht: Val. Max. 5, 8, 3 (aus dieser Stelle geht besonders die Ermessensfreiheit des Familienvaters hervor: *ne consilio quidem necessariorum indigere se credidit;* vgl. dazu E. Volterra, RISG 2, 1948, 116 ff.; W. Kunkel, ZRG 83, 1966, 219 ff.); 5, 8, 5; 6, 3, 9; 11; 12 u. ö.

[12] Auch die bisweilen angeführten Quellenhinweise, die die Existenz eines gentilizischen Sittengerichts belegen sollen, sind ohne Beweiskraft, vgl. dazu J. Bleicken, Lex publica, 117 u. 381. Die sakralen Kompetenzen der *gentes* können ebensowenig für eine Sittenaufsicht beansprucht werden (so E. Schmähling, Sittenaufsicht, 5) wie die überlieferten *decreta gentis,* die sich mit Vornamen befassen, Cic. Phil. 1, 32; Liv. 6, 20, 13 f.; Fest. s. v. *Manlium* 125 M (= 112L), *Manliae gentis* 151 M (= 135L); Plut. quaest. rom. 91; vgl. Gell. 9, 2, 11: Es handelt sich hier um die Auslöschung des Gedächtnisses an verstorbene Mitglieder der *gens.* Von den außersakralen Kompetenzen der *gens,* v. a. von der Organisationsform, die Voraussetzung für ein *regimen morum* ist, läßt sich kein klares Bild zeichnen, vgl. P. de Francisci, Primordia civitatis, 172 ff.

[13] Liv. 4, 8: im Konsulatsjahr von M. Geganius Macerinus (2) und T. Quinctius Capitolinus (5); vgl. aber Dion. Hal. 11, 63, 2; Cic. fam. 9, 21. In das Jahr 434 legen Th. Mommsen, Staatsrecht II, 335, Anm. 1; K. J. Beloch, Römische Geschichte bis zum Beginn der Punischen Kriege, Berlin 1926, 80 ff.; R. V. Cram, HSPh 51, 1940, 73, die Zensur. Zu älteren Datierungsvorschlägen vgl. O. Leuze, Zur Geschichte der römischen Zensur, Halle a. S. 1912. H. Siber, Verfassungsrecht, 101, betrachtet die *lex Aemilia,* die er in das Jahr 366 verlegt, als Einführungsgesetz; vgl. ders., Die plebeischen Magistraturen bis zur lex Hortensia, LRS 1, 1938, 58; P. de Francisci, Arcana Imperii III, Mailand 1948, 84, Anm. 5; anders: F. de Martino, Storia della costituzione romana I, 272 (= 2. Aufl. 327): «In realtà l'ipotesi che la *lex Aemilia* sia del 366 è del tutto congetturale e manca di qualsiasi possibilità di prova». Zum Ganzen auch G. Piéri, L'histoire du cens, 125 ff.

richteten Zensur zunächst nicht von einer Sittenaufsicht die Rede;[14] ihre Aufgabe[15] bestand in der Schatzung der Bürger, die aber in früherer Zeit von den Quellen nie mit einer Sittenaufsicht in Verbindung gebracht wird.[16] Auch der livianische Bericht zum Jahre 443 bestätigt, daß das *regimen morum* erst später Bestandteil des zensorischen Aufgabenfeldes geworden ist.[17] Jedenfalls gibt es keinen Beleg dafür, daß das Sittengericht mit der Einrichtung der Zensur[18] oder überhaupt mit dem Zensus[19] verknüpft war, zumal wir – abgesehen von der

---

[14] Vgl. Cic. fam. 9, 21; Dion. Hal. 11, 63, 2; Liv. 4, 8; D 1, 2, 2, 17.

[15] Als Grund für die Einrichtung des neuen Amtes geben die Quellen (s. vor. Anm.) einmütig Überlastung der Konsuln an, was aber von der neueren Forschung bezweifelt worden ist. B. G. Niebuhr, Römische Geschichte II, Berlin 1830², 437 f.; 446; 463; A. Schwegler, Römische Geschichte III, Tübingen 1858, 117 ff.; C. de Boor, Fasti censorii, Diss. Berlin 1873; L. Lange, Alterthümer I, 661, gingen davon aus, daß die Quellen die wahre Absicht nicht erkannt hätten. In Wahrheit wollten die Patrizier nach der Zulassung der Plebejer zum Konsulat für sich eine wichtige Funktion reservieren. Somit sei das Jahr der ersten Zensoren 444, das Jahr der Einführung des Konsulartribunates gewesen; vgl. auch G. Piéri, L'histoire du cens, 125 ff.; E. Fantham, EMC 21, 1977, 45. Diese Ansicht wurde bereits von Th. Mommsen, Staatsrecht II, 335, zurückgewiesen. Jedenfalls aber läßt sich die Beziehung zwischen Konsulartribunat und Einrichtung der Zensur nur schwer nachvollziehen; vgl. Liv. 5, 1, 2 z. J. 403; Diod. 15, 22, 1 z. J. 389; 15, 50, 1 z. J. 380; 15, 57, 1 z. J. 378. Dazu C. de Boor, Fasti, 64; Th. Mommsen, Staatsrecht II, 184; ders., Hermes 38, 1903, 116 f.; O. Leuze, Zensur, 95; 135; F. Münzer, Hermes 57, 1922, 134; K. J. Beloch, Römische Geschichte, 77 ff.; J. Lengle, RE VI A (1937), s. v. tribunus Nr. 10, 2448 ff.; H. Siber, Verfassungsrecht, 100 f.; ders., RE XXI (1951), s. v. plebs, 152; F. de Martino, Storia della costituzione romana I, 271.

[16] Vgl. z. B. Liv. 1, 42 zur angeblichen Stiftung des Zensus durch Servius Tullius; vgl. G. Piéri, L'histoire du cens, 101 f.

[17] Liv. 4, 8: *idem hic annus censurae initium fuit, rei a parva origine ortae, quae deinde tanto incremento aucta est, ut morum disciplinaeque Romanae penes eam regimen, in senatu equitumque centuriis decoris dedecorisque discrimen sub dicione eius magistratus ... essent.*

[18] Vgl. Th. Mommsen, Staatsrecht II, 375 f.; G. Humbert, DS I/2 (1887), s. v. censor, v. a. 995 ff.; J. Suolahti, Roman Censors, 53 f.; F. de Martino, Storia della costituzione romana I, 276 f.; J. Bleicken, Lex publica, 378. Bereits C. E. Jarcke, Versuch einer Darstellung des censorischen Strafrechts der Römer, Bonn 1824, 5, betrachtete die sittenrichterliche Gewalt als ursprünglich, wie allein schon aus der 433 erfolgten Notation des Diktators Mamercus hervorgehe (s. unten S. 9, Anm. 20). Es habe bereits vor der Zensur eine *disciplina morum* gegeben, die religiösen Ursprungs sei. Die Ursprünglichkeit auch bei R. Jhering, Geist I, 183 ff.; A. H. J. Greenidge, Infamia, 41; E. Schmähling, Sittenaufsicht, 1 ff.; M. Kaser, Gemeinschaftsordnung, 13; G. Piéri, L'histoire du cens, 102 ff. Sie gehen davon aus, daß die Zensoren eine bereits vorher praktizierte Sittenaufsicht – sei es im Geschlechterverband, sei es beim Zensus – übernommen haben, was aber, wie oben gezeigt wurde, nicht nachgewiesen werden kann.

[19] G. Piéri, L'histoire du cens, 102 ff., erweitert die These von R. v. Jhering und E. Schmähling, daß das *regimen morum* nicht an die Zensur als Amt gebunden war, über den gentilizischen Bereich hinaus. Vielmehr sieht er den Ursprung in dem sakralen Charakter der *mores* einerseits (nach Fest. s. v. *mos*, 146L: *Mos est institutum patrium; id est memoria veterum pertinens maxime ad religiones ceremoniasque antiquorum;* vgl. aber J. Bleicken, Lex

zweifelhaften Nachricht über die Notierung des Mamercus[20] – von einer zensorischen Verurteilung frühestens gegen Ende des 4. Jahrhunderts,[21] beglaubigt erst im Jahre 276 hören.[22]

2.1.3 Regimen morum und senatus lectio

Wann das *regimen morum* in die Zensur integriert wurde, läßt sich nur schwer feststellen. Es ist jedenfalls nicht durch einen einmaligen legislativen Akt den Zensoren übertragen worden.[23] Die uns überlieferten Gesetze und Senatsbeschlüsse über die Zensur berührten vor allem die formale Seite des Amtes, wie Amtsdauer,[24] Besetzung[25] und Bestrafungsmodus,[26] ohne jedoch Amtsinhalte

---

publica, 355, Anm. 52, der die Stelle aus der Zeit des Festus erklärt: öffentliches und Privatrecht waren schon durch *lex / ius* bestimmt) und des Zensus andererseits, der ursprünglich nicht nur materielle Schatzung, sondern auch sittliche Überwachung beinhaltet habe, vgl. G. Dumézil, Servius et la Fortune, Essai sur la fonction sociale de louange et de blâme et sur les éléments indo-européens du cens romain, Paris 1943, 173 f. Die Zensur und die in ihr enthaltene Sittenaufsicht sei als Reaktion auf die 12-Tafelgesetzgebung geschaffen worden, um die Einhaltung des von der Verrechtlichung nicht berührten Teiles der *mores* zu überwachen. Die hier vorliegende Deutung setzt aber voraus, daß das Bewußtsein von der einschneidenden Bedeutung der 12-Tafeln für die Beziehung von *ius* und *mos* schon vorhanden war, d. h. daß die Römer die Notwendigkeit einer staatlichen Sittenüberwachung anerkannt haben müssen, da mit den 12-Tafeln nur ein Teil der vormals durch das Sakralrecht geschützten *mores* erfaßt worden und somit für den anderen Teil eine staatliche Institution zu schaffen sei. Diese Konstruktion ist aber modern. Zudem wird übersehen, daß nur im Zuge eines Verfalls und gleichzeitig einer Idealisierung der *mores* auch das Bedürfnis nach einer Überwachung entstehen kann. Dies ist aber zu diesem frühen Zeitpunkt noch nicht anzunehmen, da die gesellschaftlichen Zersetzungserscheinungen, die sich später durch die Expansion ergaben, noch nicht auftreten konnten. Allein schon die kurze Zeitspanne zwischen 12-Tafeln und der Einführung der Zensur spricht gegen einen Zusammenhang; das entwicklungsgeschichtliche Moment wird vollkommen negiert, ganz abgesehen davon, daß die Quellen keineswegs das Sittengericht als Begründung der Zensur ansehen.

[20] Liv. 4, 24, 7; vgl. 9, 33; Zon. 7, 19, 7. Dazu Th. Mommsen, Staatsrecht II, 418, Anm. 2; 349, Anm. 1; M. Nowak, Strafverhängungen, 9; G. Rotondi, Leges publicae, 211; F. de Martino, Storia della costituzione romana I, 408.

[21] Die Ausstoßung des L. Annius aus dem Senat im Jahre 307: Val. Max. 2, 9, 2.

[22] Der Fall des Rufinus, der wegen des Besitzes von 10 Pf Tafelsilber im Jahre 276 aus dem Senat gestoßen wurde, dazu unten S. 18.

[23] Das ist weder durch einen Senatsbeschluß – so C. E. Jarcke, Versuch, 6 – noch durch das ovinische Plebiszit geschehen, das als plebejische Willenserklärung ohne Gesetzeskraft eine ganz andere Zielsetzung hatte, vgl. J. Bleicken, Lex publica, 379; vgl. auch W. Kunkel, Gesetzesrecht und Gewohnheitsrecht in der Verfassung der römischen Republik, Romanitas 9, 1970, 365 f.

[24] Bereits 9 Jahre nach der angeblichen Einrichtung des Amtes soll ein Gesetz des Diktators M. Aemilius Mamercinus erlassen worden sein, das die Amtszeit von 5 Jahren auf 18 Monate verringert hat, Liv. 4, 24, 4 f.; 7; 9, 33; Zon. 7, 19, 7; vgl. G. Rotondi, Leges publicae, 211; Th. Mommsen, Staatsrecht II, 348 ff. Dieses Gesetz wurde gelegentlich auch in das Jahr 366 verlegt; es hätte die Zensur als ständiges Amt eingeführt, und die Festlegung

festzulegen. Eine besondere Bedeutung für die Entwicklung der Zensur hat allerdings das *plebiscitum Ovinium,* das die *lectio senatus* begründet hat:[27] *prae-teriti senatores quondam in opprobrio non erant, quod, ut reges sibi legebant, sub-legebantque, quos in consilio publico haberent, ita post exactos eos consules quoque et tribuni militum consulari potestate coniunctissimos sibi quosque patriciorum, et deinde plebeiorum legebant; donec Ovinia tribunicia intervenit qua sanctum est, ut censores ex omni ordine optimum quemque curiatim in senatum legerent. quo factum est, ut qui praeteriti essent et loco moti, haberentur ignominiosi.*[28] Zwar handelt es sich hier um ein vor der *lex Hortensia* erlassenes Plebiszit,[29] dem also

---

auf 18 Monate sei keine Verringerung der Amtszeit, sondern vielmehr eine Erhöhung: H. Siber, Verfassungsrecht, 101; ders., Plebeische Magistraturen, 58 f.; ders., RE XXI s. v. plebs, 152; vgl. auch K. J. Beloch, Römische Geschichte, 83; vgl. aber F. de Martino, Storia della costituzione romana I, 272.

[25] Zulassung von Plebejern: Liv. 8, 12, 6; vgl. G. Rotondi, Leges publicae, 227 f. Liv. per. 59 erwähnt für 131 zum ersten Mal zwei plebejische Zensoren. Nach J. Bleicken, Lex publica, 94, Anm. 22, könnte allerdings der Zugang der Plebejer zur Zensur einfach durch stillschweigende Duldung der Patrizier, also auch ohne Gesetz erfolgt sein. Im Jahre 265 wurde außerdem die Iteration untersagt und damit der steigenden Bedeutung des Amtes Rechnung getragen, Liv. 23, 23: *ne penes unum hominem iudicium arbitriumque de fama ac moribus senatoriis fuerit;* vgl. Plut. Cor. 1; Val. Max. 4,1, 3; Auct. vir. ill. 32, 2.

[26] Vielleicht ist schon im 3. Jahrhundert die Entscheidungsfreiheit der Zensoren bei der Notation beschränkt worden, vgl. L. Lange, Alterthümer II, 188, nach Liv. 39, 42. Außerdem im Jahre 58 die *lex Clodia de censoria notione:* Cic. Sest. 25, 55; Pis. 4, 9; prov. cons. 19, 46; dom. 51, 131; har. resp. 27, 58; Ascon. 16 St.; Dio 38, 13, 2. Sie sah eine formelle Anklage und die Einigkeit der Zensoren vor, wurde allerdings 52 wieder aufgehoben, Cic. Att. 4, 16, 14; 6, 1, 17; Dio 40, 57, 1.

[27] P. Willems, Sénat I, 154 ff.; Th. Mommsen, Staatsrecht II, 418 ff.; A. H. J. Greenidge, Infamia, 74 ff.; M. Nowak, Strafverhängungen, 10; A. O'Brien Moore, RE Suppl. VI (1935), s. v. senatus, 686 ff.; E. Schmähling, Sittenaufsicht, 2; H. Siber, Plebeische Magistraturen, 48 f.; ders., Verfassungsrecht, 135 f.; F. de Martino, Storia della costituzione romana I, 407 ff.; J. Suolahti, Roman Censors, 53; J. Bleicken, Lex publica, 379 f.

[28] Fest. s. v. *praeteriti senatores,* 290 L; vgl. Cic. Cluent. 43, 121; leg. 3, 7; Zon. 7, 19, 7; G. Rotondi, Leges publicae, 233 f.

[29] Zur Datierung G. Rotondi, Leges publicae, 233 f. Von den meisten Neueren wird als Terminus ante quem 312 angenommen, in welchem Jahr Appius Claudius die angeblich erste *lectio senatus* vorgenommen habe, Liv. 9, 29, 7; 30, 1 f.; Lyd. de mag. 1, 43. Sie war sehr umstritten und wurde von den Konsuln im folgenden Jahr für ungültig erklärt, vgl. Th. Mommsen, Die patricischen Claudier, Röm. Forsch. I, Berlin 1864², 285 ff.; M. Nowak, Strafverhängungen, 11; A. Lotti Faravelli, La censura di Appio Claudio Cieco e la questione della cronologia, Como 1937, 8 f.; J. Suolahti, Roman Censors, 54; J. Bleicken, Lex publica, 379, Anm. 105. H. Siber, Verfassungsrecht, 135 f., legt dagegen das Gesetz in das Jahr 286: einmal, weil es dann volle Gesetzeskraft gehabt hätte, dann aber auch, weil Livius, dessen Darstellung bis 293 reicht, ein derartig fundamentales Gesetz nicht erwähnt. Zudem sei die erste beglaubigte Ausstoßung erst 276, während die uns überlieferte *lectio* des Appius der von Livius benutzten claudierfeindlichen Annalistik angehöre. Die außerdem überlieferte Notation des L. Annius 307 wegen ungerechtfertigter Ehescheidung durch einen der Konsuln von 311, Brutus, sieht Siber als spätere Ausmalung aufgrund der konsularischen Aus-

die Rechtsverbindlichkeit fehlte und das vielleicht nur die Absicht hatte, die Zusammensetzung des Senates im plebejischen Sinne zu kontrollieren.[30] Jedenfalls aber ist es grundlegend mit der Senatslese zu verbinden, ohne allerdings bereits ein *regimen morum* zu begründen. Die Interpretation des Festus weist zwar auf eine Verbindung von Sittengericht und Senatslese hin, aber ebenso legt sie eine allmähliche Entwicklung des *regimen morum* nahe. Aus der zensorischen Pflicht, *ex omni ordine optimum quemque* in den Senat zu wählen, erwuchs folgerichtig auch die Befugnis, Unwürdige zu übergehen bzw. auszustoßen.[31] So entwickelte sich, vielleicht noch verstärkt durch die ersten expansionsbedingten Anzeichen einer Krise innerhalb der aristokratischen Oberschicht, ein faktisches *regimen morum,* das erst in der Blütezeit der Zensur vom Ende des 3. Jahrhunderts bis zu den Gracchen[32] als fester Bestandteil des Amtes erscheint.

Mit der *lectio senatus* ist das Sittengericht schon deshalb zu verbinden, weil die ersten uns überlieferten Bestrafungen der Zensoren Senatoren betrafen. Die erste (indes noch zweifelhafte) Ausstoßung aus dem Senat fand 307, die erste beglaubigte sogar erst 276 statt. Dagegen hören wir von einer Bestrafung von Rittern erstmalig im Jahre 252,[33] von einfachen Bürgern sogar erst im Jahre 214.[34] Trotz der relativ späten Einführung der zensorischen *lectio senatus* sind also sittenrichterliche Maßnahmen zunächst gegen Senatoren anläßlich der Senatslese und erst in späterer Zeit gegen Angehörige der übrigen Schichten überliefert. Aus dieser Reihenfolge kann man daher schließen, daß das *regimen*

---

stoßung von 311; vgl. E. Pais, Storia di Roma dalle origini all'inizio delle guerre puniche V, Rom 1928, 97 ff.; bes. 100 f., Anm. 1 (hält 312 für ein zu frühes Datum); dagegen A. O'Brien Moore, RE Suppl. VI, 685. J. Bleicken, Lex publica, 379, Anm. 105, sieht die Maßnahme des Claudius als Mißachtung der stillschweigenden Anerkennung des ovinischen Plebiszits, die dann die Konsuln des folgenden Jahres wieder rückgängig gemacht haben; zur *lectio* des Claudius vgl. auch Diod. 20, 36, 3; Liv. 9, 29, 5 ff.; 30, 1 f.; 46, 10; Auct. vir. ill. 34; Suet. Claud. 24; D 1, 2, 2, 7. Immerhin wäre es möglich, daß das *plebiscitum Ovinium,* wenn es nach 286 eingebracht worden ist, eine schon lange als Ergebnis des Ständekampfes geduldete Praxis rechtlich verbindlich machte und Appius Claudius sich über dieses ‹Abkommen› zwischen Patriziern und Plebejern hinweggesetzt hat.

[30] So J. Bleicken, Lex publica, 379 f., nach Fest. 290 L.

[31] Die Termini sind *senatu movere / eicere* bzw. *senatu praeterire;* zu deren Bedeutung Th. Mommsen, Staatsrecht II, 418 ff.; 421, Anm. 2.

[32] Vgl. J. Suolahti, Roman Censors, 307 f.; ferner T. Frank, CAH VIII, 1930, 357 ff.; P. Grimal, Le siècle des Scipions, Paris 1953, 110 ff.

[33] 400 Ritter wurden wegen Gehorsamsverweigerung mit dem Entzug des Staatspferdes, der Versetzung unter die Ärarier und einer Rüge bestraft, der zusätzlich durch SC eine Soldminderung folgte, Front. strat. 4, 1, 22; Val. Max. 2, 9, 7; 6, 3, 12; Plut. quaest. rom. 14.

[34] 2000 Bürger wurden von der Bürgerliste gestrichen und zu Ärariern degradiert, weil sie sich zu Unrecht dem Kriegsdienst entzogen hatten. Auch diese Strafe erhielt nachträgliche Bestätigung durch ein SC, das ihre Versetzung zu den cannensischen Straflegionen nach Sizilien anordnete, Liv. 24, 18, 7 ff.

morum hauptsächlich über Senatoren ausgeübt wurde[35] und hier sein Ursprung zu suchen ist.

Es läßt sich also über die Datierung des *regimen morum* lediglich vermuten, daß es nicht ursprünglich mit der Einrichtung der Zensur und also auch nicht mit dem Zensus verknüpft war, sondern daß es sich im Zusammenhang mit der Senatslese aus der Möglichkeit der Zensoren, über die Zusammensetzung des Senates zu entscheiden, allmählich im Laufe des 3. Jahrhunderts bildete und dann – in besonderen Fällen – auch über Ritter und überhaupt alle *cives Romani* ausgeübt wurde, ohne allerdings die Intensität der Sittenkontrolle gegenüber Senatoren zu erreichen.

2.1.4 Das *regimen morum* im privaten Bereich

Eine vollständige Auflistung derjenigen Verfehlungen, die die Zensoren strafen konnten, ist nicht möglich. Das erklärt sich allein schon aus dem vielfältigen Bedeutungsinhalt des Begriffes *mores*. Theoretisch hatte der Zensor die allgemeine Lebensführung des Einzelnen zu überprüfen und gegebenenfalls Verstöße gegen die tradierten Verhaltensweisen zu kennzeichnen,[36] d.h. in der Namensliste einen begründenden Vermerk zu machen.[37] Die nach Ständen differenzierte Bestrafung bestand in der Ausstoßung aus dem Senat,[38] dem Entzug des Ritterpferdes, der Ausstoßung aus bzw. Herabsetzung in der Tribus und der Degradierung zum Ärarier.[39] In besonders schweren Fällen war auch kombinierte Bestrafung möglich: In den Jahren 174 und 169 wurden die Senatoren und Ritter nicht nur mit der Entfernung aus dem Senat bzw. der Wegnahme des Pferdes, sondern auch mit der Ausstoßung aus der Tribus und Versetzung unter die Ärarier bestraft.[40]

Die Begründung für die Rüge konnte im politischen, militärischen und auch im privaten Bereich liegen, in dem nach römischer Auffassung der wahre Charakter eher als im öffentlichen Auftreten zu erkennen sei.[41] Bei

---

[35] Vgl. Liv. 23, 23: *iudicium arbitriumque de fama ac moribus senatoriis;* vgl. auch Cic. Cluent. 128 f.

[36] Dion. Hal. 19, 16: ἐξετάζειν βίους καὶ τοὺς ἐκβαίνοντας ἐκ τῶν πατρίων ἐθῶν ζημιοῦν; Suidas s. v. τιμητής; Plut. Cat. mai. 16; Zon. 7, 19. Daher auch die Begründung der Zensoren für ihre Stellungnahme gegen die lateinischen Rhetoren: *praeter consuetudinem ac morem maiorum,* Suet. rhet. 1; Gell. 15, 11, 2.

[37] Liv. 39, 42, 6: *patrum memoria institutum fertur, ut censores motis e senatu adscriberent notas.*

[38] Vgl. die Termini in den Quellen bei A. H. J. Greenidge, Infamia, 80, Anm. 1, und oben S. 11, Anm. 31.

[39] Vgl. Th. Mommsen, Staatsrecht II, 375 ff.; M. Nowak, Strafverhängungen, 71 ff. Anders deuten die Ursprünge der Strafen P. Fraccaro, Tribules ed Aerarii, in: ders., Opuscula II, 150 ff. (= Athenaeum N. S. 11, 1933, 150 ff.), und G. Piéri, L'histoire du cens, 116 ff.

[40] Vgl. Liv. 42, 10, 4: *omnis, quos senatu moverunt quibusque equos ademerunt, aerarios fecerunt et tribu moverunt* (174); ähnlich für das Jahr 169: Liv. 45, 15, 8.

[41] Plut. Cat. mai. 16; Cic. Planc. 66: *clarorum hominum atque magnorum non minus otii quam negotii rationem extare oportere* (ein Ausspruch Catos); Dion. Hal. 20, 13, 3; vgl.

einer Untersuchung der Rügegründe sind allerdings Einschränkungen zu berücksichtigen. Viele der uns überlieferten zensorischen Bestrafungen werden von den Quellen ohne Differenzierung mit den schlechten ‹Sitten› des Delinquenten begründet, womit sowohl Verfehlungen politischer wie privater Natur gemeint sein können.[42] Hinzu kommt, daß die Zensoren oft politisch oder persönlich motivierte Ausstoßungen mit einem unangemessenen oder schimpflichen Lebenswandel begründeten,[43] so daß also die offizielle Begründung nicht immer mit dem wahren Grund für die Bestrafung übereinstimmen mußte. Die Glaubwürdigkeit der älteren Strafmaßnahmen wird zusätzlich durch die Glorifizierung des *regimen morum* durch die Überlieferung beeinträchtigt; oft sind lediglich besonders spektakuläre oder kuriose und anekdotenhaft verzerrte Fälle erwähnt.

In der neueren Forschung ist bereits mehrfach versucht worden, anhand der überlieferten Einzelfälle die strafbaren Verfehlungen zu kategorisieren.[44] Ein auf diese Weise entstandener ‹Sittenkatalog› muß allerdings zwangsläufig unvollständig bleiben, da einmal die Zensoren völlige Entscheidungsfreiheit bei der Beurteilung einer zu notierenden Handlung hatten, zum anderen die sittenrichterlichen Maßnahmen nur bruchstückhaft überliefert sind. Soviel allerdings läßt sich den Berichten über die zensorische Straftätigkeit entnehmen, daß kein Bereich des Lebens vom *regimen morum* unberührt blieb: Bestraft wurden Vergehen während der Amtsführung, unrechtmäßiger Entzug von Pflichten,[45] das

---

auch 19, 16; Lyd. de mag. 1, 43; Suidas s. v. τιμητής. Griechische Autoren reagierten weitaus sensibler auf diese Eingriffe in die Privatsphäre, da den Römern eine Scheidung zwischen öffentlich und privat weniger bewußt war; für sie war das Verhältnis zum *mos* entscheidend, vgl. Cic. rep. 2, 46 (zitiert S. 3, Anm. 13): Damit ist zumindest für die Angehörigen der Oberschicht die Forderung nach politischem Handeln gerade in Krisenzeiten aufgestellt.

[42] Vgl. im Jahr 115 C. Licinius Geta: Val. Max. 2, 9, 9; Cic. Cluent. 119; Cassius Sabaco: Plut. Mar. 5, 3 ff.; vgl. Val. Max. 6, 9, 14; 102 sollten Saturninus und C. Servilius Glaucia vom Zensor Q. Caecilius Metellus Numidicus wegen ihres Lebenswandels aus dem Senat gestoßen werden, was allerdings am Einspruch des Kollegen scheiterte, App. civ. 1, 28; vgl. Cic. Sest. 47, 101; 70: P. Cornelius Sura: Plut. Cic. 17, 1; vgl. Dio 37, 30, 4; Q. Curius: Ascon. 72 St.; Sall. Cat. 23, 1; App. civ. 2, 3; Ti. Gutta; M. Aquilius: Cic. Cluent. 127; 130; 50: Sallust: Dio 40, 63, 3; vgl. Cic. in Sall. 6, 16; vgl. M. Caelius Rufus: Cic. ad fam. 8, 12, 1; 14, 4; 174: L. Cornelius Scipio: Liv. 41, 27, 2; Val. Max. 3, 5, 1; vielleicht auch Ti. Claudius Nero, über den Cato eine Rede *de moribus* hielt; 142: P. Sulpicius Gallus, über den Scipio eine vielleicht zensorische Rede hielt, Gell. 7, 15.

[43] Vgl. z. B. den Fall des Saturninus (s. vor. Anm.) und die unten behandelten Fälle.

[44] Vgl. Th. Mommsen, Staatsrecht II, 377 ff.; M. Nowak, Strafverhängungen, 58 ff.; G. Piéri, L'histoire du cens, 99 ff.; G. Humbert, DS I/2, s. v. censor, 997; C. Nicolet, Métier, 106. A. H. J. Greenidge, Infamia, 62 ff., stellt folgende Kategorien auf: 1. Familienleben bzw. Beziehungen im Privatleben (63 ff.); 2. Berufe und Lebenswandel (67 ff.); 3. politisches Mißverhalten; 4. Verurteilung. Er führt die Strafmaßnahmen ohne Quellengrundlage fort (66 f.) und unterliegt damit einem Mißverständnis: Das *regimen morum* sollte nicht in jedem Fall strafen, sondern nur die Möglichkeit bieten, zu strafen.

[45] Vgl. dazu A. H. J. Greenidge, Infamia, 71 ff.

Einbringen schädlicher Gesetze,[46] Respektlosigkeit gegenüber Amtsinhabern, insbesondere den Zensoren selbst,[47] Verfehlungen im sakralen[48] und militärischen Bereich, wie Fahnenflucht, Vernachlässigung des Ritterpferdes, Eigenmächtigkeit, Feigheit, Gehorsamsverweigerung u. ä. Das Verhältnis Patron-Klient wurde von der Sittenaufsicht ebenso beobachtet[49] wie die Einhaltung von Eiden.[50]

Aus heutiger Sicht besonders kennzeichnend für den Charakter der Sittenaufsicht ist die Überwachung des Privatlebens. Die erste, noch unbeglaubigte Bestrafung betraf den Senator L. Annius[51] wegen ungerechtfertigter Ehescheidung.[52] Es ist auch sonst mehrfach bezeugt, daß Ehe und Familie unter das *regimen morum* fielen.[53] Bereits 403 sollen die Zensoren M. Furius Camillus und M. Postumius Albinus Regillensis versucht haben, ledige Männer durch eine Geldstrafe zur Heirat zu zwingen.[54] Im Jahre 231 ließ sich Sp. Carvilius Ruga von seiner Frau scheiden, *quod sterila esset iurassetque* (sc. *Carvilius*) *apud censores uxorem se liberum quaerundorum causa habere.*[55] Nicht standesgemäße Ehe-

---

[46] Präziser wohl die Beschneidung oder Abschaffung bewährter Institutionen, s. die Ausstoßung des Duronius im Jahre 97, der die *lex Licinia sumptuaria* abrogiert hatte, Val. Max. 2, 9, 5; vgl. auch die wahrscheinlich erfundene, aber dennoch für die Möglichkeiten des *regimen morum* bezeichnende Ausstoßung des Mamercus wegen Beschneidung der Zensur, oben S. 9, Anm. 20. In diesem Zusammenhang sei darauf hingewiesen, daß auch die unrechtmäßige Einberufung des Senates zensorisch strafbar war, Gell. 14, 7, 8.

[47] Vgl. i. J. 184 L. Nasica: Cic. de orat. 2, 260; Gell. 4, 20, 6; 159 ein Ritter: Gell. 4, 20, 11–13; 142 ebenfalls ein Ritter: Plut. apopht. Scip. min. 11; vgl. auch Gell. 4, 20, 8 f.

[48] Allgemein: Dion. Hal. 20, 13, 3; konkret: 184 wurde ein L. Veturius u. a. wegen Vernachlässigung der Religionspflichten notiert, Fest. v. *stata sacrificia* 344 M; vgl. auch i. J. 92 Val. Max. 6, 5, 5. Die Zuständigkeit der *gens* für diesen Bereich blieb jedoch weitgehend unangetastet.

[49] Gell. 5, 13: *M. Cato in oratione quam dixit apud censores in Lentulum, ita scripsit: quod maiores sanctius habuere, defendi pupillos, quam clientem non fallere.*

[50] Bestraft wurden Meineid, falsches Zeugnis, Eidbruch, Widersetzlichkeit. Die relative Häufigkeit dieser Notationsgründe erklärt sich aus der überragenden Bedeutung des Eides, vgl. Cic. off. 3, 111: *Nullum enim vinculum ad astringendam fidem iure iurando maiores artius esse voluerunt . . . Indicant notiones animadversionesque censorum, qui nulla de re diligentius quam de iure iurando iudicabant.*

[51] Oder Antonius, vgl. J. Suolahti, Roman Censors, 437; P. Willems, Sénat I, 265; W. Druman/P. Groebe, Geschichte Roms in seinem Übergange von der republikanischen zur monarchischen Verfassung I, Berlin 1899², 43, Nr. 4.

[52] Val. Max. 2, 9, 2; s. oben S. 6 f., Anm. 11.

[53] Dion. Hal. 20, 13, 3: Kindererziehung, Ehe, Mißbrauch der *patria potestas;* Plut. Cat. mai. 16; Varro, ling. 6, 71; Cic. rep. 4, 6: *nec vero mulieribus praefectus praeponatur, qui apud Graecos creari solet, sed sit censor, qui viros doceat moderari uxoribus;* Cic. leg. 3, 3, 7: *caelibes esse prohibento* (sc. *censores*).

[54] Val. Max. 2, 9, 2; Plut. Cam. 2, 4. Ähnliche Zwangsmaßnahmen soll es bereits früher gegeben haben, vgl. Dion. Hal. 9, 22: danach wurden Heiratsfähige zur Ehe und zum Aufziehen von Kindern gezwungen. Servius Tullius hat Witwen zur Beschaffung öffentlicher Pferde und zu deren Unterhaltung verpflichtet, Cic. rep. 2, 20, 36; vgl. Liv. 1, 43; Dio 56, 6.

[55] Gell. 17, 21, 44; vgl. oben S. 6 f., Anm. 11.

schließungen[56] fielen ebenso unter das *regimen morum* wie schlechte Kindererziehung,[57] wie aus der Bestrafung des Senators Manlius, immerhin Anwärter auf das Konsulat, im Jahre 184 deutlich wird: Er wurde von Cato aus dem Senat gestoßen, weil er seine Frau vor seiner Tochter geküßt hatte.[58]

In Reden[59] und durch Edikte[60] oder Strafmaßnahmen[61] wiesen die Zensoren zudem immer wieder darauf hin, daß sie das *regimen morum* auch als bevölkerungspolitisches Mittel einzusetzen gedachten. Allerdings sollte man die praktische Bedeutung der zensorischen Kontrollbefugnis auf diesem Gebiet[62] nicht überbewerten: In einem sehr weiten Rahmen blieb die *patria potestas* bis in die Kaiserzeit unangetastet.[63] Der Zweck der Eingriffsmöglichkeit in das Familien-

---

[56] So kann man aus Liv. 39, 19, 5 entnehmen: Durch SC wurde der Hispalla Fescennia 186 die Erlaubnis zur Ehe mit römischen Bürgern erteilt, ohne daß *ei qui eam duxisset ob id fraudi ignominiaeve esset*. Wahrscheinlich konnten also römische Bürger, die nicht standesgemäß heirateten, zensorisch notiert werden; dazu Th. Mommsen, Staatsrecht II, 381, Anm. 6; R. Villers, ANRW II 14, 295.

[57] Nach Dion. Hal. 20, 13, 3 durfte der Vater weder zu hart noch zu nachsichtig gegen die Kinder sein; vgl. Plut. Cat. mai. 16. Dennoch war die Kindererziehung grundsätzlich frei von staatlicher Bevormundung (Cic. rep. 4, 2), auch wenn gefordert wurde, daß sie im Dienste des Staates stehen solle: Cic. Verr. 2, 3, 161; vgl. Sest. 136 f.; dazu H. Roloff, Maiores bei Cicero, Diss. Göttingen 1938, 125 ff.

[58] Plut. Cat. mai. 17; coniug. praec. 13. Zur Identifikation M. Nowak, Strafverhängungen, 24; J. Suolahti, Roman Censors, 155 f. – Mißbrauch der Gewalt über andere liegt bei einem anderen catonischen Straffall vor: L. Quinctius Flamininus wurde notiert, weil er einen Schutzflehenden im cisalpinischen Gallien umgebracht hatte, Cic. senect. 12, 42; Liv. 39, 42, 5 ff.; 43, 1; Val. Max. 2, 9, 3; vgl. 4, 5, 1; Auct. vir. ill. 47, 4; Sen. controv. 9, 2; Plut. Flam. 18; Cat. mai. 17. Über diese Episode existieren verschiedene Versionen, vgl. M. Nowak, Strafverhängungen, 22 ff.; H. H. Scullard, Roman politics, 157 f.; P. Fraccaro, Ricerche storiche e letterarie sulla censura del 184/183 (M. Porcio Catone L. Valerio Flacco), Opuscula I, 422; 426 ff. (= Studi storici per l'antichità classica 4, 1911, 9; 14 ff.); N. W. Forde, Cato, 197 f.; A. M. Rabello, Effetti, 114 f. Für die Notierung waren wahrscheinlich politische und persönliche Gründe ausschlaggebend: Quinctius war der Bruder des Zensors von 189, der Cato vorgezogen worden war.

[59] Der Zensor von 142 P. Cornelius Scipio beklagt in einer Rede *de moribus*, daß man die *praemia patrum* eher durch Adoption als durch eigene Kinder zu erlangen suche, Gell. 5, 19, 15. 131 hielt Q. Caecilius Metellus als Zensor die Rede *de prole augenda*, Liv. per. 59; Suet. Aug. 89; Gell. 1, 6.

[60] Vgl. unten S. 25 f. Sogar Eide scheinen die Zensoren zur Erfüllung dieser Pflichten verlangt zu haben, vgl. Gell. 4, 3, 2; 17, 21, 44; vgl. E. Schmähling, Sittenaufsicht, 25 f., und oben S. 6 f., Anm. 11. Das *regimen morum* trug damit dem nach römischem Verständnis eigentlichen Zweck der Ehe, der Kinderzeugung, Rechnung, vgl. Enn. scen. 120; 129; Plaut. Capt. 889; Aul. 148 f.; Gell. 4, 3, 2; 20, 3; 17, 21, 44; Ulp. reg. 3, 3; Fest. v. *quaeso* 312 L.

[61] Wenn der Vater seine verlobte Tochter dem Bräutigam versagte, hatte der Zensor einzugreifen, Varro ling. 6, 71: *quod tum et praetorium ius ad legem et censorium iudicium ad aequum existimabatur*.

[62] Cic. rep. 4, 6; Dion. Hal. 20, 13; Val. Max. 2, 9, 2; Plut. Cat. mai. 16; 17; vgl. auch 20, 2.

[63] Zu Recht verneint H. Siber, Verfassungsrecht, 222, weitgehende Eingriffe in ‹Privatangelegenheiten›. Beschränkt war die *patria potestas* lediglich durch (allerdings nicht gefor-

recht war nicht, die Gewaltunterworfenen vor Willkür zu schützen,[64] sondern die Wahrung des gesamtgesellschaftlichen Ansehens auf der einen Seite und die Sicherung der inneren Geschlossenheit auf der anderen Seite durch Bestrafung und Boykottierung derjenigen, die auffallend ihre rechtlich unbegrenzte Freiheit mißbraucht und gegen den *mos maiorum* verstoßen hatten. Das *regimen morum* reagierte auch in diesem Bereich nur auf Einzelfälle; es war keine Institution zur Erzwingung von Geboten und nicht von vornherein als Pendant zur absoluten Freiheit der Gewalthaber gedacht.[65]

Ähnlich sind die zensorischen Eingriffe in das Eigentumsrecht zu bewerten. Verstöße gegen traditionelle Nutzung des Landes wurden zumal von diesbezüglich engagierten Zensoren[66] bestraft. Dazu gehörte, wenn jemand seine

---

derte) Zuziehung des Hausgerichts und «Bindung der Tötung oder Ehescheidung an bestimmte tatbestandsmäßige Voraussetzungen», M. Kaser, ZRG 58, 1938, 68; doch sind hier die Quellen recht unscharf: Dion. Hal. 2, 15; 2, 27; Plut. Numa 17; Rom. 22; Fest. v. *plorare* 260 L; vgl. dazu P. Bonfante, Corso I, 251; E. Volterra, RISG 2, 1948, 114; L. Mitteis, Römisches Privatrecht, Leipzig 1908, 29; Th. Mommsen, Strafrecht, 689, Anm. 4; 1005, Anm. 2. Noch weniger war wohl die Verfügungsgewalt über Sklaven beschränkt, in die die Zensoren wahrscheinlich auch im Fall der Mißhandlung kaum eingegriffen haben werden. Theoretisch waren sie zwar auch hier zuständig, Dion. Hal. 20, 13; dazu Th. Mommsen, Staatsrecht II, 381; E. Schmähling, Sittenaufsicht, 38 f.; 84 f.; M. Kaser, Gemeinschaftsordnung, 23; ders., Eigentum und Besitz, 190; vgl. aber die praktische Behandlung von Sklaven durch Cato: Plut. Cat. 4, 5; 5, 1; vgl. Varro rust. 1, 17, 1; Cat. agr. 10, 1 ff.; 2, 7. Selbst Augustus beschränkte sich im Falle der grausamen Sklavenbehandlung durch Vedius Pollio auf eine Mißbilligung, ohne sich aber in das Verhältnis zwischen Herrn und Sklaven einzumischen: Dio 54, 23, 2 ff.; umso mehr wird dies für die Republik gelten. Dazu O. Behrends, Prinzipat und Sklavenrecht, in: Rechtswissenschaft und Rechtsentwicklung, Göttinger rechtswiss. Studien 111, 1980, 53 ff.; N. Brockmeyer, Antike Sklaverei, Darmstadt 1979, 161 ff. Zu große Bedeutung für die *patria potestas* mißt auch A. M. Rabello, Effetti personali, 109, dem Sittengericht bei, v. a. auch 112 ff. in Bezug auf die Zensur Catos.

[64] So A. Balducci, AG 191, 1976, 69 ff.; F. Cancelli, Studi sui censores e sull'arbitratus della lex contracta, Mailand 1960, 49. Eine soziale Komponente im modernen Sinne, also etwa der Schutz der Schwachen, kann beim *regimen morum* nicht erwartet werden.

[65] So E. Pólay, St. Volterra III, 270, für den das *regimen morum* geschaffen worden ist, um allen Entscheidungen des Familienoberhauptes Legitimität abzufordern; vgl. ders., Differenzierungen der Gesellschaftsnormen im antiken Rom, Budapest 1964, 97 f. Mit ähnlichen Schlußfolgerungen G. Piéri, L'histoire du cens, 101 f.; E. Fantham, EMC 21, 1977, 50; U. v. Lübtow, Das römische Volk, 625: «So weit ausgreifende Rechte wie Hausgewalt und Eigentum sind eben nur tragbar, wenn sie pflichtgemäß, maßvoll, diszipliniert ausgeübt werden»; vgl. auch A. Wlosok, Nihil nisi ruborem. Über die Rolle der Scham in der römischen Rechtskultur, GB 9, 1980, 162 ff.

[66] Vor allem ist hier natürlich Cato zu nennen: Cat. agr. 3, 1: *Prima adulescentia patrem familiae agrum conserere studere oportet; aedificare diu cogitare oportet, conserere cogitare non oportet, sed facere oportet. ubi aetas incessit ad annos XXXVI, tum aedificare oportet, si agrum consitum habeas. ita aedifices, ne villa fundum quaerat;* vgl. Gell. 4, 12, 3: *cuius rei utriusque* (nämlich Bestrafung bei Vernachlässigung der Ländereien und des Ritterpferdes) *auctoritates sunt, et M. Cato id saepenumero adtestatus est.* Konkrete Fälle sind aber von Cato nicht überliefert.

Ländereien allzu nachlässig oder überhaupt nicht bewirtschaftete[67] oder wenn er Landbesitz veräußerte, um seine Schulden zu bezahlen.[68] Ebenso konnten die Zensoren gegen Bautätigkeit auf Kosten landwirtschaftlicher Nutzung einschreiten.[69] Allerdings wird man sich diese Eingriffsbefugnis in der Praxis auch hier nicht zu weitgehend vorstellen dürfen, und es ist sicher übertrieben, auf eine ‹Sozialbindung des Eigentums›[70] zu schließen. Wahrscheinlich sind derartige Rügen nur in Verbindung mit anderen Vergehen ausgesprochen worden,[71] um den notierten Bürger in seiner ganzen Lebensführung als tadelnswert erscheinen zu lassen.[72]

---

[67] Plin. n. h. 18, 3, 11: *agrum male colere censorium probrum iudicabatur. Probrum* ist oft die Bezeichnung für zensorisch strafwürdige Tatbestände, vgl. Th. Mommsen, Staatsrecht II, 382, Anm. 8. P. de Francisci, St. Segni I, 168, legt den Begriff *probrum,* der doch bei Plinius schon durch den Zusatz *censorium* klassifiziert ist, viel zu weit aus. In dieser Verbindung hat er eine ganz andere Qualität als das *probrum,* mit dem *furtum, adulterium* u. ä. – vgl. D 50 16, 42 – bezeichnet wird. Gell. 4, 12, 1–3: *Si quis agrum suum passus fuerat sordescere eumque indiligenter curabat ac neque araverat neque purgaverat, sive quis arborem suam vineamque habuerat derelictui, non id sine poena fuit, sed erat opus censorium, censoresque aerarium faciebant.* Vgl. auch Anm. 66.

[68] Ascon. 65 St.: *Hunc Antonium Gellius et Lentulus censores . . . senatu moverunt causasque subscripserunt, quod socios diripuerit, quod iudicium recusarit, quod propter aeris alieni magnitudinem praedia mancuparit bonaque sua in potestate non haberet.* Man erkennt aber aus dieser Zusammenstellung der Notationsursachen, daß die durch Verschwendung erzwungene Landveräußerung lediglich das Bild vom schlechten Bürger abrunden sollte. Es handelt sich um die Zensur des Jahres 70. Zu dem notierten Antonius vgl. E. Klebs, RE I, s. v. Antonius (19), 2577; E. Schmähling, Sittenaufsicht, 138 f.

[69] Plin. n. h. 18, 6, 32: *Modus hic probatur, ut neque fundus villam quaerat, neque villa fundum, non, ut fecere iuxta diversis in eadem aetate exempli L. Lucullus et Q. Scaevola, cum villa Scaevolae fructus non caperet, villam Luculli ager, quo in genere censoria castigatio erat minus arare quam verrere;* vgl. Cat. agr. 3, 1 (s. S. 16, Anm. 66); vgl. E. Schmähling, Sittenaufsicht, 20; 22; 50 f.; 68 f.; 137.

[70] So W. Simshäuser, FS Coing I, 329–363, bes. 340 f.

[71] Das wird bei dem einzigen konkret überlieferten Fall des notierten C. Antonius Hybrida im Jahre 70 deutlich, vgl. oben Anm. 68, außerdem Q. Cic. de pet. cons. 2, 8; Cic. Flacc. 38; 95; Plut. Caes. 4; vgl. E. Klebs, RE I, s. v. Antonius (19), 2577; W. Drumann/ P. Groebe, Geschichte Roms I, 390, Anm. 11; T. Frank, Survey, 351; E. Schmähling, Sittenaufsicht, 139; M. Kaser, Eigentum und Besitz, 235; ders., Privatrecht, 125. Hybrida war der Sohn des Redners und der Onkel des Triumvirn und war schon 76 durch Caesar angeklagt worden. Schon bald nach der Notierung gehörte er wieder dem Senat an und war 63 mit Cicero zusammen Konsul, Cic. Cluent. 42, 120.

[72] Einen in diesem Sinne nur indirekten Eingriff in die Eigentumsrechte vermuten auch P. Bonfante, Corso II, 203 ff.; V. Scialoja, Teoria della proprietà nel diritto romano (ed. P. Bonfante) I, Rom 1928, 314 ff. Anders P. de Francisci, Studi Segni I, 620 f., der – ausgehend von der Plinius-Notiz (Kennzeichnung als *probrum,* s. Anm. 67) – die praktische Bedeutung der zensorischen Eingriffsmöglichkeiten überschätzt. Sie habe der Verpflichtung zu höchster Sorgfalt bei der Bebauung des Landes Rechnung zu tragen, die als Teil des *mos maiorum* Ausdruck des Gemeinschaftsprinzips gegen den Individualismus sei (636 ff.); vgl. auch W. Simshäuser, FS Coing I, 334 ff.

Ein weiteres Betätigungsfeld der zensorischen Sittenaufsicht war der Kampf gegen den Luxus, der auch Grund für die erste beglaubigte Ausstoßung aus dem Senat war. Es handelt sich um die Bestrafung des P. Cornelius Rufinus wegen des Besitzes von 10 Pfund Silber.[73] Der Fall hatte einen außerordentlich hohen Bekanntheitsgrad,[74] so daß wir in den Quellen oftmals lediglich Anspielungen vorfinden.[75] Das ist zurückzuführen auf das gelegentlich herausgestellte Mißverhältnis von Notationsgrund und Bedeutung des Mannes, der zweimal Konsul und Diktator war und auch triumphiert hatte.[76] Demgegenüber scheint der überlieferte Rügegrund selbst für diese Zeit zu geringfügig,[77] als daß er allein die Ausstoßung gerechtfertigt hätte. Vielleicht lag die tatsächliche Ursache in der bekannten persönlichen Feindschaft des Fabricius und des Rufinus,[78] vielleicht auch in einer überragenden politischen Stellung des Rufinus, wie sie die zweimalige Besetzung des Konsulats und die Diktatur nahelegen und die ihn über die Standesgenossen möglicherweise zu sehr hinaushob. Die zensorische Notation hätte dann die Wahrung der aristokratischen Gleichheit zum Ziel gehabt, wobei der Anlaß ein nicht ganz einwandfreier Erwerb des Silbers gewesen sein mag,[79] zumal ja der Charakter des Rufinus bekannt war. Entscheidend aber ist, daß derartige Begründungen formuliert werden konnten und daß diese Entscheidung infolge der dem Amte innewohnenden Autorität akzeptiert und später sogar glorifiziert wurde.

---

[73] Die Geschichte wird von Gell. 4, 8, 1–8 erzählt.

[74] Vgl. Val. Max. 2, 9, 4: *quid de Fabricii Luscini censura loquar? Narravit omnis aetas et narrabit ab eo Cornelium Rufinum duobus consulatibus et dictatura speciosissime functum, quod X pondo vasa argentea conparasset, perinde ac malo exemplo luxuriosum in ordine senatorio retentum non esse.* Zur Person des Rufinus vgl. Vell. 2, 17, 2; über die Unbestechlichkeit des Fabricius vgl. Dion. Hal. 19, 16: in einer Rede wendet er sich gegen Bestechlichkeit schon aus der Gewißheit heraus, daß die Zensoren eingreifen. Zur Zensur des Fabricius Val. Max. 4, 4, 3; vgl. F. Münzer, RE IV (1901), s. v. Cornelius (302), 1422 f.

[75] Plin. n. h. 33, 142; 18, 39; Aug. civ. dei 5, 18 (*ut quidam . . . ex illo senatu hominum pauperum pelleretur notatione censoria*). Fast schon als Sprichwort: Iuv. 9, 140 ff.: *viginti milia fenus / pigneribus positis, argenti vascula puri / sed quae Fabricius censor notet.* Ebenso Varro bei Nonius p. 465: *Nihilo magis propter argenti facti multitudinem is erat furandum quod propter censoriam severitatem nihil luxuriosum habere licebat.*

[76] So Plin. n. h. 18, 39; 33, 142.

[77] Val. Max. 4, 4, 3 hebt von beiden Zensoren des Jahres hervor, daß auch sie Silber besessen hätten.

[78] So auch M. Nowak, Strafverhängungen, 12 f. ‹Berichtigend› im Sinne seiner Ausführungen E. Schmähling, Sittenaufsicht, 23, Anm. 18, der die Einschätzung der Überlieferung fast bedingungslos trägt. Danach habe sich die Feindschaft des Fabricius auf die Habgier des Rufinus gegründet.

[79] Vgl. A. O'Brien Moore, RE Suppl. VI, s. v. senatus, 689; auch F. Münzer, RE IV, s. v. Cornelius (302), 1422 ff.; A. Lippold, Consules, 89, gegen F. Cassola, Gruppi politici, 170. Vielleicht war aber einfach der Privatbesitz einer solchen Menge Silber zu dieser Zeit noch nicht üblich. Die Entwicklung des Tafelgeschirrluxus nahm erst im 2. Jahrhundert einen Aufschwung; selbst der genügsame Zensor Scipio Aemilianus soll 32 Pfund Silber besessen haben (Plin. n. h. 33, 50, 141). Sein Neffe war der erste, der 1000 Pf. hatte (Konsul 123).

Auch der Bauluxus gehörte zum Straffeld des *regimen morum.*[80] Die bekannteste diesbezügliche Notation stammt von 125, als die Zensoren Cn. Servilius Caepio und L. Cassius Longinus M. Aemilius Lepidus straften, weil er sich ein Haus für 6000 Sesterzen gemietet hatte.[81] Von Cassius scheint er darüber hinaus auch wegen eines zu hoch gebauten Landhauses belangt worden zu sein.[82] Allerdings ist es sicher nicht ungerechtfertigt, sowohl aus der Vorgeschichte des Lepidus[83] als auch aus seiner Verstrickung in Parteiauseinandersetzungen[84] auf einen politischen Zusammenhang zu schließen. Im Jahre 92 rügte der Zensor Cn. Domitius Ahenobarbus[85] seinen Kollegen L. Licinius Crassus, weil dessen mit 6 Marmorsäulen[86] ausgestattete Haus für einen Zensor zu prachtvoll

---

[80] Hierher gehört wahrscheinlich auch die bei Suet. Aug. 89, 2 erwähnte Rede des Rutilius Rufus *de modo aedificiorum,* auf die sich Augustus bei seiner Gesetzgebung berief; vgl. H. Malcovati, ORF, 168 ff.; außerdem F. Münzer, RE I A (1914), s. v. Rutilius (34), 1271; E. Schmähling, Sittenaufsicht, 63, Anm. 76; 71.

[81] Vell. 2, 10, 1: *Prosequamur notam severitatem censorum Cassii Longini Caepionisque, qui abhinc annos CLVII Lepidum Aemilium augurem, quod sex milibus HS aedes conduxisset, adesse iusserunt. at nunc si quis tanti habitet, vix ut senator agnoscitur: adeo natura a rectis in vitia, a vitiis in prava, a pravis in praecipitia pervenitur.* Doch war eine Miete von 6000 Sesterzen auch in der Zeit des Lepidus keineswegs übermäßig hoch, vgl. die Mietpreise Sullas bei Plut. Sulla 1; deshalb sind Zweifel an dem Notationsgrund durchaus angebracht. Selbst wenn die Zensoren sehr streng waren, reichte es als alleinige Begründung nicht aus, vgl. L. Friedländer, Darstellungen, II, 330; W. Kroll, Kultur, I, 97; E. Schmähling, Sittenaufsicht, 70; J. Bleicken, Volkstribunat, 69; I. Sauerwein, Leges sumptuariae, 125 f.

[82] Val. Max. 8, 1d, 7: *Admodum severae notae et illud populi iudicium cum M. Aemilium Porcinam a L. Cassio accusatum crimine nimis sublime exstructae villae in Alsiensi agro gravi multa affecit.* Nach E. Klebs, RE I (1894), s. v. Aemilius (83), 566, vermengt Valerius Maximus hier die Rüge mit dem politischen Prozeß.

[83] Lepidus widersetzte sich 137 als Konsul der *lex tabellaria* des M. Cassius, Cic. Brut. 97. Anschließend wurde er nach Spanien geschickt und zettelte gegen den Befehl des Senates einen Krieg mit den Vaccaern an, wobei er eine Niederlage erlitt, App. Hisp. 80–83: Wegen dieser Vorgänge wurde er angeklagt, App. Hisp. 83; vgl. Cic. Brut. 95; de orat. 1, 40; Rhet. Her. 4, 5; Liv. per. 56. Dazu L. Lange, Alterthümer I, 551; III, 28; J. F. Houwing, De Romanorum legibus sumptuariis, 47; M. Nowak, Strafverhängungen, 43; F. Münzer, Römische Adelsparteien und Adelsfamilien, Stuttgart 1920, 242; B. Kübler, RE IV A (1931), s. v. sumptus, 903 f.; W. Simshäuser, FS Coing I, 336 f., Anm. 29, zum Widerspruch zwischen Val. Max. und Vell. bezüglich des Strafverfahrens.

[84] F. Münzer, Adelsparteien, 242, nennt hier die Auseinandersetzung zwischen Scipios Anhängern und Widersachern.

[85] Domitius galt als idealer Zensor und unbestechlich in seinem Urteil: Cic. Deiot. 31; de orat. 2, 230; Diod. 37, 13, 1 f.; Val. Max. 6, 5, 5; Dio frg. 90, 1. Im Jahre 103 hat er den *princeps senatus* Scaurus wegen nicht korrekter Beobachtung der sakralen Pflichten angeklagt. Sein Verhältnis zum Kollegen in der Zensur war auch sonst nicht ungetrübt, vgl. Macr. 3, 15, 3 ff.: (Crassus) *murenam in piscina domus suae mortuam atratus, tamquam filiam luxit. neque id obscurum fuit; quippe collega Domitius in senatu hoc ei quasi deforme crimen obiecit.*

[86] Nach Plin. n. h. 17, 1, 6; 36, 3, 7 war Crassus der erste, der Marmorsäulen in seinem Haus besaß, vgl. F. Münzer, Beiträge zur Quellenkritik der Naturgeschichte des Plinius,

sei.[87] Möglicherweise ist auch Cato gegen den Bauluxus vorgegangen;[88] konkrete Fälle sind aber nicht überliefert. Vielleicht war der Bauluxus überhaupt nur eine Domäne der Zensur;[89] gesetzlich scheint jedenfalls in dieser Phase nichts geregelt worden zu sein.[90]

Über Bestrafung wegen Tafelluxus und überhaupt Veranstaltung von Gelagen ist uns nichts bekannt; theoretisch waren aber auch hier die Zensoren zuständig.[91]

Darüber hinaus hatten die Zensoren Verstöße gegen die Standesehre zu ahnden,[92] d.h. nicht standesgemäßes Verhalten in der Öffentlichkeit. Wer als Schauspieler[93] oder Gladiator auftrat, wurde je nach Stand mit Ausstoßung aus dem Senat, Entzug des Ritterpferdes oder Versetzung unter die Ärarier bestraft.[94] Cäsar mußte in seiner Eigenschaft als *praefectus moribus*[95] dem Ritter

---

Berlin 1897, 328 f.; L. Friedländer, Darstellungen, II, 331; T. Frank, Survey, 355; E. Schmähling, Sittenaufsicht, 138.

[87] Plin. n. h. 17, 1, 1 f.; 36, 7; 114; Val. Max. 9, 1, 4; Cic. de orat. 2, 45; 227; 230; 242; Brut. 162; 164 f.; Ael. hist. anim. 8, 4; Plut. praec. ger. rei publ. 14, 24; de soll. anim. 23, 7; de inim. util. 5; Suet. Nero 2, 2; Macr. 3, 15, 3 ff.; vgl. F. Münzer, RE V (1905), s. v. Domitius (21), 1326; M. Nowak, Strafverhängungen, 48; L. Friedländer, Darstellungen, II, 331; N. Häpke, RE XIII, s. v. Licinius (55), 261; E. Schmähling, Sittenaufsicht, 136 ff.; J. Suolahti, Roman Censors, 440 f. Domitius wollte das Haus kaufen; Crassus willigte ein, allerdings ohne Verkauf der dazugehörigen Bäume, womit Domitius wiederum nicht einverstanden war. Darauf die überlieferte Antwort des Crassus: *utrumne igitur ego sum inquit, quaeso Domiti, exemplo gravis et ipsa mea censura notandus, qui domo, quae mihi hereditate obvenit, comiter habitem, an tu, qui sex arbores LX aestimes?*, Plin. n. h. 17, 1, 2–6; Val. Max. 9, 1, 4 (hier mit für den Inhalt unwesentlichen Abweichungen).

[88] Vgl. Cat. agr. 3, 1 (oben S. 16, Anm. 66). Belegt ist, daß er gegen Bauten auf öffentlichem Grund vorgegangen ist, Plut. Cat. mai. 19; Liv. 39, 44.

[89] Vgl. Cic. off. 1, 138: *(Scaurus) in domum multiplicatam non repulsam rettulit, sed ignominiam etiam et calamitatem.* Zu dem Bauluxus des Scaurus: Cic. Scaur. 45; Ascon. 27 St.; Plin. n. h. 36, 6.

[90] Plin. n. h. 36, 2 f. beklagt das Anwachsen des Bauluxus. Während der Ädilität des M. Scaurus (58) seien 360 Säulen für einen Theaterbau verwendet worden, ohne daß ein Gesetz eingeschritten sei; vgl. 36, 114: *in ea civitate, quae VI Hymettias non tulerat sine probro civis amplissimi;* vgl. 36, 36; 36, 8, 50; vgl. dazu T. Frank, Survey, 371; E. Schmähling, Sittenaufsicht, 138. Wie später in der Kaiserzeit gab es auch in der Zeit der Republik wohl Beschränkungen der Baufreiheit, die aber nicht sumptuarischen Charakter hatten, sondern der Bausicherheit dienten, vgl. W. Simshäuser, FS Coing I, 353 ff.; unten S. 105.

[91] Dion. Hal. 20, 13, 3; Plut. Tib. Gracch. 14; Cat. mai. 16; Sen. ep. 95, 41: *quid est cena sumptuosa flagitiosius et equestrem censum consumente?*

[92] Vielleicht hatten die Zensoren in diesem Zusammenhang auch Eheschließungen auf ihre Rechtmäßigkeit hin zu überprüfen, Liv. 39, 19, 5 und oben S. 15, Anm. 56.

[93] Zu deren Rechtsstellung im allgemeinen vgl. J. E. Spruit, Acteurs; zum zensorischen Sittengericht S. 35–43.

[94] Cic. rep. 4, 10: *cum artem ludicram scaenamque totam in probro ducerent, genus id hominum non modo honore civium reliquorum carere, sed etiam tribu moveri notatione censoria voluerunt;* Liv. 7, 2, 12; Val. Max. 2, 4, 4; Tert. spect. 22; 10, 4; Aug. civ. dei 2, 13: *Romani ... hominibus scaenicis nec plebeiam tribum, quanto minus senatoriam curiam*

D. Laberius, den er zu einem öffentlichen Schauspielerwettstreit veranlaßt hatte, neben 125 000 Denaren auch den goldenen Ring als Wiederanerkennung seiner Ritterwürde verleihen.[96]

Unter das *regimen morum* fiel wahrscheinlich auch das Würfelspielen;[97] ein konkreter Fall einer Bestrafung ist zwar nicht überliefert, doch haben die Zensoren des Jahres 70 Q. Curius aus dem Senat gestoßen, der als *notissimus aleator* geschildert wird.[98]

Als Verstoß gegen die senatorische Standesehre galt nach der *lex Claudia de nave senatorum* von 218 auch der berufsmäßige Handel.[99] Da aber das Gesetz keine Strafe festsetzte, waren vielleicht auch hier die Zensoren zuständig.

Theoretisch hatte also die zensorische Sittenaufsicht die Lebensführung des Einzelnen bis weit in die Privatsphäre hinein zu kontrollieren. Doch sind die Bestrafungen, die ausschließlich aufgrund von Fehlverhalten im Privatleben erfolgten, selten und entweder als anekdotenhafte Ausschmückung der tatsächlichen Gründe zu werten oder sie dienten der zusätzlichen Legitimation des Urteils; fast in allen überlieferten Einzelfällen kann man politische bzw. persönliche Differenzen der Notierten mit den jeweiligen Zensoren erkennen. Für die grundsätzliche Bewertung des *regimen morum* ist diese Einschränkung indes sekundär, da nach römischer Auffassung nicht zwischen öffentlich und privat getrennt wurde. Wahrscheinlich ist deshalb die Diskrepanz zwischen Theorie und Praxis gar nicht empfunden worden oder dies jedenfalls erst in einer Zeit, als auch die Zensur zum politischen Kampfmittel wurde. Die Zensoren hatten allgemein Handlungen auf ihr Verhältnis zum *mos maiorum* zu überprüfen, wobei grundsätzlich die Frage, ob der Verstoß privater oder politischer Natur war, in den Hintergrund trat. Daß dabei der nach modernem Verständnis

---

dehonestari sinunt. Ähnlich auch im prätorischen Edikt: D 3, 2, 1pr: *Infamia notatur ... qui artis ludicrae pronuntiandive causa in scaenam prodierit;* vgl. D 3, 1, 1, 6; außerdem die *lex Iulia municipalis* von Cäsar, Z. 123. Ausgenommen waren allerdings die Darsteller der Atellane: Liv. a. a. O.: *quod genus ludorum ab Oscis acceptum tenuit iuventus nec ab histrionibus pollui passa est: eo institutum manet, ut actores Atellanarum nec tribu moverentur et stipendia tamquam expertes artis ludicrae faciant;* ferner Val. Max. a. a. O. Dazu E. Schmähling, Sittenaufsicht, 42 ff.

[95] Suet. Caes. 76; Dio 43, 14, 4. Die Quellen sagen zwar ausdrücklich, daß er nicht Zensor gewesen ist, aber mit der Sittenpräfektur hat er doch das zensorische *regimen morum* übernommen.

[96] Suet. Caes. 39; Macr. 2, 7, 2 ff.; 2, 3, 10; Dio 43, 23, 5; Cic. ad fam. 12, 18, 2; Sen. contr. 7, 3, 9; Gell. 8, 15. Dazu E. Schmähling, Sittenaufsicht, 149; M. Gelzer, Caesar, der Politiker und Staatsmann, Wiesbaden 1960[6], 264 f.; W. Kroll, RE XII, s. v. Laberius (3), 246 f.; J. E. Spruit, Acteurs, 39; 44 ff.; U. Scamuzzi, Riv. di studi class. 18, 1970, 55 ff. Aus der Bemerkung des Laberius, daß er als römischer Ritter sein Haus verlassen habe, um als Schauspieler zurückzukehren, kann man entnehmen, daß eine Notierung fast automatisch auf derartige Vergehen erfolgte. Einen ähnlichen Fall berichtet Cic. ad fam. 10, 32, 2. In der Zeit des Prinzipats und auch schon der späten Republik ist man etwas freizügiger verfahren, dazu unten S. 144 ff.   [97] Vgl. unten S. 103 f.   [98] Ascon. p. 72 St.

[99] Liv. 21, 63: *quaestus omnis patribus indecorus visus;* dazu unten S. 30 ff.

öffentliche oder militärische Bereich im Mittelpunkt stand, darf nicht verwundern. Entscheidend ist die Befugnis, auch in die Privatsphäre einzugreifen, was den umfassenden Charakter des *regimen morum* deutlich macht. Es blieb gerade für die Senatoren und hier wiederum für die angesehensten unter ihnen ratsam, auch privat sich dem *mos maiorum* entsprechend zu verhalten, weil Verstöße im Zweifelsfalle gegen sie als Gründe für eine Ausstoßung aus dem Senat verwandt werden konnten.

2.1.5 Adressat des *regimen morum*

Es ist bereits darauf hingewiesen worden, daß das *regimen morum* ursprünglich nicht mit dem Zensus, sondern vielmehr mit der *lectio senatus* zusammenhängt. Möglicherweise ist dann, nachdem den Zensoren sittenrichterliche Befugnisse anläßlich der Senatslese eingeräumt worden sind (bzw. sie diese von sich aus usurpierten), das *regimen morum* zumindest theoretisch auch über das ganze Volk ausgeübt worden. Dieser Verlauf der Entwicklung ist, wie schon erwähnt, auch aus der Überlieferung zu schließen: Der erste beglaubigte Straffall ist die Ausstoßung des P. Cornelius Rufinus aus dem Senat im Jahre 276. Im Jahre 252 fand die erste uns bekannte zensorische Bestrafung von Rittern statt,[100] und erst 214, also in der Notzeit des Krieges gegen Karthago, hören wir zum ersten Mal von zensorischen Maßnahmen gegen einfache Bürger.[101] Aber wie die ersten Bestrafungen von Rittern zeigen, handelte es sich zunächst nur um militärisch relevante Fälle, wie Gehorsamsverweigerung oder Feigheit vor dem Feind.[102] Erst von Cato hören wir, daß er bei der *recognitio equitum*[103] L. Veturius wegen Nachlässigkeit bei der Ableistung sakraler Pflichten und wegen übermäßiger Körperfülle notiert hat,[104] doch ist auch hier der militärische Ursprung zu erkennen. Das gleiche gilt für Bestrafungen von Rittern, die die Pflege ihrer Pferde vernachlässigt hatten,[105] wie schon von Cato bezeugt ist.

---

[100] Vgl. oben S. 11, Anm. 33.   [101] Vgl. oben S. 11, Anm. 34.

[102] Vgl. die Bestrafungen der cannensischen Legionen im Jahre 214, die zur Auswanderung geraten hatten, Liv. 24, 18, 3; Val. Max. 2, 9, 8; 5, 6, 7; Liv. 22, 59, 5–13; 22, 53, 4 f.: Die Ritter wurden mit Entzug des Staatspferdes, alle mit der Ausstoßung aus der Tribus und Versetzung unter die Ärarier bestraft, Liv. 24, 18, 6; Val. Max. a. a. O. Der Hauptschuldige Metellus wurde allerdings trotzdem für das nächste Jahr zum Volkstribunen gewählt und versuchte vergeblich, sich an den Zensoren zu rächen, Liv. 24, 43, 1 f. Vgl. auch die weiteren Strafaktionen dieser Zensoren gegen die *callidi exsolvendi iuris iurandi interpretes*, Liv. 24, 18, 5; 22, 59 ff.; 58, 6 ff.; 61, 5 ff.; Cic. off. 1, 13, 40; 3, 32, 115; Gell. 7, 18. Dazu P. Willems, Sénat I, 290. Im Jahre 209 wurde ebenfalls gegen Ritter der cannensischen Legionen vorgegangen, Liv. 27, 11, 13 f.; 15.

[103] Zur Musterung auf dem Marsfeld Cic. Cluent. 134; Liv. 29, 37, 8; 38, 28, 2; 39, 44, 1; 43, 16, 1; Gell. 4, 20, 11; Suet. Aug. 38; Claud. 16; Vesp. 9; Val. Max. 4, 1, 10.

[104] Gell. 6, 22; 17, 2, 20; Plut. Cat. mai. 9, 6; Fest. p. 344; 234; auch hier wird also das Bestreben der Zensoren deutlich, die Strafmaßnahmen möglichst umfassend zu begründen, und nicht bloß auf eine notierenswerte Verfehlung zu beschränken.

[105] Gell. 4, 12, 2 f.: *Item, quis eques Romanus equum habere gracilentum aut parum nitidum visus erat, ‹impolitae› notabatur; id verbum significat, quasi ut dicas ‹incuriae›. Cuius rei utrius-*

Im Jahre 159 wurde ein Ritter bestraft, der eine ungebührliche Antwort auf die
Frage gegeben hatte, warum er besser gepflegt sei als sein Pferd.[106] Diese Notation erfolgte also einmal wegen des schlecht gepflegten Pferdes, zum anderen
wegen Respektlosigkeit gegenüber dem Zensor, wofür auch die Zensur von 142
ein Beispiel bietet: Einem Ritter wurde das Pferd genommen, weil er während
eines Gastmahles zur Zeit des 3. punischen Krieges einen Honigkuchen, den er
Karthago nannte, zur ‹Plünderung› vorgesetzt hatte. Die Bestrafung begründete der Zensor Scipio mit den Worten: Ἐμοῦ γάρ, ἔφη, πρότερος Καρχηδόνα
διήρπασας.[107]

Anekdoten von Sittengerichten über Ritter sind bei weitem nicht so häufig
wie die über Senatoren, und in den wenigen Fällen[108] dienen sie mehr der Hervorhebung der jeweiligen Zensoren als der Brandmarkung der Straftat. Selten
werden überhaupt die Namen der notierten Ritter erwähnt, und Nachrichten
über Bestrafungen wegen Übertretung der mores im privaten Bereich, wie das
bei Senatoren der Fall ist, fehlen vollständig.[109] Die vita und mores equitum
waren eben nur im Blick auf die militärische Eignung für die Zensoren interessant.[110] Die Rügegründe bewegen sich deshalb auch vornehmlich im militärischen Rahmen, zu dem noch Meineid und Respektlosigkeit als strafwürdige
Vergehen hinzukommen.[111]

---

que auctoritates sunt, et M. Cato id saepenumero adtestatus est; vgl. Liv. 29, 37, 8; Plut.
Pomp. 22; Fest. v. inpolitias p. 108 M: Es wurde bei der Rittermusterung auf den guten
Zustand der Pferde größter Wert gelegt.

[106] Gell. 4, 20, 11 f.: Zensoren waren P. Scipio Nasica und M. Popilius Laenas. Die Frage
lautete, warum der Ritter wohlgenährt und gesund sei, das Pferd aber dürr und schlecht
behandelt; die Antwort lautete: quoniam ego me curo, equum Statius nihili servos. Wegen dieses parum reverens responsum sei er unter die Ärarier versetzt worden, aber sicher war auch
die schlechte Behandlung des Pferdes ein Grund.

[107] Plut. apopht. Scip. min. 11.

[108] 179 wurde bei der Rittermusterung M. Antistius (zu seiner Person C. Nicolet, L'ordre
équestre I, 190; 193; 285 ff.; II, 778) das Pferd genommen; seine Charaktereigenschaften
werden von Cic. de orat. 2, 287 anekdotenhaft geschildert, ohne daß allerdings der tatsächliche Rügegrund angegeben wird. L. Licinius Sacerdos entging 142 der Notierung wegen
Meineides, weil der Zensor Scipio keinen Ankläger fand und nicht Ankläger, Zeuge und
Richter in einer Person sein wollte. Val. Max. 4, 1, 10 erzählt die Anekdote, um die Mäßi-
gung des Zensors hervorzuheben; vgl. Cic. Cluent. 48, 134; Plut. apopht. Scip. min 12;
Quint. 5, 11, 13; vgl. auch die oben S. 22 f. erzählten Fälle.

[109] Daß von den Annalisten auch die Rittermusterungen mit dem Oberbegriff mores regere
kommentiert werden, bedarf nicht der Erklärung (Liv. 41, 27, 13: moribus quoque regendis
diligens et severa censura fuit. multis equi adempti).

[110] Vgl. besonders Plut. Pomp. 22. Die meisten der namentlich genannten Ritter, denen
das Pferd genommen wurde, sind senatorischer Abkunft, vgl. C. Nicolet, L'ordre équestre,
86.

[111] Natürlich sind zahlreiche Bestrafungen aus uns nicht bekannten Gründen erfolgt.
Eine Sonderstellung nimmt außerdem die gegenseitige Wegnahme des Staatspferdes durch
die Zensoren von 204 ein, Liv. 29, 37, 8 ff.; Val. Max. 2, 9, 6; Auct. vir. ill. 50, 1.

Noch weniger ist uns über die Bestrafung normaler Bürger bekannt. Daß sie theoretisch vom Sittengericht ebenso betroffen waren, ist nicht nur bezeugt,[112] sondern entspricht durchaus auch dem römischen Grundsatz, alle Bürger einzubeziehen, auch wenn faktisch nur an Verhaltensnormen der oberen Schichten, vor allem der Senatoren gedacht ist.[113] Die Rügegründe waren überwiegend militärischer Natur;[114] Bestrafungen wegen Verstöße gegen den *mos maiorum* im privaten Bereich sind nicht bekannt.

Nicht betroffen vom Sittengericht waren die Frauen, für deren sittliches Verhalten in republikanischer Zeit der Ehemann bzw. der Vater verantwortlich war.[115] Erst in der Kaiserzeit, vor allem seit der *lex Iulia de adulteriis,* wurde namentlich der Ehebruch (auch) öffentlich verfolgt.

Die im vorigen Abschnitt erwähnten Eingriffe in die Privatsphäre trafen also vornehmlich Senatoren,[116] so daß wir auch hier den Ansatzpunkt für die Bewertung der Ziele des *regimen morum* zu suchen haben. Auch die Strafauswirkungen belegen die nach Ständen differenzierte Absicht des *regimen morum.* Wenn ein *nobilis,* dessen gesellschaftliche Existenz von der politischen Betätigung bestimmt wurde, von den Zensoren aus dem Senat gestoßen wurde, bedeutete das eine Ächtung seiner Person und damit oft, zumindest in der Anfangszeit des *regimen morum,* das Ende seiner Karriere.[117] Auch für die Ritter, die ihr Pferd abgeben mußten, waren die gesellschaftlichen Konsequenzen schwerwiegend, aber sie standen doch nicht so sehr im Blickpunkt der Öffent-

---

[112] Ps. Ascon. 189 St.

[113] Das wird z. B. auch die Untersuchung der Luxusgesetzgebung ergeben, die formell an alle Bürger, dem Sinne nach aber nur an die Nobilität gerichtet war.

[114] Im Jahre 214: Liv. 27, 11, 15; vgl. 169: Liv. 43, 15, 7 wegen unrechtmäßigen Entzugs vom Kriegsdienst; 142: Cic. de orat. 2, 272 wegen Feigheit. Außerdem ist noch ein Fall wegen Respektlosigkeit gegenüber den Zensoren überliefert (184): Cic. de orat. 2, 260; Gell. 4, 20, 6 (von dem betroffenen L. Nasica ist sonst nichts bekannt, also auch nicht seine Herkunft); eine Ausnahmestellung hat auch hier die Zensur des Jahres 204 inne, in der 34 Tribus notiert wurden: Liv. 29, 37, 13 f.; vgl. Val. Max. 2, 9, 6; Auct. vir. ill. 50,1 u. 3; Liv. 22, 35, 3; 27, 34, 3; Front. strat. 4, 1. 45.

[115] Vgl. Cic. rep. 4,6; Dion. Hal. 2, 25, 6; Gell. 10, 23, 4.

[116] Daß sich dessen auch die antiken Autoren bewußt waren, zeigt Liv. 23, 23 mit der Erklärung für das im Jahre 265 erfolgte Verbot der Iteration im Amte des Zensors: *ne penes unum hominem iudicium arbitriumque de fama ac moribus senatoriis fuerit;* Cic. dom. 131: *censor enim, penes quem maiores nostri ... iudicium senatoriae dignitatis esse voluerunt;* ferner Cluent. 128 f.; 150; 154.

[117] Im 1. Jahrhundert war allerdings der gesellschaftliche Boykott zu einer stumpfen Waffe geworden, wie der Fall des im Jahre 70 notierten Konsuls von 63, C. Antonius Hybrida, zeigt, vgl. oben S. 17, Anm. 68 u. Anm. 71. Zu den Auswirkungen der Straftätigkeit H. Siber, Verfassungsrecht, 222 f.; G. Piéri, L'histoire du cens, 113 ff.; J. Bleicken, Lex publica, 383 f.; 221 f.; C. Nicolet, Métier, 113 ff.; A. M. Rabello, Effetti, 116, Anm. 35, mit weiterer Literatur zur Infamie. Der technische Ausdruck «für den Ehrennachteil, den der vom Zensor Gemaßregelte erleidet», ist allerdings *ignominia,* vgl. M. Kaser, ZRG 73, 1956, 227 f. mit Belegen.

lichkeit wie die Senatoren, so daß die Infamie auch nicht die gleiche Wirkung hatte. Für die Normalbürger, zumal die in eine der vier städtischen Tribus Eingeschriebenen,[118] hatte das *tribu movere*[119] kaum Nachteile, da das Stimmrecht in diesen Tribus ohnehin wenig bedeutete und die Degradierung mit materiellen Auflagen nicht verbunden war.[120] Nicht nur die praktische Anwendung, sondern auch die Strafandrohung zeigt also, daß das *regimen morum* auf die Senatoren bezogen war.

2.1.6 Zensorische Edikte *de moribus* als Ergänzung des *regimen morum*

Ein Ausdruck des *regimen morum* war auch das Recht der Zensoren, Edikte *de moribus* zu erlassen.[121] Bekannt sind vor allem Ermahnungen und Edikte zur Stärkung der Ehebereitschaft. Im Jahre 169 erließen die Zensoren C. Claudius Pulcher und Ti. Sempronius Gracchus ein Edikt, daß Freigelassene mit einem Sohn, der älter als 5 Jahre war, bei der Einschreibung in die Tribus privilegiert waren.[122] Ihrer Zuständigkeit für die Erziehung trugen die Zensoren des Jahres 92 Rechnung, indem sie ihr Mißfallen an der Unterrichtstätigkeit der lateinischen Rhetoren zum Ausdruck brachten.[123] In beiden Fällen standen nicht die Sitten Einzelner im Mittelpunkt, die man durch Strafen hätte ahnden können,[124] sondern man versuchte das allgemeine Verhalten zu beeinflussen.

---

[118] Plin. n. h. 18, 3, 13: *Rusticae tribus laudatissimae eorum, qui rura haberent, urbanae vero, in quas transferri ignominiae esset, desidiae probro.*

[119] Nur in früherer Zeit bedeutete dieser Terminus vielleicht das vollständige Ausstoßen aus der Tribus. Später wurde er formelhaft für bloße Herabsetzung in der Tribus verwandt, vgl. Th. Mommsen, Staatsrecht II, 392 ff.; bes. 394 u. 404; G. Piéri, L'histoire du cens, 116 ff. Das gleiche gilt für die Versetzung unter die Ärarier, die später keine materiellen Nachteile mehr mit sich brachte, vgl. Cic. rep. 4, 6: *Censoris iudicium nihil damnato nisi ruborem adfert;* vgl. auch Cluent. 129: *Timoris. . . causam, non vitae poenam in illa potestate esse voluerunt.*

[120] Vgl. H. Siber, Verfassungsrecht, 223.

[121] Allgemein Gai. 1, 6: *ius. . . edicendi habent magistratus populi Romani.* Entstehung und Entwicklung der zensorischen Edikte bei Th. Mommsen, Staatsrecht II, 373, Anm. 2; ferner A. H. J. Greenidge, Infamia, 57 ff.

[122] Liv. 45, 15. So schon in der Zensur von 179, Liv. 40, 51. Beide Edikte sollten wohl die *lex Terentia de libertinorum liberis* von 189 betonen, vgl. Plut. Flamin. 18, 1; G. Rotondi, Leges publicae, 274.

[123] Gell. 15, 11, 2; Suet. rhet. 1. Vgl. Tac. dial. 35; Cic. de orat. 3, 93; Quint. 2, 4, 42. Bereits 161 wurde ein diesbezügliches SC erlassen, Gell. a. a. O.; Suet. a. a. O. Crassus nennt in seiner Begründung die Rhetoren *ludus impudentiae*, Cic. de orat. 3, 94. Im Jahre 81 wurde dann aber doch die erste lateinische Rhetorenschule eröffnet, Hieron. ann. Abraham 1936; Suet. rhet. 2. Zum ganzen vgl. A. Manfredini, L'editto De coercendis rhetoribus Latinis del 92 a. C., SDHI 42, 1976, 99–148; J. M. David, Promotion civique et droit à la parole L. Licinius Crassus, les accusateurs et les rheteurs latins, MEFR 91, 1979, 135–181. – Vgl. auch Athen. 12, 68, p. 547; Ael. var. hist. 9, 12 zur Vertreibung von 2 Epikureern. Im Jahre 155 schlägt Cato vor, die Philosophengesandtschaft möglichst schnell aus Rom zu entfernen: Polyb. 33, fr. 2; Plut. Cat. mai. 22; Plin. n. h. 7, 30, 112.

[124] Vgl. Th. Mommsen, Staatsrecht II, 373, Anm. 2; 383, Anm. 2, der hervorhebt, daß *cae-*

Darüber hinaus gab es noch Edikte über Tafelluxus,[125] die z. T. durch *leges sumptuariae* auch rechtlich verbindlichen Charakter annahmen.[126] Die Zensoren von 89 schritten außerdem gegen *unguenta exotica*[127] und griechischen Wein ein.[128]

Auch Cato als Zensor *multas res novas in edictum addidit, qua re luxuria reprimeretur, quam iam tum incipiebat pullulare.*[129] Diese Versuche zur Verminderung des Aufwandes zeigten sich vor allem in der hohen Besteuerung des Frauenluxus, kostbarer Kleider und Fuhrwerke.[130] Auf Sklaven, die jünger als 20 Jahre waren und für mehr als 1000 As[131] gekauft worden sind, erhob er eine 3%ige Steuer.[132]

---

libes wohl kaum gestraft werden konnten. Das änderte sich erst mit der augusteischen Ehegesetzgebung, vgl. Suet. Claud. 16, 3.

[125] Plin. n. h. 8, 209: *hinc censoriarum legum paginae interdictaque cenis abdomina, glandis, testiculi, vulvae, sincipita verrina; 8, 223: glires, quos censoriae leges princepsque M. Scaurus in consulatu non alio modo cenis ademere ac conchylia aut ex alio orbe convectas aves; 36, 4: extant censoriae leges Claudianae in cenis glires et alia dictu minora adponi vetantes.* Zur Datierung vgl. E. Schmähling, Sittenaufsicht, 63, Anm. 79, der die Zensur von 136 *(censoriae leges Claudianae)* für wahrscheinlich hält; vgl. F. Cancelli, Censores, 49.

[126] Das gilt für die *lex Aemilia sumptuaria,* vgl. E. Schmähling, Sittenaufsicht, 63, Anm. 79; E. Pais, Leges sumptuariae, 451; unten S. 86 ff.

[127] Plin. n. h. 13, 24; Solin. 46, 2; vgl. unten S. 89.

[128] Plin. n. h. 14, 14, 95; vgl. unten S. 89

[129] Corn. Nep. 2, 3. Dieses Ziel wird darüber hinaus in mehreren Reden deutlich, vgl. *de vestitu et vehiculis; de sumptu suo;* ferner Catos *carmen de moribus* bei Gell. 11, 2. Cato hat – vielleicht mit Ausnahme der *lex Porcia de sumptu provinciae* – kein *sumptus* – Gesetz eingebracht, aber der Abschaffung von zwei Gesetzen, der *lex Oppia* und *lex Orchia* durch Reden entgegenzuwirken versucht. Die Bewertung seiner Zensur ist in der neueren Forschung umstritten. Für antiaristokratisch und gegen die Nobilität gerichtet halten sie G. de Sanctis, Storia IV, 579; B. Janzer, Untersuchungen, 42; E. V. Marmorale, Cato maior, Bari 1949², 89 f.; P. Fraccaro, Opuscula I, 417 ff. (= Studi storici per l'antichità classica 4, 1911, 1 ff.); N. W. Forde, Cato, 194 ff. Das Gegenteil, nämlich Cato als konsequenten Verteidiger der Nobilitätsinteressen, vertreten D. Kienast, Cato, 68 ff.; A. E. Astin, Cato, 78 ff., der zudem auch der Ansicht entgegentritt, Cato sei ein Mann gewesen, der nur die Uhr zurückdrehen wollte und dabei letztlich scheitern mußte (so G. de Sanctis, Storia IV, 587 ff.; P. Fraccaro, Opuscula I, 506 ff.; H. H. Scullard, Roman politics, 153 ff.; 164 f.). Catos Anspielungen auf die *mores* bei seiner richterlichen Tätigkeit, in Reden und Edikten waren jedenfalls nichts anderes als eine Reaktion auf die wachsende Krisenanfälligkeit der Oberschicht, deren Ursache er in der Lockerung der Sitten und v. a. im Luxus sah. Nicht Kampf gegen die Nobilität, sondern ihre Verpflichtung auf den *mos maiorum* (was freilich Widerstand hervorrief) stand im Mittelpunkt seines Wirkens.

[130] Liv. 39, 44; Plut. Cat. mai. 19; vgl. Polyb. 31, 25; Liv. 44, 2. Dazu Th. Mommsen, Staatsrecht II, 395, Anm. 7; G. de Sanctis, Storia III, 624; P. Fraccaro, Opuscula I, 478–482; H. H. Scullard, Roman politics, 156; 260. Wir haben hier sicher einen Zusammenhang mit der *lex Oppia* zu sehen, die trotz Catos Widerspruch abrogiert worden war. In der Zensur bot sich offenbar Gelegenheit zur Erneuerung des Gesetzes durch die Hintertür.

[131] Dieser Betrag ist vor allem mit Blick auf die *lex Furia testamentaria* interessant, vgl. dazu unten S. 70 ff.

[132] Vgl. o. Anm. 130. Der Grund für die Besteuerung gerade der jungen Sklaven ist in

Auch die *lex Metilia de fullonibus* von 217, die sich gegen den Kleiderluxus wandte, ist aus einem zensorischen Edikt von 220 hervorgegangen.[133] 115 erließen die Zensoren ein Edikt gegen Schauspiele: *L. Metellus et Cn. Domitius censores artem ludicram ex urbe removerunt praeter Latinum tibicinem cum cantore et ludum talarium.*[134] Die Zensoren versuchten also auch durch Edikte auf Entwicklungen aufmerksam zu machen, die sie als Gefährdung des *mos maiorum* ansahen.[135] Außerhalb des *vectigal*-Bereiches[136] sind sie allerdings kaum mehr gewesen als «Sittenpredigten und wohlgemeinte Rathschläge».[137] Sie sind nur ausnahmsweise überliefert, da Geist und Wirkung der jeweiligen Zensoren besser durch ihre Straftätigkeit erkannt werden konnten.

2.1.7 Zusammenfassung: Entwicklung, Ziele und Bedeutung des *regimen morum*

Die Ausbildung der Zensur, d.h. vor allem die Ausbildung des *regimen morum* in seiner historisch überlieferten Form hat sich wahrscheinlich erst Ende des 4. und im 3. Jahrhundert vollzogen. Sie ist das Ergebnis einer langen Entwicklung und zu Anfang vielleicht nicht einmal als Reaktion auf politische oder gesellschaftliche Fehlentwicklungen zurückzuführen. Die Durchführung der Senatslese hat den Zensoren vielmehr auch die Möglichkeit eröffnet, Unwürdige auszustoßen, und diese zunächst vielleicht nur vereinzelt vorgekommenen und stillschweigend akzeptierten Maßnahmen der Zensoren entwickelten sich dann zu jenem in die Zensur integrierten faktischen Sittengericht, wie es überliefert

---

ihrer Bedeutung für die Ausweitung der Knabenliebe zu sehen, gegen die sich Cato auch sonst wandte, vgl. die Reden: in Thermum und: de re floria und auch die Bestrafung des Flamininus; vgl. N.W. Forde, Cato, 204; E. Fantham, EMC 21, 1977, 48. Dagegen sieht H.H. Scullard, Roman politics, 156, die Maßnahme v.a. als Bremse für den Zufluß griechischer Sklaven und ihrer verweichlichenden Sitten.

[133] Plin. n. h. 35, 17, 197; vgl. unten S. 50 ff.

[134] Cassiod. chron. 450; B. Kübler, RE IV, s.v. sumptus, 904; E. Schmähling, Sittenaufsicht, 93 f.; J. Suolahti, Roman Censors, 420; J.E. Spruit, Acteurs, 58 ff., zu den Motiven bes. 59 f. (Kostengründe für den Theaterbau). S. 61 will er *talarium* in *Atellanum* umändern, da dies die einzige angesehene Form des Spiels war (vgl. oben S. 20 f., Anm. 94).

[135] Erwähnenswert ist in diesem Zusammenhang noch ein Edikt aus dem Jahre 194, da es ebenfalls von der Reglementierung traditioneller Verhaltensweisen zeugt: Die Zensoren dieses Jahres legten fest, daß die Ädilen den Senatoren bei den *ludi Romani* besondere Plätze reservieren sollten, was zwar in der Oberschicht mit großer Zustimmung aufgenommen wurde, aber im Volk Empörung auslöste: Liv. 34, 44, 5; 54, 4 f.; Val. Max. 2, 4, 3; 4, 5, 1; Ascon. 55 St; Cic. har. resp. 24. Das Edikt bestätigte eine bis dahin geübte Praxis. Zur Königszeit Liv. 1, 35, 8; Dion. Hal. 3, 68, 1. Vgl. unten S. 137.

[136] Nur hier ist die Bezeichnung als *censoriae leges* korrekt, Th. Mommsen, Staatsrecht II, 373, Anm. 2, mit Hinweis auf Cic. Verr. 1, 55, 143. Plin. n. h. 8, 51, 209; 57, 223; 36, 1, 4 bezeichnet auch die übrigen Edikte mit diesem Begriff, danach Arnob. adv. nat. 2, 67.

[137] Th. Mommsen, Staatsrecht II, 373, Anm. 2.

ist.[138] War der Ursprung des *regimen morum* über Senatoren also eher eine
‹unbewußte› Ausweitung der *lectio senatus* durch die Ausstoßung Unwürdiger,
so etablierte es sich über Ritter und Bürger zunächst als Strafgericht über Vergehen in den existenzbedrohenden punischen Kriegen, um dann ebenfalls auf
andere Bereiche überzugreifen. Formell unterschied das *regimen morum* nicht
zwischen Bürgern, Rittern und Senatoren; praktisch aber differenzierte es nach
der gesellschaftlichen Bedeutung der Stände: Militärische und strafrechtliche
Delikte wurden zwar bei allen Bürgern notiert, Eingriffe in die Privatsphäre
über die Wahrung der Standes- und Bürgerehre hinaus sind aber nur bei Senatoren bekannt.

Der eigentliche Zweck des Sittengerichtes war es, die innere Geschlossenheit
der Aristokratie durch Ausschluß vereinzelter Außenseiter, die sich den allgemein gültigen Normen nicht anpassen wollten, zu gewährleisten. Diese
Geschlossenheit sollte bis in die private Lebensführung hinein durchgesetzt
werden, so daß die Rügegründe übermäßigen Luxus, Verstöße gegen die Standesehre, Mißbrauch der *patria potestas* oder ungerechtfertigte Ehescheidung
mitumfaßten. Ihre Grundsätze konnten die Zensoren auch in Edikten formulieren, die allerdings mehr auf Entwicklungen aufmerksam machen sollten, als
daß sie sie verhindern konnten. Gegen solche, die sich von den glorifizierten
Normen der Vorfahren losgesagt hatten, wurde mit Hilfe des staatlichen
Organs der Zensur ein gesellschaftlicher Boykott herbeigeführt, den in der frühen Republik noch die Gesellschaft von sich aus, d.h. also ohne die Zwischen-
schaltung eines staatlichen Kontrollinstituts, eingeleitet hatte.[139]

Das *regimen morum* konnte sich natürlich nicht auf einen im modernen Sinne
perfektionierten Überwachungsmechanismus stützen, wie ihn ansatzweise erst
Cäsar zur Durchsetzung seiner *lex sumptuaria* einführte.[140] Es gab keine ‹Kon-
trolleure›, die das Privatleben der Senatoren oder gar aller Bürger zu beaufsich-
tigen hatten; das wäre auch nicht im Interesse des Senats gewesen. Das Sittengericht stand nicht über den Senatoren und war nicht gegen sie gerichtet,
sondern ein Institut der Selbstreinigung, Ausdruck einer Gesellschaftsordnung,
deren Existenz von der Gleichheit innerhalb ihrer führenden Schicht abhing.
Daher blieb auch das Privatleben soweit wie möglich unangetastet, aber es war
nicht tabuisiert und konnte, wie im Fall des Rufinus, als Rügegrund verwandt
werden, wenn ein Senator sich auffallend in einen Gegensatz zu seinen Standesgenossen oder sogar über sie zu stellen versuchte.

---

[138] Das Verfahren der Zensoren ist natürlich nur bildlich als *iudicium de moribus* zu verstehen, vgl. Th. Mommsen, Staatsrecht II, 368, Anm. 3; M. Kaser, Privatrecht, 62. Anders
F. Cancelli, Censores, 89 ff.; 93 ff. Das Verfahren glich allerdings einem Prozeß und der
‹Angeklagte› hatte das Recht, sich zu verteidigen, vgl. Liv. 24, 18; Plut. C. Gracch. 2; Gell. 4,
20, 8. Vgl. Th. Mommsen, Staatsrecht II, 384 ff.; ferner A. H. J. Greenidge, Infamia, 51 ff.

[139] Vgl. E. Pólay, St. Volterra III, 264; 297; M. Kaser, Altröm. Ius, 62; J. Bleicken, Lex
publica, 383 f.; 221.

[140] Er schickte Soldaten und Liktoren zu den Gastmählern, die die Einhaltung seiner Vorschriften überwachen sollten, Suet. Caes. 43; Macr. 3, 17, 1. Vgl. unten S. 100.

Die Wirksamkeit der zensorischen Strafmaßnahmen stand in wechselseitiger Abhängigkeit von dem Zustand innerhalb der aristokratischen Schicht: Einmal setzte ihre Anerkennung die Konsensfähigkeit der Nobilität voraus, andererseits sollte gerade das *regimen morum* die Konsensfähigkeit stabilisieren bzw. erneuern. Diese Aufgabe konnten wiederum nur die angesehensten und unumstrittensten Männer übernehmen, deren Autorität die Amtshandlungen als Notwendigkeit erscheinen lassen mußte. Wenn dieses Prinzip überhaupt praktikabel sein sollte, durften die Zensoren ihr Strafgericht nicht an persönlichen Streitigkeiten ausrichten.[141] Formal ist das auch eingehalten worden: Die uns konkret überlieferten Notationen sind wegen allgemein mißbilligter Verhaltensweisen erfolgt. Gerade der umfassende Charakter des *regimen morum* erlaubte es aber den Zensoren, auch persönlich motivierte Ausstoßungen aus dem Senat[142] mit einem Verstoß gegen den *mos maiorum* zu begründen, ohne daß das, jedenfalls für lange Zeit nicht, als Mißbrauch ihrer Macht kritisiert wurde. Sicher sind die Strafmaßnahmen nicht von allen gebilligt worden, und es ist mehrfach von Bestraften versucht worden, strafrechtlich gegen die Zensoren vorzugehen. Entscheidend aber ist, daß die meisten dieser Versuche zurückgewiesen wurden, weil man sich sehr wohl der Auswirkungen auf das Ansehen und die Effektivität des Sittengerichts bewußt war.[143]

So ist die Existenz und zunehmende Bedeutung des *regimen morum* auf der einen Seite ein Spiegel zunehmender Krisenanfälligkeit, auf der anderen Seite aber auch Ausdruck der Reaktionsfähigkeit der Nobilität auf die Krise, deren Ursachen man im Sittenverfall sah und für deren Bekämpfung man folgerichtig die Ausbildung einer Sittenaufsicht für das adäquate Gegenmittel hielt. Erst mit der Zuspitzung der inneren Auseinandersetzungen verlor auch die Zensur an Autorität – die Voraussetzung ihrer Effektivität war –, wurde zum bloßen politischen Kampfmittel degradiert und büßte damit jede Legitimation ein, was Sulla in richtiger Erkenntnis zur Abschaffung des Amtes veranlaßte. Ihre Wiedereinführung im Jahre 70 konnte ihr natürlich nicht das alte Ansehen zurückgeben und zeigt nur, daß man den Sinn der sullanischen Maßnahmen nicht verstanden hatte.[144] Die politischen Neuordnungen Cäsars und Augustus' machten das *regimen morum* in der alten Form vollends überflüssig. Sie beriefen sich zwar auf die Tradition des *regimen morum,* aber ihre Sittenüberwachung hatte andere Ziele.

---

[141] In diesem Sinne nicht sehr glaubwürdig waren natürlich die Amtshandlungen von untereinander zerstrittenen Zensoren, z. B. in den Jahren 204 und 92, wo sich die Amtsinhaber gegenseitig notierten; vgl. oben S. 19 f. und 23, Anm. 111.

[142] Die Rügegründe für Ritter und einfache Bürger sind wahrscheinlich authentischer, weil hier die Zensoren weniger eigene Interessen zu berücksichtigen brauchten.

[143] Vgl. Liv. 29, 37, 17: *in invidia censores cum essent, crescendi ex iis ratus esse occasionem Cn. Baebius tribunus plebis diem ad populum utrique dixit. ea res consensu patrum discussa est, ne postea obnoxia populari aurae censura esset;* Val. Max. 7, 2, 6; Dion. Hal. 19, 16: ἀρχὴ ἀνυπεύθυνος.

[144] Zur Bedeutung der Zensur im 1. Jahrhundert v. Chr. vgl. A. E. Astin, Censorships in the late republic, Historia 35, 1985, 175–190.

Die Entwicklung des *regimen morum* verlief also in drei Stufen, die sich nach dem jeweiligen inneren Gefüge der Oberschicht richteten: Die erste Phase entsprach der inneren Geschlossenheit der Nobilität, die zweite, die Blütezeit der Zensur, beruhte auf der grundsätzlichen Konsensfähigkeit bei gleichzeitig immer stärker werdendem Abkehrprozeß vom *mos maiorum;* die dritte Phase schließlich war gekennzeichnet von der nicht mehr vorhandenen Konsensbereitschaft innerhalb der Nobilität mit der Folge, daß das *regimen morum* seine Existenzberechtigung verlor.

2.2 Lex Claudia de nave senatorum (218 v. Chr.)

Im Laufe des 3. Jahrhunderts hatte sich das *regimen morum* der Zensoren zu einer Kontrollinstanz über die senatorische Lebensführung entwickelt, mit dem Ziel, die Einheit der Oberschicht zu wahren. Aber nicht jede Abweichung vom *mos maiorum* war als strafwürdiges *probrum* zu brandmarken und nicht alle Entwicklungen, die gleichwohl das innere Gefüge der Nobilität belasteten, konnten durch die Sittenaufsicht aufgefangen werden. Denn diese war auf Verfehlungen im engeren Sinne und bei Einzelnen ausgerichtet und konnte daher zwangsläufig nur einen geringen Teil der Veränderungen kompensieren, die gerade im 3. Jahrhundert infolge der Herrschaftsausdehnung auftraten und bisher nicht gekannte Probleme aufwarfen. Zu diesen gehörte auch eine wirtschaftliche Interessenverschiebung innerhalb der Senatorenschicht, die eine politische Auseinanderentwicklung nach sich zog und also eine Gefahr für die innere Geschlossenheit bedeutete. Zweifellos ergaben sich nach den außenpolitischen Erfolgen ganz neue Dimensionen für die Oberschicht zur Erlangung von Reichtum in Handelsgeschäften und damit auch neue Möglichkeiten für die Vergrößerung des politischen Einflusses, zumal Gelderwerb auf diesem Wege zunächst wahrscheinlich nicht verachtet war und also auch kein zensorischer Rügegrund sein konnte. Denn obwohl besonders für die späte Republik vielfach bezeugt ist, daß Handelsgeschäfte für unehrenhaft und mit der Würde eines Senators unvereinbar gehalten wurden,[1] ist dennoch die Ursprünglichkeit dieser Haltung zu bezweifeln, und man muß sich fragen, ob nicht vielmehr die beabsichtigte Fixierung des Senatorenstandes auf die Landwirtschaft, die ja die traditionelle Geldquelle der Aristokratie war und seit dem 3. Jahrhundert in etwas Neuem, dem Handel, Konkurrenz bekommen hatte, diese Deutung erst

---

[1] Vgl. Cic. Flacc. 70; Verr. 2, 4, 8; 2, 5, 45 f.; 2, 2, 122; ad fam. 16, 9, 4; 13, 22, 2; off. 1, 151 (mit Ausnahme des in großem Rahmen betriebenen Handels); Tac. ann. 4, 13, 5; 6, 16; H. Malcovati, ORF, 255 L. Crassus: frg. 45 *patrimonioque augendo? at id non est nobilitatis;* Cato agr. prooem. Dazu H. Pavis D'Esurac, Ktema 2, 1977, 342 ff.; J. H. D'Arms, Status, 159 ff.; ders., in: The Seaborne ... 77 ff.; ders., Commerce, 47; T. Schleich, Münstersche Beitr. II 2, 1983, 65 ff.; III 1, 1984, 37 ff.

hervorgerufen hat.[2] Eine *laudatio Metelli* von 221 führt unter den 10 wichtigsten Dingen, *in quibus quaerendis sapientes aetatem exigerent,* auch den *bono modo* erworbenen Reichtum auf.[3] Ob damit auch Einkünfte aus Handelsgeschäften gemeint sind,[4] ist ungewiß, aber die *laudatio* zeigt, daß das Gewinnstreben nicht von vornherein der senatorischen Standesehre abträglich gewesen ist. Daß die negative Einschätzung von Handels- und Pachtgeschäften wahrscheinlich relativ spät entstanden ist, zeigt vor allem ihre besondere Beziehung auf den Senatorenstand,[5] die eine späte Entwicklungsstufe voraussetzt, nämlich die faktische Abgrenzung der Senatoren von den übrigen Bürgern; sie läßt daher auf einen politischen Ursprung schließen. Die Verachtung anderer ‹Berufe›, wie Kuppler, Fechtmeister oder Schauspieler,[6] war nicht auf Senatoren beschränkt, sondern betraf alle Bürger. Daher war es von Anfang an ganz ausgeschlossen, daß einer, der in diesen Bereichen tätig war, Senator bleiben konnte; die Bestrafung derartiger Fälle lag bei den Zensoren. Offenkundig gehörte der Handeltreibende aber nicht zu den zensorisch strafbaren Berufen. Erst 218 bestimmte die *lex Claudia de nave senatorum* die Unvereinbarkeit von Senatssitz und Handelsgeschäften: *Invisus* (sc. *Flaminius*) *etiam patribus ob novam legem, quam Q. Claudius tribunus plebis adversus senatum atque uno patrum adiuvante C. Flaminio tulerat, ne quis senator cuive senator pater fuisset maritimam navem, quae plus quam trecentarum amphorarum esset,[7] haberet. Id satis habitum ad fructus ex agris vectandos; quaestus omnis patribus indecorus*

---

[2] Vgl. H. Schneider, Wirtschaft, 75, Anm. 243; E. Gabba, RSI 93, 1981, 547; A. Guarino, Labeo 28, 1982, 12, die die livianische Begründung der *lex Claudia* für anachronistisch halten und erst auf die späte Republik beziehen. Es ist aber durchaus möglich, daß Flaminius schon 218 die Unvereinbarkeit von Senatorenwürde und Handel als Argument eingebracht hat, indem er den *mos maiorum,* nämlich das hohe Ansehen der Landwirtschaft – vgl. Cic. off. 1, 150 f.; S. Rosc. 47; 50; senect. 51; Lucr. 2, 24 ff.; Verg. georg. 2, 458 ff.; Hor. epod. 2; Plin. n. h. 18, 3, 5 – in diesem Sinne auslegte.

[3] Plin. n. h. 7, 139; vgl. dazu E. Gabba, RSI 93, 1981, 541 ff.

[4] So E. Gabba, RSI 93, 1981, 541 ff.; 544, gegen A. Schiavone, Nascità della giurisprudenza. Cultura aristocratica e pensiero giuridico nella Roma tardo-repubblicana, Bari 1976, 30 f.; vgl. A. Lippold, Consules, 75 ff.; I. Shatzman, Senatorial wealth, 245.

[5] Vgl. neben Liv. 21, 63 v. a. Cic. Flacc. 70: *Quo usque negotiabere cum praesertim sis isto loco natus;* H. Malcovati, ORF, p. 255 (s. S. 30, Anm. 1); Cic. Verr. 2, 5, 45 f.; 2, 2, 122. Cic. Pomp. 11 hebt sogar ausdrücklich hervor, daß für Händler Kriege geführt wurden, vgl. Verr. 2, 5, 149; Pomp. 17: *publicani, homines honestissimi atque ornatissimi.* Vgl. J. M. André, L'otium dans la vie morale et intellectuelle romaine des origines à l'époque augustéenne, Paris 1970, 286, Anm. 2; E. Gabba, in: The seaborne . . . 94.

[6] Vgl. die *lex Iulia municip.* in: S. Riccobono, Fontes Iuris Romani Anteiustiniani I, Leges, Florenz 1968, 149; Liv. 7, 2; Val. Max. 2, 4, 4; Lex Acilia repet. 13; 16 (in: S. Riccobono, Fontes I 88 f.); D 3, 2, 1; 3, 2, 3; vgl. 4; Tertull. spect. 22; Cic. Cluent. 119; Plaut. Pers. 3, 1, 27; Cic. off. 1, 42, 150 mit Hinweis auf Ter. Eun. 257.

[7] Diese Angabe ist nicht ganz unumstritten: Eine Menge von 3000 Amphoren nimmt F. Benoit, L'épave du Grand Congloué à Marseille, in: Gallia Suppl. XIV, Paris 1961, 62, Anm. 4, an; dagegen J. Rougé, Recherches sur l'organisation du commerce maritime en Méditerranée sous l'empire romain, Paris 1966, 12.

visus. Res per summam contentionem acta invidiam apud nobilitatem suasori legis Flaminio, favorem apud plebem alterumque inde consulatum peperit.[8] Diese livianische Darstellung verschweigt Anlaß, Hintergrund und Bedeutung des Gesetzes, da es an dieser Stelle nur die generell senatsfeindliche Haltung des Flaminius verdeutlichen soll. Dessen politische Position soll im folgenden kurz dargestellt werden, da sie Aufschluß über die Tendenz auch des claudischen Gesetzes gibt.

Bereits als Volkstribun im Jahre 232 hatte sich Flaminius durch ein Ackergesetz gegen die herrschende Nobilität gestellt, das die Viritanassignation des *ager Picenus* und des *ager Gallicus* vorsah.[9] Ganz offensichtlich kann aber die Opposition der Nobilität nicht oder jedenfalls nur zu einem geringen Teil wirtschaftlich begründet gewesen sein,[10] und auch die polybianische Erklärung, daß die Landzuweisung die Gallierkriege heraufbeschworen habe, ist vordergründig.[11] Vielmehr scheint man von der Viritanassignation politische Auswirkungen befürchtet zu haben, die die Nobilität zu verhindern versuchte. Worin diese im einzelnen bestanden, ist nicht sicher; vielleicht befürchtete man neue Tribusgründungen,[12] die in der Vergangenheit mit Viritanassignationen verbunden waren, und damit in Zusammenhang einen Verlust an politischer Kontrolle. Jedenfalls scheint Flaminius nicht nur eine soziale Entlastung der Plebs, sondern auch die Stärkung des ländlichen Elementes innerhalb der römischen Gesellschaft gegen die Nobilität im Auge gehabt zu haben.[13] Seine Zielsetzung war also konservativ:[14] Die Belastungen der zahlreichen Kriege[15] für die Landbevölkerung und ihre Auswirkungen auch auf die Militärver-

---

[8] Liv. 21, 63, 3–4.

[9] Nach Cic. senect. 4, 11 im Jahre 228 unter dem Konsul Q. Fabius Maximus, nach Polyb. 2, 21, 7 f. im Jahre 232 unter dem Konsul M. Aemilius Lepidus. Zur Erklärung der unterschiedlichen Datierung wird von einigen angenommen, daß sich die Angelegenheit bis 228 hingezogen haben könnte, F. Münzer, RE XII (1909), s. v. Flaminius (2), 2497; Z. Yavetz, Athenaeum 40, 1962, 330. Vgl. außerdem Cic. Brut. 14, 57; inv. 2, 17, 52; ac. prior. 2, 13; leg. 3, 8, 20; Val. Max. 5, 4, 5; Cat. orig. 2, 10; Varro rust. 1, 2, 7.

[10] Vgl. F. Cassola, Gruppi politici, 209 ff.; A. J. Toynbee, Hannibal's Legacy II, Oxford 1965, 177.

[11] Polyb. 2, 21, 7 f. Vgl. U. Hackl, Das Ende der römischen Tribusgründungen 241 v. Chr., Chiron 2, 1972, 154; ferner P. Fraccaro, Lex Flaminia de agro Gallico et Piceno viritim dividundo, in: ders., Opuscula II, Pavia 1957, 191 ff. (= Athenaeum, 7, 1919, 73 ff.).

[12] Die letzten Tribusgründungen waren 241 nach langen politischen Auseinandersetzungen erfolgt, vgl. dazu U. Hackl, Chiron 2, 1972, 135 ff.; C. A. M. Triebel, Ackergesetze und politische Reformen, Diss. Bonn 1980.

[13] Vgl. J. Bleicken, Volkstribunat, 33; J. v. Ungern-Sternberg, Das Ende des Ständekampfes, in: Studien zur Sozialgeschichte, Festschr. Vittinghoff, Köln 1980, 108.

[14] Anders H. Schneider, Wirtschaft und Politik, 75, Anm. 243, der dabei – wie die antike Beurteilung – von den allerdings nicht konservativen Mitteln des Flaminius auf die Zielsetzung schließt (vgl. auch ders., Die Entstehung der römischen Militärdiktatur. Krise und Niedergang einer antiken Republik, Köln 1977, 28 f.).

[15] Auch die Zeit nach 241 brachte in dieser Beziehung keine Erleichterung, vgl. Z. Yavetz, Athenaeum 40, 1962, 334 f.

fassung[16] sollten abgemildert werden. Diesen Zusammenhang hatte die Nobilität zugunsten der eigenen Machtsicherung aus ihrem Blickfeld verloren; sie vermittelte daher den Eindruck, daß Nutzen und Lasten der Kriege sehr ungleich verteilt waren.[17] Langfristig mußte es Flaminius also um die Stärkung desjenigen Teils der Senatsaristokratie gehen, der die Landbevölkerung vertrat, und das bedeutete vor allem die Stärkung seines Anteils am politischen Willensbildungsprozeß. Das wiederum war nur zu erreichen durch die Aufwertung der Landtribus *(tribus rusticae)* in der Volksversammlung auf der einen Seite und die Stärkung des ‹Landadels› im politischen Entscheidungszentrum, dem Senat, auf der anderen Seite. Die Mehrheit der Senatoren stellte sich natürlich gegen ihn, weil sie einen Anschlag auf ihre wirtschaftlichen Interessen, vor allem aber auf ihren politischen Einfluß befürchtete. Flaminius versuchte deshalb, die Gesetze ohne und gegen den Senat durchzubringen,[18] was sicher die Empörung noch steigerte und die Hauptursache für das durchweg negative Bild des Flaminius in der antiken Überlieferung und vor allem für seine Kennzeichnung als Vorläufer und Parteigänger der Gracchen war.[19] Flaminius hat auch später, vor allem während seiner Zensur, durch Bautätigkeit[20] und Edikte[21] an dieser Politik festgehalten.[22]

Vor diesem Hintergrund ist auch die von dem Volkstribunen Q. Claudius eingebrachte, von Flaminius unterstützte und wohl auch maßgeblich inspirierte *lex Claudia de nave senatorum* zu sehen. Kaum ein anderes Gesetz ist, was Absicht, Tendenz und Bedeutung betrifft, ähnlich kontrovers diskutiert worden. Dreh- und Angelpunkt der Interpretationen sind die politische Position des Flaminius und die von ihm vertretene ‹Zielgruppe› einerseits und die von Livius herausgestellte Opposition der Nobilität andererseits.[23] Sie sind zu differenzie-

---

[16] Vgl. Z. Yavetz, Athenaeum 40, 1962, 335: «Flaminius might well have learned from the first Punic war, that embittered peasants would make unwilling soldiers in overseas battles».

[17] Es ist die gleiche Grundhaltung, die 100 Jahre später Ti. Gracchus laut Plut. Ti. Gracch. 9 zum Ausdruck bringt, nämlich, daß die Soldaten für fremden Reichtum Krieg führen und sterben; vgl. J. M. André, Otium, 200.

[18] Vgl. Z. Yavetz, Athenaeum 40, 1962, 336.

[19] Cic. leg. 3, 19–20; ac. prior. 2, 13; ähnlich auch Th. Mommsen, Römische Geschichte I, Berlin 1907[10], 827 f.; L. Lange, Alterthümer II, 141 f. Dazu J. Bleicken, Volkstribunat, 28 f.; J. Suolathi, Roman Censors, 301–303; R. Develin, The political position of C. Flaminius, RhM 122, 1979, 268 ff.; Z. Yavetz, Athenaeum 40, 1962, 325 ff. Polyb. 2, 21, 7 f. sieht das Tribunat als eine Wende zum Schlechteren.

[20] Dazu eingehend C. A. M. Triebel, Ackergesetze, 18 ff.

[21] Vgl. z. B. die *lex Metilia de fullonibus,* die auf ein unter seiner Zensur erlassenes Edikt zurückgeht; dazu unten S. 50 ff.

[22] Ob die Zenturienreform, die zwischen 241 und 218 erfolgte, auf ihn zurückgeht, ist zweifelhaft, zumal auch deren politische Tendenz unklar ist: dazu ausführlich Chr. Meier, RE Suppl. VIII (1956), s. v. praerogativa centuria, 567 ff.; ferner L. J. Grieve, The reform of the Comitia Centuriata, Historia 35, 1985, 278–309.

[23] Liv. 21, 63: *uno patrum adiuvante, C. Flaminio.* Das wurde z. T. sogar wörtlich genommen, vgl. M. Gelzer, Nobilität, 14; H. H. Scullard, Roman politics, 44. Doch sollte man dem Bericht des Livius nicht mehr entnehmen, als daß dem Gesetz von sehr mächtigen Senatoren Widerstand entgegengebracht wurde.

ren nach politischen, wirtschaftlichen und auch militärischen Gesichtspunkten.
Diejenigen, die die Handeltreibenden und Geschäftsleute als Nutznießer des
Gesetzes ansahen, vermuteten im Hinblick auf die angenommene ‹demokrati-
sche›[24] Gesinnung des Flaminius ein Bündnis von Demokraten und Kapitalisten.[25] P. Willems[26] sah die *lex Claudia* dagegen als «une mesure de protection,
prise en faveur des provinciaux, et contre le Sénat». Dann wiederum erscheint
Flaminius als Interessenvertreter der Bauern, denen nicht an einem Krieg mit
Karthago lag und denen er helfen wollte, indem er den Herrschenden das Interesse an einem solchen Krieg nahm.[27] Das Gegenteil, nämlich daß er die Kräfte der
Nobilität auf diese Auseinandersetzung konzentrieren wollte, nimmt D. Kienast
an.[28] H. H. Scullard[29] sieht Flaminius im Rahmen inneraristokratischer Auseinandersetzungen als Werkzeug der Aemilii-Scipiones, T. Frank[30] übernimmt die von
Livius gegebene Begründung, nämlich daß Handel gegen die Würde eines Senators verstoße, H. Schneider[31] vermutet als Anlaß eine «nicht akzeptable Vermi-
schung von Politik und Geschäft von seiten der Senatoren.» Andere stellen Stan-
desinteressen in den Mittelpunkt, wenn sie als Ziel die Geschlossenheit des
Senatorenstandes,[32] die Abgrenzung von den übrigen Bürgern,[33] die Erhaltung
der wirtschaftlichen Substanz,[34] die durch risikoreiche Handelsunternehmungen
gefährdet werden könne, und die Bindung der Nobilität an den traditionellen
Landbau hervorheben;[35] den Handeltreibenden und Emporkömmlingen sollte

---

[24] Schon der Begriff ist irreführend, wie Chr. Meier, RE Suppl. VIII, 581 f., betont hat.

[25] So Th. Mommsen, Römische Geschichte I, 853; G. W. Botsford, The Roman assem-
blies from their origin to the end of the Republic, New York 1909, 335 f.; H. Hill, Middle-
class, 51; F. de Martino, Storia della costituzione romana II, 249; 265 f. (= 2. Aufl. 288 f.;
306 f.); ders., Storia economica I, 126 f.; J. v. Ungern-Sternberg, FS Vittinghoff, 108.

[26] Sénat I, 202; vgl. G. de Sanctis, Storia III, 334 f.

[27] E. Meyer, Kleine Schriften II, Halle 1924, 390 ff.; W. Schur, Scipio Africanus und die
Begründung der römischen Weltherrschaft, Leipzig 1927, 117; vgl. G. W. Botsford, Assem-
blies, 335 f.

[28] Cato, 27; 140, Anm. 22; ders., Gnomon 29, 1957, 107 f.; vgl. E. Meyer, Staat, 96 f.

[29] Roman politics, 44; 48; 53; 274; 277.

[30] An economic history of Rome, Baltimore 1927[2], 115: «Livy's explanation that the
Romans considered gainful occupation below dignity of a senator is doubtless the true one».

[31] Wirtschaft, 75, Anm. 243; ders., Militärdiktatur, 28 f.: gerichtet gegen die Senatoren,
«die in den Kontroversen um die römische Politik ihr eigenes, von ihrer Beteiligung am See-
handel bestimmtes Interesse durchzusetzen versuchten.» Vgl. W. Kunkel, Romanitas 9,
1970, 363: «um den Senat von Handels- und Spekulationsinteressen freizuhalten»;
E. Meyer, Staat, 96 f.; M. Humbert, Institutions, 251 ff.; 302.

[32] Chr. Meier, Res publica amissa, 66; 313.

[33] M. Gelzer, Nobilität, 20; E. Meyer, Staat, 96 f.; J. v. Ungern-Sternberg, FS Vittinghoff,
103.

[34] E. Gabba, in: The seaborne ... 91 ff.; ders., RSI 93, 1981, 544 f. (nach Cato agr.
prooem.); J. H. D'Arms, Commerce, 32.

[35] W. Hoffmann, RE XX (1951), s. v. plebs, 92; J. Bleicken, Volkstribunat, 31; 36; vgl.
ders., Verfassung, 51; 63 ff.; W. Kunkel, Romanitas 9, 1970, 363; T. Schleich, Münst.
Beitr. III 1, 1984, 51.

der Zutritt zum Senat versperrt werden.[36] Weitreichende und zu diesem Zeitpunkt vorausschauende wirtschaftspolitische Motive werden Flaminius unterstellt, wie die Verhinderung allzu großer Kapitalbildung in den Händen von Großgrundbesitzern[37] und die Ausschaltung der bedrohlichen aristokratischen Konkurrenz für die Kapitalisten.[38] Schließlich wurden auch militärische Gründe angeführt: Die *lex Claudia* sei vor dem Hintergrund des 2. Punischen Krieges «une mesure de salut public destinée à se procurer des navires de fort tonnage pour le transport des troupes de débarquement et que les sénateurs auraient décidé de payer de leur personne pour participer à l'effort de guerre».[39]

Die gegensätzlichsten Erklärungsversuche also hat die *lex Claudia* hervorgerufen, von denen einige schon im Ansatz fragwürdig sind. Weder ist auch nur andeutungsweise Flaminius als Friedenspolitiker und Gegner des Krieges gegen Karthago, noch als Interessenvertreter von ‹Kapitalisten› oder Provinzialen, noch als Werkzeug einer mächtigen Gruppe innerhalb der Nobilität[40] zu erkennen. Auch als ‹Gegner› des Senats und seiner politischen Bedeutung wird man ihn schwerlich bezeichnen können; schließlich war er selbst Senator, und auch seine Amtshandlungen als Zensor waren offensichtlich nicht gegen den Senat gerichtet. Wohl aber versuchte er, die Zusammensetzung des Senats über die Unvereinbarkeitsbestimmung von Senatssitz und der Beteiligung an Handelsgeschäften zu beeinflussen. Auf diesem Hintergrund der politischen Vorgeschichte des Flaminius und seiner Versuche, die Substanz der römischen Agrarverfassung durch Stärkung des ländlichen Elements in der Gesellschaft zu erhalten, bekommt die von Livius gegebene Begründung des Gesetzes ihren eigentlichen Sinn: Nicht daß der *quaestus* als unehrenhaft angesehen wurde – das ist wahrscheinlich die negative Auslegung des traditionell hohen Ansehens der Landwirtschaft durch die Gruppe um Flaminius –, sondern daß man die Menge von 300 Amphoren *ad fructus ex agris vectandos* für ausreichend hielt, ist der Kernpunkt: Nicht jede Form des Handels sollte Senatoren untersagt werden – dies wäre in konsequenter Auslegung der Unehrenhaftigkeit zu erwarten

[36] F. Cassola, Gruppi politici, 218 (zu Recht zweifelnd A. Lippold, Consules, 377); C. Nicolet, L'ordre équestre, 330; ders., Annales (ESC) 32, 1977, 749; ders., Annales (ESC) 35, 1980, 879.

[37] A. Stein, Ritterstand, 7 f.; B. Jenny, Der römische Ritterstand während der Republik, Diss. Zürich 1936, 3 ff.

[38] Th. Mommsen, Römische Geschichte I, 853 f.; M. Gelzer, Nobilität, 14; 20; T. Frank, CAH VII, 807 f.; ders., Survey, 103; A. Lippold, Consules, 93 («von diesen Neureichen betriebener Vorstoß»); F. de Martino, Storia economica I, 126 f.; A. J. Toynbee, Hannibal's legacy II, 350; 186 ff.; C. A. M. Triebel, Ackergesetze, 21 («positives Bekenntnis zu den Interessen der Ritter»); 51, Anm. 66.

[39] A. Pelletier, RELig 35, 1969, 12. Ungeklärt bleibt dann aber, warum das Gesetz nach Beendigung des Krieges nicht abrogiert wurde; dazu äußert sich Pelletier unbefriedigend (14).

[40] Gerade diesen Punkt hat Z. Yavetz, Athenaeum 40, 1962, 330 ff., zurückgewiesen; vgl. F. Hampl, Rezension von H. H. Scullard, Roman politics 220–150 B.C., in: ders., Geschichte als kritische Wissenschaft II: Althistorische Kontroversen zu Mythos und Geschichte (hrsg. I. Weiler), Darmstadt 1975, 262.

gewesen –, sondern nur derjenige Handel, der in keiner Beziehung zum land-
wirtschaftlichen Betrieb des Senators stand und sich damit als Einkommensquelle verselbständigt hatte.[41] Am Rande mag auch eine Rolle gespielt haben,
daß die ökonomische Stabilität durch risikoreiche Handelsgeschäfte bedroht
war;[42] doch im Zentrum standen sicher politische Überlegungen, nämlich die
Oberschicht über eine wirtschaftliche Konformität an die traditionellen Werte
zu binden und sie damit von den neuen Entwicklungen abzuschirmen.[43] Diese
Absicht wurde untermauert durch die Erweiterung des Verbotes auf die Senatorensöhne, was in der Sprache des Gesetzes ein dauerndes Verbot bedeutete und
damit wesentlich zur Abgrenzung des Senatorenstandes beitrug. Die *lex Claudia* war also von der Zielsetzung her gar nicht revolutionär, sondern forderte
vielmehr ein Festhalten am oder besser eine Rückkehr zum *mos maiorum*.

Die Auswirkungen des Gesetzes sind so nachhaltig gewesen, daß es zu den
folgenreichsten Gesetzen überhaupt zählt.[44] Es zwang die herrschende Schicht,
ihr Kapital vornehmlich in Grundbesitz anzulegen, trug dadurch wesentlich
dazu bei, daß sich das Land in den Händen Weniger konzentrierte und begünstigte gleichzeitig das Aufkommen eines neuen, in die wirtschaftliche Lücke
stoßenden Standes: Entwicklungen, die in ihrer ganzen Tragweite von dem
Antragsteller und seinen Hintermännern sicher nicht vorhergesehen oder gar
beabsichtigt waren. Daß sich die massive Opposition gegen das Gesetz letztlich
nicht durchsetzen konnte, war eine Folge der Notlage des Krieges, die die
Nobilität im Interesse der Einheit zur Einhaltung des von der Plebs ausdrücklich befürworteten Gesetzes zwang[45] und die damit entscheidend zu der großen
Bedeutung der *lex Claudia* beitrug. Inwieweit sich Senatoren trotz des gesetzlichen Verbotes am Handel beteiligt haben, ist ungewiß.[46] Die erhaltenen Nachrichten können nur bedingt als Belege gegen eine aktive Beteiligung herangezo-

---

[41] Gerade die negative Form eines Verbotes macht deutlich, daß man über die Beseitigung
der ‹Fehlentwicklung› auf eine Rückkehr zum Normalzustand der Vergangenheit zielte.
Die *lex Claudia* ist kein «positives Bekenntnis zu den Rittern» (so C. A. M. Triebel, Ackergesetze, 21): Die Verpflichtung des Senates auf den Grundbesitz war eben nicht mehr selbstverständlich (anders Triebel, Ackergesetze, 56, Anm. 66).

[42] E. Gabba, RSI 93, 1981, 544 ff.; ders., in: The seaborne . . ., 91 ff.

[43] Cic. rep. 2, 7 sieht gerade in der Konzentration auf den Handel und der Vernachlässigung der Landwirtschaft den Hauptgrund für die unstabilen Verhältnisse in Korinth und
Karthago, die letztlich zu deren Niederlage führten; vgl. 2, 9: *quae causa perspicua est malo-
rum commutationumque Graeciae propter ea vitia maritimarum urbium.*

[44] Das wird bestritten von A. Lippold, Consules, 93 ff.; A. J. Toynbee, Hannibal's legacy
II, 186 ff.; A. Guarino, Labeo 28, 1982, 8; T. Schleich, Münst. Beitr. III 1, 1984, 51.

[45] Auch andere Gesetze, die im Rahmen der *leges sumptuariae* behandelt werden, wie die
lex Cincia, lex Publicia und auch die *lex Oppia,* sind überhaupt nur aus diesem Grund durch-
setzbar gewesen.

[46] Vgl. dazu I. Shatzman, Senatorial wealth, 100 ff.; J. H. D'Arms, Commerce, 36 ff.; 47:
Die Formel *omnis quaestus patribus indecorus visus* «was something more than a fiction, and
something less than a norm»; vgl. ders., Status, 159 ff.

gen werden,[47] da ökonomische Fragen und die damit zusammenhängende
soziale Problematik den politischen und militärischen Ereignissen in der
Berichterstattung weitgehend untergeordnet waren und vielleicht auch, weil die
Autoren meist der herrschenden Schicht entstammten und wenig Interesse
daran hatten, Angehörige ihres Standes im Falle einer Verletzung von Recht
und Sitte anzuklagen. Auf der anderen Seite ist es natürlich ebensowenig statt-
haft, die Äußerungen der antiken Autoren gegen den *quaestus* von vornherein
als unglaubwürdig einzustufen.[48] Wahrscheinlich war eine offene Beteiligung
am Handel selten;[49] entweder geschah sie über Mittelsmänner[50] oder aber in
Verbindung mit einem Rückzug aus der politischen Betätigung.[51] Jedenfalls ist
gerade der Umstand, daß die *lex Claudia* auf diese Weise umgangen wurde, ein
Beweis ihrer weiterbestehenden formalen Gültigkeit.[52] Sanktionen bei Zuwiderhandlung sind allerdings nicht bekannt. Vielleicht war die *lex Claudia* eine *lex*

---

[47] So M. I. Finley, Economy, 57–61.

[48] Das ist der Tenor der neuesten Arbeiten, vgl. T. P. Wiseman, New men, 77; 82;
P. W. Garnsey, Urban property investment, in: M. I. Finley, Studies in Roman property,
Cambridge 1976, 127; E. Gabba, in: The seaborne ... 94; ders., RSI 93, 1981, 544; vgl.
H. Pavis D'Esurac, Ktema 2, 1977, 352 ff.

[49] Nach J. H. D'Arms, Commerce, 46, haben zwar Gesetz und Sitte die Senatoren nicht
vom Handel abgehalten, aber sie «affected conduct profoundly, by encouraging forms of
enterprise which increased the importance of senatorial roles and minimized senators' visi-
bility and direct involvement». Ähnliches gilt für die Beteiligung an Staatspachten, vgl. dazu
E. Badian, Publicans and sinners, Oxford 1972, 101 ff.; vgl. aber P. Garnsey, in: Trade in the
ancient economy (ed. P. Garnsey/K. Hopkins/C. R. Whittaker), London 1983, 118 ff.

[50] Vgl. die berühmte Umgehung des Gesetzes durch Cato mit Hilfe seines Freigelassenen
Quinctius: Plut. Cat. mai. 21, 6; dazu F. de Martino, Diritto privato e società romana, a cura
di A. dell'Agli & T. Spagnuolo Vigorita, Rom 1982, 3 ff. Ferner J. H. D'Arms, in: The seaborne ..., 78, der aus archäologischen Funden und Cicero-Briefen zu belegen versucht, daß
der Senator C. Sempronius Rufus in einer Handelsgesellschaft mit einem Munizipalen
C. Vestorius und M. Turrius Galeo von der Tribus Tromentina verbunden war; dann habe er
in irgendeiner Form die Verträge verletzt und wurde belangt; vgl. ders., Commerce, 48 ff.;
ders., Status, 159 ff.; 175; H. Pavis D'Esurac, Ktema 2, 1977, 345 ff.; 351 f. Zu den besonderen Formen senatorischen Engagements im Handel vgl. T. Schleich, Münst. Beitr. III 1,
1984, 61 ff.

[51] Nach J. H. D'Arms, in: The seaborne ... 77 ff., soll die *gens Sestia* auf dem *ager Cosanus*
Amphoren produziert und nach Westen verschifft haben. Aus Cic. Sest. 6 gehe mögliche-
weise L. Sestius, der Vater des tr. pl., als Gründer der Aktivitäten hervor, da er sich aus
besonderen, von Cicero aber nicht näher genannten Gründen nicht entschieden der politischen Betätigung gewidmet habe; vgl. ders., Commerce, 55 ff. Zu dem archäologisch allerdings umstrittenen Teil dieser Vermutung C. Nicolet, Annales (ESC) 35, 1980, 885; ferner
D. Manacorda, Produzione agricola, produzione ceramica e proprietari nell'ager Cosanus
nel I a. C., in: Società ... 3 ff.; zu den Sestii 28 ff.

[52] Vgl. Cato in Plut. Cat. mai. 21, 6; anders C. Nicolet, Métier, 111, mit falscher Schlußfolgerung; vgl. J. H. D'Arms, Commerce, 39 f. Anspielungen auf das Gesetz auch bei Plaut.
Merc. 73 ff.: *Postquam recessit vita patrio corpore agrum se vendidisse atque ea pecunia navem,*
metretas quae trecentes tolleret, parasse atque ea se mercis vectatum undique (dazu H. Hill,
Mnemosyne 11, 1958, 254 ff.); Plaut. Trin. 331.

imperfecta[53] und daher das *regimen morum* für die Übertreter zuständig, vielleicht aber mußte sich der Delinquent auch einem gerichtlichen Prozeß stellen.[54]

Ebenso unsicher ist, ob auch die Annahme von Staatspachten durch die *lex Claudia* den Senatoren untersagt war;[55] eine solche Bestimmung würde aber zum Geist des Gesetzes passen, und daß gesetzliche Regelungen (wenn auch nicht unbedingt in der *lex Claudia*) auch hier bestanden haben müssen, ist durch Ausnahmebezeugungen belegt.[56]

Möglicherweise sind Bestimmungen der *lex Claudia* sogar in die Gesetzgebung der Gracchen aufgenommen worden,[57] und noch im 1.Jahrhundert war es erwähnenswert, wenn ein Senator sich gesetzwidrig ein Schiff gebaut hatte.[58] Im Jahre 59 wurde das Verbot durch die *lex Iulia repetundarum* erneut eingeschärft,[59] und auch die Kaiser standen in dieser Tradition, wenn sie dem Sena-

---

[53] A. Guarino, Labeo 28, 1982, 8.

[54] Vgl. Cic. Verr. 2, 5, 45: *Noli metuere . . . ut quaeram cui licuerit aedificare navem senatori. Antiquae sunt istae leges et mortuae, quemadmodum tu soles dicere, quae vetant. Fuit ista res publica quondam, fuit ista severitas in iudiciis;* vgl. M. d'Orta, AIIS 5, 1976–78, 188 ff.

[55] So Th. Mommsen, Römische Geschichte I, 853; J. Bleicken, Volkstribunat, 31; 36; F. Cassola, Gruppi politici, 215 ff.; E. Gabba, RSI 93, 1981, 547 u. ö.

[56] Vgl. L. Lange, Alterthümer II, 162; P. Willems, Sénat I, 204 f.; G. de Sanctis, Storia III, 334 f.; H. Hill, Middle-class, 51; F. de Martino, Storia della costituzione romana II, 266 (= 2. Aufl. 307 f.); C. Nicolet, L'ordre équestre, 327 f.; ders., Annales (ESC) 35, 1980, 888. Wir kennen zwei Beispiele, in denen von diesem Verbot eine Ausnahme gemacht wurde: Ascon. in tog. cand. p. 72 St: *Diximus nam supra Sullae ludis, quos hic propter victoriam fecerit, quadrigas C. Antonium et alios quosdam nobiles homines agitasse. Praeterea Antonius redemptas habebat ab aerario vectigales quadrigas, quam redemptionem senatori habere licet per legem;* unter Augustus Dio 55, 10, 5: καὶ τήν τε παράσχεσιν τῶν ἵππων τῶν ἐς τὴν ἱπποδρομίαν ἀγωνιουμένων καὶ τὴν τοῦ ναοῦ φυλακὴν καὶ βουλευταῖς ἐργολαβεῖν ἐξεῖναι ἐνομοθέτητο; unter Hadrian wurde es erneut eingeschärft, Dio 69, 16, 2. Darüber hinaus läßt auch Frg. Leid. 3 (unten Anm. 59), in dem sowohl Staatspacht- als auch Handelsverbot nebeneinanderstehen, eine Kombination auch in der *lex Claudia* vermuten.

[57] So C. Nicolet, Les Gracques. Crise agraire et révolution à Rome, Paris 1967, 176 f.; ders., Rome I, 200; ders., Annales (ESC) 32, 1977, 746. Gegen dessen These von einer Beziehung zu den *leges repetundarum* A. Guarino, Labeo 28, 1982, 11 f.

[58] So ist Cic. Verr. 2, 5, 45 zu deuten. *mortuae* sind die *leges* nur für Verres bzw. Hortensius; mit diesem Hinweis will Cicero noch das Vergehen und Handeln des Verres gegen Recht und Sitte der Vorfahren verstärken. Es bedeutet nicht, daß das Gesetz allgemein vergessen ist (falsch verstanden von A. Guarino, Labeo 28, 1982, 8), sondern besagt sogar, daß es noch gilt (aber faktisch nicht beachtet wird).

[59] D 50, 5, 3: *quod nec habere illis (sc. senatoribus) navem ex lege Iulia repetundarum licet;* Frg. Leid. 3: *Senatores parentesve eorum, in quorum potestate sunt, vectigalia publica conducere, navem in quaestum habere, equosve curules praebendos suscipere prohibentur: idque factum repetundarum lege vindicatur.* Mit diesem 1956 gefundenen Fragment sind die Zweifel bei A. Lippold, Consules, 95, Anm. 77, unbegründet; vgl. O. Karlowa, Römische Rechtsgeschichte I, Leipzig 1885, 524 f.; C. W. Leffingwell, Social and private life at Rome in the time of Plautus and Terence, New York 1918, 105 f.; J. Bleicken, Volkstribunat, 31; M. d'Orta, AIIS 5, 1976–78, 183 ff.; C. Nicolet, Annales (ESC) 35, 1980, 882 f. Vgl. auch D 49, 14, 46,

torenstand hinsichtlich seiner Erwerbsmöglichkeit und Kapitalanlagen Einschränkungen auferlegten.[60]

Die *lex Claudia* ist über den besonderen Anlaß hinaus eine Art Pilotgesetz einer besonderen Gesetzesgruppe gewesen, deren Ziel die Wahrung der bestehenden Verhältnisse gegenüber neuen Entwicklungen war. Zum ersten Mal wurde eine bestimmte, früher selbstverständliche Verhaltensweise innerhalb der Oberschicht rechtlich verbindlich gemacht. Die *lex Claudia* reagierte konkret auf Veränderungen im wirtschaftlichen Gebaren der Senatoren, wie sie sich infolge der zahlreichen erfolgreich geführten Kriege im 3. Jahrhundert ergeben hatten. Aber sie verlegt mit der Begründung *quaestus omnis patribus indecorus visus* die Problematik in den moralischen Bereich – etwas anderes war gar nicht möglich, denn das Gesetz mußte im Interesse aller (Senatoren) gelegen erscheinen; eine Interessenvertretung im modernen Sinne wäre undenkbar gewesen – und nahm damit die Rechtfertigungen der späteren *leges sumptuariae*, die ebenfalls auf Veränderungen im Erscheinungsbild der Aristokratie mit einer Verrechtlichung privater Verhaltensweisen reagierten, vorweg.

Die Senatoren antworteten zunächst auf diesen ungewohnten Eingriff in ihre Rechte mit massivem Widerstand,[61] der jedoch schon bald durch die Erfordernisse des 2. Punischen Krieges bei anderen, ähnlich motivierten Gesetzen, wie der *lex Publicia*, der *lex Cincia* oder der *lex Oppia*, nicht mehr offen gezeigt werden durfte. Schließlich ließ die Entwicklung nach Beendigung des Krieges mit dem Zuzug östlicher Einflüsse, die die Einheit der Oberschicht auf die Probe stellten, Vorbehalte gegen Eingriffe in die Privatsphäre schwinden. Daher gingen so einschneidende Gesetze wie die *lex Voconia* und die *leges sumptuariae*, anders als die *lex Claudia*, gerade von den nachdrücklichsten Vertretern der Senatsherrschaft, wie Q. Fabius Maximus *(lex Cincia)*, Cato oder Aemilius Scaurus aus, die sich sicher nicht auf Flaminius berufen haben, die aber dennoch auf dem von ihm gegen die herrschende Nobilität eingeschlagenen Weg weitergingen. Lediglich in der formalen Ausweitung der Bestimmungen auf alle römischen Bürger, nicht aber in der Zielsetzung unterschieden sich die Gesetze des 2. Jahrhunderts, die den *mos maiorum* gegen die neuen Einflüsse verbindlich machen sollten, von der *lex Claudia*, freilich ohne daß dabei die eigentliche Zielgruppe auch dieser Gesetze, die Senatoren, zweifelhaft sein konnte.[62] Darüber hinaus sind die gesellschaftlichen Auswirkungen des Geset-

---

2: besonders Statthaltern ist das Halten von Schiffen, weil dem Geschäftsverkehr dienend, verboten, Th. Mommsen, Strafrecht, 720.

[60] Vgl. E. Gabba, in: The seaborne . . ., 91: Die *lex Claudia* «durava in vigore ancora all'età dei Severi». Der Einwand A. Guarinos, Labeo 28, 1982, 8, Anm. 7, ist überflüssig, da auch die *lex Iulia* sich auf die *lex Claudia* bezieht.

[61] Von T. Schleich, Münst. Beitr. III 1, 1984, 50, zu Unrecht nur auf die Methode seiner Durchsetzung bezogen.

[62] Formal wurden die Senatoren nur in Gesetzen angesprochen, die dies von der Thematik her verlangten, wie die Gesetze über die *libera legatio*, Qualifikationen für den Senatssitz u. ä.; vgl. M. Gelzer, Nobilität, 20; J. Bleicken, Lex publica, 173 f.

zes außerordentlich hoch zu veranschlagen: Die Ausweitung auf die Senatorensöhne trug wesentlich zur Schaffung des Standes bei, was von den Urhebern
sicher nicht in dieser Form beabsichtigt war. Die Fehlentwicklungen rückten die
Bedeutung der Senatoren zwangsläufig immer mehr in den Blickpunkt und
schufen damit auch innerhalb des Senates ein Standesbewußtsein besonderer
Art. Zudem trug die *lex Claudia* wesentlich zum Aufkommen eines Standes bei,
der sich nun dem Wirtschaftszweig, der den Senatoren verboten wurde, ohne
Konkurrenz zuwenden konnte.

2.3 *Leges sumptuariae*

2.3.1 Vorbemerkungen

Die *leges sumptuariae* haben in der modernen historischen und juristischen Literatur wenig Beachtung gefunden. Im 18. und 19. Jahrhundert beschäftigte man
sich – zumeist in Dissertationen – zwar häufiger mit dem Thema,[1] doch gehen
die meisten dieser Arbeiten kaum über eine bloße Aufzählung hinaus, sind in
ihrem Urteil unkritisch oder längst überholt und tragen daher wenig dazu bei,
die Hintergründe dieser Gesetzesgruppe zu beleuchten.

Die Forschung des 20. Jahrhunderts hat dem Institut nur geringes Interesse
entgegengebracht.[2] Sieht man von der meist sehr knappen und summarischen
Behandlung in allgemeinen und Rechtsgeschichten ab, befassen sich lediglich
vier mehr oder weniger ausführliche und nur zum Teil befriedigende Arbeiten
mit diesem Thema.[3] Dies ist umso erstaunlicher, als die Antike über die Gesetze

---

[1] Genannt seien F. Platner, De legibus sumptuariis, Leipzig 1751; A. Boxman, De legibus
Romanorum sumtuariis, Leiden 1816; A. E. Penning, De luxu et legibus sumptuariis ex
oeconomia politica diiudicandis, Leiden 1826; H. Dernburg, Geschichte der römischen
Luxusgesetzgebung, in: Monatsschrift d. wissensch. Vereins in Zürich 1, 1856, 261–276;
M. Voigt, Über die lex Cornelia sumptuaria, in: Ber. ü. d. Verh. d. kgl. sächs. Ges. d. Wiss.
Leipzig, phil.-hist. Kl. 42, 1890, 244–290 (mit Berücksichtigung aller *leges sumptuariae*);
J. F. Houwing, De Romanorum legibus sumptuariis, Leiden 1883; C. Bauthian, Droit
romain: Le luxe et les lois somptuaires. Droit francais: Le luxe et les lois somptuaires; rôle du
luxe au point de vue économique, Paris 1891.

[2] Oft nur mit dem Hinweis auf ihre Erfolgslosigkeit abgetan, eine Sicht, die der Bedeutung
der *leges sumptuariae* in der Antike nicht gerecht wird (vgl. J. Griffin, JRS 66, 1976, 100 f.).

[3] E. Savio, Intorno alle leggi suntuarie romane, Aevum 14, 1940, 174–194; I. Sauerwein,
Die leges sumptuariae als römische Maßnahme gegen den Sittenverfall, Diss. Hamburg
1970; M. Bonamente, Leggi suntuarie e loro motivazioni, in: Tra Grecia e Roma. Temi antichi e metodologi moderne, Rom 1980, 67–91; G. Clemente, Le leggi sul lusso e la società
romana tra III e II secolo a. C., in: Società romana e produzione schiavistica III, Bari 1981,
1–14 (dazu F. Grelle, 235; D. Musti, 261 f.; A. La Penna, 291 f., mit Ergänzungen). Ferner
W. Davis, Influence and wealth, New York 1910, 159–163; E. Pais, I pontifici, l'agricoltura
e l'«annona», «leges regiae» e «leges sumptuariae», in: Ricerche sulla storia e sul diritto
pubblico di Roma I, Rom 1915, 423–465; B. Kübler, RE IV A (1931), s.v. sumptus,

und ihre Bedeutung ganz anders dachte, wie allein schon die zahlreichen Wiederholungen zeigen. Dem Überblick über den Stand der Forschung auf diesem Gebiet seien jedoch einige Bemerkungen über den Begriff *leges sumptuariae*, der in der Antike und der Neuzeit durchaus unterschiedlich verstanden wird, vorangestellt.

Die moderne Forschung faßt unter die *leges sumptuariae* im allgemeinen alle gesetzlichen Verfügungen, die den Aufwand, lat. *sumptus*, für bestimmte Dinge und bei bestimmten Anlässen einschränken sollen.[4] Daß darunter Gesetze gegen Tafel-, Kleider-, Schmuck-, Grab-, Spiel- und Bauluxus fallen, ist einsichtig; schwieriger erscheint die Zuordnung derjenigen Gesetze, die das Geschenkegeben regeln. Problematisch ist auch die Einbeziehung einiger erbrechtlicher Gesetze, wie der *lex Voconia* oder der *lex Furia*, die häufig gleichsam als Präventivgesetze gegen den Luxus aufgefaßt werden. F. Wieacker[5] schließlich scheint jede Maßnahme gegen den Sittenverfall als *lex sumptuaria* aufzufassen, wenn er 41 Aufwandsgesetze zählt.

Diese weite Auffassung dessen, was man unter dem Begriff *leges sumptuariae* versteht, findet allerdings keine Entsprechung in den Quellen. Sie entspringt allgemein dem modernen Verlangen, die römische Gesetzgebung systematisch darzustellen und im besonderen alle die Gesetze unter die *leges sumptuariae* einzureihen, die in irgendeiner Weise gegen den *sumptus* gerichtet sein könnten. Dem widersprechen aber nicht nur die beiden Hauptquellen Gellius[6] und Macrobius,[7] die sich in ihren Darstellungen der *leges sumptuariae* ausschließlich mit Speisegesetzen befassen. Bereits Cato hat nach dem Zeugnis des Macrobius *leges sumptuariae* als *leges cibariae* aufgefaßt.[8] Einige Briefe Ciceros bestätigen diese Identität,[9] ebenso Tacitus,[10] Sueton[11] und Ammian.[12] Bei Livius, der bekanntlich überhaupt keine Speisegesetze erwähnt, kommt der Begriff *lex sumptuaria* nicht vor, obwohl er ausführlich die Auseinandersetzungen um die gegen den Kleiderluxus gerichtete und von der modernen Forschung auch als Luxusgesetz titulierte *lex Oppia* schildert.[13] Ebensowenig ist im Zusammenhang

---

901–908; E. Schmähling, Sittenaufsicht, passim; D. Daube, Roman law, Edinburgh 1969, 124 ff.; J. Bleicken, Lex publica, 169 ff. Zusammenstellung der Quellen bietet G. Rotondi, Leges publicae, passim.

[4] Vgl. die Gesetzessammlungen bei B. Kübler, RE IV A, s.v. sumptus, 901 ff.; G. Longo, NNDI 9 (1959), s.v. leges sumptuariae, 629 f.

[5] F. Wieacker, Vom römischen Recht, 63. Eine ähnliche Auffassung bei M. Voigt, Lex Cornelia, 245 f.; 255, der alle sittenpolizeilichen Maßnahmen Sullas zur *lex sumptuaria* zählt.

[6] Gell. noct. att. 2, 24.

[7] Macr. Sat. 3, 17.

[8] Macr. Sat. 3, 17, 13.

[9] Cic. ad fam. 7, 26, 2; 9, 15, 5; ad Att. 13, 7, 1.

[10] Tac. ann. 3, 52, 8; 3, 52, 3.

[11] Suet. Caes. 43, der die *lex sumptuaria* deutlich vom Kleiderluxus absetzt.

[12] Amm. Marc. 16, 5, 1.

[13] Liv. 34, 1–8.

mit anderen, heute der *sumptus*-Gesetzgebung zugeordneten Regelungen außerhalb des Tafelluxus in den Quellen von *leges sumptuariae* die Rede. Wenn in der folgenden Darstellung dennoch auch die Gesetze über Kleider-, Bau-, Spiel- und Grabluxus sowie über Glücksspiel, Geschenkegeben und Erbrecht unter dem Titel *leges sumptuariae* zusammengefaßt werden, so liegt der Grund in der inhaltlichen Zusammengehörigkeit dieser Gesetzesgruppen, die eine Ausweitung des antiken Verständnisses des Begriffes erlaubt.[14]

Die antike Dekadenzvorstellung hat lange Zeit auch die späteren Interpretationen der *leges sumptuariae* beherrscht,[15] zuletzt noch die 1970 erschienene Dissertation von I. Sauerwein,[16] die ausführlichste Abhandlung über dieses Thema. Hier wurde zwar – neben einer detaillierten Analyse der einzelnen Gesetze[17] – der Versuch einer historischen Einordnung unternommen. Die Bewertung der einzelnen Phasen der Gesetzgebung ist jedoch fragwürdig,[18] und die Darstellung ist zu stark auf die Sittenverfallstheorie fixiert.[19]

Neben dem moralischen Aspekt wurden schon früh auch die handelspolitischen Begleitumstände der Gesetze zu ihrem Hauptanliegen erhoben.[20]

---

[14] Allerdings wird die Untersuchung zeigen, daß der antike Begriff tatsächlich den Kern der *leges sumptuariae* erfaßt hat.

[15] Vgl. insbesondere die oben S. 40, Anm. 1 genannten Arbeiten; ferner E. Meyer, Caesars Monarchie und das Principat des Pompejus, Stuttgart 1919[2], 422 («Hebung der höheren Stände»); 463; A. Passerini, Athenaeum 10, 1932, 180 f. Die Arbeiten von E. Savio und B. Kübler (s. o. S. 40, Anm. 3) sind – so nützlich ihre Zusammenstellungen sind – für die Interpretation der Gesetze ohne Belang.

[16] Oben S. 40, Anm. 3.

[17] Die Vernachlässigung juristischer Fragen und Aspekte erweist sich allerdings, v. a. bei den Schenkungsgesetzen, als erheblicher Mangel.

[18] So erkennt er nicht die Umdeutung des Institutes durch Sulla, während er andererseits zwischen der *lex Licinia* (die er in das Jahr 134 verlegt) und der *lex Aemilia* (115) unbegreiflicherweise einen entscheidenden Schnitt sieht. Dazu kommen krasse Fehldeutungen. So zählt er die *leges sumptuariae* zu den traditionell gegen die Nobilität gerichteten Maßnahmen (S. 168), reduziert die Gesetze des 1. Jahrhunderts auf rein ökonomische Funktionen und läßt sie gegen die Ritter gerichtet sein, «die anders als die durch die *lex Claudia de nave senatorum* behinderten Senatoren leichter an die ausländischen Luxuswaren und Genußmittel herankamen» (S. 170). Er erklärt das sallustische Bild von der guten Zeit 216–146 mit der «nach Cannae von der Senatsmehrheit getragenen Gemeinsamkeitspolitik (was immer darunter zu verstehen ist), die durch die *leges sumptuariae* auch den privaten Lebensstil der Römer nach dem *mos maiorum* ausrichten wollte» (S. 194), obwohl doch gerade die Existenz der *leges sumptuariae* ein Symptom der Loslösung vom *mos maiorum* war.

[19] Trotz seiner diesbezüglichen Kritik (S. 3 f.) an «den Historikern, Dichtern und Antiquaren, denen die *leges sumptuariae* geradezu zum Symptom des «Sittenverfalls» wurden». Vgl. aber dann seine eigene Schilderung der Frühzeit (S. 24 f.). Der Versuch, die *leges sumptuariae* mit der Geschichtsauffassung Sallusts zu verbinden, ist konstruiert (S. 192 ff.).

[20] So v. a. E. Pais, Leges sumptuariae, 450 ff.: «Le *leges sumptuariae* sia del tempo di Fannio che di Cesare avevano pertanto uno scopo fiscale» (S. 459); «Le somme ingoiate del commercio con l'estero costituivano ancora più tardi una preoccupazione da parte dei moralisti e dei fianzieri romani» (S. 458).

Die Unzulänglichkeit beider Erklärungsmodelle versuchte man in jüngster Zeit von einem anderen Ansatz her zu beseitigen. In den Blickpunkt rückten die politischen und sozialen Verhältnisse in der ersten Hälfte des 2. Jahrhunderts, die man mit einigem Recht als die Blütezeit der *leges sumptuariae* bezeichnen kann.[21] Vor allem J. Bleicken[22] hat herausgestellt, daß die Aufwandsgesetze Teil einer auf die sich abzeichnenden Desintegrationstendenzen innerhalb der Oberschicht mit der Verrechtlichung traditioneller Verhaltensweisen reagieren-den Gesetzesgruppe waren, zu der auch u.a. die *leges annales* und *de ambitu* gehören. Die Gefahr für die politische und soziale Stabilität durch übergroßen Luxus wurde von D. Daube und E. Gabba herausgestellt,[23] die die Gesetze als eine Art Selbstschutz der Nobilität interpretieren; auf diese Weise sei es den *nobiles* ermöglicht worden, ihre Vermögen zu erhalten,[24] ohne in den Ruf der ‹Armut› zu kommen.[25]

M. Bonamente[26] dagegen betrachtet die *leges sumptuariae* – ausgehend von der dominierenden Rolle Catos im Kampf gegen den Luxus in der ersten Hälfte des 2. Jahrhunderts – unter dem Gesichtspunkt der Auseinandersetzung zwischen Gegnern und Anhängern des Hellenismus, eine Sicht, die jedoch den Blick für die tatsächlichen Motive versperrt. Anregungen für eine umfassendere Beschäftigung mit den *leges sumptuariae* bietet schließlich die Arbeit von G. Clemente,[27] der die bisherigen Erklärungsmodelle zusammenfaßt und – ebenfalls von der ersten Hälfte des 2. Jahrhunderts ausgehend – die Aufmerksamkeit auf die politische und soziale Bedeutung des Luxus und die ideologische Motivation der Luxusgesetze lenkt.[28]

Im Mittelpunkt der folgenden Untersuchung stehen Datierung, Inhalt und Absichten der einzelnen Gesetze. Ebenso berücksichtigt werden Senatsbeschlüsse, magistratische Edikte und auch *rogationes*, die trotz ihres Scheiterns

---

[21] Vgl. dazu F. Millar, The political character of the classical Roman republic, JRS 74, 1984, 1–19; S. 9 hebt er die Haltung des Volkes als bedeutsamen Faktor für die Luxusgesetze hervor.

[22] Lex publica, 169–172; 392.

[23] D. Daube, Disobedience, 124 ff.; ders., Roman law, 117 ff.; E. Gabba, RSI 93, 1981, 551 ff. Vgl. auch M. Crawford, The Roman Republic, Glasgow 1978, 79 ff.

[24] E. Gabba, RSI 93, 1981, 554.

[25] D. Daube, Disobedience, 124 ff. Es galt als schändlich in der Oberschicht, *miser* zu sein (Hor. sat. 1, 2, 1 ff.). Die Gefahren, die der politischen Ordnung durch die finanzielle Überlegenheit einzelner *nobiles* über die ‹Masse› ihrer Standesgenossen drohten, diskutiert A. Passerini, St. di filol. class. N. S. 11, 1934, 54.

[26] Oben S. 40, Anm. 3 (mit einigen Ungenauigkeiten im Detail). Vgl. auch C. Letta, L'«Italia dei mores romani» nelle Origines di Catone (prima parte), Athenaeum 62, 1984, 3 ff., der die antigriechische Haltung Catos im Kampf gegen den Luxus herausstellt.

[27] Oben S. 40, Anm. 3. Vgl. ferner die Anmerkungen und Ergänzungen von D. Musti, F. Grelle und A. La Penna.

[28] S. 14: «la lotta al lusso non era, è vero, lotta alla ricchezza, ma traeva le sue ragioni da implicazioni ideali che impedivano, proponendo modelli di arcaica semplicità, di legittimare tutti i modi attraverso i quali la ricchezza poteva essere conseguita e impiegata».

zeigen, was in diesem Komplex gedacht werden konnte. Daran schließt sich eine Analyse der innenpolitischen Diskussion um die *leges sumptuariae* an, um auf diese Weise ihre Zielsetzung und Stellung im Rahmen der republikanischen Gesetzgebung nachzuvollziehen. Die Entscheidung zugunsten einer systematischen gegen eine chronologische Abhandlung der Gesetzgebung hat den Vorteil, daß die Entwicklung der einzelnen Teilbereiche übersichtlich verfolgt werden kann. Den Nachteil, daß die Phasen der Gesetzgebung demgegenüber weniger deutlich hervortreten, hoffe ich in der abschließenden Betrachtung auszugleichen.

2.3.2 Grabluxus

Die ersten Aufwandsbeschränkungen römischer Gesetzgeber betrafen den sakralen Bereich[29] und hier vor allem den Luxus bei Bestattungen. Unsere wichtigste Quelle sind die 12 Tafeln. Aber auch die Gesetzgeber der Frühzeit scheinen sich mit diesem Bereich befaßt zu haben,[30] ein Zeichen, daß der religiös motivierte Luxus ein großes Problem darstellte, das aber im Laufe der Zeit an Bedeutung verlor. Denn wir kennen nur noch zwei Gesetze, die Beschränkungen des Grabluxus zum Inhalt hatten, nämlich die *lex Cornelia* von 81 und die *lex Iulia* von 46.

1. Plinius[31] überliefert eine *Numae regis lex:*[32] *vino rogum ne respargito.* Die Bestimmung betraf die Gewohnheit, die Asche mit Wein auszulöschen.[33] Es erscheint aber zumindest fraglich, ob zur Zeit Numas der Gebrauch von Wein zu diesem Anlaß so praktiziert wurde, daß gesetzliche Beschränkungen notwendig waren.[34] Möglicherweise handelt es sich also um eine erweiterte Bestimmung der 12 Tafeln, die in die Frühzeit projiziert worden ist.[35] Zudem steht das Gesetz ziemlich isoliert da: Weitere Maßnahmen zur Beschränkung des Grabluxus aus der Zeit vor den 12 Tafeln sind nicht überliefert, so daß es sich wohl um eine primär religiös motivierte Bestimmung handelt, falls sie überhaupt Numa zuzuordnen ist.

---

[29] Vgl. auch A. Boxman, De legibus Romanorum sumtuariis, 30. Hierhin gehört auch ein weiteres Gesetz des Numa, das Plin. n.h. 32, 20 ebenfalls auf die Beschränkung von allzu großem Luxus bezieht: *Numa constituit, ut pisces qui squamosi non essent ni pollucerent, parsimonia commentus, ut convivia publica et privata cenaeque ad pulvinaria facilius compararentur, ni qui ad polluctum emerent pretio minus parcerent eaque praemercarentur.* Vgl. Fest. v. *pollucere* 253M (=198L). Eher sind jedoch sakrale Ursachen für dieses Gesetz anzunehmen, B. Kübler, RE IV A, s.v. sumptus, 902; I. Sauerwein, Leges sumptuariae, 11.

[30] Sofern die Nachrichten nicht in den Bereich der Legende gehören oder nachträgliche Deutungen sind.

[31] Plin. n.h. 14, 14, 88; vgl. 14, 12.

[32] Über die *leges Numae* allgemein Liv. 1, 20; Val. Max. 1, 1, 12; Plin. n.h. 14, 14; 32, 10; Dion. Hal. 2; Plut. Numa 12.

[33] Vgl. A. Mau, RE III (1897), s.v. Bestattung, 353.

[34] Vgl. Plin. n.h. 14, 12.

[35] Vgl. F. Wieacker, Studi Volterra III, 772, Anm. 31.

2. Die 12 Tafeln beschäftigen sich ausgiebig mit dem Grabluxus.[36] Denn die meisten der uns überlieferten Bestimmungen der 10. Tafel, in der die Ausführung der Bestattung geregelt ist, betreffen Aufwandsbeschränkungen, und zwar solche des Leichenzuges, der Zurichtung des Toten und des Scheiterhaufens sowie der Grabbeigaben.

a) Bemerkenswert bei den Bestimmungen bezüglich des Leichenzuges ist, daß neben der Beschränkung des Luxus auch die Form der Trauer reglementiert wurde.[37] Das Zerkratzen der Wangen war ebenso verboten wie das Klagegeheul der Frauen.[38] Aufwandsbeschränkungen für den Trauerzug gelten nur in Bezug auf die Zahl der Flötenbläser.[39]

b) Mehrere Bestimmungen betreffen den Luxus bei der Zubereitung des Scheiterhaufens und der Salbung des Toten. 1. *Hoc plus ne facito: Rogum ascea ne polito.*[40] Hierbei handelt es sich um das kunstvolle Ausgestalten des Scheiterhaufens mit der *ascia.* 2. *Ne sumptuosa respersio . . .*[41] *Murrata potione usos antiquos indicio est, quod . . . XII tabulis cavetur, ne mortuo indatur.*[42] Eine ähnliche Bestimmung ist bereits von Numa überliefert.[43] Festus bringt den Myrrhenwein

---

[36] Nach Th. Mommsen, Römische Geschichte I, 432, das älteste Luxusgesetz. Vgl. auch J. Marquardt, Privatleben I, 345 ff.; A. Mau, RE III, s. v. Bestattung, 355 ff.; F. Wieacker, RIDA 3. ser., 3, 1956, 474 f.; ders., Die XII Tafeln in ihrem Jahrhundert, in: Les origines de la République romain: Entretiens sur l'antiquité class. 13, Vandoeuvres-Genève 1967, 293 ff.; ders., Studi Volterra III, 772; F. de Visscher, Le droit des tombeaux romaines, Mailand 1963, 146 ff.; J. Delz, MH 23, 1966, 69 ff.; I. Sauerwein, Leges sumptuariae, 13 ff.; P. Siewert, Die Übernahme solonischer Gesetze in die Zwölftafeln. Ursprung und Ausgestaltung einer Legende, Chiron 8, 1978, 331 ff.   [37] Cic. leg. 2, 23, 59.

[38] *Mulieres genas ne radunto, neve lessum funeris ergo habento.* An dieser Stelle ist die Bedeutung von *lessus* zweifelhaft, wie schon zur Zeit Ciceros sein Ursprung nicht mehr gegenwärtig war. Man darf aber wohl davon ausgehen, daß es sich nicht um ein *vestimenti aliquod genus funebris,* sondern um *lugubris eiulatio* handelt. Beide Bedeutungen werden bei Cicero leg. 2, 59 angeführt, vgl. Tusc. 2, 55. Zum Verbot des *genas radere* Plin. n. h. 11, 157; Fest. v. *radere genas* 273 M (= 338L); Serv. Aen. 12, 606.

[39] Cic. leg. 2, 59 (zitiert S. 46 f.). Vgl. auch Suet. Caes. 84; Plin. ep. 10, 122. Die Zahl der Flötenspieler ist nach Ov. fast. 6, 663 später durch ein Ädilenedikt auf 10 beschränkt worden. Dieser Luxus war etruskischer Herkunft, vgl. O. Skutsch, RE XI (1907), s. v. Etrusker, 730 ff.; J. M. C. Toynbee, Death and burial in the Roman world, Ithaca 1971, 14 ff.; J. Delz, MH 23, 1966, 79, Anm. 43.

[40] Cic. leg. 2, 59. Vgl. F. Wieacker, St. Volterra III, 773, Anm. 37; I. Sauerwein, Leges sumptuariae, 14. Die *ascia* ist eine Axt mit kurzem Stil, vgl. Isid. 19, 19; Vitruv. 7, 2; dazu F. de Visscher, Droit des tombeaux, 277 ff.

[41] Cic. leg. 2, 60; vgl. Fest. v. *resparsum vinum* 262M (= 319L): *resparsum vinum dixerunt, quia vino sepulchrum spargebatur;* 263M (= 319L).

[42] Fest. v. *murrata potione* 159M (= 151–152L). Myrrhe war sehr wertvoll (vgl. A. Steier, RE XVI, s. v. myrrha, 1143) und scheint v. a. als Räuchermittel (Plin. n. h. 12, 70) sehr häufig bei Bestattungen benutzt worden zu sein, vgl. Mart. 10, 97; 11, 54; Tibull. 3, 2; Tac. ann. 6, 28; Stat. Silv. 5, 1, 210 ff. Myrrhe als Zusatz beim Wein: Plin, n. h. 14, 92. Auch Frauen, denen sonst Wein verboten war, durften *murrina* trinken, Gell. 10, 23, 2.

[43] Vgl. oben S. 44.

ausdrücklich mit dem Toten in Verbindung, so daß hier nicht ein Umtrunk[44] anläßlich der Begräbnisfeierlichkeiten gemeint sein kann. Vielmehr handelt es sich wohl um eine besondere Form der Salbung des Toten[45] und nicht, wie früher angenommen wurde, um eine Abschwächung der oben genannten Bestimmung des Numa.[46] Cicero[47] läßt keinen Zweifel daran, daß es sich hier um eine sumptuarische, nicht um eine religiöse Maßnahme der Gesetzgeber handelt. 3. Es ist verboten, daß der Leichnam von Sklaven, sogenannten *pollinctores* (Salber),[48] gesalbt wurde und daß ein Umtrunk stattfand: *Haec praeterea sunt in legibus: servilis unctura tollitur omnisque circumpotatio.*[49] 4. Schließlich waren noch die *longae coronae*[50] und die *acerrae*[51] verboten.[52]

c) Sodann schränkte man die übertriebenen Grabbeigaben ein: 1. Es war nicht gestattet, mehr als 3 Gewänder und 1 purpurne Tunica mitzugeben: *Extenuata igitur sumptu tribus reciniis*[53] *et tunicula purpurae et decem tibicinibus tollit*

---

[44] Vgl. B. Kübler, RE IV A, s.v. sumptus, 903.

[45] F. Wieacker, St. Volterra III, 773; 772, Anm. 32.

[46] So A. Boxman, De legibus Romanorum sumtuariis, 30.

[47] Leg. 2, 60.

[48] Vgl. dazu E. Cuq, DS II 2 (1896), s.v. funus, 1388.

[49] Cic. leg. 2, 60. Da diese beiden Bestimmungen unvermittelt nebeneinander stehen, zweifelt F. Wieacker, St. Volterra III, 772, Anm. 32, ob *servilis unctura* auf die Salbung des Leichnams zu beziehen ist. Es ist jedoch möglich, daß Cicero hier eine *circumpotatio* anläßlich einer *servilis unctura* anspricht (vgl. auch Liv. 38, 55); anders J.F. Houwing, De Romanorum legibus sumptuariis, 25, der für *circumpotatio circumportatio* liest. Zu weiteren Deutungen der *servilis unctura* vgl. F. Platner, De legibus sumptuariis, 22; C. Bauthian, Lois somptuaires, 28.

[50] Welche Rolle diese im Rahmen der Begräbnisfeierlichkeiten gespielt haben, ist nicht zu entscheiden; vielleicht handelte es sich um Kranzgewinde der Gräber, F. Wieacker, RIDA 3. ser., 3, 1956, 474, oder es wurden *longae coronae* vorangetragen. Sie sind jedoch nicht identisch mit den ins Grab gegebenen Siegerkränzen, die 10, 7 erwähnt werden.

[51] Zu *acerra* vgl. Fest. v. *acerra* 18 M (= 17 L): *Acerra ara quae ante mortuum poni solebat, in qua odores incendebant. Alii dicunt arculam esse turariam, scilicet ubi tus reponebant.* Es handelt sich also um vor den Toten gestellte Räucheraltäre. Andere Kommentatoren der 12 Tafeln gingen von Weihrauchgefäßen aus, vgl. F. Wieacker, St. Volterra III, 773, und ausführlich J. Marquardt, Privatleben I, 345 ff.

[52] Cic. leg. 2, 60.

[53] Zu den unterschiedlichen Erklärungen von *recinia* vgl. Fest. v. *recinium* 274 M (= 342 L); 275 M (= 343 L); Varro bei Nonius 869 L. Vgl. Cic. leg. 2, 64: *nam de tribus reciniis et pleraque illa Solonis sunt;* vgl. 2, 59; Tusc. 2, 55; Plut. Sol. 21, 6. Es handelt sich aber wohl nicht um Trauergewänder, wie P.R. Coleman-Norton, in: Ancient Romanae Statutes. The Corpus of Roman law II, Texas 1961, 12, annimmt; anders J. Delz, MH 23, 1966, 78, Anm. 42; F. Wieacker, St. Volterra III, 776; vgl. I. Sauerwein, Leges sumptuariae, 15. Gerade über diese Stelle hat sich eine Diskussion über den Einfluß griechischen, insbesondere solonischen Rechts auf die 12 Tafelgesetzgebung entfacht. Cicero weist gerade im Bereich des Bestattungsluxus auf Übereinstimmungen mit der entsprechenden griechischen Gesetzgebung hin, leg. 2, 59: *lex Solonis id ipsum vetat,* nämlich die Mitgabe von 3 *recinia.* Denn diese Bestimmung korrespondiert genau mit derjenigen, die Plut. Sol. 21, 6 Solon zuschreibt. Für J. Delz, MH 23, 1966, 79, steht jedenfalls aus diesen Übereinstimmungen fest, daß die

etiam lamentationem.[54] 2. In Ausnahmefällen durften selbsterworbene *coronae,* d.h. «Kampfpreise für Reiterspiele und andere Spiele»[55] mitgegeben werden: *Qui coronam parit ipse pecuniave eius honoris virtutisve ergo duitur ei ...*[56] 3. Grundsätzlich war die Mitgabe von Gold verboten; ausgenommen waren allerdings vergoldete Zahnklammern: *Neve aurum addito. Ast cui auro dentes iuncti*[57] *escunt. Ast im cum illo sepeliet uretve, se fraude esto.*[58] Archäologische Funde haben die Notwendigkeit dieser Bestimmung bestätigt;[59] sie weist daher auf die Authentizität der 12 Tafeln hin.[60] Außerdem verboten die 12 Tafeln doppeltes Begehen der Begräbnisfeierlichkeiten, es sei denn eines im Krieg oder auf fremdem Gebiet Gefallenen, natürlich mit dem Ziel, auch hier die Ausgaben einzuschränken: *Homine mortuo ne ossa legito, quo post funus faciat. Excipit bellicam perigrinamque mortem.* Die Überwachung dieser Verordnungen lag bei den Ädilen,[61] die auch selbst Aufwandsbeschränkungen per Edikt erlassen haben.[62]

Die 12 Tafeln sind unsere umfänglichste Quelle über den Bestattungsluxus. Zweifellos sind die oben dargestellten Bestimmungen vor allem gegen die Verschwendung gerade innerhalb der Oberschicht gerichtet gewesen, wenn sie sich

---

Bestimmungen der 12 Tafeln, wenn nicht athenisch, so doch griechisch sind. Eine genauere Untersuchung dieser Stelle findet sich bei F. Wieacker, in: Les origines, 345 ff.; ders., St. Volterra III, 774 ff.; F. de Visscher, Le droit de tombeaux, 146 ff. Auch in der Satzung über das Bestattungswesen von Iulis auf der Insel Keos kommt diese Bestimmung über die 3 Gewänder vor, erweitert um eine Begrenzung des Wertes auf 100 Drachmen: Syll. ³1218. Zum griechischen Einfluß vgl. außerdem P. Siewert, Chiron 8, 1978, 331 ff.; M. Ducos, L'influence grecque sur la loi des douze tables, Paris 1978, 37 ff.; E. Gabba, RSI 93, 1981, 548 f.

[54] Cic. leg. 2, 59.

[55] F. Wieacker, RIDA 3. Ser., 3, 1956, 474. Dort auch der Hinweis auf Plin. n.h. 21, 3, 7, daß gerade auch Leichenspiele gemeint sind.

[56] Cic. leg. 2, 60; vgl. Plin. n.h. 21, 3, 7; 16, 4.

[57] Daß das etruskische Sitte war, ist von O. Skutsch, RE XI (1907), s.v. Etrusker, 740, herausgestellt worden.

[58] Cic. leg. 2, 60.

[59] Vgl. F. Wieacker, RIDA 3. ser., 3, 1956, 474, mit weiterer Literatur.

[60] F. Wieacker RIDA 3, ser. 3, 1956, 475: Diese Bestimmungen bezüglich des Grabluxus «sind somit Zeugnisse einer ackerbürgerlichen (latinischen?) Reaktion und somit des Übergangs, der so oft das stilistische Doppelgesicht der XII Tafeln prägt.» Vgl. A. Arangio Ruiz, Storia del diritto romano I, Neapel 1937, 57; L. Wenger, Die Quellen des römischen Rechts, Wien 1953, 364.

[61] Cic. Phil. 9, 7, 17; CIL VI 1375 (= ILS 917 a); 3823; 12389 (= ILS 8388); vgl. J. Marquardt, Privatleben I, 345 ff.; F. de Visscher, Le droit des tombeaux, 147, Anm. 26.

[62] Ov. fast. 6, 663: *Adde quod aedilis, pompam qui funeris irent, artifices solos iusserat esse decem.* Nach Cic. Phil. 9, 7, 16 f. können bedeutende Männer wie in diesem Fall Ser. Sulpicius Rufus ausnahmsweise und auf Anordnung des Senates durch besondere Totenfeiern geehrt werden: *cum Ser. Sulpicius Q. f. Lemonia Rufus ita de re publica meritus sit ut eis ornamentis decorari debeat, senatum censere atque e re publica existimare aedilis curulis edictum quod de funeribus habeant Ser. Sulpici Q. f. Lemonia Rufi funeri remittere.*

auch formal an alle Bürger wandten. Denn es galt – wie in späterer Zeit – als standesgemäße Pflicht für einen Senator,[63] kostspielige Begräbnisfeierlichkeiten zu veranstalten; war das nicht der Fall, wurde es mit Armut begründet, wie das Beispiel Catos zeigt.[64] Zudem setzen diese ersten Aufwandsbeschränkungen einen erheblichen Luxus in der Oberschicht dieser Zeit voraus.[65] Mit den mehr als 200 Jahre jüngeren *leges sumptuariae* sind sie zwar nur sehr bedingt zu vergleichen, da einmal die Ausgaben für Begräbnisse einen anderen Charakter haben als z.B. Aufwendungen für Kleidung und Speisen, zum anderen weil in dieser Zeit das Ziel, die Oberschicht auf einen idealisierten *mos maiorum* zu verpflichten – wie das insbesondere nach dem 2. Punischen Krieg durch die Luxusgesetzgebung versucht wurde – noch nicht im Mittelpunkt stand. Dennoch verweisen sie in mehrfacher Hinsicht bereits auf die historischen *leges sumptuariae*. Nicht nur die Vermögensverschwendung galt es einzudämmen, sondern die Normierung der Ausgaben scheint durchaus schon auf die Wahrung der aristokratischen Gleichheit hinzuwirken. Denn die demonstrativ kostspielige Ausrichtung von Begräbnissen[66] gab auch Aufschluß über die Stellung des einzelnen Senators in der Gesellschaft; sie durfte daher nicht vernachlässigt werden. Darüber hinaus mag man schon in dieser Zeit dem Unwillen der einfachen Bürger über allzu großen Luxus innerhalb der Oberschicht Rechnung getragen haben, und auch das Motiv, Luxus als Belohnung für besondere Verdienste zu gestatten, das vor allem in der Gesetzgebung Cäsars und Augustus' eine besondere Rolle spielte, taucht hier zum ersten Mal auf.[67] Insofern bedeuten also bereits die Bestimmungen der 10. Tafel eine Vorwegnahme ähnlich motivierter Maßnahmen der späteren Zeit in einem allerdings völlig verschiedenen Bereich.

3. Gesetzliche Maßnahmen gegen den Bestattungsluxus sind uns in der Folgezeit lediglich von Sulla und wahrscheinlich auch von Cäsar überliefert. Wie die sullanischen Maßnahmen ausgesehen haben, ist nicht bekannt; daß es aber solche gegeben hat, berichtet Plutarch.[68] Allgemein wird seine Bemerkung auf

---

[63] Polyb. 6, 53; Diod. 31, 25: Zu Kosten von Bestattungen im 2. Jahrhundert v. Chr. Polyb. 32, 14; Liv. per. 48; vgl. Plin. n. h. 33, 10.

[64] Liv. per. 48.

[65] Vgl. J. Delz, MH 23, 1966, 79, Anm. 43; F. Wieacker, RIDA 3. ser., 3, 1956, 474, gegen R. Besnier, L'état économique de Rome de 509 à 264 av. J. C., RD 33, 1955, 199. Die ältere Forschung sah u. a. auch als Ziel der Gesetzgebung einen Ausgleich der Stände an, indem man den Patriziern die Prachtentfaltung bei Bestattungen nahm, die bei der Plebs Neid ausgelöst hätte, J. F. Houwing, De Rom. legibus sumptuariis, 27 f.; 29 f.; B. G. Niebuhr, Röm. Geschichte II, 314 f. («die Stände zu verbinden und möglichst gleichzustellen»).

[66] Das betraf u. a. die äußere Pracht des Leichenzuges, die in den 12 Tafeln durch die Begrenzung auf 10 Flötenspieler oder durch das Verbot, ein Begräbnis doppelt zu begehen, eingeschränkt wurde.

[67] Vgl. oben S. 47.

[68] Sull. 35, 3, mit dem Hinweis, daß Sulla selbst sich nicht an seine Bestimmungen gehalten habe.

die *lex Cornelia sumptuaria* von 81 bezogen, wenngleich auch die Möglichkeit eines besonderen Gesetzes diskutiert wurde.[69]

Direkte Hinweise auf eine diesbezügliche Gesetzgebung Cäsars fehlen zwar, aber 2 Briefe Ciceros belegen die Existenz eines Gesetzes gegen den Bestattungsluxus noch zu seiner Zeit: *Antequam a te proxime discessi, nunquam mihi venit in mentem, quo plus insumptum in monumentum esset quam nescio quid, quod lege conceditur, tantundem populo dandum esse*[70] und: *sepulcri similitudinem effugere non tam propter poenam legis studeo, quam ut maxime assequar* ἀποθέωσιν ... *Sin tibi res, si locus, si institutum placet, lege quaeso, legem mihique eam mitte. Si quid in mentem veniet, quo modo eam effugere possimus, utemur.*[71] Da Cicero die Briefe 45 v. Chr. geschrieben hat, haben viele es für unwahrscheinlich gehalten, daß er sich auf die *lex Iulia sumptuaria* oder ein anderes Gesetz Cäsars bezieht, von denen Cicero eine genauere Kenntnis gehabt haben müßte. Man hat daher angenommen, daß hier die *lex Cornelia sumptuaria* von 81 gemeint ist.[72] Unterstützt wird diese Ansicht dadurch, daß wir von diesbezüglichen Bestimmungen der *lex Iulia sumptuaria*[73] nichts wissen, während Sulla sich mit diesem Themenkreis befaßt hat. Doch schreibt Cicero in einer Zeit, in der wohl ein großer Teil der fast 40 Jahre zurückliegenden sullanischen Gesetzgebung beseitigt oder nicht mehr beachtet wurde. Dieses muß umso mehr für ein sumptuarisches Gesetz gelten, dem man ohnehin nie große Aufmerksamkeit geschenkt hat; so haben ja bekanntlich auch Pompeius und Crassus an ein Luxusgesetz im Jahre 55 gedacht[74] (ganz abgesehen von der *lex Antia* 71/70), was allein schon zeigt, daß das cornelische Gesetz in *desuetudo* gekommen war, die zumal nach Einbringung eines neuen Gesetzes einer Abschaffung gleichkam.[75] Und daß auch das julische Gesetz keineswegs im Bewußtsein aller verankert war, macht Cicero an anderer Stelle deutlich:[76] *Sestius apud me fuit et Theopompus pridie. Venisse a Caesare narrabat litteras, hoc scribere, sibi certum esse Romae manere, causam eam adscribere, quae erat in epistula nostra, ne se absente leges suae neglegerentur, sicut esset neglecta sumptuaria.* Zudem wäre es

---

[69] So A. Boxman, De legibus Romanorum sumtuariis, 49 f., da bei Plutarch nur von einem Gesetz über Bestattungsaufwand die Rede sei.

[70] Cic. Att. 12, 35, 2.

[71] Cic. Att. 12, 36, 4.

[72] So M. Voigt, Lex Cornelia, 261, Anm. 48; E. Cuq, DS II/2 (1896), s. v. funus, 1409; ders., DS III/2 (1904), s. v. lex Cornelia sumptuaria, 1141; H. Blümner, Die römischen Privataltertümer, München 1911, 491, Anm. 1; G. Rotondi, Leges publicae, 355; B. Kübler, RE IV A, s. v sumptus, 907; I. Sauerwein, Leges sumptuariae, 136 f. E. Savio, Leggi suntuarie, 186, ist unsicher.

[73] Auf diese *lex* bezieht C. G. Hübner, Historiae legum Romanorum ad sepulturas pertinentium II, Leipzig 1795, 41 ff., die Äußerungen Ciceros.

[74] Dio 39, 37.

[75] Die «derogierende Kraft der *desuetudo* ist allein schon aus den Wiederholungen der *leges sumptuariae* zu ersehen», H. Honsell, FS Coing I, 145; D. Nörr, Rechtskritik, 75, Anm. 111.

[76] Cic. Att. 13, 7, 1.

gar nicht verwunderlich, wenn er sich zumal bei der umfangreichen Gesetzgebung Cäsars, die sicher für Cicero wichtigere Bereiche umfaßte, nicht an jede Einzelheit erinnern konnte. Und schließlich setzt ein Bezug auf eine *lex sumptuaria* voraus, daß diese über den Speiseluxus hinaus auch den sonstigen Aufwand bekämpfte. Das kann aber, wie gezeigt wurde,[77] nicht als erwiesen gelten. Es handelt sich demnach bei dem von Cicero angesprochenen Gesetz aller Wahrscheinlichkeit nach nicht um die *lex Cornelia,* sondern eher um eine julische Verordnung.

In dem Gesetz war festgelegt, daß der Betrag, der über die zulässige Höchstgrenze hinausging, an das Ärar abgeführt werden mußte. Eingefordert wurde er auf dem Wege des ädilizischen Multprozesses, wie sich aus der Funktion der Ädilen als Überwacher der Vorschriften bezüglich der Durchführung von Begräbnisfeierlichkeiten ergibt. Bei dieser Strafbestimmung mögen auch fiskalische Gründe ausschlaggebend gewesen sein.[78]

2.3.3 Kleider- und Schmuckluxus

Vom Beginn des 2. Punischen Krieges bis zum Ende der Republik wurde in drei Gesetzen auch der Kleiderluxus beschränkt: in der *lex Metilia* von 217, der *lex Oppia* von 215 und der *lex Iulia* von 46.

2.3.3.1 *Lex Metilia de fullonibus* (217 v. Chr.).

Das Gesetz – oft als das erste Luxusgesetz bezeichnet – wurde eingebracht von dem Volkstribunen Metilius entweder 220[79] oder 217.[80] Es enthielt genaue Vorschriften über das Weißen der Kleidung: *pretiosior Umbrica et quam vocant saxum. Proprietas saxi quod crescit in macerando; itaque pondere emitur, illa mensura. Umbrica non nisi poliendis vestibus adsumitur. neque enim pigebit hanc quoque partem adtingere, cum lex Metilia exstet fullonibus dicta, quam C. Flaminius L. Aemilius censores dedere ad*

---

[77] Vgl. oben S. 41 f.

[78] Vgl. auch die fiskalische Ausnutzung des Bauluxus durch die Einführung einer Säulensteuer (columnarium): Cic. Att. 13, 6, 1.

[79] Nach dem Plinius-Text (n. h. 35, 197) während der Zensur des Flaminius und des Aemilius, die ein Volksgesetz veranlaßt haben. Neuerdings wieder wörtliche Deutung bei F. Cassola, Gruppi politici, 214, der also nicht von einem Volkstribunen als Antragsteller ausgeht. Daß die Zensoren selbst ein Gesetz nicht beantragen konnten, weil sie nicht das *ius agendi cum populo* hatten, wird nur von F. Cancelli, Censores, 37 ff., bestritten. Der Plinius-Wortlaut legt allerdings eine Datierung für 220/219 nahe. Vgl. F. Münzer, RE XXX (1932), s. v. Metilius (1), 1397; T. R. Broughton/M. L. Patterson, Magistrates I, 236; G. Clemente, Leggi sul lusso, 4 f.

[80] Liv. 22, 25 spricht vom Volkstribunen M. Metilius im Jahre 217, von dem die *lex Metilia de aequando magistri equitum et dictatoris iure* beantragt worden sei. Dieser würde also auch von seiner politischen Grundeinstellung her zu dem Gesetz passen. P. Willems Sénat I, 343 f., hat deshalb vermutet – und die meisten Forscher sind ihm darin gefolgt –, daß ein Edikt der Zensoren in ein Volksgesetz gebracht worden ist, vgl. G. Rotondi, Leges publicae, 252; G. Niccolini, Fasti, 91; E. Savio, Leggi suntuarie, 175 f.; J. Bleicken, Volkstribunat, 31.

populum ferendam. adeo omnia maioribus curae fuere.[81] Das Gesetz, das sich mit der imperativen Formel *lex dicta*[82] an die *fullones*[83] direkt wendet, schreibt bei der Behandlung der Stoffe eine gewisse Bearbeitungstechnik vor, mit dem offensichtlichen Ziel, die Kleidung in ihrer natürlichen Farbe zu belassen. Natürlich waren nicht die *fullones* der Hauptadressat des Gesetzes. Vielmehr scheint es sich – was ja auch das zensorische Edikt oder zumindest die zensorische Initiative nahelegt – um eine *lex sumptuaria* gehandelt zu haben.[84] Das Tragen geweißter Kleidung gerade bei Amtsbewerbungen läßt allerdings vermuten, daß diese offensichtlich sumptuarische Vorschrift eine politische Ursache gehabt hat.[85] In diesem Zusammenhang ist noch einmal auf die politische Grundhaltung des Initiators des Gesetzes, Flaminius, hinzuweisen. Seine Zielgruppe war der ‹Landadel›,[86] der im Gegensatz zur städtischen Nobilität an der ursprünglichen agrarischen Verfassung festhielt und den Flaminius bei seinem Kampf um politischen Einfluß einmal durch Stärkung seines Anteils im Senat,[87] zum anderen durch Beseitigung der Vorteile der Nobilität bei der Amtsbewerbung, die auch im Kleiderluxus zutage traten, unterstützte. Hier waren also durch die *lex Metilia* Einschränkungen beabsichtigt, indem man sich an die *fullones* wandte.

Zum *mos maiorum* gehörte auch angemessene Kleidung,[88] und wenn sich Scipio[89] oder gar Cato[90] in einer *toga candida* präsentierten, wurde das durchaus negativ und als Verminderung ihrer moralischen Autorität beurteilt. Daß der Kleiderluxus schon früh ein bedeutender Faktor im politischen Leben war, darüber gibt Livius[91] Auskunft, der von einer Verfügung aus dem Jahre 432[92]

---

[81] Plin. n. h. 35, 17, 197.

[82] Darauf hat F. Cassola, Gruppi politici, 214 u. Anm. 17, hingewiesen.

[83] Es müssen also Vereinigungen dieser Berufsgruppe existiert haben als Adressat dieser Vorschrift, vgl. A. Jacobs, DS II/2 (1896), s. v. fullonica, 1349 ff.; L. Pernier, in: Dizionario epigrafico di antichità romana (ed. E. de Ruggiero) III, Rom 1922, s. v. fullones, 322. Vgl. Varro. rust. 1, 16, 4; Plin. n. h. 8, 135; Paul. Sent. 2, 31, 29; Gai. 3, 143.

[84] Vgl. L. Lange, Alterthümer II, 161; G. Niccolini, Fasti, 91; E. Savio, Leggi suntuarie, 175 f.; J. Bleicken, Volkstribunat, 31 f.; F. Cassola, Gruppi politici, 214; I. Sauerwein, Leges sumptuariae, 36 ff.

[85] Vgl. L. Lange, Alterthümer II, 161. C. Bauthian, Lois somptuaires, 33; 44, zählt das Gesetz unter die *leges de ambitu*. J. F. Houwing, De Romanorum legibus sumptuariis, 68, streitet überhaupt den sumptuarischen Charakter des Gesetzes ab, da die *leges sumptuariae* «hac aetate ad optimatium (!) potestatem confirmandam latas esse».

[86] So J. Bleicken, Volkstribunat, 28 ff.

[87] Dies geschah z. B. auch durch die *lex Claudia de nave senatorum*, die von Flaminius unterstützt wurde (s. oben S. 32 f.).

[88] Gell. 11, 2 (Cato): *Vestiri . . . in foro honeste mos erat, domi quod satis erat;* vgl. Plut. quaest. Rom. 49; dazu Th. Mommsen, Staatsrecht I, 479, Anm. 2; P. de Francisci, St. Segni I, 625. [89] Polyb. 10, 4, 8.

[90] Bei seiner Bewerbung um die Zensur 189: vgl. Liv. 36, 22–27: 35, 34 f.; 37, 57, 9–15. Die Bewerber versuchten dadurch natürlich die Augen des Volkes auf sich zu lenken, Polyb. 10, 4; Liv. 39, 39.

[91] Liv. 4, 25, 12 f: *placet tollendae ambitionis causa tribuno legem promulgare, ne cui album in vestimentum addere petitionis causa liceret. parva nunc res et vix serio agenda videri possit,*

berichtet, die Wettbewerbsverzerrungen zwischen Plebs und Patriziern beseitigen sollte.[93] Die Annahme einer ähnlichen Zielsetzung auch bei der *lex Metilia* wird durch die Notlage zu Beginn des Krieges gegen Karthago nur noch wahrscheinlicher.[94] Der Zeitpunkt für demonstrativen Kleiderluxus war jedenfalls denkbar ungünstig – wie etwa auch die zwei Jahre später erlassene *lex Oppia* zeigt –, und im Interesse der zur Abwendung der Gefahr notwendigen Einigkeit war daher wohl kaum Widerstand der betroffenen *nobiles* zu erwarten, was wiederum den politischen Zielen des Flaminius sehr entgegenkam. Vielleicht können wir also in der *lex Metilia* das erste Gesetz sehen, mit dem der Oberschicht eine gewisse Zurückhaltung im Interesse des Staates abverlangt wurde. Jedenfalls scheint die Nobilität erkannt zu haben – und die nachfolgenden Gesetze bestätigen dies –, daß ein Beharren auf den eigenen Standpunkt die zur Abwehr der von außen drohenden Gefahren notwendige Sammlung der Kräfte erschweren, vielleicht sogar unmöglich machen würde.

2.3.3.2 *Lex Oppia sumptuaria* (215 v. Chr.)

Bereits zwei Jahre nach der *lex Metilia*, im Jahre 215,[95] wurde die *lex Oppia* eingebracht, die von der neueren Forschung als die erste wirkliche *lex sumptuaria* bezeichnet wird, bei der sie andererseits aber auch anerkennt, daß nicht *sumptus*[96] an sich, sondern die bedrückende Zeit des Hannibalkrieges Auslöser des Gesetzes war.[97]

Offenbar handelt es sich also auch hier um ein (im engeren Sinne) politisch motiviertes Gesetz, dessen ‹moralischer› Charakter wohl erst nachträglich, vielleicht schon von Cato, sicher aber von den Annalisten, herausgestellt wurde. Beide Positionen finden sich in der Argumentation anläßlich der Einbringung der *lex Valeria Fundania de lege Oppia sumptuaria abroganda* 195 v. Chr. Valerius als Befürworter des Antrages macht deutlich, daß das Gesetz aus der Not des Hannibalkrieges entstanden ist;[98] Cato als Gegner des Antrages versucht, dem Gesetz eine grundsätzliche Bedeutung zu geben.[99] Ähnliche Bewertungen der

---

quae tunc ingenti certamine patres ac plebem accendit. Zur Bedeutung des Kleiderluxus allgemein D. Daube, Disobedience, 127.

[92] P. de Francisci, St. Segni I, 625, legt sie aus nicht ersichtlichen Gründen in das Jahr 430.

[93] Dazu ausführlich L. Fascione, Alle origine della legislazione de ambitu, in: Legge e società repubblica romana I, Neapel 1981, 255–279; besonders 258–268.

[94] E. Savio, Leggi suntuarie, 176, vermutet, daß die Verminderung des Luxus im Inneren für den Sieg über Hannibal als Voraussetzung angesehen wurde.

[95] Die Datierung ist nicht ganz unumstritten, vgl. J. Heurgon, La vie quotidienne chez les Étrusques, Paris 1961, 163, der 213 annimmt, in welchem Jahr Q. Fabius Maximus, Sohn des Konsuls von 215, und T. Sempronius Gracchus (auch 215 Konsul) Konsuln waren. Vgl. dazu A. Haury, Mélanges J. Heurgon, 428 f.

[96] Zum Begriff *sumptus* A. Haury, 429 f. Von keinem der antiken Autoren, die das Gesetz erwähnen, wird es als *lex sumptuaria* bezeichnet, obwohl alle es als Gesetz gegen den Luxus auffassen; vgl. auch oben S. 41 f.

[97] Liv. 34, 6, 10 ff. (Valerius). [98] Liv. 34, 6, 11 ff. [99] Liv. 34, 4, 7 ff.

lex Oppia finden sich bei einer von Tacitus[100] geschilderten Auseinandersetzung. Severus Caecina begründete seinen Antrag, daß kein Beamter seine Frau mit in die ihm zugefallene Provinz nehmen sollte, unter anderem damit, daß die Frauen sich von den einstmals durch die *lex Oppia* angelegten Fesseln befreit hätten. Seine Ausführungen fanden jedoch nur wenig Beifall, und in seiner Antwort weist Valerius Messalinus auf die Zeitgebundenheit der *lex Oppia* hin, die, nachdem die Gefahr vorüber war, abgemildert worden sei. In beiden Fällen geht es also um die Ursache des Gesetzes; völlig gleich dagegen wird bei den antiken Schriftstellern die Auswirkung ihrer Abrogation beurteilt.

Das Gesetz bestimmte: *ne qua mulier plus semunciam*[101] *auri haberet neu vestimento versicolori uteretur neu iuncto vehiculo in urbe oppidove aut propius inde mille passus nisi sacrorum publicorum causa veheretur.*[102] Die *lex Oppia* verbot also:

a) den Besitz, zumindest aber das Tragen[103] von Gold über ein bestimmtes Maß hinaus;

b) das Tragen von *vestimentum versicolor*;[104]

c) das Fahren im *vehiculum* in Rom und innerhalb des *miliarium* und in Landstädten.[105] Ausgenommen waren Feierlichkeiten.

---

[100] Tac. ann. 3, 33 f. für das Jahr 21 n. Chr. Vgl. J. Gagé, Classes sociales, 94.

[101] 210 wurde eine Zwangsanleihe erhoben, die 204 zurückgezahlt wurde (Liv. 29, 16; 31, 7; 13, 2). Es sollte von den Senatoren fast der gesamte Goldbesitz abgegeben werden, *ita ut anulos sibi quisque et coniugi et liberis et filio bullam et quibus uxor filiaeque sunt, singulas uncias pondo auri relinquant,* Liv. 26, 36, 5; vgl. Flor. 1, 22, 25; Fest. v. *tributorum conlationem* 364 M; Oros. 4, 17, 4. Man kann diese Stellen wohl nicht als Beleg für eine Nichtbefolgung der *lex Oppia* anführen, so Th. Mommsen, Staatsrecht I, 218; T. Frank, Survey, 90; E. Schmähling, Sittenaufsicht, 54, Anm. 27; E. Savio, Leggi suntuarie, 177; M. Krüger, NJAB N. F. 3, 1940, 65 ff.; G. Clemente, Leggi sul lusso, 5. Entweder ist die *lex Oppia* nach Überwindung der größten Gefahren abgemildert worden (vgl. Tac. ann. 3, 34) oder aber es war in ihr nur das Tragen, nicht aber der Besitz von Gold verboten, Zon. 9, 17, 1. Dazu P. Culham, Latomus 41, 1982, 787 f. u. Anm. Zu dem Tribut vgl. U. Kahrstedt, Geschichte der Karthager von 218–146, Berlin 1913, 287 (spätannalistische Ausschmückung); F. Cassola, Gruppi politici, 68 (Zwangsmaßnahme); A. Lippold, Consules, 182, Anm. 445 (Glaubwürdigkeit des Livius). Zum ersten Mal wurde eine solche freiwillige Anleihe *(tributum temerarium)* nach dem Galliereinfall 393 erhoben, Liv. 6, 4, 2; Fest. v. *tributorum conlationem* 364 M. Auch 214 gab es eine außerordentliche Besteuerung, Liv. 24, 11, 7 f.; 18, 13 f.

[102] Liv. 34, 1, 3; Val. Max. 9, 1, 3; Auct. vir. ill. 47; Tac. ann. 3, 33 f.; Oros. 4, 20, 14; Zon. 9, 17, 1; wahrscheinlich auch Plut. quaest. rom. 56.

[103] Besitz: M. Voigt, Lex Cornelia, 247, Anm. 7; offensichtlich auch S. Pomeroy, Goddesses, whores, wives, and slaves: Women in classical antiquity, New York 1975, 178; Tragen: I. Sauerwein, Leges sumptuariae, 43, auf Grund von Zon. 9, 17, 1; P. Culham, Latomus 41, 1982, 787.

[104] *Vestimentum versicolor* bedeutet wohl ein Kleid aus Purpur und nicht, wie Val. Max. 9, 1, 3 annimmt, ein verschiedenfarbiges Kleid *(veste varii coloris)*; vgl. J. F. Houwing, De Rom. legibus sumptuariis, 58 f.; I. Sauerwein, Leges sumptuariae, 40 ff.

[105] Verboten war wohl nur das Fahren im (2-rädrigen) *carpentum,* Liv. 34, 3, 9. Dieses Privileg soll ihnen für ihr selbstloses Handeln bei dem Galliereinfall 394 gewährt worden sein, Diod. 14, 116; Liv. 5, 25, 9; vgl. Vell. 2, 94, 2; Val. Max. 5, 2, 1, wo aber im Zusammenhang

Bei der Interpretation des Gesetzes hat sich die neuere Forschung ausschließlich von dem Zeitpunkt seiner Einbringung, also der Notsituation des Hannibalkrieges leiten lassen. Dieser Zusammenhang soll auch gar nicht bestritten werden. Den Schwierigkeiten infolge der arg strapazierten Finanzlage des Staates in den ersten Jahren des 2. Punischen Krieges versuchte man mit Appellen an den Opfergeist der Bevölkerung – wobei natürlich die Oberschicht nicht nur mit gutem Beispiel vorangehen sollte, sondern auch am meisten beisteuern konnte – und mit gesetzlichen Mitteln beizukommen. Wir wissen von einer Sonderbesteuerung im Jahre 214[106] und dem Appell des Konsuls von 210, Valerius Laevinus, den Privatbesitz weitgehend den Notwendigkeiten zur Verfügung zu stellen.[107] Ähnlich ist auch die *lex Oppia* gedeutet worden, die den Frauen verordnete, den größten Teil ihres Besitzes an Gold, wenn nicht abzugeben, so doch zumindest nicht öffentlich zur Schau zu stellen.[108] Andererseits hat die Konzentration auf die Notsituation den Blick für die sich aus den überlieferten Bestimmungen ergebenden Fragen etwas versperrt, vor allem nach dem Urheber des Gesetzes und nach dem Grund dafür, daß es gegen die Frauen gerichtet war.[109]

Benannt ist das Gesetz nach C. Oppius, über den wenig bekannt ist.[110] Seine Funktion als Volkstribun und das völlige Übergehen des Gesetzes im Bericht des Livius für das Jahr 215 lassen zumindest vermuten, daß wir es hier nicht mit einem Akt «echter staatsmännischer Größe» der Senatsaristokratie nach dem Zusammenbruch der Gruppe um Flaminius zu tun haben.[111] Innenpolitische Auseinandersetzungen würden in das idealistische Bild der freiwilligen Opferbereitschaft nicht passen.[112] Es ist durchaus wahrscheinlich, daß die Gruppe um Flaminius nach dessen Tod hier eine Möglichkeit sah, in seinem Sinne fortzufahren und die städtischen *nobiles* – deren Frauen von diesen Beschränkungen in erster Linie betroffen waren – zu Konzessionen zu zwingen. Die Bedrohlichkeit des Hannibalkrieges hatte nämlich eine Lage geschaffen, die nicht nur den

---

mit den Ehrungen nicht der Gebrauch von Wagen, sondern nur Purpurkleidung erwähnt ist.

[106] Liv. 24, 11, 7 f.; 24, 8, 13 f.   [107] Vgl. oben S. 53, Anm. 101.

[108] Und man mag darauf verweisen, daß der wirtschaftliche Aspekt auch in letzterem Falle seine Bedeutung gehabt haben könnte. Denn wenn man seinen Reichtum nicht mehr ‹benutzen› konnte, war man vielleicht auch eher geneigt, zu spenden, vgl. für das Jahr 207 Liv. 27, 37. In beiden Fällen wird aber der tatsächliche ökonomische Effekt gering zu veranschlagen sein, da man den Goldbesitz wohl kaum kontrollieren konnte und wohl auch nicht wollte.

[109] Phantastisch die Thesen von C. Herrmann, Le rôle judiciaire et politique des femmes sous la république romaine, Brüssel 1964, 52, wonach die *lex Oppia* «dénote un climat de lutte entre les féministes et leurs adversaires, entre les femmes elle-mêmes et le sénat».

[110] F. Münzer, RE XVIII (1939), s.v. Oppius (8), 729; G. Niccolini, Fasti, 92; T. R. Broughton/M. L. Patterson, Magistrates I, 255.

[111] So I. Sauerwein, Leges sumptuariae, 41.

[112] Auch andere reden nur von freiwilligen Leistungen der Frauen ohne Erwähnung gesetzlicher Zwangsmaßnahmen, vgl. App. civ. 4, 33; Val. Max. 5, 6, 8.

Einsatz aller Kräfte erforderte, sondern auch und vor allem innenpolitischen und sozialen Konsens. Es mußte der Oberschicht daran gelegen sein, jeden Eindruck zu vermeiden, als trüge das Volk die Hauptlast des Kampfes, während sie sich keinen Einschränkungen zu unterwerfen brauchte. Der Anblick mit Gold und Purpur geschmückter Frauen, die nur der Oberschicht entstammen konnten, mußte dem Ansehen der politischen Führung schaden und entzog den Forderungen nach großen Opfern für das bedrohte Vaterland die Legitimität. Mit der *lex Oppia* versuchte man nun, die sichtbarsten Unterschiede zu beseitigen, als Zeichen, daß auch die Nobilität und ihre Angehörigen Opfer brachten. Und diese Opfer waren auf die Frauen der städtischen Nobilität konzentriert. Die Gründe dafür sind zu suchen in der sich abzeichnenden Änderung der privatrechtlichen Stellung der Frauen,[113] ihrer großen, v.a. religiösen Bedeutung gerade in dieser Phase des Krieges,[114] die ihre gesellschaftliche Präsenz und damit sicher auch ihr Selbstbewußtsein förderte, und nicht zuletzt ihre durch die kriegsbedingte Abwesenheit der Männer gewachsene Freiheit,[115] die man auch durchaus gebrauchte. Das alles beeinflußte auch das Verhalten der Frauen nach außen hin. Wenn man nun im Zusammenhang mit der *lex Oppia,* wie das allgemein üblich ist, die senatorische Opferbereitschaft hervorhebt, stellt sich die Frage, warum überhaupt ein Gesetz notwendig war. Trotz aller sich abzeichnenden Änderungen im Ehe- und Hausrecht war die männliche Dominanz und damit auch die Möglichkeit, die Frauen zur Zurückhaltung zu zwingen,[116] nach wie vor unangetastet. Es ist also mehr als wahrscheinlich, daß um die *lex Oppia* eine innenpolitische Auseinandersetzung stattfand. Für das Zustandekommen des Gesetzes kommt nun der Kriegssituation entscheidende Bedeutung zu. Derartige privatrechtliche Eingriffe, wie sie die *lex Oppia* darstellte, konnten nur in einer Lage, die die Konzentration aller Kräfte erforderte, durchgesetzt werden. Das Gesetz steht ganz in der Tradition der Politik des Flaminius; es war in seinem Gehalt konservativ. Daß der Einbringer ein Volkstribun war, das Gesetz ein Plebiszit, macht deutlich, daß man vor dem Volk durch die (wenn auch erzwungene) Opferbereitschaft politische und militärische Entscheidungen legitimieren wollte. Erst als die Nobilität auf dem Zenit ihrer Macht stand und durch die von ihr im 2. Punischen Krieg erworbenen Verdienste politisch und auch moralisch unantastbar geworden war, konnte das Gesetz abrogiert werden.[117]

---

[113] Der Aspekt wird jedenfalls in Catos und Valerius' Reden berücksichtigt, Liv. 34, 6, 8 f.; v. a. 34, 7, 11; 13. Wenn Livius diese Problematik diskutieren läßt, erweckt er den Eindruck, als habe die Abrogation die zu seiner Zeit übliche privatrechtliche Freizügigkeit begünstigt.

[114] Liv. 21, 62, 8; 22, 1, 17 f. für die Jahre 218 und 217; ferner 29, 14, 10–14 für 204; vgl. Ov. fast. 4, 179–372; Val. Max. 8, 15, 12.

[115] Liv. 22, 57, 2; 25, 1, 7; 25, 2, 9; Plin., n.h. 7, 10.

[116] Ehemann und Vater waren geradezu verpflichtet, auf die Sitten ihrer Frauen bzw. Töchter zu achten, Gell. 10, 23, 4; Cic. rep. 4, 6; Dion. Hal. 2, 25.

[117] Die finanzielle Lage des Staates war wahrscheinlich weitgehend stabilisiert, die Kriegsanleihen waren zurückgezahlt (vgl. oben S. 53 Anm. 101), wenn auch 196 die Schul-

An diesem Tatbestand ändert auch der livianische Bericht nichts,[118] der die Angelegenheit bis ins Groteske übersteigert. Die *res parva dictu* stellt den Zeitbezug her und verdeutlicht den Unterschied der moralischen Anschauungen der damaligen Zeit im Vergleich zur augusteischen Zeit. Die Rede Catos[119] dient denn auch mehr der Warnung vor weiblichem Einfluß auf die Politik und vor Zügellosigkeit, wie man sie in der augusteischen Zeit zu erkennen glaubte. Der Tribun Valerius dagegen hat nur die augenblickliche Lage der Zeit des Gesetzesantrages zur Abrogation der *lex Oppia* im Auge, nicht aber die Konsequenzen, die Livius indirekt, Valerius Maximus ganz direkt anspricht.[120] Zum ersten Mal in der römischen Geschichte nahmen Frauen direkten Einfluß auf die Politik.[121] Doch darf man die Angelegenheit nicht überbewerten,

---

den des Staates bei den Pächtern noch nicht ausgelöst waren, Liv. 33, 42, 2–4. Vgl. D. Kienast, Cato, 68 f. Endgültig war man 185 nach dem Sieg über Antiochus saniert, Liv. 39, 7, 4–5; T. Frank, Survey, 141; H. H. Scullard, Roman politics, 183; 255; H. Hill, Middle-class, 88 f.; N. W. Forde, Cato, 184 ff. (dort Aufzählung der wichtigsten finanzpolitischen Maßnahmen der Zeit); A. E. Astin, Cato, 319 ff.

[118] Die Vehemenz des catonischen Widerstandes dient nur zu seiner Charakteristik. Der Widerstand der Bruti (zu ihnen F. Münzer, RE 19 (1917), s. v. Iunius Brutus (48), 970; (54), 1020), scheint nicht sehr groß gewesen zu sein, vgl. Liv. 34, 8, 2; Val. Max. 9, 1, 3. Überzogen ist die Ansicht von L. Lange, Alterthümer II, 646, daß die Abrogation gegen die *auctoritas senatus* geschah.

[119] Die Echtheit der Rede wird stark angezweifelt: M. Krüger, NJAB N. F. 3, 1940, 65 ff.; H. H. Scullard, Roman politics, 257; P. Fraccaro, Le fonti per il consolato di M. Porcio Catone, Opuscula I, 178 ff.; F. Cassola, Gruppi politici, 286 f.; H. Tränkle, Cato in der vierten und fünften Dekade des Livius, Mainz 1971, 9 ff.; H. Malcovati, ORF, 14; E. Gabba, RSI 93, 1981, 551; P. Culham, Latomus 41, 1982, 788. Verteidiger der Echtheit sind G. Ferrero, Grandezza e decadenza di Roma IV, Mailand 1907, 281, und v. a. D. Kienast, Cato, 21 f. Von einer Paraphrase einer tatsächlich gehaltenen Rede gehen A. Klotz, Livius und seine Vorgänger, Leipzig/Berlin 1940, 32 f.; N. W. Forde, Cato, 102, aus. Vgl. zur Rede als Charakteristik Catos auch P. Fraccaro, Catone il censore in Tito Livio, Opuscula I, 119–122; J. Briscoe, A commentary on Livy Books XXXIV–XXXVII, Oxford 1981, 39 ff.

[120] Liv. 34, 1 ff. hat die Cato-Rede so komponiert, daß alles, was er prophezeit hat, eingetroffen ist, während die Rede des Valerius nur augenblicksbezogen und kurzsichtig ist, z. B. 34, 7, 12. Vgl. F. Hellmann, NJAB N. F. 3, 1940, 81 ff. – Direkte Anspielung bei Val. Max. 9, 1, 3: *Non enim providerunt saeculi illius viri ad quem cultum tenderet insoliti coetus pertinax studium aut quo se usque effusura esset legum victrix audacia*; vgl. aber 5, 6, 8.

[121] Ein weiterer, ähnlich gelagerter Fall ist die Auflehnung von 1400 reichen Frauen gegen die von den Triumvirn auferlegte Kriegssteuer im Jahre 43 v. Chr., vgl. App. civ. 4, 32–33. Hortensia begründet den Widerstand in ihrer Rede mit dem Ausschluß der Frauen aus der Politik. Auch hier hatten die Frauen Erfolg, der größte Teil der Summe wurde erlassen, die Gruppe der betroffenen Frauen von 1400 auf 400 gesenkt, vgl. Val. Max. 8, 3, 3; Appl. civ. 4, 5, 34. Dazu F. F. Abbott, Women and public affairs under the Roman Republic, in: ders., Society and politics in ancient Rome, New York 1963 (Neudr. d. Ausg. von 1909), 49; J. Teufer, Frauenemanzipation, 36; B. Förtsch, Die politische Rolle der Frau, 55 ff.; B. Kreck, Untersuchungen, 41 ff.; L. Canfora, Proscrizioni e dissesto sociale nella repubblica romana, in: Società romana... III, 218 f.

trotz gelegentlicher antiker Überzeichnung weiblichen Einflusses.[122] Um diesen ging es nicht,[123] sondern um die Beseitigung einer als unerträglich empfundenen Maßnahme, für die zu dieser Zeit jede Notwendigkeit fehlte[124] und die die römischen gegenüber den italischen Frauen benachteiligte.[125] Das Gesetz wurde abrogiert, aber ob das auf den massiven Druck der Frauen zurückzuführen ist, sei dahingestellt. Es ist jedoch richtig hervorgehoben worden, daß bei wichtigeren Gesetzen wohl entschlossener auf die Einflußnahme der Frauen reagiert worden wäre.[126]

Bereits 184 versuchte Cato als Zensor erneut, durch eine außergewöhnlich hohe Besteuerung gegen den Luxus der Frauen anzukämpfen und auf diesem Wege die Bestimmungen der *lex Oppia* wieder geltend zu machen.[127] Zwar hat es auch später noch Gesetze gegeben, die den Handlungsspielraum der sich immer mehr emanzipierenden Frauen einschränken sollten *(lex Voconia)*, aber was den Luxus und das äußere Erscheinungsbild angeht, ist die *lex Oppia* – jedenfalls bis auf die Zeit Cäsars – ein Einzelfall geblieben. Der Grund dafür lag weniger in der wachsenden Ungebundenheit der Frauen[128] als vielmehr darin, daß der Anblick teuer gekleideter und geschmückter Frauen nach dem Krieg keinen Affront mehr gegen die Bevölkerung darstellte und auch inner-

---

[122] Vgl. Cato bei Liv. 34, 3, 2; noch prägnanter bei Plut. Cat. mai. 8. Bezeichnungen wie *seditio* (Liv. 34, 3, 8) und *secessio* (Liv. 34, 5, 5) sind ebenso überzogen. Wahrscheinlich haben die Frauen lediglich ihr Interesse an einer sie betreffenden Angelegenheit deutlich zum Ausdruck gebracht, was freilich für römische Verhältnisse auch schon unerhört war.

[123] So aber D. Daube, Disobedience, 27: «Both times (sc. 195 und 43) rich ladies were anxious to preserve, if not increase their behind-the-scenes influence». Mit Recht anders B. Kreck, Untersuchungen, 43. Um was es nach römischer Auffassung ging, zeigt Valerius in Liv. 34, 7, 9: *munditiae et ornatus et cultus haec feminarum insignia sunt, his gaudent et gloriantur, hunc modum muliebrem appellarunt maiores nostri* (insofern wäre Valerius wohl nicht geeignet als Aushängeschild von Women's Lib, wie D. Daube behauptet). Vgl. D 34, 2, 32, 6: *vestem mundum muliebrem omnem.*

[124] Also kaum als «année de la femme» zu bezeichnen, wie zu Recht A. Haury, Mélanges Heurgon, 434 f., herausstellt. Man sollte auch nicht vergessen, daß es ebenso dem standespolitischen Bewußtsein der Männer zugutekam, wenn ihre Frauen sich durch Schmuck, Kleidung etc. von anderen abhoben, vgl. S. Pomeroy, Goddesses, 180; P. Culham, Latomus 41, 1982, 792.

[125] Liv. 34, 7, 5: *at hercule universis dolor et indignatio est, cum sociorum Latini nominis uxoribus vident ea concessa ornamenta, quae sibi adempta sint, cum insignis eas esse auro purpura, cum illas vehi per urbem, se pedibus sequi, tamquam in illarum civitatibus, non in sua imperium sit.* Die fehlende Einbeziehung der Italiker scheint auch später ein Problem der *leges sumptuariae* gewesen zu sein, wie die Ausdehnung der *lex Fannia* auf ganz Italien durch die *lex Didia* zeigt, vgl. unten S. 85 f.

[126] Vgl. B. Förtsch, Die politische Rolle der Frau, 56; B. Kreck, Untersuchungen, 43. Die verfassungsrechtliche Stellung der Frau änderte sich jedenfalls überhaupt nicht, und bis auf 43 haben Frauen nicht versucht, in das politische Geschehen direkt einzugreifen.

[127] Liv. 39, 44; Plut. Cat. mai. 18; vgl. Liv. 44, 2; Polyb. 31, 25: in der Zensur bot sich offenbar die Gelegenheit zur Erneuerung der *lex Oppia* durch die Hintertür.

[128] So S. Pomeroy, Goddesses, 182.

halb der Oberschicht – anders als z. B. der politisch ausnutzbare Speise- oder Spielluxus – nicht mehr umstritten war. Die Auffassung des Valerius von der Zeitbezogenheit des Gesetzes wurde also durch das Ausbleiben ähnlicher Beschränkungen aller späteren Kritik an den Folgen der Abschaffung zum Trotz bestätigt.

Die oben skizzierten Ursachen und Ziele der *lex Oppia* widerlegen die gelegentlichen Behauptungen, daß hier an die griechische Institution der γυναικονόμοι angeknüpft wurde.[129] Diese hatten nicht nur die Sitten der Frauen zu bewachen, sondern entwickelten sich zu allgemeinen Sittenwächtern.[130] Sie waren z. B. dafür zuständig, daß die Speisegesetze mit ihrer Begrenzung der Gastmahlteilnehmer eingehalten wurden.[131] Die Institution ist in vielen Städten inschriftlich nachzuweisen, wobei namentlich Syrakus hervorzuheben ist.[132] In Athen ist sie möglicherweise von Demetrios von Phaleron[133] eingeführt worden. Ursprung, Durchführung und Zielsetzung der *lex Oppia* unterschieden sich grundsätzlich von derjenigen dieser griechischen Einrichtung. Sie war eine zeitbezogene Maßnahme, die wahrscheinlich nicht einmal Strafbestimmungen kannte. Die Übertreter waren ja leicht zu erkennen und gerade zu dieser Zeit wohl daher auch gebrandmarkt. Eine institutionalisierte Kontrolle ist daher unwahrscheinlich.

Es läßt sich also sagen, daß die *lex Oppia* ebenso wie etwa die *lex Claudia* oder die *lex Metilia* gesellschaftliche Veränderungen anprangerte. Kein anderes Luxusgesetz ist aber so sehr von den Umständen und der politischen Notwendigkeit diktiert worden. Die Notlage nach Cannae ermöglichte es dem konservativen Teil der Oberschicht, seine politischen Vorstellungen gegen die städtische Nobilität und ihre Abkehr von den traditionellen Verhaltensweisen durchzusetzen, augenfällig in erster Linie durch das Auftreten prächtig gekleideter und geschmückter Frauen, die sich im Wagen durch die Stadt fahren ließen. Nachdem die Umstände sich geändert hatten, wurde das Gesetz abrogiert, nicht ohne daß die Gegner dieser Abschaffung nun den grundsätzlichen, moralischen Charakter hervorhoben und damit überhaupt zum eigentlichen Entstehen der Gattung ‹Luxusgesetze› beitrugen: Die Rückkehr zum *mos maiorum*,

---

[129] So M. Bonamente, Leggi suntuarie, 89 ff. Vgl. F. Wehrli, Les gynéconomes, MH 19, 1962, 1962, 33–38; A. Boerner, RE XIV (1912), s. v. γυναικονόμοι, 2089 f. Weitere Literatur bei M. Bonamente a. a. O.

[130] F. Wehrli, MH 19, 1962, 36, Anm. 25 a; 38.

[131] Athen. VI 46 (245 b): ὅτι δ' ἦν ἔθος τοὺς γυναικονόμους ἐφορᾶν τὰ συμπόσια καὶ ἐξετάζειν τῶν κεκλημένων τὸν ἀριθμόν, εἰ ὁ κατὰ νόμον ἐστί. Die Begrenzung lag bei 30 Teilnehmern. Die Strafe konnte bis zu 1000 Drachmen betragen (Harpocrat. v. ὅτι χιλίας) und schloß gesellschaftliche Ächtung mit ein, da der Name des Delinquenten und seine Strafe an einer Platane veröffentlicht wurden, Hesych. v. πλάτανος: δένδρον πρὸς ὃ οἱ γυναικονόμοι τὰς ζημίας ἐν λευκώματι ἐξετίθεσαν. So auch Poll. 8, 112.

[132] Athen. 12, 20.

[133] Cic. leg. 2, 66; vgl. E. Martini, RE VIII (1901), s. v. Demetrios von Phaleron, 2824 f.; G. Busolt, Griechische Staatskunde I, München 1920, 494; F. Wehrli, RE Suppl. XI (1968), s. v. Demetrios von Phaleron, 516.

wie sie die *lex Oppia* signalisierte, hatte zum Sieg über Hannibal geführt; sie wurde deshalb auch als richtige Antwort auf die zunehmende innere Krisenanfälligkeit gesehen.

2.3.3.3 *Lex Iulia Caesaris* (46 v. Chr.) und die Maßnahmen des Augustus

Luxusbeschränkungen bei Kleidung und Schmuck sind erst wieder von Cäsar bekannt: *Lecticarum usum, item conchyliatae vestis et margaritarum nisi certis personis et aetatibus perque certos dies ademit.*[134] Präzisiert wird diese Mitteilung in der Chronik des Hieronymus anno 46: *Prohibitae lecticis margaritisque uti quae nec viros nec liberos haberent et minoris essent annis XLV.* Cäsar verbot also den Gebrauch von Sänften, purpurfarbener Kleidung und Perlen[135] unverheirateten und kinderlosen Frauen, die jünger als 45 Jahre waren. Es ist offensichtlich, daß diese Maßnahmen Cäsars bevölkerungspolitischem Konzept dienen sollten. Bereits als Konsul im Jahre 59 hatte er in seinem Ackergesetz die Väter von 3 Kindern bevorzugt.[136] Diese Politik setzte er nun während seiner Alleinherrschaft fort. Denn mit den erwähnten Bestimmungen sollte ja nur der Luxus einer bestimmten Gruppe von Frauen beschränkt werden. Es war nun für jedermann sichtbar, ob eine Frau aus der Oberschicht – und nur sie war hier faktisch angesprochen – verheiratet war und Kinder hatte oder nicht, zumal über 45jährige keine Einschränkungen hinnehmen mußten. Die unverheiratete und kinderlose Frau war also einer gewissen gesellschaftlichen Abwertung ausgesetzt, eine Politik, die unter Augustus konsequent weitergeführt wurde.

Es ist keineswegs sicher, daß diese Bestimmungen der *lex Iulia sumptuaria* angehörten, da Suetons Aufzählung die Maßnahmen gegen allzu prachtvolle Präsentation in der Öffentlichkeit von der *lex sumptuaria* zu trennen scheint.[137] Es war auch gar nicht erforderlich, ein diesbezügliches Gesetz einzubringen. Cäsar war im Jahre 46 zum *praefectus morum* gewählt worden, ein Amt, das er – anders als später Augustus – offensichtlich annahm,[138] da z. B. Cicero ihn, wenn auch ironisch, ausdrücklich als *praefectus moribus* bezeichnet.[139] In dieser

---

[134] Suet. Caes. 43.

[135] Zum Perlenluxus der Frauen vgl. Plin. n. h. 13, 91; ferner 5, 16, 7; Sen. remed. fort. 16, 7; benef. 7, 9, 4. Auch Cäsar hatte der Servilia eine Perle für 6 Mill. Sesterzen gekauft: Suet. Caes. 50, 2.

[136] Suet. Caes. 20; Dio 38, 7, 3; App. civ. 2, 10, 35; 3, 2. Vgl. E. Meyer, Caesars Monarchie, 62 ff.; G. Rotondi, Leges publicae, 387. Auch sonst erteilte er Prämien für Kinderreichtum, Dio 43, 25, 3. Möglicherweise wurden bei den *frumentationes* solche mit Kindern bevorzugt, vgl. E. Meyer, Caesars Monarchie, 266.

[137] Suet. Caes. 43, wo die *lex sumptuaria* ausdrücklich nur in Verbindung mit Speisevorschriften gebracht wird.

[138] Suet. Caes. 76; Dio 43, 14, 4: τῶν τε τρόπων τῶν ἑκάστου ἐπιστάτην ἐς τρία αὐτὸν ἔτη. . .εἵλοντο. Er war also nicht Zensor, da dieser Titel seiner nicht würdig sei; vgl. Dio 44, 5, 3.

[139] Cic. ad fam. 9, 15: *noster praefectus moribus;* vgl. E. Meyer, Caesars Monarchie, 420, Anm. 2.

Eigenschaft wird er sicherlich neben anderen Verfügungen auch diejenigen über Kleiderluxus erlassen haben.[140]

Später hat sich auch Augustus mit diesem Thema befaßt. 35 v. Chr. erließ er ein Edikt gegen den Gebrauch von Purpurkleidung;[141] nur Senatoren, die ein Amt innehatten, durften purpurne Gewänder tragen.[142] In der *lex Iulia de maritandis ordinibus* hatte Augustus verheirateten Frauen das Recht gegeben, eine besonders auszeichnende Kleidung zu tragen.[143] Damit beabsichtigte er natürlich eine gesellschaftliche Hebung des Ansehens der Verheirateten und Kinderreichen, zumal er sich sonst gegen den Kleiderluxus besonders der Frauen wandte.[144]

Augustus setzte damit die Politik Cäsars fort. Er hatte die Kleidung als Statussymbol erkannt und versuchte sich diese Erkenntnis nutzbar zu machen, indem er Rang und Leistung des Einzelnen für das Gemeinwesen auch äußerlich kenntlich zu machen trachtete. Darüber hinaus verordnete er auch das Tragen der Toga auf dem Forum: *Etiam habitum vestitumque pristinum reducere studuit, ac visa quondam pro contione pullatorum turba, indignabundus et clamitans: En Romanos, rerum dominos gentemque togatam. negotium aedilibus dedit, ne quem posthac paterentur in foro circave nisi positis lacernis togatum consistere.*[145] In diesem Fall wird also ausdrücklich bestätigt, daß die Ädilen das Tragen altrömischer Tracht auf dem Marktplatz überwachen sollten. Sonst mag er auf eine Art Selbstüberwachung der Bürger gebaut haben, da, wie schon erwähnt, Luxus durchaus als Prämie gestattet bzw. als Strafe verweigert wurde, und diejenigen, die sich darüber hinwegsetzten, gesellschaftlich weniger angesehen waren oder zumindest sein sollten und auch Ablehnung erfuhren, da sie sich ihnen nicht zustehende Rechte anmaßten.[146]

2.3.3.4 Zusammenfassung

Die Gemeinsamkeiten der Vorschriften gegen den Kleiderluxus liegen in ihrem Kampf gegen allzu prachtvolle Präsentation in der Öffentlichkeit. Die Zielsetzung ist darüber hinaus bei allen Gesetzen politischer Natur. Hier allerdings

---

[140] Von seiner Sittenpräfektur machte er z. B. Gebrauch, als er die Ehe eines ehemaligen Prätors auflöste, der eine erst 2 Tage lang geschiedene Frau geheiratet hatte, Suet. Caes. 43.

[141] Dio 49, 16, 1.

[142] Vgl. Th. Mommsen, Staatsrecht I, 414, Anm. 1; I. Sauerwein, Leges sumptuariae, 158; V. A. Siragio, Principato, 128. Zweifellos diente diese Ausnahme der Erhöhung des Ansehens von Amtsinhabern, da Augustus bekanntlich mit der Unwilligkeit der Aristokratie zu kämpfen hatte, sich in der Politik zu betätigen: Dio 54, 26, 3–9; 54, 30, 2; vgl. auch Suet. Aug. 38: das Tragen der Toga mit breitem Purpurstreifen wurde zur Steigerung der Standesehre auch Senatorensöhnen gestattet.

[143] Vgl. unten S. 166, Anm. 220. Prop. 4, 11, 61 f.: *et tamen emerui generosos vestis honores, nec mea de sterili facta rapina domo.*

[144] Dio 54, 16, 3 ff. Vgl. vor diesem Hintergrund die Darstellung des Livius anläßlich der Abrogation der *lex Oppia*.

[145] Suet. Aug. 40, 5. Dies hatte noch unter Hadrian Gültigkeit, Gell. 13, 22, 1.

[146] Vgl. auch Dio 57, 13, 3.

enden die Gemeinsamkeiten. Die *lex Metilia* ist – soweit man das angesichts der dürftigen Quellenlage sagen kann – ein Gesetz gegen den *ambitus* und die Prachtentfaltung der Nobilität. Die *lex Oppia* war ein Versuch, die Nobilität angesichts der drohenden Gefahren und gerade nach der Niederlage der Gruppe um Flaminius und Varro auf einen Beitrag zur Solidarität zu verpflichten. Die Beschränkung des repräsentativen Luxus der Frauen schien dazu das geeignete Mittel. Dieses Motiv trat nach dem Krieg in den Hintergrund; der Versuch Catos, durch Verweis auf die grundsätzliche Bedeutung der *lex Oppia* – nämlich die Rückkehr zum *mos maiorum* – ihre Abrogation zu verhindern, scheiterte zwar, wurde aber die Argumentationsbasis für alle folgenden Gesetze dieses Genres. Cäsar und Augustus schließlich setzten die Kleidung und den Schmuck gezielt als Kennzeichnung nicht nur der Rangunterschiede, sondern auch der Leistung für den Staat und überhaupt des moralischen Standards ein, und machten sie zu einem Mittel ihrer Bevölkerungspolitik.

Die überlieferten Gesetze gegen Kleider- und Schmuckluxus haben also eine im engeren Sinne politische Motivation gehabt; sie sind insofern nicht mit entsprechenden griechischen Maßnahmen zu vergleichen. Eine institutionalisierte Sittenkontrolle über Frauen hat es jedenfalls nie gegeben.[147]

2.3.4 Das Geschenkegeben

Der dritte Komplex der römischen Aufwandsgesetzgebung betraf das Geschenkegeben. Hier sind uns innerhalb kurzer Zeit zwei Gesetze überliefert: die *lex Publicia de cereis*, wahrscheinlich von 209, und die *lex Cincia* von 204.

2.3.4.1 *Lex Publicia de cereis* (209 v. Chr.?)

Macrobius[148] berichtet von einem sonst nicht bekannten Gesetz eines Volkstribunen Publicius: *illud quoque in litteris invenio, quod cum multi occasione Saturnaliorum per avaritiam a clientibus ambitiose munera exigerent idque onus tenuiores gravaret, Publicius tribunus plebi tulit, non nisi cerei ditioribus missitarentur.* Inhaltlich gehört das Gesetz zur *lex Cincia*, ist aber enger gefaßt als diese, also anscheinend früher. Da C. Publicius Bibulus, Volkstribun 209, der einzige uns bekannte Volkstribun der Publicii ist, zudem das Gesetz auch zu ihm zu passen scheint, nimmt man allgemein 209 als Einbringungsjahr an.[149] In der histori-

---

[147] Das zensorische Sittengericht war hier nicht zuständig, da es nur über die Mitglieder der politischen Körperschaften wachte.

[148] Sat. 1, 7, 33.

[149] L. Lange, Alterthümer II, 189: G. Niccolini, Fasti, 98 ff.; T. R. Broughton / M. L. Patterson, Magistrates I, 286; H. Gundel, RE 46 (1959), s. v. Publicius (14), 1897 f.; F. Casavola, Lex Cincia, 24; 146; F. Cassola, Gruppi politici, 325 f.; I. Sauerwein, Leges sumptuariae, 46 ff. Anders P. F. Girard, Geschichte und System des Römischen Rechts (übers. R. v. Mayr), Berlin 1908, 1022, Anm. 3, da die *lex Cincia* noch Patrone als *personae exceptae* aufzählt. Der CIL I, 834; VI, 1319 erwähnte gleichnamige Ädil ist nicht mit dem hier behandelten identisch, sondern fällt vielmehr in die erste Hälfte des 1. Jahrhunderts v. Chr., G. Niccolini, Fasti, 99.

schen Überlieferung tritt Publicius als Demagoge[150] auf und v.a. als Feind des Marcellus und der gesamten Nobilität.[151] Im Tribunatsjahr 209 brachte er die *rogatio de imperio M. Claudii Marcelli abrogando* ein,[152] wahrscheinlich in der Erkenntnis, daß auch Marcellus innerhalb der Nobilität nicht unumstritten war und sich während seines Konsulats 210 den Unwillen des Volkes zugezogen hatte.[153] Publicius,[154] dessen Bild in der Überlieferung negativ ist,[155] hielt eine Hetzrede gegen die Nobilität,[156] in der vor allem die Kriegsführung des Marcellus angegriffen wurde. Dieser wies die Angriffe offensichtlich so überzeugend zurück,[157] daß der Antrag nicht nur abgewiesen wurde, sondern er am nächsten Tag zum Konsul gewählt wurde. Diese Darstellung weist den Publicius als Demagogen und aufrührerischen Kämpfer gegen die Nobilität aus, ein Bild, das durch das von ihm eingebrachte Gesetz über das Geschenkebringen – sofern es von ihm ist – korrigiert wird. Ähnlich wie bei Flaminius läßt sich hier eine im Grunde konservative, auf dem *mos maiorum* beruhende Einstellung erkennen. Nach diesem nämlich war es unschicklich, daß sich ein Patron von seinen Klienten (besonders bei Prozessen) bezahlen ließ.[158] Doch scheint man allmählich diesen Grundsatz durch die Annahme ‹freiwilliger› Geschenke umgangen zu haben, und offensichtlich boten gerade die Saturnalien hierzu die beste Gelegenheit.[159] Ursprünglich war es üblich, Kerzen als Symbol des Lichtes gegen die winterliche Nacht[160] und Tonpuppen *(sigillaria)*[161] zu verschenken. Im Laufe der Zeit haben jedoch Schenkungen der Klienten an ihre Patrone den altrömischen Saturnalienbrauch unter dem Einfluß griechischer Sitten erweitert.[162] Während des 2. Punischen Krieges scheint dieser Mißbrauch

---

[150] Vgl. L. Lange, Alterthümer II, 189.

[151] Liv. 27, 20, 11: *Inimicus erat ei (sc. Marcello) C. Publicius tr. pl.;* 21, 1 f.: *Non Marcellum modo, sed omnem nobilitatem;* Plut. Marc. 27, 2–4.

[152] Liv. 27, 20–21; Plut. Marc. 27; vgl. F. Cassola, Gruppi politici, 325; G. Niccolini, Fasti, 98 f. Zum staatsrechtlichen Aspekt einer Abrogation Th. Mommsen, Staatsrecht I, 628–30.

[153] Liv. 26, 26, 10 f.; vgl. 26, 29 ff.; Plut. Marc. 23.

[154] I. Sauerwein, Leges sumptuariae, 49, teilt ihm – allerdings ohne zwingende Beweise – die *lex Publicia,* die in D 11, 5, 3 erwähnt ist, zu.

[155] Liv. 27, 20, 11 f.; Plut. Marc. 27: δεινὸν εἰπεῖν ἄνδρα καὶ βίαιον.

[156] Liv. 27, 21, 1–3; vgl. J. Bleicken, Volkstribunat, 61.

[157] Liv. 27, 21, 4. Die Rede des Marcellus ist von Livius nicht wiedergegeben.

[158] Plut. Rom. 13; Polyb. 6, 56, der gerade diese Enthaltsamkeit beim Gewinnstreben als eine der großen römischen Tugenden darstellt. Vgl. Plut. Luc. 21, wo der römische Abgesandte nur aus Höflichkeit von Tigranes eine goldene Schale annimmt.

[159] Besonders Silbergeschirr, wie aus Mart. 8, 71 hervorgeht.

[160] Macr. 1, 7, 31; 1, 11, 49; Fest. v. *cereos* 54 M (= 47 L): *cereos Saturnalibus muneri dabant humiliores potentioribus, quia candelis pauperes, locupletes cerei utebantur;* Varro ling. 5, 64: *quare quod caelum principium, ab satu est dictus Saturnus, quod ignis, Saturnalibus cerei superioribus mittuntur.* Dazu M. P. Nilsson, RE II A (1921), s. v. Saturnalia, 202 ff.; E. Savio, Leggi suntuarie, 178. Im Jahre 217 wurde das Fest umgebildet, Liv. 22, 1, 19. Zu *cerei* vgl. auch Anth. Pal. 6, 249.

[161] Vgl. Suet. Aug. 75; dazu M. P. Nilsson, RE II A, s. v. Saturnalia, 202 ff.; E. Savio, Leggi suntuarie, 178.   [162] M. P. Nilsson, RE II A, s. v. Saturnalia, 202 ff.

am drückendsten empfunden worden zu sein,[163] so daß man gesetzlich dagegen einschritt. Ziel der Gesetze war der finanzielle Schutz der Klienten. Dennoch ist es voreilig, Publicius zum Vertreter der *plebs urbana* gegen die Nobilität zu machen, denn auch bedeutende Vertreter des Senates, wie Cato[164] und Q. Fabius Maximus,[165] haben den Mißstand erkannt. Die *lex Publicia* wendet sich also, anders als die ‹klassischen› *leges sumptuariae*, gegen den ‹Aufwand› der niederen Volksschichten, und hier wird man vielleicht von seiten der Nobilität den Volkstribunen eine Beteiligung zugestanden haben.[166] Selbständig hat er aber sicher nicht gehandelt, sondern man darf davon ausgehen, daß hinter Publicius einflußreiche Senatoren standen.

2.3.4.2 *Lex Cincia* (204 v. Chr.)

Im Jahre 204[167] wurde nach der *lex Publicia* das zweite Schenkungsgesetz erlassen, eingebracht von M. Cincius Alimentus, Volkstribun 204, dessen politische Stellung aus seiner Beteiligung an einer antiscipionischen Kommission deutlich wird.[168] Urheber des Gesetzes war aber möglicherweise Q. Fabius Maximus,[169] der die *lex Cincia* mit Sicherheit unterstützt hat,[170] während Cincius immerhin an ihrer Ausbildung beteiligt gewesen sein mag.[171] Man geht nun allgemein davon aus, daß das Gesetz zwei verschiedene Verbote beinhaltete,[172]

---

[163] Vgl. Cato in seiner Rede gegen die Abschaffung der *lex Oppia* bei Liv. 34, 4, 9: *quid legem Cinciam de donis et muneribus, nisi quia vectigalis iam et stipendiaria plebs esse senatui coeperat?* Auch die *lex Cincia* (204) fällt ja in diese Zeit des Krieges.

[164] Liv. 34, 4, 9 (s. vor. Anm.).

[165] Nach Cic. senect. 10 hat er die *lex Cincia* unterstützt; vgl. auch J. Bleicken, Volkstribunat, 66 f.

[166] Im Bereich der Schenkungsgesetze ist noch am ehesten eine Beteiligung der Volkstribunen an der Ausbildung des Rechts zu vermuten, vgl. J. Bleicken, Volkstribunat, 66.

[167] Die Datierung ergibt sich mit Sicherheit aus Cic. senect. 10, 4: *Quaestor deinde quadriennio post factus sum* (sc. Cato); *quem magistratum gessi consulibus Tuditano et Cethego, cum quidem ille admodum senex suasor legis Cinciae de donis et muneribus fuit.* In diesem Jahr war nach Liv. 29, 20, 11 M. Cincius Alimentus Volktribun.

[168] Vgl. Liv. 29, 20, 11: dazu F. Münzer, RE VI (1899), s. v. Cincius (6), 2557; G. Niccolini, Fasti, 100 f.

[169] F. Casavola, Lex Cincia, 21: G. Wesener, ZRG 78, 1961, 486.

[170] Cic. senect. 10, 4 (s. oben Anm. 167).

[171] Vgl. J. Bleicken, Volkstribunat, 65 f., der auf die ursprüngliche Funktion der Volkstribunen hinweist, die bis 133 nur bei den Schenkungsgesetzen durchscheinen konnte. Bei diesen ging es v. a. um die Belange der Klienten gegen finanzielle Ausbeutung durch die Patrone.

[172] Etwa O. Karlowa, Römische Rechtsgeschichte II, 585 ff.; L. Mitteis, Römisches Privatrecht, 153 ff.; E. Cuq, DS III/2 (1904), s. v. lex Cincia, 1134 f.; R. Leonhard, RE X (1905), s. v. donatio, 1533 ff.; G. Rotondi, Leges publicae, 261 ff.; M. Kaser, Verbotsgesetze, 20 ff.; 38. Dagegen nimmt F. Casavola, Lex Cincia, 24 ff., nur ein allgemein gehaltenes Schenkungsverbot an, das durch die genaue Definition der *personae exceptae* doch wieder ihr besonderes Ziel, nämlich die Verhinderung der Schenkungen zwischen Bürgerschaft und Nobilität, erreicht habe; kritisch G. Wesener, ZRG 78, 1962, 487, der bei der traditionellen Auffassung bleibt.

nämlich: a) allgemein Schenkungen über ein bestimmtes Maß hinaus und innerhalb eines genau definierten Personenkreises,[173] b) im besonderen Schenkungen
von Klienten an ihre Rechtskonsulenten.[174] Immerhin bleibt aber zu bedenken,
daß alle nichtjuristischen Quellen, die das Gesetz erwähnen, nur letztere
Bestimmung wiedergeben, was zumindest darauf hindeutet, daß hier die eigentliche Ursache des Gesetzes zu suchen ist.[175] Das wird bestätigt durch eine
Äußerung Catos anläßlich der Abschaffung der *lex Oppia* im Jahre 195: *sicut
ante morbos necesse est cognitos esse quam remedia eorum, sic cupiditates prius
natae sunt, quam leges, quae iis modum facerent. . .quid legem Cinciam de donis et
muneribus, nisi quia vectigalis iam et stipendiaria plebs esse senatui coeperat.*[176]
Die Gegenüberstellung von *senatus – plebs* kann doch wohl nur bedeuten, daß
die Oberschicht, die allein über Rechtskenntnisse verfügte, aus diesem Mono-
pol Gewinne zum Schaden ihrer Klienten zu ziehen versuchte.[177] Dennoch

---

[173] Das Maß ist unbekannt, doch wird seine Existenz in juristischen Quellen mehrfach
erwähnt, von denen sich mit Wahrscheinlichkeit aber nur Ulp. reg. 1, 1 auf die *lex Cincia*
bezieht; vgl. Paul. Sent. 5, 11, 6; D 39, 5, 9, 1; 11; 21, 1; 23; 24; 44, 4, 5, 2 u. 5. Ausführlich
zum *modus legis Cinciae* A. v. Rambach, Lex Cincia, 7 ff., und v. a. in Auseinandersetzung
mit der Forschung F. Casavola, Lex Cincia, 28 ff.; ferner G. Wesener, ZRG 78, 1961, 487 f.;
E. H. Kaden, Labeo 9, 1963, 249 f. Die *personae exceptae* sind aufgeführt in den Frg.
Vat. 298–306. Es handelt sich v. a. um Kognaten bis zum 5. Grad, vom 6. Grad noch den
sobrinus und die *sobrina* (Frg. Vat. 299), deren Gewalthaber und -unterworfene; Verlobte,
Ehegatten, Mündel, Patrone. Man sieht also, daß der Kreis der *personae non exceptae*
außerordentlich beschränkt wurde. Dazu jetzt P. Stein, Athenaeum 73, 1985, 145 ff.

[174] Tac. ann. 11, 5: *patres. . .legem. . .Cinciam flagitant, qua cavetur antiquitus ne quis ob
causam orandam pecuniam donum accipiat;* 13, 5; 42; 15, 20. Zweifelnd V. Arangio Ruiz, Istituzioni, 580, Anm. 1; dagegen G. G. Archi, Donazione, 16 f. I. Shatzman, Wealth, 70 ff.,
nimmt auch hier eine Grenze an, bis zu der man Honorare nehmen durfte.

[175] Zweifelnd A. Watson, Law of succession, 165, Anm. 2; R. Astolfi, SDHI 39, 1973,
205, Anm. 78.

[176] Liv. 34, 4, 8 f. Zur Frage der Echtheit der Rede vgl. oben S. 56, Anm. 119. Speziell die
hier diskutierte Äußerung für catonisch halten F. Casavola, Lex Cincia, 21 f.; F. Cassola,
Gruppi politici, 286 f. Letzterer folgert die Echtheit auch daraus, daß Livius die *lex Cincia* in
seinem Jahresbericht von 204 nicht erwähnt, ihr also keine Bedeutung beigemessen habe;
deshalb sei der Hinweis ein Stück aus der originalen Rede Catos, doch liegt der Grund für
das Fehlen der *lex Cincia* in der livianischen Darstellung für 204 eher in der idealisierenden
Tendenz des Berichtes, wie schon bei der *lex Oppia* ersichtlich war. Livius könnte dagegen
Catos Rede (auch hier eine Parallele zur *lex Oppia*) benutzt haben, um die Erwähnung
nachzuholen. An dieser Stelle Zitat aus dem Original anzunehmen, scheint mir jedenfalls
nicht zwingend. – Derselbe Gedanke wie in der zitierten Cato-Äußerung kommt auch bei
Cic. de orat. 2, 286 zum Ausdruck: Auf die (doppeldeutige) Frage *quid fers, Cinciole* ant-
wortet dieser: *ut emas, si uti velis,* was heißen soll, daß er jetzt auf Geschenke nicht mehr hoffen darf, wenn das Gesetz in Kraft ist.

[177] A. Lippold, Consules, 101 und Anm. 101; F. Cassola, Gruppi politici, 285. Vgl. Tac.
ann. 11, 5; 15, 20: *Sic oratorum licentia Cinciam rogationem, candidatorum ambitus Iulias
leges, magistratuum avaritia Calpurnia scita peperunt;* 13, 42: *Eius (sc. Suillii) opprimendi gratia repetitum credebatur senatus consultum poenaque Cinciae legis adversum eos, qui pretio causas oravissent;* 13, 5: *multaque arbitrio senatus constituta sunt: ne quis ad causam orandam*

reduziert Cato – oder besser Livius – den Sinn des Gesetzes auf einen rein ökonomischen Inhalt, und hier sind ihm viele moderne Forscher gefolgt.[178] Doch
enthält die Aussage zugleich eine soziale Dimension, die dem Gesetz eine über
den wirtschaftlichen Aspekt hinausgehende Tragweite und damit überhaupt erst
die Rechtfertigung innerhalb der Aristokratie verleiht.[179] Denn das *vectigalis et
stipendiaria esse* verletzt einen auch und gerade von der Nobilität anerkannten
Grundsatz des Klientelwesens, das ja das Fundament der römischen Gesellschaftsordnung darstellt, die *fides*. Die rechtliche Beistandspflicht der Patrone
war immer ein Bestandteil des Klientelwesens und gehört zur materiell nicht
faßbaren[180] *fides*.[181] Weil diese aber Voraussetzung für ein Funktionieren des
gesamten Systems war, mußte eine Materialisierung umgekehrt schwerwie-
gende wirtschaftliche und soziale Folgen nach sich ziehen. Der Gleichbehand-
lungsgrundsatz war nicht mehr gewährleistet, da die finanzkräftigsten Klienten
bevorzugt wurden, und gleichzeitig wurde die Tendenz zur Verarmung verstärkt, da immer mehr *munera* geleistet werden mußten. Die für die Wahrung
des Sozialprestiges nötigen Mittel holten sich die *nobiles* von denen, die auf die
aristokratischen Dienste angewiesen waren. Es entstand ein Kreislauf mit Auswirkungen, die das gesamte soziale Gefüge betrafen. Die Ursachen für diese
Entwicklung mögen in der kriegsbedingten wachsenden Abhängigkeit der

---

mercede aut donis emeretur; vgl. Plin. ep. 5, 13 (14), 8 f.; Cic. Att. 1, 20, 7: *L. Papirius Paetus,
vir bonus amatorque noster, mihi libros eos, quos Ser. Claudius reliquit, donavit. Cum mihi per
legem Cinciam licere capere Cincius amicus tuus diceret, libenter dixi me accepturum, si attulis-
set;* vgl. Dio 54, 18, 2. Zur Deutung der Gegenüberstellung *senatus – plebs* vgl. F. Casavola,
Lex Cincia, 13 f., gegen G. G. Archi, Donazione, 17. Vgl. auch A. v. Rambach, Lex Cincia, 2;
L. Mitteis, Römisches Privatrecht I, 154, Anm. 9; B. Biondi, Successione testamentaria, 635,
Anm. 2.

[178] C. Gioffredi, SDHI 13–14, 1947–8, 64 f.; F. Casavola, Lex Cincia, 21 ff.; G. G. Archi,
Donazione, 21 f.; G. Wesener, ZRG 78, 1961, 486 (Wiederherstellung der Wirtschaft und
«Verhinderung des drohenden Pauperismus»); M. Kaser, Verbotsgesetze, 26.

[179] Natürlich ist die *lex Cincia* nicht sozialem Gerechtigkeitssinn in moderner Bedeutung
entsprungen. F. Cassola, Gruppi politici, 285, vertauscht Ursache und Wirkung, wenn er als
Zweck der *lex Cincia* ansieht, zu verhindern, daß reiche Klienten besser beurteilt würden als
die armen, da sie sich bessere Anwälte leisten könnten.

[180] Vgl. J. Bleicken, Verfassung, 23.

[181] Dion. Hal. 2, 10: τοὺς μὲν πατρικίους ἔδει τοῖς ἑαυτῶν πελάταις ἐξηγεῖσθαι τὰ
δίκαια, ὧν οὐκ εἶχον ἐκεῖνοι τὴν ἐπιστήμην. Vgl. Plut. Rom. 13; Cic. Mur. 10. Plaut. Menaech. 571 ff. gibt einen guten Einblick in die zu dieser Zeit übliche Praxis: *clientes sibi omnes
volunt esse multos: bonine an mali sint, id hau quaeritant; res magis quaeritur quam clientum
fides quoius modi clueat. si est pauper atque hau malus nequam habetur, sin dives malust, is cliens
frugi habetur. qui nec leges neque aequom bonum usquam colunt, sollicitos patronos habent.
datum denegant, quod datum est, litium pleni, rapaces viri, fraudulenti, qui aut faenore aut
periuriis habent rem paratam. eis ubi dicitur dies, simul patronis dicitur, quippe qui pro illis
loquimur quae male fecerunt: aut ad populum aut in iure aut ad iudicem est.* Vgl. Chr. Meier,
Res publica amissa, 37 f.; J. Bleicken, Staatliche Ordnung, 66 ff.; N. Rouland, Pouvoir politique et dépendence personelle dans l'antiquité romaine. Génèse et rôle du rapports de
clientèle, Coll. Latomus 166, Brüssel 1979, 261 ff.; E. Gabba, RSI 93, 1981, 551.

Klienten vom Rechtsbeistand der Patrone gelegen haben. Denn durch die lange Kriegsdauer und die damit verbundene Abwesenheit von der Heimat war die Interessenvertretung durch die Patrone von steigender Bedeutung. Der Materialisierung der *fides* und damit der Abwendung vom *mos maiorum* versuchte man nun durch die *lex Cincia* entgegenzuwirken. Die soziale Tendenz entspringt diesem konservativen Grundzug des Gesetzes, der bestätigt wird durch die Unterstützung von seiten konservativer Senatoren wie Q. Fabius Maximus oder Cato. Jedenfalls ist sie nicht Sozialpolitik modernen Zuschnitts, sondern Wiederherstellung der traditionellen Beziehungen zwischen Patron und Klient. Schließlich belasteten die Änderungen im Klientelwesen auch die Beziehungen der Aristokraten untereinander.

Bezeichnend für die Absicht des Gesetzes ist die Anwendungstechnik. Die *lex Cincia* erklärte weder eine einmal vollzogene Schenkung für ungültig noch stand überhaupt eine Strafe auf das Zuwiderhandeln *(lex imperfecta).*[182] Das bedeutete, daß nur Schenkungsversprechen, d. h. noch nicht vollendete *donationes,* betroffen waren;[183] «bereits völlig abgewickelte Schenkungen sollten nicht mehr widerrufen werden können».[184] Diese Regelung offenbart auch die Intention; denn nun waren diejenigen, die Schenkungen versprochen hatten, nicht mehr verpflichtet, sie auch zu leisten, und hier waren vor allem solche Schenkungen betroffen, die mit der Nobilität wegen geleisteter oder zu leistender Dienste verabredet waren. Mit der Imperfektion wurde auch nicht «der Gesetzeszweck in Frage gestellt»;[185] denn es ging um die vorher abgemachten, vielleicht aufgezwungenen Geschenke, die die Klienten oder verallgemeinernd (nach Cato) die Plebs den *nobiles* zu bestimmten Anlässen[186] oder für bestimmte Dienste, meist juristischer Natur, zu entrichten hatten. Diese einzuklagen war den Patronen nach der *lex Cincia* nicht mehr gestattet.

Es handelt sich bei der *lex Cincia* also kaum um ein Luxusgesetz,[187] das die Vermögensverschwendung eindämmen sollte. Es ist auch kaum vorstellbar, daß in der Endphase des Krieges die Vermögensverschwendung durch Schen-

---

[182] Die Einteilung nach *lex perfecta, lex minus quam perfecta* und *lex imperfecta* nach Ulp. 1, 1; Macr. somn. Scip. 2, 17, 13. Nach I. Shatzman, Wealth, 72, ist die *lex Cincia* in beiden Teilen imperfekt.

[183] Vgl. B. Biondi, Successione testamentaria, 637 ff.; G. G. Archi, Donazione, 145 ff.; F. Casavola, Lex Cincia, 115 ff.; M. Kaser, Verbotsgesetze, 21; 27.

[184] M. Kaser, Verbotsgesetze, 26.

[185] M. Kaser, Verbotsgesetze, 26 f. Die gerichtliche Behandlung von Schenkungen versuchte man zu vermeiden, da man die Oberschicht vor einer derartigen Publizität schützen wollte und man andererseits auch ohne Perfektion das Ziel allein durch die Verbotsbestimmung erreichen konnte, vgl. J. Bleicken, Lex publica, 217 f.; M. Kaser, Verbotsgesetze, 27.

[186] Vgl. die *lex Publicia* für die Saturnalien, S. 61 ff.

[187] So R. Leonard, RE X, s. v. donatio, 1535; A. Steinwenter RE XII (1925), s. v. lex Furia, 2358 f.; F. Wieacker, Hausgenossenschaft, 47 f.; B. Biondi, Successione testamentaria, 634; 636 f.; M. Kaser, ZRG 71, 1954, 455, Anm. 35; ders., Privatrecht I, 503; G. Wesener, ZRG 78, 1961, 486; A. Watson, Law of succession, 165.

kungen gesetzliche Regelungen erforderte.[188] Das Gesetz ist gegen den
Beschenkten (nicht gegen den Schenker gerichtet), es spricht von Verboten
des *donum capere accipere*[189] und wendet sich damit auch ausschließlich an die
Oberschicht. Erst spätere juristische Interpretation, die über die eigentliche
Zielsetzung hinausging, hat die Gewichte anders gesetzt.[190] Fabius/Cincius
ging es jedenfalls in erster Linie darum, die Nobilität zum *mos maiorum*
zurückzuführen,[191] weil die Abweichung negative soziale, wirtschaftliche und
politische Folgen hatte.

Daß das Gesetz umgangen wurde, ist anzunehmen.[192] Im Jahre 17 v. Chr.
wurde jedenfalls die Bestimmung bezüglich der Advokaten von Augustus
erneuert und insofern erweitert, als die Empfänger von Zahlungen das Vierfa-
che als Buße zurückgeben mußten.[193] Claudius konzedierte dann – offensicht-

---

[188] M. Kaser, Verbotsgesetze, 26; F. Casavola, Lex Cincia, 19 ff., der allerdings zu stark
nach Polyb. 31, 27 (32, 13), 10–11; 31, 26 (32, 12), 9 idealisiert. Für eine entgegengesetzte
Ansicht bietet Cic. off. 2, 15, 54 keinen Beleg; dort heißt es zwar: *multi enim patrimonia effu-
derunt inconsulte largiendo;* aber einmal bietet die Bemerkung keinen zeitlichen Bezug, zum
anderen steht sie in einem nicht speziell auf Schenkungen zu beziehenden Zusammenhang;
anders: B. Biondi, Successione testamentaria, 636, der ohne Grund das Zitat auf die Zeit der
lex Cincia bezieht. Auch sonst fassen die Quellen die *lex Cincia* nicht als Luxusgesetz auf.

[189] Fest. v. *muneralis* 127 L: *Muneralis lex vocata est, qua Cincius cavit, ne cui liceret munus
accipere* (zur Defintion von *munus* vgl. Ulp. D 50, 16, 194. Tac. ann. 11, 5 gebraucht *donum*
statt *munus*); Tac. ann. 11, 5. Vgl. auch die Umschreibungen bei Cic. leg. 3, 4, 11: *donum ne
capiunto neve danto neve petenda neve gerunda neve gesta potestate;* Lex Col. Gen. cap. 93
(dazu Th. Mommsen, Ges. Schriften I, Berlin 1905, 228); vgl. auch Cic. ad. Att. 1, 20, 7;
Plin. ep. 5, 13, 8; Gell. 12, 12.

[190] F. Casavola, Lex Cincia, 25: «La legge Cincia non aveva in odio le donazioni, ma le
donazioni estorte in forza di un rapporto di disuguaglianza sociale fra donante e donato-
rio».

[191] Vgl. Diz. epigr. I (1895), s. v. advocatus, 120. Daß die Enthaltsamkeit von allzu üppi-
gen Schenkungen zum *mos* gehörte, ist aus Polyb. 33, 113; Cic. off. 2, 52 ff.; 75; rep. 4, 7;
Serv. ad. Aen. 6, 611 ersichtlich, da sie der altrömischen Sparsamkeit widersprachen. Daher
auch die Glorifizierung des Fabricius, der 10 Pf. Erz, 5 Pf. Silber und 10 Sklaven, die er von
den Samniten erhalten hat, weggibt (Val. Max. 3, 4, 6). Vgl. ferner das Scheitern der Beste-
chungsversuche des Pyrrhus (Liv. 34, 4; Plut. Pyrrh. 18) und die Rückgabe der privat erhaltenen Geschenke an das Ärar von den Legaten Q. Fabius Gurges, M. Fabius Pictor und
Q. Ogulinius im Jahre 273 (Dion. Hal. 20, 4; Zon. 8, 6; Val. Max. 4, 3, 9).

[192] Dazu A. Curchin, EMC 27, 1983, 38 ff. Gell. 12, 12 berichtet einen allerdings nicht all-
täglichen Fall einer Umgehung. Nachdem Cicero in den Verdacht gekommen war, von
einem Angeklagten Geld für einen Hauskauf erhalten zu haben, leugnete er diese Unterstel-
lung. Erst später, nachdem er das Haus gekauft hatte und die Lüge ihm im Senat vorgeworfen wurde, antwortete er scherzhaft, daß es Zeichen eines umsichtigen *pater familias* sei, zu
leugnen, was er kaufen wolle, um so Mitbewerber zu täuschen. W. Kunkel, Herkunft und
soziale Stellung der römischen Juristen, Weimar 1952, 287, Anm. 60, erschließt daraus, daß
das Gesetz oft umgangen wurde. Vgl. auch E. Savio, Leggi suntuarie, 179; Diz. epigr. I, s. v.
advocatus, 120 f., die die Nichtbeachtung aus der kaiserzeitlichen Verfügung des Claudius
schließen.

[193] Dio 54, 18.

lich als Reaktion auf die Nichteinhaltung der augusteischen Verfügung – im
Jahre 49 die Annahme von Geld bis zu einer bestimmten Höhe.[194] Unter Nero
schließlich wurde die *lex Cincia* zum letzten Mal eingeschärft.[195] Sie verschwin-
det im 4. Jahrhundert n. Chr.[196]

Die Analogie zu den Repetunden-Gesetzen ist unübersehbar; die *lex Calpurnia* von 149 v. Chr. wurde sogar als erste Ausführungsbestimmung der *lex Cincia* bezeichnet.[197] Doch während sich die *lex Cincia* an den einzelnen *nobilis* als
Privatmann (also nicht in seiner öffentlichen Funktion) wandte, müssen wir die
Repetunden-Gesetze dem Beamtenrecht zuordnen.[198] «Die Repetundenge-
setze, der Sache nach gerichtet gegen Erpressung und Bestechung, vermeiden
den schwierigen Beweis dadurch, daß nach Analogie der Bestimmungen des
cincischen Gesetzes über die Geschenke an Sachwalter den Beamten allgemein
untersagt wird, Geld anzunehmen *(pecuniam capere)* und gewährten für den
Fall des Zuwiderhandelns dem Geber die Rückforderungsklage *(pecunias repe-
tere)*».[199] Gemeinsam ist beiden Gesetzesgruppen, daß die Geschenkenehmer
vom *mos maiorum* abgewichen und nur Vertreter der Oberschicht angesprochen

---

[194] Tac. ann. 11, 5: *capiendis pecuniis (posuit) modum usque ad dena sestertia, quem egressi
repetundarum tenerentur.* Dazu I. Shatzman, Wealth, 71. Vgl. Tac. ann. 15, 20; auf dieses SC
bezieht sich nach Th. Mommsen, Strafrecht, 706, Anm. 3, Plin. ep. 5, 9 (21): *suberat edicto
senatus consultum hoc, omnes qui quid negotii haberent iurare priusquam agerent iubebantur
nihil se ob advocationem cuiquam dedisse promisisse cavisse...peractis tamen negotiis permitte-
batur pecuniam dumtaxat decem milium dare* (unter Trajan). Vgl. D 50, 13, 1, 12; Plin. ep. 5, 4;
Quint. 12, 7, 10.

[195] Im Jahre 54: Tac. ann. 13, 5: *ne quis ad causam orandam mercede aut donis emeretur;* vgl.
Suet. Nero 17. Im Jahre 58 wieder die Beziehung auf das SC von 49, Tac. ann. 13, 42: *poena
Cinciae legis adversos eos, qui pretio causas oravissent.* Zur Entwicklung der Anwaltshonorare
K. Viskey, Geistige Arbeit und die artes liberales in den Quellen des römischen Rechts,
Budapest 1977, 60 f. L. Friedländer, Darstellungen I, 133, weist darauf hin, daß angesichts
des Reichtums einzelner Advokaten diese Bestimmungen kaum eingehalten wurden, Tac.
hist. 4, 42; Plin. ep. 2, 20; Schol. Juv. 4, 81; Tac. dial. 8, 2; vgl. M. Kaser, Das römische Zivil-
prozeßrecht, München 1966, 162, Anm. 96.

[196] M. Kaser, Privatrecht II, 399, Anm. 46; ders. Verbotsgesetze, 28, Anm. 31; vgl. G. Niccolini, Fasti, 101, der die Jahre 319 und 326 annimmt, während F. Schulz, Classical Roman
law, 567 f., das Jahr 438 aus CTh 8, 12, 4 vorschlägt.

[197] P. F. Girard, Geschichte, 1028, Anm. 3; vgl. auch F. Senn, Leges perfectae, minus quam
perfectae et imperfectae, Paris 1902, 42–46, der die *lex Calpurnia* als Ausdehnung der *lex
Cincia* auf die Provinzialen begreift.

[198] Vgl. als Aufforderung an die Magistrate Cic. leg. 3, 4, 11; Lex Col. Gen. cap. 93. Als
Repetunden-Gesetze sind bekannt die *lex Calpurnia* (149), *lex Iunia* (149–123), *lex Acilia*
(123/2), *lex Servilia* (111, sie belegt den Delinquenten erstmalig mit Infamie, während in
der Zeit davor ein Repetunden-Prozeß noch nicht das Ende der politischen Karriere bedeutete, Val. Max. 6, 9, 10 im Fall des Zensors von 147 Lentulus); *lex Cornelia* (81), *lex Iulia* (59,
auch hier Infamie: D 1, 9, 2). Dazu C. Venturini, Studi sul ‹Crimen Repetundarum› nell'
età repubblica, Mailand 1979.

[199] Th. Mommsen, Strafrecht, 714.

sind.[200] Dieser Eingriff in die freien Persönlichkeitsrechte – denn der Strafbestand war das Geschenkenehmen, nicht Bestechung und Erpressung, um die es
nur der Sache nach ging – ist nie etwa als Schmälerung der *libertas* aufgefaßt
worden. Eine inhaltliche Opposition hat es nicht gegeben, auch wenn die
Gesetze kaum befolgt wurden.[201]

2.3.4.3 Zusammenfassung

Die Schenkungsgesetze betrafen das Verhältnis Patron–Klient, das offenbar
Ende des 3. Jahrhunderts einigen Belastungen ausgesetzt war. Die Oberschicht
benutzte das Abhängigkeitsverhältnis dazu, sich finanziellen Gewinn zu verschaffen; entweder erzwang man zu besonderen Anlässen, wie den Saturnalien, Geschenke oder man ließ sich seine Dienste bezahlen. Beides wurde auch
innerhalb der Oberschicht als Fehlentwicklung erkannt und daher gesetzlich
durch die *leges Publicia* und *Cincia* verboten. Neben dem wirtschaftlichen
(finanzieller Schutz der Klienten) und dem sozialen (Wahrung der *fides*)
waren vor allem standespolitische Gründe ausschlaggebend. Durch eine
Beschränkung der Geschenke (und Legate) reduzierte man die Bedeutung
besonders finanzkräftiger Klienten[202] und trug damit auch zur Wahrung der
politischen Spielregeln bei. In diesem Punkt überschneiden sich die Gesetze
über das Geschenkegeben mit den Repetunden-Gesetzen. Die Jurifizierung
eines Teiles der Beziehungen zwischen Patron und Klient offenbart einerseits
eine gewisse Abkehr vom *mos maiorum,* andererseits belegt sie aber auch die
Fähigkeit der damaligen Senatsaristokratie, die daraus resultierenden Gefahren für die Einheit zu erkennen und entsprechend zu handeln.

2.3.5 Die Erbrechtsgesetze

Auch die Erbrechtsgesetze, die *leges Furia* und *Voconia,* gehören zu jener
Gruppe von Gesetzen, die auf die Auflösungserscheinungen des *mos maiorum*
durch Eingriffe in die Privatsphäre reagierte. Sie haben daher, ohne zum Kreis
der eigentlichen *leges sumptuariae* zu gehören, eine ähnliche Zielrichtung wie
diese, so daß ihre Berücksichtigung in diesem Zusammenhang gerechtfertigt
erscheint.

---

[200] Das entsprach dem gesellschaftlichen Selbstverständnis der Nobilität, vgl. G. Rotondi,
Leges publicae, 390; Th. Mommsen, Strafrecht, 710 f. Ritter waren ausdrücklich nicht einbezogen, Cic. Rab. 5, 12. Versuche, den Personenkreis auf die Gefolgschaft auszudehnen,
scheiterten, vgl. G. Rotondi, Leges publicae, 405 f.; Cic. Rab. 6, 13. Diese Praxis änderte sich
erst in der Kaiserzeit.
[201] Cic. off. 2, 21, 75 über die Erfolglosigkeit der Repetunden-Gesetze.
[202] Vgl. bes. Plaut. Menaech. 571 ff. (oben S. 65, Anm. 181).

2.3.5.1 *Lex Furia testamentaria* (vor 169 v. Chr.[203])

Drei Bestimmungen der *lex Furia* sind uns bekannt:

1. Legate über 1000 As dürfen nicht angenommen werden.[204]
2. Als Strafe bei Zuwiderhandlung ist die *poena quadrupli* vorgesehen; das Legat bleibt allerdings rechtsgültig *(lex minus quam perfecta)*.[205]
3. Ausgenommen von dem Verbot sind Kognaten bis zum 6. Grad und vom 7. Grad der / die *sobrinus / sobrina*.[206]

Kontrovers wird die Zielsetzung des Gesetzes diskutiert: a) Der Jurist Gaius[207] legt den Schutz des Erben vor übermäßiger Belastung durch Legate zugrunde. Die durch den 12-Tafel-Satz: *uti legassit suae rei, ita ius esto*[208] garantierte völlige Testierfreiheit habe oftmals zu einer Aufsplitterung der Vermögen durch Vermächtnisse geführt und also dem Erben nichts übrig gelassen. Das habe die *lex Furia* zu verhindern versucht, allerdings ohne Erfolg, da nun die Vermögen durch eine Vielzahl kleinerer Legate von höchstens je 1000 As

---

[203] Terminus ante quem ist nach Gai. 2, 225 das Jahr der *lex Voconia* 169. Darüber hinaus wird sie allgemein hinter die *lex Cincia* (204) wegen ähnlicher, aber weiter entwickelter Gesetzestechnik im Bereich der Ausnahmeregelung verlegt; zweifelnd L. Mitteis, Römisches Privatrecht, 52, Anm. 30; M. Kaser, Privatrecht I, 629, Anm. 2; U. Wesel, ZRG 81, 1964, 310, Anm. 2; A. Watson, Law of succession, 163, Anm. 3. Fragwürdig ist aber die Rückführung des *modus legis Cinciae* auf die *lex Furia*, wie sie von F. Casavola, Lex Cincia, 28 ff., versucht wird (dort auch Auseinandersetzung mit der älteren Literatur zu diesem Thema). Ähnlich spekulativ sind Versuche, über den Einbringer C. Furius (Cic. Balb. 8, 21) eine Datierung für 183 vorzuschlagen, so L. Lange, Alterthümer II, 255 ff., und ihm folgend S. Solazzi, Iura 4, 1953, 153; vgl. F. Münzer, RE VII (1912), s.v. Furius (10 u. 11), 316; F. Wieacker, Hausgenossenschaft, 46. Daß aber eine zeitliche Nähe zur *lex Cincia* anzunehmen ist, ergibt sich aus dem Inhalt, dazu unten S. 72.

[204] Gai. 2, 225: *Itaque lata est lex Furia, qua exceptis personis quibusdam ceteris plus mille assibus legatorum nomine mortisve causa capere permissum non est. sed haec lex non perfecit, quod voluit: qui enim verbi gratia quinque milium aeris patrimonium habebat, poterat quinque hominibus singulis millenos asses legando totum patrimonium erogare.* Vgl. Varro frg. 3, de vit. pop. Rom.: *plebisque scito cautum ne quis legaret causave mortis donaret assis mille;* Inst. Iust. 2, 22 pr: Theophil. ad hunc loc.; Ulp. 1, 2. Zu As vgl. Varro ling. 8, 93. Dazu S. v. Bolla, ZRG 68, 1951, 510; U. Wesel, ZRG 81, 1964, 311, Anm. 3; R. Astolfi, SDHI 39, 1973, 206. Vgl. aber F. v. Woeß, Erbanwärter, 70; S. Solazzi, Iura 4, 1953, 153.

[205] Ulp. 1, 2 nennt das Gesetz als Musterbeispiel einer *lex minus quam perfecta, quae plus quam mille assium legatum mortisve causa prohibet capere, praeter exceptas personas, et adversus eum qui plus ceperit quadrupli poenam constituit;* Gai. 4, 23; vgl. zur *manus inectio* G. Baviera, Scritti giuridici I, Palermo 1909, 209 f.; P. F. Girard, Geschichte, 1078; A. Steinwenter, RE XII (1925), s.v. lex Furia, 2356 ff.; M. Kaser, Verbotsgesetze, 34, Anm. 6.

[206] Frg. Vat. 301: *Sic et lex Furia scripta est, eo amplius quod, si illa lex sex gradus et unam personam ex septimo gradu excepit, sobrino natum.* Die *lex Cincia* hatte nur bis zum 5. Grad und vom 6. den/die *sobrinus/sobrina* ausgenommen (Frg. Vat. 298–306). Auf diese Ähnlichkeit stützt sich die Datierung der *lex Furia* nach der *lex Cincia*.

[207] Gai. 2, 224–227; zum folgenden U. Wesel, ZRG 81, 1964, 308 ff.; A. Watson, Law of succession, 163 ff.

[208] Vgl. Z. Ferenczy, Uti legassit. . .ita ius esto, Oikumene 1, 1976, 173 ff.

belastet worden seien. Die *lex Voconia* habe dann im Interesse der Erben verfügt, *ne cui plus legatorum nomine mortisve causa capere liceret, quam heredes
caperent.* Doch habe auch sie nicht den gewünschten Erfolg gehabt, da nun
zwar nicht die gesamte Erbschaft vermacht, aber immerhin noch so belastet
werden konnte, daß die Erben die Erbschaft oft gar nicht anzutreten bereit
gewesen seien. Erst mit der *lex Falcidia* (40 v. Chr.) sei dann den Erben ein
fester Anteil, nämlich ein Viertel, versichert worden. Zentraler Gedanke der
Gesetzgebung sei also Schutz des bzw. der Erben gewesen, worin ihm einige
Neuere gefolgt sind.[209] Die Gegner dieser Theorie wandten ein, daß Gaius von
der *lex Falcidia* Rückschlüsse auf die *leges Furia* und *Voconia* gezogen habe,[210]
daß er völlige Testierfreiheit nach dem 12-Tafel-Recht vorausgesetzt und er die
Bedeutung der Erbsitte verkannt habe.[211]

b) Vielfach wurde deshalb die *lex Furia* als Luxusgesetz aufgefaßt.[212] Sie sei
eingebracht worden, um der Vermögensverschwendung vor allem innerhalb der
Oberschicht Einhalt zu gebieten. Dann allerdings ist es unverständlich, warum
der Empfänger Adressat des Gesetzes war,[213] und vor allem, daß dem Gesetzgeber, wenn er der Vermögensverschwendung einen Riegel vorschieben wollte,
nicht von vornherein die Wirkungslosigkeit eines derartig gefaßten Gesetzes
bewußt war,[214] da ja auch viele kleine Legate das Vermögen erschöpfen konnten. Auch geht diese Ansicht von der unwahrscheinlichen Voraussetzung aus,

---

[209] G. Rotondi, Leges publicae, 284; B. Biondi, Successione testamentaria, 378 ff.;
A. Watson, Law of succession, 164 ff., u. a. (vgl. U. Wesel, ZRG 81, 1964, 310, Anm. 1).

[210] A. Steinwenter, RE XII, s. v. lex Furia, 2357; M. Kaser, Privatrecht I, 756; vgl.
U. Wesel, ZRG 81, 1964, 310.

[211] Dargestellt bei A. Watson, Law of succession, 164, der allerdings die Berechtigung der
Kritik anzweifelt. Nach U. Wesel, ZRG 81, 1964, 310, ist «der Bericht des Gaius insgesamt
falsch», zwischen den *leges Furia*, *Voconia* und *Falcidia* bestehe kein innerer Zusammenhang.

[212] A. Steinwenter, RE XII, s. v. lex Furia, 2356 f.; B. Biondi, Successione testamentaria,
375 f.; F. Wieacker, Hausgenossenschaft, 45 ff.; ders., Vom römischen Recht, 63; 68 ff.;
M. Kaser, Ius, 156 f.; ders., Privatrecht I, 756; ders., Verbotsgesetze, 33 f.; 52 f.; S. Solazzi,
Iura 4, 1953, 153 f.; U. Wesel, ZRG 81, 1964, 310; R. Astolfi, SDHI 39, 1973, 205. Daß das
Gesetz dann aber an den Falschen adressiert war, kann man nicht lediglich mit dem Hinweis
auf die traditionelle Unfähigkeit der römischen Gesetzgebung bezüglich Mittel und Effektivität abtun (so F. Wieacker, Hausgenossenschaft, 46).

[213] Untersagt war das *capere* (wie bei der *lex Cincia*). Man muß allerdings keine «ver-
steckte Weisheit» dahinter vermuten, daß gerade der Empfänger des über das Maß hinausgehenden Legates zugunsten des Erben eine Buße des Vierfachen des über das Erlaubte hinausgehenden Wertes zu entrichten hatte (so F. Wieacker, Hausgenossenschaft, 47); vgl.
dazu S. Solazzi, Iura 4, 1953, 153, u. das Folgende.

[214] Dies ist von S. Solazzi, Iura 4, 1953, 153, richtig herausgestellt worden, aber er
schließt sich dann doch der Ansicht M. Kasers, Ius, 156 f., an, daß die *lex Furia* «weniger um
die Testamentserben zu schützen als um den durch prahlerische Legate betriebenen Luxus
zu steuern» erlassen worden sei.

daß die Vermögensverschwendung durch «prahlerische Legate»[215] bereits im
Verlauf des 2. Punischen Krieges innerhalb der Oberschicht so weitverbreitet
war, daß während oder kurz nach Beendigung des Krieges gesetzlich eingeschritten werden mußte. Ferner weist auch die *lex Voconia,* die in diesem Punkt
gerade für die erste Zensusklasse eine Erleichterung bedeutete, darauf hin, daß
man weniger an einen Vermögensschutz der Reichen gedacht hat. Und schließlich würde auch die sehr großzügige Ausnahmeregelung einen derartigen
Gesetzeszweck von vornherein in Frage stellen.

c) Daher ging die Intention des Gesetzgebers wahrscheinlich in eine andere
Richtung. Wenn man einerseits die gesellschaftliche Situation dieser Zeit, wie
Cato sie in seiner Rede gegen die Abschaffung der *lex Oppia* gekennzeichnet
hat, sich vor Augen hält und andererseits berücksichtigt, daß der Adressat des
Verbotes der Empfänger war, ist zu vermuten, daß auch hier ein Schutz der
ländlichen Bevölkerung und Klienten wie bei der *lex Cincia* beabsichtigt war:
Die Patrone als Adressaten des Gesetzes sollten gehindert werden, die ihnen als
Klienten verpflichteten Bauern zu Legaten zu zwingen,[216] die deren *patrimonium* erschöpfen konnten. Denn diese Entwicklung stellte zumal in Verbindung
mit der kriegsbedingten Abwesenheit der Bauern von ihrem Grundbesitz eine
große Bedrohung für die Agrarverfassung dar. Das durch übergroße Legate
belastete Erbgut bot den Nachkommen immer weniger Möglichkeiten, den
Lebensunterhalt in der Landwirtschaft zu verdienen. Dieses ‹soziale› Element
rückt die *lex Furia* nicht nur gesetzestechnisch, sondern auch inhaltlich in die
Nähe der *lex Cincia*[217] und weist auf eine Datierung kurz nach der *lex Cincia,*
wahrscheinlich sogar noch vor der Beendigung des Krieges hin. Vielleicht sollte
die *lex Furia* Umgehungsmöglichkeiten der *lex Cincia* beseitigen, indem sie das
Schenkungsverbot auf Legate ausweitete.

Dieser von dem Gesetz beabsichtigte Schutz der Klienten erklärt auch, daß
die *lex Furia* von den Bundesgenossen freiwillig übernommen worden ist.[218]
Auch die Obergrenze von 1000 As ist nicht zu hoch angesetzt, da für die Bauern als Empfänger eines Legates in erster Linie der Patron in Frage kam und
damit die Belastung kleinerer und mittlerer Vermögen vertretbar erschien.
Andererseits sollte die Legatbegrenzung mit Blick auf die inneraristokratischen

---

[215] So M. Kaser, Ius, 156 f. Im Falle der Schenkungen lehnt derselbe Autor, Verbotsgesetze, 26, diese Ansicht ab, vgl. oben S. 67, Anm. 188.

[216] Senatoren ließen sich oft geleistete Dienste durch Legate bezahlen, wie am Beispiel
des Lucullus zu erkennen ist, Cic. Flacc. 85; vgl. Val. Max. 7, 8, 5. Das galt sicher auch für die
Beziehung Patron-Klient; vgl. W. Kroll, Kultur, 110 ff.; H. Schneider, Wirtschaft und Politik, 89 ff.

[217] Eine Verwandtschaft sieht auch F. Wieacker, Hausgenossenschaft, 47, aber im Hinblick auf die Verschwendung großer Vermögen. Daher bezweifelt er auch den von der
Überlieferung mitgeteilten Zweck der *lex Cincia* bezüglich der Anwaltshonorare, «schon
im Hinblick auf ihre Beziehung zur zeitgenössischen Aufwands- und Luxusgesetzgebung»,
ein allerdings wenig überzeugender Einwand.

[218] Cic. Balb. 8, 21: *quas* (sc. *leges Furiam et Voconiam*) *Latini voluerunt, adsciverunt.* Das
wird von Gai. 3, 121 f. bestätigt: *cum lex Furia tantum in Italia locum habeat.*

Beziehungen nicht zu tief angesetzt werden. Doch empfand man es hier gleichwohl als Eingriff, und daher wurde durch die *lex Voconia* eine anderweitige Regelung getroffen.

2.3.5.2 *Lex Voconia* (169 v. Chr.)[219]

Die *lex Voconia* wurde 169[220] von dem Volkstribunen Q. Voconius Saxa[221] mit Unterstützung Catos[222] eingebracht. Der Inhalt des Gesetzes war zweiteilig:

1. *Mulier quae ab eo, qui centum milia aeris census[223] est per legem Voconiam heres institui non potest...*[224] Diese Bestimmung kann zweifellos als der Mittelpunkt des Gesetzes angesehen werden.[225] Das Verbot betraf allerdings nur die Erbeinsetzung und ließ das Intestaterbrecht unangetastet.[226] Wahrscheinlich hat dieser Passus großen Widerstand hervorgerufen,[227] den wir aber nicht näher

---

[219] Literatur bei R. Vigneron, L'antifeministe loi Voconia et les Schleichwege des Lebens, Labeo 29, 1983, 140.

[220] Datierung nach Cic. senect. 5, 14. Liv. per. 41, wo sie in das Jahr 174 verlegt wird, beruht auf einem durch den Zensus veranlaßten Irrtum, vgl. G. Niccolini, Fasti, 124 f.; T. R. Broughton/M. L. Patterson, Magistrates, 427, Anm. 4. Ältere Datierungsvorschläge bei J. F. Houwing, De Romanorum legibus sumptuariis, 71, Anm. 4.

[221] Liv. per. 41; Cic. Balb. 8, 21; vgl. H. Gundel, RE IX A (1961), s. v. Voconius (4), 696 f.

[222] Liv. per. 41: *Suasit legem M. Cato. exstat oratio eius;* Cic. senect. 5, 14; Gell. 6, 13; 17, 6; Plut. Cat. mai. 8, 2. Das Gesetz paßt zu seiner allgemein frauenfeindlichen Haltung, wie sie auch in seiner Rede gegen die Abschaffung der *lex Oppia,* seinen zensorischen Maßnahmen und auch der Rede *de dote* zum Ausdruck kommt; vgl. Gell. 17, 6, 1: bes. Liv. 34, 2, 11: *maiores nostri nullam ne privatam quidem rem agere feminas sine tutore auctore voluerunt, in manu esse parentium, fratrum, virorum.* Darüber hinaus wird gelegentlich auch T. Sempronius Gracchus, Zensor 169, als Initiator des Gesetzes vermutet, vgl. B. Janzer, Historische Untersuchungen, 63 f.; E. Schmähling, Sittenaufsicht, 55, allerdings ohne Beleg in den Quellen. Jedenfalls ist ein eigenmächtiges Vorgehen des Volkstribunen Voconius zumal in diesem nur die Oberschicht betreffenden Bereich ganz auszuschließen.

[223] Der Zensus bereitet einige Schwierigkeiten, da drei verschiedene Zahlen gegeben werden: a) 100 000 As, b) 100 000 Sest. bei Dio 56, 10; Ps. Ascon. 248 St und c) 125 000 As bei Gell. 7, 13. Letzteres wird angenommen von H. Mattingly, The property qualifications of the Roman classes, JRS 27, 1937, 99 f., und D. Kienast, Cato, 93. Gegen diese Berechnungsmethode wendet sich F. W. Walbank, A historical commentary on Polybius I, Oxford 1957, 176; vgl. auch A. Steinwenter, RE XII, s. v. lex Furia, 2356; U. Wesel, ZRG 81, 1964, 311, Anm. 3 (dort mit der älteren Literatur); C. Nicolet, L'ordre équestre, 60 ff.; ders., JRS 66, 1976, 20 ff.; T. P. Wiseman, JRS 59, 1969, 59 ff.; P. Marchetti, Histoire économique et monétaire de la deuxième guerre punique, Brüssel 1978, 268, bes. Anm. 50; J. W. Rich, Historia 32, 1983, 308 ff.

[224] Gai. 2, 274; Cic. Verr. 2, 1, 41; 104 ff.; senect. 5, 14; rep. 3, 7; Liv. per. 41; Gell. 17, 6; Dio 56, 10, 2; Aug. civ. dei 3, 21.

[225] Vgl. A. Watson, Law of succession, 29; A. E. Astin, Cato, 114.

[226] Trotz Paul. Sent. 4, 8, 20 (= Coll. 16, 3, 20). Vgl. F. v. Woeß, Erbanwärter, 76 ff.; A. Metro, Labeo 9, 1963, 306 f.; M. Kaser, Verbotsgesetze, 51; A. Guarino, Labeo 28, 1982, 189. Die Ansichten der älteren Literatur bei J. J. Bachofen, Lex Voconia, 20.

[227] Gelegentlich wird eine ‹Frauenpartei› ins Spiel gebracht, die den Gesetzgeber zu Kon-

bestimmen können, und auch in späterer Zeit fand das Gesetz gerade wegen des Frauenkapitels nicht nur Zustimmung.[228]

2. Das Gesetz bestimmte ferner: *ne cui plus legatorum nomine mortisve causa capere liceret, quam heredes caperent.*[229] Entgegen früherer Auffassung geht man heute davon aus, daß auch diese Bestimmung sich nur auf die erste Zensusklasse bezogen hat.[230] Das Verhältnis Legat–Erbe wurde so definiert, daß das einzelne Legat nicht größer sein durfte, als der Erbe bzw. die Erben insgesamt bekamen.[231] Das hatte zur Folge, daß die von der *lex Furia* ausgenommenen Personen und besonders die Frauen nur noch höchstens die Hälfte des Vermögens als Legat erhalten konnten,[232] während für die übrigen Legatare die Beseitigung der 1000-As-Grenze eine Verbesserung bedeutete.[233] Es ist demnach anzunehmen, daß die Legat-Bestimmung auch Umgehungsmöglichkeiten für Frauen beseitigen sollte, da diese zwar nicht als Erben eingesetzt werden konnten, aber per Legat das Vermögen hätten erhalten können.[234] Dieser Teil der *lex*

---

zessionen – z.B. das Belassen des Intestaterbrechts – gezwungen habe, vgl. F.v.Woeß, Erbanwärter, 75f.; F.Wieacker, Hausgenossenschaft, 50, Anm.27.

[228] Vgl. Cic. rep.3, 10, 17, der ausdrücklich hervorhebt, daß das Gesetz nur zum Nutzen der Männer eingebracht worden sei. Auch die Kritik von Cic. Verr.1, 41ff. an der Auslegung des Gesetzes durch Verres sollte mittelbar vielleicht das Gesetz selbst treffen. Ebenfalls ablehnend Aug. civ. dei 3, 20. Zustimmend dagegen Gell.20, 1, 23: *quid utilius plebiscito Voconio de coercendis mulierum hereditatibus.* Eine Umgehung ist erst aus späterer Zeit bekannt, Cic. fin.2, 55.

[229] Gai.2, 226; Cic. Verr.2, 1, 110.

[230] Cic. Verr.2, 1, 110: *quid si plus legarit quam ad heredem heredesve perveniat? quod per legem Voconiam ei, qui census non sit, licet.* Damit war also nur ein Legat eines Bürgers der ersten Zensusklasse von dem Annahmeverbot betroffen, vgl. M.Kaser, Privatrecht I, 756; U.Wesel, ZRG 81, 1964, 312ff.; M.Kaser, Verbotsgesetze, 52; anders: F.Kahn, Frauenerbrecht, 32ff.; O.Karlowa, Römische Rechtsgeschichte II, 940ff.; vgl. S.Solazzi, Iura 4, 1953, 155; S.Cassisi, L'editto di C.Verre, 490ff. A.Watson, Law of succession, 168f., hat den Konflikt zwischen Gaius und Cicero besonders deutlich herausgestellt und ihn zugunsten Ciceros entschieden.

[231] Vgl. U.Wesel, ZRG 81, 1964, 312ff.; P.Jörs/W.Kunkel, Römisches Privatrecht, 354; M.Kaser, Privatrecht, 629f.; ders., Verbotsgesetze, 52; A.Metro, Labeo 9, 1963, 294f. Die *lex Voconia* war möglicherweise eine *lex imperfecta,* A.Guarino, Labeo 28, 1982, 188ff., gegen M.Kaser, Verbotsgesetze, 50ff., der nur eine *lex perfecta* für möglich hält.

[232] Diese Kombination der beiden Bestimmungen wurde auch zu einem eigenen Rechtssatz konstruiert, Quint. decl.264: *Fraus legis Voconiae. Ne liceat mulieri nisi dimidiam partem bonorum dare. Quidam duas mulieres dimidiis partibus instituit. Testamentum cognati arguunt.* F.v.Woeß, Erbanwärter, 71ff., und A.Guarino, Labeo 28, 1982, 190, halten ihn für frei erfunden nach dem faktischen Ergebnis; F.Kahn, Frauenerbrecht, 36f., W.W.Buckland, A textbook of Roman law from Augustus to Justinian, Oxford 1932, 290, halten ihn für ein 3. Kapitel. Vgl. ferner A.Metro, Labeo 9, 1963, 308f. (mit älterer Literatur).

[233] U.Wesel, ZRG 81, 1964, 313f.

[234] Vgl. D.Kienast, Cato, 94; A.Metro, Labeo 9, 1963, 306f. A.Watson, Law of succession, 170, vermutet, daß den Frauen als Ausgleich für das Erbeinsetzungsverbot Legate über die von der *lex Furia* festgelegte 1000-As-Grenze hinaus bis zur Hälfte des Vermögens kon-

Voconia wurde im Jahre 40 v. Chr. durch die *lex Falcidia* modifiziert,[235] während das Frauenkapitel auch weiterhin Gültigkeit behielt,[236] wie konkrete Fälle belegen.[237]

Die Absicht des Gesetzes wird von der neueren Forschung ebenso unterschiedlich wie die der *lex Furia* beurteilt, je nachdem welche Bestimmung man in den Mittelpunkt stellt.[238] So ist die *lex Voconia* sogar als soziales Kampfgesetz bezeichnet worden,[239] wogegen jedoch Inhalt[240] und auch die catonische Unterstützung sprechen. Diese begünstigte vielmehr die Annahme, daß der Frauenluxus[241] Zielscheibe des Gesetzes und also die *lex Voconia* eine *lex sumptuaria* war,[242] mit der Absicht, «die großen Vermögen vor Vergeudung und Zer-

---

zediert wurden. Ähnlich schon F. v. Woeß, Erbanwärter, 75 f. (aufgrund des Druckes der ‹Frauenpartei›); V. Arangio Ruiz, Storia del diritto romano I, Neapel 1937, 134, Anm. 1.

[235] Dazu J. J. Bachofen, Lex Voconia, 105 ff.; M. Kaser, Verbotsgesetze, 35; vgl. Gai. 2, 226. Offiziell abrogiert wurde die *lex Voconia* allem Anschein nach nicht.

[236] J. J. Bachofen, Lex Voconia, 105 ff., sieht die Frauenbestimmung durch die *lex Papia Poppaea* 9 n. Chr. beseitigt. Doch betrifft diese die *capacitas,* die *lex Voconia* aber die passive *testamenti factio.* B. Biondi, Successione testamentaria, 120 f., sieht die *lex Voconia* schon in republikanischer Zeit nicht mehr in Gültigkeit, ohne allerdings einen schlüssigen Beleg zu geben. Nach Gell. 20, 1, 23 ist sie in *desuetudo* gekommen. Allgemein zur Entwicklung des Gesetzes F. Kahn, Frauenerbrecht, 73 ff.; F. v. Woeß, Erbanwärter, 79 ff.

[237] Z. B. das Verres-Edikt, das sich auf die *lex Voconia* bezieht, Cic. Verr. 2, 1, 41 ff.; dazu S. Cassisi, L'editto di C. Verre, 490 ff. Augustus befreite einige Frauen von den Bestimmungen des Gesetzes, wahrscheinlich wenn sie das *ius liberorum* hatten, Dio 56, 10, 2; vgl. Th. Mommsen, De lege Voconia, Ges. Schrift. III, Berlin 1907, 192; P. Jörs, Verhältnis, 39 ff. (anders R. Astolfi, SDHI 39, 1973, 209). Das bedeutet also, daß das Gesetz grundsätzlich noch galt. Zudem kann man aus Plin. Pan. 42, 1 entnehmen, daß u. a. auch die *lex Voconia* den Staatsschatz bereicherte: *Locupletabant et fiscum et aerarium non tam Voconiae et Iuliae leges quam maiestatis crimen.* Aus dieser Notiz hat man auf eine Erbschaftssteuer – J. J. Bachofen, Lex Voconia, 121 f.; C. A. v. Vangerow, Lex Voconia, 34; Ch. Bauthian, Lois somptuaires, 41 f.; vgl. O. Hirschfeld, Die kaiserlichen Verwaltungsbeamten bis auf Diokletian, Berlin 1905², 96, Anm. 2; M. Kaser, Verbotsgesetze, 53 – oder auf einen Verfall der überschüssigen Legatsumme an das Ärar geschlossen – B. Biondi, Successione testamentaria, 120, Anm. 1; A. Watson, Law of succession, 31; R. Astolfi, Lex Iulia et Papia, 338 f.; vgl. A. Steinwenter, RE XII, s. v. lex Voconia, 2425 f.; M. Kaser, Verbotsgesetze, 53. Auch Gai. 2, 275 setzt die Existenz des Gesetzes noch in der Kaiserzeit voraus.

[238] R. Vigneron, Labeo 29, 1983, 142: «A consulter la littérature sur le sujet, on ne dénombre pas moins de treize raisons pour lesquelles la loi aurait été votée».

[239] E. H. Kaden, ZRG 50, 1930, 613.

[240] Gerade die *classici* sind ja von den Bestimmungen der *lex Furia* befreit und damit von der *lex Voconia* begünstigt.

[241] Vgl. die Berichte über großen Reichtum in den Händen von Frauen bei Polyb. 31, 26, 1–7; 27, 1–5; 6–8; 28, 1–8; 11. Dazu T. Frank, Survey, 209 f.

[242] So A. E. Penning, De legibus sumptuariis, 36 f.; J. F. Houwing, De Romanorum legibus sumptuariis, 71; F. Kahn Frauenerbrecht, 25 ff.; E. Callegari, La legislazione sociale di Gaio Graccho, Padua 1892 (ND Rom 1972), 17 f.; J.Teufer, Frauenemanzipation, 31 f.; B. Kübler, Das Intestaterbrecht der Frauen im alten Rom, ZRG 41, 1920, 23 ff.; A. Steinwenter, RE XII, s. v. lex Voconia, 2425 ff.; F. Wieacker, Hausgenossenschaft, 49 ff.;

splitterung, wie sie besonders von den Frauen befürchtet werden, (zu) bewahren.»[243] Doch scheint mir auch diese Deutung nicht den Kern des Gesetzes zu
treffen. Es enthält ausdrücklich nur ein Erbeinsetzungsverbot, d. h. also für die
Annahme von Legaten gab es für Frauen keine besondere Beschränkung, was
bei einem derartigen Zweck nahegelegen hätte. Die Frauenfeindlichkeit ist
wohl nicht im Luxus begründet. Wahrscheinlicher ist, daß das Vermögen in der
männlichen Linie konzentriert bleiben sollte,[244] was durch den Wandel der privatrechtlichen Stellung der Frau, vor allem durch das Zurücktreten der *manus-*
Ehe, nicht mehr garantiert war.[245] Die Legat-Bestimmung konnte hier zum
Schutz des Erben Umgehungsmöglichkeiten ausschließen. Zugleich aber sollte
durch sie für die erste Zensusklasse die nach der *lex Furia* gültige 1000-As-
Obergrenze für Legate beseitigt werden, so daß also die *lex Voconia* für die früheren *personae non exceptae* der Oberschicht eine Erleichterung bedeutete.
Damit aber auch hier nicht das Erbe durch Legate überlastet wurde, durfte die
Größe eines einzelnen Legates nicht die Summe der Erbteile übersteigen. Für
die nicht zur ersten Zensusklasse gehörenden Bürger blieb die *lex Furia* weiterhin gültig. Damit wird auch die Intention deutlich: Die für alle Schichten geltende *lex Furia* wurde für die Oberschicht gelockert, während der Vermögensschutz für die ländliche Bevölkerung bestehen blieb und also der Patron auch
weiterhin nur einen 1000 As nicht übersteigenden Teil des Vermögens als Legat
erhalten konnte. Aufsplitterung oder Verlust des *patrimonium* wurde dadurch
erheblich erschwert, und die Basis der Agrarverfassung blieb damit erhalten.
Die erbrechtlichen Beziehungen der Mitglieder der ersten Zensusklasse untereinander erfuhren jedoch durch die *lex Voconia* besondere Regelungen, da die
Problematik hier anders gelagert war.

Die Entwicklung stellt sich also folgendermaßen dar: Nachdem durch die
leges Publicia und *Cincia* den Patronen bereits die Annahme von Geschenken
untersagt war, dehnte die *lex Furia* das Verbot auf Legate oberhalb einer
bestimmten Grenze aus. Alle drei Gesetze hatten das Ziel, einerseits die wirtschaftliche Belastung der Klienten während der Kriegsjahre in Grenzen zu hal-

---

B. Biondi, Successione testamentaria, 120 ff.; I. Sauerwein, Leges sumptuariae, 75;
M. Kaser, Verbotsgesetze, 51; A. Watson, Law of succession, 29 ff.; M. Bartosek, Studi
Scherillo II, 658 ff.; R. Astolfi, SDHI 39, 1973, 207 ff.; M. Bonamente, Leggi suntuarie, 77.

[243] M. Kaser, Verbotsgesetze, 51.

[244] R. Astolfi, SDHI 39, 1973, 207: «impedire alla nobilitas la dispersione del patrimonio
familiare»; vgl. F. v. Woeß, Erbanwärter, 91 («weil die führende Schicht ein Erbrecht
brauchte, das den Reichtum ihrer Familien und damit diese selbst erhielt»); T. Frank,
CAH VIII, 380 («the Voconian law prevented the escape of an estate from the family
through a female line»); H. H. Scullard, Roman politics, 205 f.; S. Solazzi, Iura 4, 1953, 154;
U. Wesel, ZRG 81, 1964, 314; A. E. Astin, Cato, 117; A. Guarino, Labeo 28, 1982, 188 f.

[245] Zur privatrechtlichen Stellung der Frau B. Kreck, Untersuchungen; ferner R. Leon-
hard, RE V (1905), s. v. dos, 1581 f.; W. Kunkel, RE XIV (1930), s. v. matrimonium, 2259 f.;
B. Förtsch, Die politische Rolle der Frau, 1; 30; 51; J. A. Crook, Law and life, 103 f.;
A. E. Astin, Cato, 114 ff. Über eine befürchtete zunehmende finanzielle Abhängigkeit des
Mannes von der Frau vgl. die Cato-Rede *de dote.*

ten, andererseits eine Einkommensquelle der Nobilität überschaubar zu gestal-
ten und damit allgemein das überlieferte Sozial- und Wirtschaftsgefüge funk-
tionsfähig zu erhalten. Darüber hinaus reduzierten sie auch die Bedeutung
besonders finanzkräftiger Klienten[246] für den politischen Einfluß des einzelnen
nobilis durch die Vereinheitlichung der Legate und Geschenke und hatten
damit auch positive Auswirkungen auf die Wahrung der aristokratischen
Gleichheit. Die *lex Voconia* ließ diese Regelung bestehen, legte aber die erbrechtlichen Beziehungen innerhalb der Oberschicht neu fest, um den Zusammenhalt der Vermögen zu gewährleisten.

Damit gehören die besprochenen Gesetze zwar nicht zu den *leges sumptuariae* im engeren Sinne, aber sie korrespondieren mit ihnen sowohl in Bezug auf
die Intention als auch auf die Entwicklung. Die Schenkungsgesetze und die *lex
Furia* waren wie die *leges Metilia* und *Oppia* durch die Kriegsbedrohung begünstigte Versuche des konservativen Teiles der Aristokratie, Belastungen des Sozi-
algefüges, die sie in einer Abkehr von traditionellen Verhaltensweisen sahen,
entgegenzutreten und damit auch die Beziehungen zu den einfachen Bürgern
möglichst spannungsfrei zu halten. Die *lex Voconia* stellt dagegen – wie die
leges sumptuariae des 2.Jahrhunderts – den standespolitischen Aspekt, in diesem
Falle die Wahrung der für den Bestand der Gesellschaftsordnung bedeutsamen
wirtschaftlichen Stabilität innerhalb der Oberschicht, in den Vordergrund.

2.3.6 Tafelluxus

Am ausgiebigsten beschäftigte sich die römische Aufwandsgesetzgebung mit
den Speisevorschriften. Von 182 bis 18 v.Chr. wurden 9 Volksgesetze (Edikte,
Senatsbeschlüsse und *rogationes* nicht eingerechnet) erlassen, die mehr oder
weniger ausführlich die Eßgewohnheiten reglementierten. Wie schon erwähnt,
ist nur für sie der Titel *leges sumptuariae* belegt.

Unsere Hauptquellen sind Macrobius[247] und Gellius;[248] Gellius wiederum
benutzte Ateius Capito als Vorlage.[249] Darüber hinaus sind nur noch sehr ver-
einzelte Nachrichten über die *leges cibariae* auf uns gekommen.

2.3.6.1 *Lex Orchia* (182 v.Chr.)

Im Jahre 182[250] wurde die *lex Orchia*[251] eingebracht. Vom Inhalt wissen wir

---

[246] Vgl. Plaut. Menaech. 575 f.: *res magis quaeritur quam clientum fides quoius modi clueat.*
[247] Macr. Sat. 3, 17.   [248] Gell. 2, 24.
[249] Nach P. Jörs, RE II (1896), s. v. Ateius (8), 1905, für den ganzen Abschnitt über die *leges sumptuariae* mit Ausnahme der Paragraphen 4–6 und 8–10; nach W. Strzelecki, Über die
coniectanea des Ateius Capito, Hermes 86, 1958, 250, nur für die Paragraphen 2 und 15.
[250] 182 ergibt sich aus der Angabe des Macrobius 3, 17, 2, daß das Gesetz im 3.Jahr von
Catos Zensur (wenn man 184 mitzählt) und im 22.Jahr vor der *lex Fannia* 161 erlassen
wurde.
[251] Vom Einbringer C. Orchius wissen wir nur, daß er Volkstribun war. Deshalb und aus
der catonischen Unterstützung des Gesetzes hat F. Platner, De legibus sumptuariis, 36,

nichts weiter, als daß die Anzahl der Gäste, die an einem Gastmahl teilnehmen durften, beschränkt wurde: *prima autem omnium de cenis lex ad populum Orchia pervenit, quam tulit C. Orchius tribunus plebi de senatus sententia tertio anno quam Cato censor fuerat. cuius verba quia sunt prolixa praetereo, summa autem eius praescribebat numerum convivarum. et haec est lex Orchia de qua Cato mox orationibus suis vociferabatur, quod plures quam praescripto eius cavebatur ad cenam vocarentur.*[252] Aus dieser Stelle geht auch hervor, daß Cato mindestens eine Rede zu diesem Gesetz gehalten hat, möglicherweise aus Anlaß eines Abmilderungsantrages.[253] Ob die *lex Orchia* tatsächlich derogiert worden ist, ist ungewiß.[254] Spätestens 161 ist sie aber durch die *lex Fannia* ersetzt worden, die die Zahl der Gastmahlteilnehmer auf 3, an besonderen Tagen auf 5 festlegte. Aus dieser Bestimmung der *lex Fannia* hat man auch für die *lex Orchia* eine Begrenzung auf 3 Teilnehmer angenommen.[255]

---

geschlossen, daß die *lex Orchia* eigentlich *lex Porcia* heiße und also von Cato selbst auch beantragt worden sei.

[252] Macr. 3, 17, 2. Irrig ist die Annahme von M. Voigt, Lex Cornelia, 255, daß die *lex Orchia* das von Plaut. mil. glor. 164 f. erwähnte Gesetz gegen Gewinnspiel ist, schon deshalb, weil Plautus 184 v. Chr. gestorben ist.

[253] Macr. 3, 17, 2; Fest. v. *percunctatum* 242 M (=280, 282 L); Schol. Bob. ad pro Sestio 138 (141 St). Aus Macrobius und Festus könnte man annehmen, daß Cato mindestens zwei Reden gehalten hat, eine gegen die allzu große Milde des Gesetzes, also im Einbringungsjahr, eine zweite gegen eine Abmilderung, vgl. B. Janzer, Historische Untersuchungen, 53 ff. H. H. Scullard, Roman politics, 265 f., hat aber darauf hingewiesen, daß Cato kaum eine Rede gegen eine *lex sumptuaria* gehalten hat. Die Rede gegen die Abmilderung (nicht Abschaffung, denn es heißt *derogaretur,* nicht *abrogaretur*) ist nach P. Fraccaro, Sulla biografia di Catone Maggiore sino al consolato e le sue fonti, Opuscula I, Pavia 1956, 161, nach der *lex Fannia* aus dem Jahre 161 gehalten worden, wie aus der Zahl 100 bei Fest. v. *obsonitavere* 201 M (= 220 L) hervorgehe. Daß dieses nicht so sein muß, haben H. Malcovati, ORF I, 55 f., und B. Janzer, Historische Untersuchungen, 53 ff., einmal aus Macr. 3, 17, 3 (dort heißt es *mox*), dann auch aus der Überlegung geschlossen, daß nach der *lex Fannia* die *lex Orchia* überflüssig war. Nach P. Fraccaro, Catoniana, Opuscula I, 233 f., ist der Titel der Rede von Festus verkürzt wiedergegeben worden; es müsse heißen: *in ea qua lex Orchia ne derogetur dissuadet,* so auch H. Malcovati, ORF I, 55; H. H. Scullard, Roman politics, 265. Zu Catos Haltung zum Tafelluxus, im besonderen zu seiner griechischen Herkunft vgl. C. Letta, L' «Italia dei mores romani» nelle Origines di Catone, Athenaeum 62, 1984, 16; 19 ff.

[254] P. Fraccaro, Catoniana, 237, hat die Abschaffung aus Gell. 13, 11, 2 geschlossen, da Varro dort keine Erwähnung dieses Gesetzes mache, als er über die Anzahl der Gastmahlteilnehmer spricht; vgl. auch H. Malcovati, ORF I, 54 ff. Mit Recht zweifelnd H. H. Scullard, Roman politics, 266.

[255] Athen. 6, 108. Vgl. A. Boxman, De legibus Romanorum sumptuariis, 36 ff.; J. F. Howing, De Romanorum legibus sumptuariis, 59; M. Voigt, Lex Cornelia, 248. Macr. 3, 17, 5 betont, daß die *lex Fannia in eo superabat Orchiam legem quod in superiore numerus tantum modo cenantium cohibebatur licebatque secundum eam uni cuique bona sua inter paucos consumere, Fannia autem etiam sumptibus modum fecit assibus centum.* Allerdings geht daraus nicht zwingend die gleiche Anzahl der Gastmahlteilnehmer hervor.

Die *lex Orchia* gilt als die erste *lex cibaria*,[256] obwohl doch nur die Anzahl der Gäste und nicht auch der Aufwand für Speisen oder gar, wie später, die Auswahl der Speisen beschränkt wurden. Der Gesetzgeber muß demnach auch den Mißbrauch der *convivia* für politische Zwecke im Auge gehabt haben, wie auch die erhaltenen Fragmente der Rede(n) Catos zu dem Gesetz nahelegen:

a) *percunctatum patris familiae nomen ne quis servum mitteret lege sanctum fuisse ait Cato in ea qua legem Orchiam dissuadet.*[257] Hier sind ausdrücklich im Zusammenhang mit der *lex Orchia* die *nomenclatores*[258] angesprochen, die vor allem bei Amtsbewerbungen eine wichtige Rolle spielten.[259] *nomenclatores* waren meist Sklaven, die ihren Herren die Namen der ihnen auf der Straße Begegnenden zuflüstern mußten, damit sie gebührend angeredet werden konnten. Diese Methode diente vor allem der Steigerung des eigenen Ansehens und erhöhte die Chancen, wenn man sich um ein Amt bewarb. Die *nomenclatores* hatten darüber hinaus – vor allem in späterer Zeit – noch die Aufgabe, namentlich zu einem Gastmahl einzuladen;[260] sie mußten also gut informiert sein. Die dafür erforderliche ‹Ermittlungsarbeit› scheint sich im Laufe der Zeit zu einer Plage für die *patres familias* entwickelt zu haben, so daß man gesetzliche Maßnahmen gegen die *nomenclatores* ergriff, worauf Cato in dem oben zitierten Fragment hinweist. Er selbst gestattete nach einer Notiz des Plutarch[261] keinem seiner Sklaven, in ein fremdes Haus ohne seinen oder seiner Frau Befehl zu gehen. Dennoch breitete sich diese Sitte immer mehr aus, so daß man weitere Gesetze erließ.[262] Vor diesem Hintergrund wird die sonst beziehungslose[263] Notiz des Festus verständlich. Denn wenn die Anzahl der Gäste beschränkt wurde – und das tat ja die *lex Orchia* –, gab es auch weniger ‹Arbeit› für die *nomenclatores*.

b) *implet exhortationem bonae sectae ad conservationem rei publicae pertinentis non aliter et M. Cato in legem Orchiam, conferens eas quae virtus. . ., ut summae gloriae sint a virtute proficiscentia dedecoris vero praecipui existimentur quae*

---

[256] Nach Macr. 3, 17, 2. Von Gellius wird sie in seiner Aufzählung der *leges sumptuariae* (2, 24) nicht erwähnt.

[257] Fest. v. *percunctatum* 242 M (= 280, 282 L).

[258] Vgl. allgemein E. Bernert, RE XVII (1936), s.v. nomenclatores, 817–20; Ph. Fabia, DS IV/1 (1907), s.v. nomenclator, 96 f.; J. Marquardt, Privatleben, 148; J. Vogt, Nomenclator, Gymnasium 85, 1978, 327 ff.

[259] Cic. Mur. 77; Hor. ep. 1, 6, 49 ff.; 52 ff.; Q. Cic. pet. cons. 41.

[260] Amm. Marc. 14, 6, 15; Sen. ep. 19, 11; Athen. 2, 47 E: Hier erscheint der *nomenclator* als Kommandeur der Gastmähler.

[261] Plut. Cat. mai. 21, 1.

[262] Plut. Cat. min. 8, 2. Vielleicht war das dort erwähnte Gesetz die *lex Aurelia (de ambitu?)* von 70 (?), vgl. Cic. ad Q. fr. 1, 3, 8; Ascon. p. 59 St.; oder die *lex Fabia de numero sectatorum*, die sich gegen die riesigen Begleitscharen bei Amtsbewerbern richtete, Cic. Mur. 34, 70 f.; Q. Cic. pet. cons. 9, 34–37; oder es war ein eigenes Gesetz, vgl. G. Rotondi, Leges publicae, 378 f.

[263] So B. Janzer, Historische Untersuchungen, 55.

voluptas suadeat non sine labe vitiorum.[264] Aus dieser catonischen Bemerkung läßt sich wenig über den tatsächlichen Grund des Gesetzes sagen; immerhin schließt aber die Gegenüberstellung von echter *virtus* und *voluptas* einen Bezug auf die Praktiken der Amtsbewerber nicht aus. Bemerkenswert ist dies vor allem, wenn man bedenkt, daß Cato, selbst als *homo novus* in die Nobilität gelangt, als konsequenter Vertreter der Nobilitätsherrschaft die Führungselite von den neuen Elementen – hauptsächlich durch Handelsgeschäfte reich geworden und mit ihrem Geld um politischen Einfluß bemüht – freihalten wollte.[265]

c) *Qui antea ... obsonitavere, postea centenis obsonitavere.*[266] Die Zahlenangabe scheint sich auf die Kosten des Gastmahles zu beziehen, so daß man zu übersetzen hätte: Die vorher für ... gespeist haben, haben später für 100 As gespeist. Da es unwahrscheinlich ist, daß dieser Satz nach der *lex Fannia*, also nach 161 gesprochen wurde,[267] 100 As andererseits eine relativ niedrige Summe sind, wäre anzunehmen, daß Cato im Relativsatz eine höhere Summe genannt hat und damit auf den Erfolg der *lex Orchia* hinweisen wollte. Diese Annahme erscheint mir jedoch unwahrscheinlich, zumal die *lex Orchia* bald darauf durch die *lex Fannia* ersetzt wurde, und zwar wegen ihrer Wirkungslosigkeit. Besser vom Gesetzeszweck her (denn es wurden nicht die Kosten, sondern die Anzahl der Gäste beschränkt) würde ein Bezug auf die Anzahl der Gastmahlteilnehmer passen. Diese Interpretation ist auch in früherer Zeit versucht worden,[268] doch ergeben sich dann grammatische und inhaltliche Schwierigkeiten, da die Zahl 100 in diesem Zusammenhang zu hoch gegriffen scheint.[269] Immerhin könnte es sich um rhetorische Übertreibung gehandelt haben.[270]

Zahlreiche Hinweise in den Quellen belegen die Bedeutung der *convivia* für die Amtsbewerbungen. So bestimmte zum Beispiel die *lex colon. Gen.* cap. 132, daß kein Amtsbewerber Gastmähler mit mehr als 9 Teilnehmern abhalten durfte.[271] Derartige Veranstaltungen scheinen von gleicher Bedeutung für die Bewerber gewesen zu sein wie das Austeilen von Geschenken.[272] Es ist also

---

[264] Schol. Bob. ad pro Sestio 138 (141 St).

[265] Vgl. auch seine Haltung zu den *publicani* während seiner Zensur, Liv. 39, 44, 7; Plut. Cat. mai. 19, 1 f.

[266] Fest. v. *obsonitavere* 201 M (= 220 L).

[267] S. oben S. 78, Anm. 253.

[268] F. Platner, De legibus sumptuariis, 43, ergänzt: *qui ante (tres aut quinque) obsonitavere, nunc centeni obsonitavere.*

[269] Vgl. die bei Gell. 13, 11; Macr. 1, 7 angeführte Gastmahlteilnehmerzahl.

[270] Vgl. I. Sauerwein, Leges sumptuariae, 74, Anm. 1.

[271] Th. Mommsen, Lex Coloniae Juliae Genetivae Urbanorum sive Ursonensis Data A. U. C. DCCX, Ges. Schrift. I, Berlin 1905, 204; vgl. 229. Es müssen also erheblich mehr Personen üblich gewesen sein. Durch die Begrenzung auf 9 Personen (bzw. bei der *lex Orchia* auf möglicherweise 3) wollte man die öffentlichen Gelage einschränken.

[272] Vgl. Cic. Mur. 67; 72; 73; leg. agr. 2, 71; off. 2, 55; 58; 60; Sall. Jug. 4, 3; Liv. 37, 57, 9 ff. (bei der Bewerbung um die Zensur 189); Plin. ep. 6, 19 *(candidati ne conviventur);* Plut. Cic. 10. Zur Bedeutung der *convivia* mit Bezug auf den Strafbestand des *ambitus*

durchaus wahrscheinlich, daß die *lex Orchia* in erster Linie ein Gesetz gegen den *ambitus* war,[273] der auch zu dieser Zeit schon ein großes Problem darstellte.[274] Damit gehört die *lex Orchia* zu jenem Kreis von Gesetzen, die nach dem 2. Punischen Krieg auf individualistische Tendenzen innerhalb der herrschenden Schicht reagierten und deren bedeutendstes die *lex Villia annalis* von 180 ist.[275]

2.3.6.2 *Lex Fannia* (161 v. Chr.)

Genauer als über die *lex Orchia* sind wir über die *lex Fannia* unterrichtet. Sie wurde im Jahre 161 von dem Konsul C. Fannius Strabo[276] eingebracht. Die Datierung ergibt sich aus den Fasti[277] und dem Hinweis, daß sie 11 Jahre vor dem 3. Punischen Krieg erlassen worden ist.[278]

Ihr voran ging ein Senatsbeschluß, den beide Konsuln des Jahres, C. Fannius

---

Th. Mommsen, Strafrecht, 870; ferner H. Schneider, Wirtschaft, 141 ff. Vgl. auch die Kombination von Bekämpfung des *sumptus* bei *convivia* und *ambitus* in der *lex Antia*, Gell. 2, 24, 13. *Convivia* waren üblich vor Konsulwahlen, Q. Cic. com. pet. 42; 44; vgl. auch die Praktiken Sullas (Plut. Sulla 35), des Crassus (Plut. Crass. 2, 12), des Lucullus (Plut. Lucull. 37); ferner Plin. n. h. 14, 14. Dazu L. R. Taylor, Party politics, 62 ff.; Chr. Meier, Res publica amissa, 38 ff. Dieser Bereich war nicht oder nur zum Teil von der *ambitus*-Gesetzgebung betroffen, so daß die Speisegesetze hier eine Lücke zu schließen hatten.

[273] Auffallend auch, wie bereits erwähnt, daß Gell. 2, 24 das Gesetz nicht erwähnt, es also nicht unter die Speisegesetze zählt. Auch A. E. Astin, Cato, 121, deutet die Vermutung an, daß die *lex Orchia* im Zusammenhang mit *ambitus* gestanden hat; ferner A. Lintott, Historia 21, 1972, 631 f.; H. H. Scullard, Roman politics, 66: «Possibly Cato is referring to electoral procedure and methods of canvassing, a subject which he also dealt with in his de ambitu delivered the same year»; G. Clemente, Leggi suntuarie, 9: «Non può del resto sfuggire il nesso cronologico tra la legge Orchia del 182 e la prima legge storica che regolamentava il reato di ambitus, la Baebia del 181, nesso che ricorre ancora per la legge Fannia del 161, cui segni nel 159 la seconda legge sull' ambitus».

[274] Etwa gleichzeitig wurden die *lex Baebia* (181: dazu G. Rotondi, Leges publicae, 277) und die *lex Villia annalis* (G. Rotondi, Leges publicae, 278) beantragt, die das Beamtenrecht regelten und z. T. auch gegen den *ambitus* einschritten. Zu der catonischen Rede *de ambitu* und der *dissuasio ne lex Baebia derogaretur* A. E. Astin, Cato, 329 ff., mit Übersicht über die Forschung. Vgl. ferner Liv. 40, 19, 11: *Leges de ambitu consules ex auctoritate senatus* (so auch Macr. 3, 17, 2 für die *lex Orchia*) *ad populum tulerunt.* Vielleicht ist hier auch die *lex Orchia* gemeint, die Livius sonst nicht erwähnt.

[275] Vgl. U. Hackl, Senat, 3 f., und Anm. 11 mit Literaturhinweisen. Zur *lex Villia annalis* v. a. G. Rögler, Die lex Villia annalis. Eine Untersuchung zur Verfassungsgeschichte der römischen Republik, Klio 40, 1962, 76–123.

[276] F. Münzer, RE VI (1909), s. v. Fannius (20), 1994 f.; T. R. Broughton/M. L. Patterson, Magistrates I, 443, zu weiteren Lebensdaten des Konsuls. Sein Kollege war M. Valerius Messala, der 154 auch Zensor war. Beide sind v. a. dadurch bekannt, daß sie per SC griechische Rhetoren ausweisen ließen, Gell. 15, 11, 1; Suet. rhet. 1, 1. Über einen Zusammenhang dieser Maßnahme mit der Sumptusgesetzgebung vgl. M. Bonamente, Leggi suntuarie, 81 f.; E. Pais, Leges sumptuariae, 454.

[277] Vgl. T. R. Broughton/M. L. Patterson, Magistrates I, 443.

[278] Plin. n. h. 10, 139.

Strabo und M. Valerius Messala, veranlaßt hatten: *Legi adeo nuper in Capitonis Atei coniectaneis senatus decretum vetus C. Fannio et M. Valerio Messala consulibus factum, in quo iubentur principes civitatis, qui ludis Megalensibus antiquo ritu mutitarent, id est mutua*[279] *inter sese dominia agitarent, iurare apud consules verbis conceptis non amplius in singulas cenas sumptus esse facturos, quam centenos vicenosque aeris praeter olus et far et vinum neque vino alienigena, sed patriae usuros neque argenti in convivio plus pondo quam libras centum inlaturos.*[280] Dieser Senatsbeschluß richtete sich ausdrücklich nur an die *principes civitatis,*[281] die offenbar sich wechselseitig anspornten, möglichst großartige Gelage zu veranstalten.[282] Sie waren nun eidlich verpflichtet, nicht mehr als 120 As auszugeben und hatten auch bei der Auswahl der Speisen und Getränke sowie des Tafelgeschirrs gewisse Vorschriften einzuhalten.[283] Es ist ganz offensichtlich, daß mit diesem Beschluß, der Personenkreis und Anlaß genau festlegt, nicht nur eine Kostenbegrenzung, sondern auch eine Entlastung der *principes civitatis* beabsichtigt war. Denn einmal bedeutete es für diejenigen, deren Gastmähler weniger prunkvoll ausfielen, einen erheblichen Verlust an Ansehen,[284] zum anderen wurden sie gerade deshalb gezwungen, mehr zu investieren, als sie vielleicht verkraften konnten. Mit der Normierung war das Problem gelöst; keiner konnte sich durch eine besonders prunkvolle Ausrichtung auszeichnen und also auch keiner sich durch ein ‹zu wenig› in seiner *dignitas* geschmälert fühlen.[285] Allerdings handelte es sich bei diesem SC nur um einen Ausführungsbeschluß zu den Megalensischen Spielen,[286] der für andere Gelegenheiten nicht galt.

Konsequenterweise wurde deshalb im gleichen Jahr von einem der Konsuln[287] die *lex Fannia* eingebracht, die nun erstmalig Qualität und Quantität der Gastmähler z. T. bis in die Einzelheiten definierte und zwar *ingenti omnium ordinum consensu,* also ohne nennenswerte Opposition.

Der Inhalt des Gesetzes ergibt sich aus Gellius, Macrobius, Athenaeus und Plinius:

1. Die Anzahl der Gastmahlteilnehmer wurde auf 3, an Markttagen auf 5 festgelegt.[288]

---

[279] Der Brauch des gegenseitigen Besuchs bei Ov. fast. 4, 353–360.

[280] Gell. 2, 24, 2.

[281] Vgl. Gell. 18, 2, 11: *patricii Megalensibus mutitare soliti sint.*

[282] Zur Dringlichkeit des Problems Macr. 3, 17, 4: *cum res publica ex luxuria conviviorum maiora quam credi potest detrimenta pateretur.*

[283] Vgl. E. Schmähling, Sittenaufsicht, 61; T. Frank, Survey, 199. Zum Weinverbot R. Till, C. Titius, in: Festschr. Karl Oettinger, Erlangen 1967, 51, Anm. 21; vgl. Diod. 37, 3, 3.

[284] Dazu D. Daube, Disobedience, 124 ff. Vgl. ferner die Argumentation Catos bei Liv. 34, 4, 12 f.

[285] Dieser Zusammenhang ist bei A. Lintott, Historia 21, 1972, 631, herausgestellt.

[286] Zu den Gastmählern anläßlich der Megalensischen Spiele vgl. Cato bei Cic. senect. 45.

[287] Die Außergewöhnlichkeit dieser Tatsache hebt auch Macr. 3, 17, 4 hervor.

[288] Athen. 6, 108. Wahrscheinlich wurde damit die Bestimmung der *lex Orchia* wiederaufgenommen, Macr. 3, 17, 5. Diese ist zumindest in diesem Teil nicht mehr gültig; eine Rede Catos zur Erhaltung der *lex Orchia* nach 161 wäre also überflüssig.

2. Der Aufwand für die Speisen wurde auf 100 As bei gewissen Festivitäten, 30 As an 10 anderen Tagen[289] und 10 As an allen übrigen Tagen im Monat festgelegt.[290] Die eigentlich strenge und darum auch überall bekannte Bestimmung war die Festlegung auf 100 As an den Festtagen, da hier natürlich die beste Gelegenheit zur Präsentation war. So konnte Lucilius das Gesetz sprichwörtlich als *Fanni centussis misellus*[291] bezeichnen.

3. Die Auswahl der Speisen wurde geregelt: Geflügel außer einem ungemästeten Huhn war nicht erlaubt.[292] Darüber hinaus wurde der Aufwand an geräuchertem Fleisch auf höchstens 15 Talente pro Jahr festgesetzt.[293]

In einigen Punkten wichen also der vorangegangene Senatsbeschluß und das Gesetz voneinander ab; die Bestimmung bezüglich des Weines ist wohl wegen der allgemeinen Aufwandsbeschränkung überflüssig geworden.[294] Möglicherweise sind uns aber auch nicht alle Bestimmungen des Gesetzes überliefert.[295] Der großen Zustimmung zum Gesetz steht der anscheinend geringe Erfolg gegenüber. So ist anekdotenhaft überliefert, daß nur drei römische Bürger das Gesetz befolgten: Mucius Scaevola, Aelius Tubero und Rutilius Rufus.[296] Darüber hinaus scheint es sogar zu einem Abrogationsversuch gekommen zu sein, wahrscheinlich 30–40 Jahre nach der Einbringung. Denn ein C. Titius, der als Zeitgenosse des L. Crassus[297] und des Lucilius[298] bezeugt ist, hat eine *suasio* für

---

[289] Die Tage sind: 4 *nundinae*, 3 *feriae privatae: kalendae, nonae, idus,* 3 anderweitige Familienfeste, vgl. J. Marquardt, Staatsverwaltung III, 124 f.; M. Voigt, Lex Cornelia, 249.

[290] Gell. 2, 24, 3; vgl. Athen. 6, 108; Macr. 3, 17, 5. Zu den Umrechnungsformen M. Voigt, Lex Cornelia, 249, Anm. 14, gegen J. F. Houwing, De Rom. legibus sumptuariis, 62. Die Geringfügigkeit der Summe von 100 As zeigt Plut. Lucull. 41; vgl. SHA Verus 5, 5.

[291] Lucil. frg. 1192 Krenkel = Gell. 2, 24, 4; vgl. Macr. 3, 17, 5; ferner Lucil. frg. 1170/71 Krenkel (*decusis/sive decusibus est* = für ein 10 As Stück oder 10 Asse ist er); 1370 (*centenaria cena;* vgl. Fest. v. *centenaria* 54 M = 47 L); vgl. Tertull. apol. 6, 2: *quoniam illae leges abierunt sumptum et ambitionem comprimentes, quae centum aera non amplius in cenam subscribi iubebant, nec amplius quam unam inferri gallinam et eam non saginatam;* 6, 3: *Video enim et centenarias cenas a centenis iam sestertiis dicendas.*

[292] Plin. n. h. 10, 139: *Gallinas saginare Delicaci coepere, unde pestis exorta opimas aves et suopte corpore unctas devorandi. hoc primum antiquis cenarum interdictis exceptum invenio iam lege Gai. Fanni consulis undecim annis ante tertium Punicum bellum, ne quid volucre poneretur praeter unam gallinam, quae non esset altilis, quod deinde caput translatum per omnes leges ambulavit,* vgl. F. Orth, RE VII (1912), s. v. Geflügelzucht, 912; ferner Tertull. apol. 6; zur Umgehung der Bestimmung vgl. Plin a. O.

[293] Athen. 6, 108.

[294] H. Blümner, Privataltertümer, 200 f.; T. Frank, Survey, 284; E. Schmähling, Sittenaufsicht, 61 f.

[295] Vielleicht deutet darauf der Inhalt der *suasio* des Titius hin, Macr. 3, 16, 15 f., wo auf weitere Spezialitäten verwiesen wird; vgl. aber E. Schmähling, Sittenaufsicht, 61.

[296] Athen. 6, 108. Zu Q. Aelius Tubero vgl. Cic. Mur. 75; Val. Max. 7, 5, 1 und unten S. 84 Anm. 301; zu Rutilius F. Münzer, RE I A, s. v. Rutilius (34), 1271. Er hat die Rede *de modo aedificiorum* gehalten (Suet. Aug. 89) und ist außerdem bekannt als Ankläger des Schlemmers Sittius, Athen. 12, 61, 543.

[297] Cic. Brut. 167.

die *lex Fannia* gehalten.[299] Es ergibt sich daraus, daß Titius seine Rede etwa zwischen 130 und 110 gehalten hat, also wohl nur anläßlich einer beantragten Abrogation.[300] Daraus wie auch aus der im Jahre 143 durch die *lex Didia* erfolgten Ausdehnung der *lex Fannia* auf ganz Italien kann man schließen, daß sie zwar nicht in *desuetudo* gekommen ist, wohl aber daß sie wegen ihrer bis ins Detail gehenden Bestimmungen im Laufe der Zeit als Bedrückung empfunden wurde.

Die *lex Fannia* ist das erste Speisegesetz im eigentlichen Sinne, und sie fällt in eine Zeit, in der die Spannungen innerhalb der Nobilität immer mehr hervortraten. Deutlicher als das Gesetz zeigt das Senatusconsultum den eigentlichen Adressaten, doch betraf sicher auch die *lex Fannia* vornehmlich die Senatsaristokratie, wenngleich sie sich formal an alle Bürger wandte. Sie ist das Ergebnis einer Reihe von Gesetzen, bei denen zunächst gar nicht die Bekämpfung des Luxus im Mittelpunkt stand, sondern die, wie oben gezeigt, eher politisch motiviert waren und erst nachträglich als *leges sumptuariae* interpretiert wurden. Die *lex Orchia* hat zum ersten Mal, wahrscheinlich um den *ambitus* zu beschränken, Gastmähler einer gesetzlichen Kontrolle unterworfen, mit geringem Erfolg, wie es scheint. 20 Jahre später hat man erneut und umfassender versucht, den Gastmählern ihre Funktion als Mittel zur Profilierung zu nehmen.[301] Die *lex Fannia* bedeutete also insofern einen Einschnitt, da sie das erste Gesetz ist, das das Erscheinungsbild der Nobilität durch detaillierte Vorschriften beeinflussen wollte.[302] Gleichzeitig bewirkte die Normierung auch, daß die Nobilität sich noch mehr gegen den Zuzug neuer Mitglieder abschloß, da der Einsatz von Luxus als Werkzeug politischer Einflußnahme jetzt untersagt wurde. Darüber hinaus zeugt die *lex Fannia* von der Reaktionsfähigkeit des Senats auf Mißstände, und zwar nicht nur einzelner Mitglieder, sondern der überwiegenden Mehrheit, wenn die Überlieferung vom *consensus omnium* richtig ist. Die *leges sumptuariae,* wie sie sich jetzt entwickelten, hatten also die gleichen Wurzeln wie die *ambitus*-Gesetzge-

---

[298] Macr. 3, 16, 14; Lucilius frg. 1176 Marx (= 1195 Krenkel).

[299] Macr. 3, 16, 14; vgl. C. Cichorius, Untersuchungen zu Lucilius, Berlin 1908, 264 ff.; H. Malcovati, ORF I, 201; R. Till, Festschr. Karl Oettliner, 45–52 (legt die Rede in das Jahr 123).

[300] C. Cichorius, a. a. O., 267. Die Rede gibt eine Überzeichnung der Zustände, vgl. F. Münzer, RE VI A (1937), s. v. Titius (7), 1555 f.; F. Leo, Geschichte der römischen Literatur I, Berlin 1913, 375, Anm. 4, zustimmend zur Theorie von C. Cichorius. Zum Inhalt der Rede Th. Mommsen, Römische Geschichte II, 404 f.; P. Fraccaro, Studi sull' età dei Gracchi, in: Studi storici per l' antichità classica 6, 1913, 123–132; R. Till, FS K. Oettliner, 48 ff., der gar einen Zusammenhang mit der *lex iudiciaria* von C. Gracchus vermutet, da der *eques* Titius die senatorische Richtertätigkeit habe treffen wollen.

[301] Daß diesem Zusammenhang durchaus einige Bedeutung zukam, zeigt der Fall des Q. Aelius Tubero. Er trug eine zu große Einfachheit bei der Zubereitung eines *convivium* zur Schau und fiel ausdrücklich deshalb bei der Wahl zum Prätor 129 durch, Cic. Mur. 75; Val. Max. 7, 5, 1; zu seiner sprichwörtlichen Einfachheit Sen. ep. 95; 72; 73.

[302] Ihre Ausnahmestellung kommt auch in der Wiederholung einzelner Bestimmungen in den nachfolgenden Gesetzen (von Plin. n. h. 10, 139 besonders betont) und ihrer fast wörtlichen Erneuerung durch die *lex Licinia* (Macr. 3, 17, 2) zum Ausdruck.

bung. Beide Bereiche, wie auch die Schenkungs- und Erbrechtsgesetze Ende des
3. und im 2. Jahrhundert, waren die Reaktion auf die zunehmend notwendiger
werdende staatliche Kontrolle der Einhaltung des *mos maiorum*.

2.3.6.3 *Lex Didia* (143 v. Chr.)

Die *lex Didia* wurde nach dem Zeugnis des Macrobius[303] 18 Jahre nach der *lex
Fannia* eingebracht, an deren Inhalt sie offensichtlich nichts änderte. Unbekannt sind uns sowohl die Person des Antragstellers Didius[304] als auch in welcher Eigenschaft er das Gesetz einbrachte, also ob als Prätor oder als Tribun.
Das Gesetz fällt in die Zeit der strengen Zensur des Scipio Africanus Aemilianus, der in einer Rede auch die Sitten bei Gastmählern anklagt.[305] Deshalb
wurde gelegentlich auch die Urheberschaft Scipios angenommen.[306]

Die *lex Didia* erweiterte nun die *lex Fannia*, indem sie ihre Bestimmungen 1.
auf ganz Italien und 2. auch auf die Teilnehmer an dem ungesetzlichen Gastmahl ausdehnte.[307] Letzteres ist wohl eine Folge der Nichtbeachtung der *lex
Fannia*, die nun verschärft wurde.[308]

Schwieriger ist die Ausdehnung der *lex Fannia* auf ganz Italien zu deuten.
Diese wandte sich wie alle römischen Gesetze, die ihren Geltungsbereich nicht
besonders definierten, an alle römischen Bürger,[309] und dazu zählten natürlich
auch die *cives Romani* in Italien. Auf diese brauchte die *lex Didia* die Bestimmungen also nicht auszudehnen,[310] da sie ohnehin schon von der *lex Fannia*
betroffen waren, gleichgültig wo sie sich befanden.[311] Daß sich daraus prakti-

---

[303] Macr. 3, 17, 6: *Fanniam legem post annos decem et octo lex Didia consecuta est. eius
ferundae duplex fuit causa, prima et potissima ut universa Italia, non sola urbs, lege sumptuaria
teneretur, Italicis existimantibus Fanniam legem non in se sed in solos urbanos cives esse con-
scriptam; deinde ut etiam ... qui ad eas* (sc. *cenas*) *vocitati essent atque omnino interfuissent,
poenis legis tenerentur.* Sonst wird das Gesetz nicht erwähnt.

[304] F. Münzer, RE V (1905), s. v. Didius (1), 406.

[305] Gell. 6, 12, 5. Vgl. E. Schmähling, Sittenaufsicht, 57 f. Zur Sittenstrenge des Scipio
Gell. 4, 20, 10; 5, 19, 15; Fest. v. *millus* 137 L. Zu seinen zensorischen Maßnahmen J. Suolahti, Roman Censors, 393 ff.

[306] So L. Lange, Alterthümer II, 340; E. Savio, Leggi suntuarie, 183.

[307] Macr. 3, 17, 6 (zit. in Anm. 303).

[308] Es sei darauf hingewiesen, daß 143 Italien von einer Hungersnot und Pest befallen
war, Iul. Obseq. prodig. 1 ad ann. 143/2: *fames et pestilentia cum essent, per decemviros suppli-
catum.* Der Zeitpunkt war also für Tafelluxus in ganz Italien denkbar ungünstig und förderte
damit die Ziele der konservativen Urheber des Gesetzes.

[309] Vgl. J. Bleicken, Lex publica, 193.

[310] So M. Wlassak, Römische Processgesetze. Ein Beitrag zur Geschichte des Formular-
verfahrens II, Leipzig 1891, 154 ff.; ihm folgend L. Mitteis, Römisches Privatrecht, 69,
Anm. 19; W. V. Harris, Was Roman law imposed on the Italian allies, Historia 21, 1972,
644 f. (danach ist *universa Italia* «a careless phrase for ‹all (Romans) in Italy›»); G. Clemente, Leggi suntuarie, 6.

[311] Keine Beweiskraft für die Beschränkung der *lex Fannia* und *lex Didia* auf römische
Bürger hat Gell. 20, 1, 23, wie M. Wlassek a. a. O. annimmt; ablehnend schon W. V. Harris
a. a. O., 644, Anm. 28.

sche Schwierigkeiten für die Überwachung der Bestimmungen ergaben, ist für das Problem ohne Bedeutung. Wir müssen daher davon ausgehen, daß die *lex Didia* ausdrücklich alle Italiker auf die *lex Fannia* verpflichtete.[312] Der Grund mag darin gelegen haben, daß die römischen Bürger sich gegenüber ihren Bundesgenossen benachteiligt fühlten,[313] ein Problem, das schon anläßlich der Abschaffung der *lex Oppia* diskutiert worden ist. Hier klagte der Tribun Valerius darüber, daß Frauen *Latini nominis* erlaubt sei, was römischen Frauen verboten war.[314] Mit der *lex Didia* wurde auf dem Gebiet der *sumptus*-Gesetzgebung eine rechtliche Gleichstellung von Italikern und Römern bewirkt, die Italiker also auf die gesetzlichen Maßnahmen Roms verpflichtet, die auf die Rückkehr zum *mos maiorum* zielten. Wir dürfen ferner davon ausgehen, daß auch die folgenden *leges sumptuariae* diese Bestimmung enthielten, da kaum vorstellbar ist, daß die Gesetze nicht aus den Fehlern der *lex Fannia* Konsequenzen zogen.

2.3.6.4 *Lex Aemilia* (115 v. Chr.)

In einer Zeit relativer innenpolitischer Ruhe wurde, wahrscheinlich im Jahre 115, von dem Konsul M. Aemilius Scaurus die *lex Aemilia sumptuaria* eingebracht.[315] Wenn dieses Datum korrekt überliefert ist, handelt es sich also nach der *lex Fannia* erneut um ein konsularisches Luxusgesetz, noch dazu von einem Mann, der hohes politisches Ansehen genoß, *princeps senatus* schon im

---

[312] Vgl. auch Th. Mommsen, Staatsrecht III, 696; G. Niccolini, Le leggi De civitate Romana durante la guerra sociale, RAL Ser. 8, 1, 1946, 112. J. Göhler, Rom und Italien, Breslau 1939, 58 f., leugnet einen direkten Eingriff Roms; vielmehr hätten als Folge der Ausweitung auf alle römischen Bürger in Italien die Bundesgenossen die *lex Didia* freiwillig übernommen; vgl. Th. Heuß, Rechtslogische Unregelmäßigkeit und historischer Wandel. Zur formalen Analyse römischer Herrschaftsphänomene, in: Studien zur antiken Sozialgeschichte, Festschr. F. Vittinghoff, Köln/Wien 1980, 133. Auch Liv. 29, 37, 7 für 204 zeigt die Duldung römischer Maßnahmen durch die Bundesgenossen.

[313] So schon A. Boxman, De legibus Rom. sumtuariis, 42; J. F. Houwing, De Rom. legibus sumptuariis, 76 f.

[314] Liv. 34, 7, 5: *at hercule universis dolor et indignatio est, cum sociorum Latini nominis uxoribus vident ea concessa ornamenta, quae sibi adempta sint, cum insignis eas esse auro et purpura, cum illas vehi per urbem, se pedibus sequi, tamquam in illarum civitatibus, non in sua imperium sit. virorum hoc animos vulnerare posset.*

[315] Die Datierung ergibt sich aus Auct. vir. ill. 72 und auch Plin. n. h. 8, 223, wenngleich nicht mit Sicherheit, denn Macr. 3, 17, 13 erwähnt eine *lex sumptuaria*, die von Aemilius Lepidus als Konsul im Jahre 78 eingebracht worden sei. Auch Gell. 2, 24, 12 reiht eine *lex Aemilia* zwischen die *lex Cornelia* von 81 und die *lex Antia* von 71/70 ein, ohne allerdings eine feste Datierung zu geben. Gelegentlich schloß man daher, daß es zwei *leges Aemiliae* gab, vgl. A. Boxman, De legibus Romanorum sumtuariis, 50 f., der die *lex Aemilia* von 78 mit den Neuerungsbestrebungen des Aemilius Lepidus erklärt (!); ferner C. Bauthian, Lois somptuaires, 60. E. Jarcke, Versuch einer Darstellung des censorischen Strafrechts der Römer, Bonn 1824, 36, und W. S. Davis, Wealth, 161, akzeptieren Macrobius.

Jahre 112 war und gerühmt wurde wegen seiner moralischen Strenge.[316] Diese Karriere ist umso erstaunlicher, wenn man bedenkt, daß drei Generationen seiner Familie vor ihm politisch unbedeutend waren.[317] Er war also ein Aufsteiger, der sich «wie ein *homo novus*»[318] emporgearbeitet hatte und gerade deshalb zu den konservativsten Kreisen der Aristokratie gehörte, wie auch die tatsächlichen *homines novi* Cato (vor ihm) und Cicero (nach ihm), die vor allem die moralische Integrität der Führungsschicht als Grundvoraussetzung für eine Überwindung der Krise ansahen.[319]

Der Inhalt des Gesetzes ist weitgehend unbekannt. Es regelte offenbar nicht nur die Kosten der Gastmähler, sondern enthielt auch Bestimmungen über Art und Umfang der Speisen.[320] Möglicherweise versuchte der Konsul von 137, M. Aemilius Lepidus Porcina, das Gesetz zu abrogieren, was darauf hindeutet, daß, vielleicht bedingt durch den Ansehensverlust des Aemilius im Jugurtha-Krieg, auch seine Gesetze bekämpft wurden.[321]

---

[316] In diesem Zusammenhang ist es interessant, daß er für 117 nicht zum Konsul gewählt wurde, weil er offenbar als Ädil zu wenig Spiele gegeben hat: Auct. vir. 72, 4: *Aedilis iuri reddendo magis quam muneri edendo studuit;* Cic. Mur. 36. Zu seiner Person: Auct. vir. ill. 72; Front. strat. 4, 3, 13; Cic. Sest. 101; de orat. 2, 257; 283; off. 1, 108; Brut. 111; ad Att. 4, 16, 6; Sall. Jug. 14, 4: Ascon. 22 f. St.; Plin. n. h. 36, 116. Es fallen jedoch auch Schatten auf seine Person, vor allem im jugurthinischen Krieg, und er war in viele Prozesse verstrickt, die er jedoch alle schadlos überstand, Cic. Scaur. 1; Deiot. 31; Ascon. 23 St.; Val. Max. 6, 5, 5; Dio frg. 92. Vgl. E. Klebs, RE I (1894), s. v. Aemilius (140), 584–588; G. Bloch, M. Aemilius Scaurus, Paris 1909; P. Fraccaro, Scauriana, Opusc. II, Pavia 1957, 125–147; J. Suolahti, Roman Censors, 420 ff.

[317] Nach E. Gabba, RSI 93, 1981, 556, hat Scaurus die *lex Aemilia* aus dieser Erfahrung eingebracht, wie auch nach ihm Sulla die *lex Cornelia sumptuaria*: beiden sei es um die Verhinderung von Vermögensverschwendung gegangen. Zur wirtschaftlichen Lage des Scaurus vgl. I. Shatzman, Wealth, 145; 263 f. Es ist der einzige Fall von politischer Bedeutungslosigkeit aus Armut, der von den Quellen ausdrücklich erwähnt ist.

[318] F. Münzer, Adelsparteien, 280; vgl. Auct. vir. ill. 72.

[319] Ähnliches gilt für Scaurus, vgl. die Episode bei Auct. vir. ill. 72: Er erniedrigte den Prätor P. Decius, der ihn nicht mit gebührendem Respekt behandelt hatte. Scaurus gilt ferner als der Einbringer der (sicher konservativen) *lex Aemilia de libertinorum suffragiis,* über die aber sonst nichts bekannt ist, vgl. Auct. vir. ill. 72; G. Rotondi, Leges publicae, 320 f. E. Cuq, DS III/2 (1904), s. v. lex Aemilia, 1128, nimmt eine *lex satura* an, während E. Weiss, RE XII (1925), s. v. lex Aemilia (2 und 3), 2322 f., zwei Gesetze desselben Antragstellers vermutet.

[320] Gell. 2, 24, 12: *Praeter has leges Aemiliam quoque legem invenimus, qua lege non sumptus cenarum sed ciborum genus et modus praefinitus est;* Auct, vir. ill. 72, 5: *Consul legem de sumptibus. . .tulit;* Plin. n. h. 8, 223: *Scauricas et ipsos hiemi condi, auctor est Nigidius, sicut glires quos censoriae leges princepsque M. Scaurus in consulatu non alio modo cenis ademere quam conchylia aut ex alio orbe convectas aves.* Einzelheiten bei J. F. Houwing, De Romanorum legibus sumptuariis, 62 f. Zu den Haselmäusen *(glires)* Varro, rust. 3, 15; 16; 17; Non. s. v. *glis*; Apicius, Ars coq. 8, 9.

[321] Prisc. Inst. 9, 38: *in oratione, uti lex Aemilia abrogetur.* Natürlich ist diese Bemerkung sehr vage, aber immerhin ist es nicht unwahrscheinlich, daß Porcina, der 125 von den Zensoren wegen Bauluxus notiert worden war, die Aufwandsgesetze ablehnte und einen ent-

Im gleichen Jahr erließen die Zensoren L. Metellus und Cn. Domitius ein Edikt gegen die ausländischen musikalischen Aufführungen,[322] vielleicht auch Speisevorschriften,[323] die durch die *lex Aemilia* aufgenommen und modifiziert wurden.

2.3.6.5 *Lex Licinia* (vor 103 v. Chr.)

Gegen Ende des 2. Jahrhunderts v. Chr. häufen sich die Gesetze gegen den Luxus. Ein weiteres dieser Art war die *lex Licinia*,[324] deren Datierung aber einige Schwierigkeiten bereitet. Terminus ante quem ist wohl das Jahr 97, in dem der Volkstribun Duronius von den Zensoren L. Valerius Flaccus und M. Antonius aus dem Senat gestoßen wurde,[325] weil er ein Luxusgesetz, nämlich die *lex Licinia,* abrogiert hatte. Darüber hinaus ist das Gesetz noch zu Lebzeiten des Lucilius erlassen worden, der es kannte,[326] also vor 103. Als Antragsteller kommen demnach zwei Licinii in Frage: 1. P. Licinius Crassus Dives Mucianus, Konsul 131, der dann entweder als Konsul[327] oder aber als Prätor, vielleicht 134[328] das Gesetz veranlaßt hat. Dann wäre allerdings die *lex Licinia* vor die *lex Aemilia* zu legen,[329] so daß sich dann die *lex Duronia* auf die zeitlich

---

sprechenden Antrag einbrachte; daher wohl verfehlt C. Cichorius, Untersuchungen, 266, Anm. 1, der für *uti ne* setzt und ein Gesetz des Porcina selbst annimmt.

[322] Dazu oben S. 27 und Anm. 134.

[323] Plin. n. h. 8, 223 (zit. in Anm. 320); 209; 36, 4: *abdomina, glandia, testiculi, volvae, sincipita verrina, glires et alia minora*; vgl. M. Voigt, Lex Cornelia, 251, Anm. 20; eine frühe Datierung nimmt E. Schmähling, Sittenaufsicht, 63, Anm. 79, an. Diese Zensur war generell sehr streng, 32 Senatoren wurden aus dem Senat gestoßen, Liv. per. 62; unter ihnen war der Konsul von 116, C. Licinius Geta, dessen Lebenswandel möglicherweise der Notationsgrund war: Cic. Cluent. 42, 119; Val. Max. 2, 9. 9.

[324] Zum Titel D. Daube, Disobedience, 125. B. Kübler, RE IV A, s. v. sumptus, 907, gibt dem Gesetz gar eine völlig andere Tendenz, wenn er es *de minuenda severitate legis Fanniae* nennt, wofür jedoch keine Anzeichen vorhanden sind.

[325] Val. Max. 2, 9, 5.

[326] Gell. 2, 24, 10: *Lucilius quoque legis istius meminit.*

[327] So B. Kübler, RE IV A, s. v. sumptus, 906; G. Aste, Aevum 15, 1941, 581–588.

[328] So M. Voigt, Lex Cornelia, 250, Anm. 18, der aus Gellius entnimmt, daß aus der Verwendung *aes* in der *lex Licinia* diese vor die *lex Acilia* von 122/3 zu legen, also dem Mucianus zuzuordnen sei. Allerdings ist diese Schlußfolgerung nicht zwingend, vgl. B. Kübler a. a. O. Wie Voigt auch I. Sauerwein, Leges sumptuariae, 94 ff., mit nicht voll überzeugendem Gedankengang. Vgl. auch B. A. Marshall, Crassus and the cognomen Dives, Historia 22, 1973, 463, der ebenfalls Mucianus nicht ausschließt. Die Prätur nehmen M. Voigt und I. Sauerwein nach Macr. 3, 17, 7 an. G. Clemente, Leggi suntuarie, 7, legt nach G. Aste a. a. O. «quasi certamente» das Gesetz in das Jahr 140. Vgl. ferner G. Niccolini, Fasti, 210. Zu der Fragwürdigkeit ihrer Belege vgl. unten S. 92, Anm. 357. Einem Sohn des Mucianus teilt A. Lintott, Historia 21, 1972, 631 f., Anm. 33, das Gesetz zu.

[329] Daß die Quellen Macrobius und Gellius die *lex Licinia* in Beziehung zur *lex Fannia* setzen, bedeutet nicht, daß jene vor der *lex Aemilia* eingebracht worden ist, da sowohl Macrobius als vielleicht auch Gellius die *lex Aemilia* falsch einordnen, was von G. Niccolini, Fasti, 210, im Gegensatz zu I. Sauerwein, Leges sumptuariae, 106, Anm. 1, richtig gesehen wird.

nähere *lex Aemilia,* die ja auch den *sumptus* der Gastmähler bekämpfte,[330] beziehen würde. 2. P. Licinius Crassus,[331] Konsul 97. Das Gesetz müßte vor 103 eingebracht worden sein und wäre damit kein konsularisches Gesetz.[332] Nach allem, was wir über diesen Crassus wissen, würde ein sumptuarisches Gesetz durchaus zu ihm passen. Er hatte einen strengen Charakter,[333] nahm am Kampf gegen Saturninus teil,[334] verbot als Konsul Menschenopfer[335] und kämpfte im Bundesgenossenkrieg als Legat.[336] Er starb im Kampf gegen Marius.[337] Besonders bezeichnend ist aber seine Zensur von 89, in der L. Julius Caesar sein Kollege war. Zwei seiner Edikte *de moribus* sind überliefert: 1. gegen *unguenta exotica,*[338] 2. gegen griechischen Wein.[339] Es wurde ein Höchstpreis festgelegt, wahrscheinlich um die inländische Weinproduktion, auf die sich im 2. Jahrhundert viele Grundbesitzer spezialisiert hatten, zu schützen.[340] In diesen Rahmen

---

[330] Auct. vir. ill. 72: *legem de sumptibus. . .tulit.*

[331] Dieser Crassus ist mit dem Beinamen Dives allerdings nur bei Macr. 3, 17, 7 belegt, vgl. F. Münzer, RE XIII (1926), s. v. Licinius (61), 287–290; D. R. Shackleton Bailey, Cicero's letters to Atticus I, Cambridge 1965, 379.

[332] So wurde im vorigen Jahrhundert vermutet, vgl. die Angaben bei J. F. Houwing, De Romanorum legibus sumptuariis, 56; C. E. Jarcke, Versuch, 36. H. Dernburg, Monatsschr. d. wiss. Vereins in Zürich 1, 1856, 261 ff., nennt irrtümlich sogar den L. Licinius Crassus, Zensor 92, als Gesetzgeber, der von seinem Kollegen wegen verschwenderischer Pracht notiert worden war. Ebenso falsch ist die Datierung von Th. Mommsen, Römische Geschichte II, 403, der das Gesetz in das Jahr 89 verlegt.

[333] Cic. Tusc. 3, 31; Plin. n. h. 7, 79; Tertull. anim. 52; Macr. 2, 1, 6. Nach Plut. Crass. 1, 1–2 lebte er, wie es sich für einen Zensor gehörte.

[334] Cic. Phil. 8, 15.

[335] Zusammen mit Cn. Cornelius Lentulus: Plin. n. h. 30, 12; Plut. quaest. Rom. 83; vgl. C. Cichorius, Römische Studien, Darmstadt 1961² (1. Aufl. 1922), 7 ff.; F. Münzer, Adelsparteien, 393 f.

[336] App. civ. 1, 40 f.; Cic. Font. 43; Diod. 37, 3; Frontin. strat. 2, 4, 16; 4, 7, 41.

[337] App. civ. 1, 69; Cic. Sest. 48. Weitere Belege bei J. Suolahti, Roman Censors, 447, Anm. 4.

[338] Plin. n. h. 13, 24; Solin. 46, 2: *Alexander. . .expugnatis eius castris in reliquo apparatu regis repperit scrinium unguentis refertum* und *primum Romana luxuria fecit ingressum ad odores peregrinos; aliquamdiu tamen virtute veterum ab hac vitiorum inlecebra defensi sumus atque adeo in tempus censorum P. Licinii Crassi et L. Iulii Caesaris qui edixerunt anno urbis conditae DLXV ne quis unguenta inveheret peregrina.* Vgl. 13, 20; nach spartanischem Vorbild: Sen. nat. quaest. 4 b, 13, 9.

[339] Plin. n. h. 14, 14, 95; vgl. 94; Cic. rep. 3, 9, 6; dazu J. F. Houwing, De Romanorum legibus sumptuariis, 48 ff.; T. Frank, Pliny H. N. XIV 95, quadrantal, AJPh 52, 1931, 278. Zur vielleicht behinderten Zensur Cic. Arch. 11.

[340] Bisweilen unternahmen die Römer den Versuch, Weinanbau und Ölproduktion in Italien zu monopolisieren, v. a. in der Kaiserzeit, vgl. Philostr. v. Apollonii 6, 42; v. Soph. 1, 21, 520; Stat. Silv. 4, 3, 11; Suet. Dom. 7, 2. Zur Republik vgl. Cic. rep. 3, 9, 16. Dazu M. I. Rostovtzew, Gesellschaft und Wirtschaft im römischen Kaiserreich I, Leipzig 1929, 323 f.; T. Frank, Survey, 284 f.; J. André, Pline l'Ancien, Histoire naturelle, Livre XIV, Paris 1958, 123 f.; E. Gabba, Mario e Silla, ANRW I 1, 1972, 772, Anm. 42; D. Nörr, Rechtskritik, 71.

paßt auch die *lex sumptuaria*.[341] Inhaltlich stimmen die Angaben unserer Hauptquellen zu dem Gesetz nicht überein: *Lex deinde Licinia rogata est, quae cum
certis diebus, sicuti Fannia, centenos aeris inpendi permisisset, nuptiis ducenos
indulsit ceterisque diebus statuit aeris tricenos; cum et carnis autem et salsamenti
certa pondera in singulos dies constituisset, quidquid esset tamen e terra, vite,
arbore, promiscue atque indefinite largita est*.[342] Danach waren also 100 As an
bestimmten (Fest-)Tagen, d. h. wie in der *lex Fannia* anläßlich der *ludi Romani,
ludi plebei*, Saturnalien u. a.,[343] bei Hochzeiten sogar 200 As, an den übrigen
Tagen[344] 30 As[345] aufzuwenden gestattet. *Sed legis Liciniae summa ut kalendis
nonis nundinis Romanis cuique in dies singulos triginta dumtaxat asses edundi
causa consumere liceret, ceteris vero diebus, qui excepti non essent, ne amplius daretur apponeretur quam carnis aridae pondo tria et salsamentum pondo libra et
quod ex terra vite arboreve sit natum*.[346] Macrobius nennt nur eine Aufwandsbe-
grenzung ausdrücklich, nämlich an den Kalenden, Nonen, Nundinen 30 As.
Die anderen Höchstgrenzen sind nicht erwähnt, wobei allerdings auf die *lex
Fannia* verwiesen wird.[347] Es scheint aber, daß Macrobius hier allzu verkürzt
den Inhalt wiedergibt und daher wohl insgesamt die Darstellung des Gellius
vorzuziehen ist.[348]

Darüber hinaus wird auch die Art der Speisen, die aufgetischt werden dürfen, definiert: Macrobius gibt für die gewöhnlichen Tage an, daß nicht mehr als
3 Pfund (3 *libra* = 1 kg) Räucherfleisch[349] und 1 Pfund (1 *libra* = 327 g) Salz-
fisch verbraucht werden durften. Obst und Gemüse sowie einheimischer Wein

---

[341] Völlig unverständlich ist, warum G. Aste, Aevum 15, 1941, 588, gerade hier einen
Gegensatz zwischen den Edikten und der *lex sumptuaria* zu konstruieren versucht.

[342] Gell. 2, 24, 7–10.

[343] Man wird vielleicht auch die Nonen, Kalenden und Nundinen zu den *certi dies* zählen
müssen, da diese wohl nicht in die unterste Klasse gehören, vgl. die Analogie zur *lex Cornelia sumptuaria* bei Gell. 2, 24, 11 und zur *lex Iulia Caesaris*.

[344] Nach M. Voigt, Lex Cornelia, 250, sind *ceteri dies Kalendae, Nundinae, Nonae;* der
Satz für normale Tage ist danach wie bei der *lex Fannia* 10 As.

[345] Demnach ergibt sich im Vergleich zur *lex Fannia*: der Höchstsatz von 200 As ist im
Ausnahmefall einer Hochzeit festgesetzt, dafür ist die Anzahl der Tage, an denen 100 As
verzehrt werden dürfen, vergrößert und der Tiefstsatz liegt nunmehr bei 30 As.

[346] Macr. 3, 17, 9.

[347] Macr. 3, 17, 8.

[348] Vgl. J. F. Houwing, De Romanorum legibus sumptuariis, 64; G. Rotondi, Leges publicae, 328; I. Sauerwein, Leges sumptuariae, 107. Das wird auch durch Fest. v. *centenariae*
54 M (= 47 L) angedeutet: *centenariae cenae dicebantur, in quas lege Licinia non plus centussi-
bus praeter terra enata impendebantur, id est centum assibus, qui erant breves nummi ex aere*,
wobei auch hier der außergewöhnliche Fall einer Hochzeit nicht berücksichtigt wurde.
Abzulehnen sind die Konjekturen von A. Boxman, De legibus Romanorum sumtuariis,
45 f., mit denen er Gellius und Macrobius angleichen will.

[349] Vgl. Athen. 6, 108. Auf den Tag umgerechnet stimmen also auch hier die *lex Fannia*
und *lex Licinia* nach Macrobius überein.

unterlagen keinen Begrenzungen. Diese Rationierung wird von Gellius inhaltlich bestätigt.[350]

Wie auch die genauen Bestimmungen gewesen sein mögen, das Gesetz regelte jedenfalls minutiös Ausgaben und Art der Speisen[351] und geht insofern wohl auch über den Charakter einer Maßnahme zur Verbesserung der Sitten hinaus. Man wird hier – wie in dem zensorischen Edikt von 89 – auch den Schutz einheimischer Produkte als Motiv des Gesetzes sehen können, vielleicht sogar den Vorzug der einheimischen pflanzlichen Produkte vor der Fleischproduktion.[352] Dennoch ist es nicht angemessen, das Gesetz auf rein ökonomische Intentionen zu reduzieren.[353] Vielmehr sind die Umstände gegen Ende des 2. Jahrhunderts zu berücksichtigen. Die Auflösungserscheinungen des *mos maiorum* hatten einen beachtlichen Grad erreicht, und der konservative Teil der Führungsschicht hoffte, durch die *sumptus*-Gesetzgebung, wie sie sich in den *leges Aemilia* und *Licinia* niederschlug, das angeschlagene Image der Nobilität aufpolieren zu können und auch den Eindruck von Geschlossenheit zu vermitteln; diese Absicht geht auch aus dem Bericht des Macrobius hervor: *Post Didiam Licinia lex lata est a P. Licinio Crasso Divite, cuius ferendae probandaeque tantum studium ab optimatibus impensum est, ut consulto senatus iuberetur ut ea tantum modo promulgata priusquam trinundino confirmaretur; ita ab omnibus observaretur quasi iam populi sententia comprobata.*[354] Eine solche Eile[355] ist verständlich, wenn man berücksichtigt, daß die Nobilität in dieser Zeit innenpolitischem Druck ausgesetzt war und gerade mit diesen Maßnahmen eine Flucht nach vorn versuchen wollte. Das scheint vor allem im jugurthinischen Krieg mit seinen politischen Skandalen und der popularen Agitation gegen die moralische Verkommenheit der Nobilität gegeben zu sein.[356] Das Gesetz paßt also sowohl

---

[350] Gell. 2, 24, 7. Die Fleischrationierung wurde auch von den Satirikern aufgenommen: *lex Licinia inquit* (sc. Laevius) *introducitur. lux liquida haedo redditur,* Gell. 2, 24, 9. Zu Laevius W. Kroll, RE XII (1924), s. v. Laevius (3), 452–454.

[351] Die Anzahl der Tischgäste wurde offenbar nicht mehr begrenzt; jedenfalls schweigen die Quellen darüber.

[352] G. Aste, Aevum 15, 1941, 583, spricht von einem «carattere... agrario della legge»; vgl. E. Savio, Leggi suntuarie, 186. Auch unter diesem Aspekt würde das Gesetz somit zu dem Zensor von 89 passen.

[353] So E. Savio, Leggi suntuarie, 186; T. Frank, Survey, 294.

[354] Macr. 3, 17, 7.

[355] Sie wäre jedenfalls bei einem rein wirtschaftlich motivierten Gesetz weniger zu erwarten gewesen. Möglicherweise hat das Gesetz und sein Einbringungsvorgang auch Lucilius zu der bei Gell. 2, 24, 10 vermerkten Äußerung angeregt: *legem vitemus Licini.*

[356] G. Aste, Aevum 15, 1941, 584, hält es für wenig wahrscheinlich, daß ein Prätor ein *sumptus*-Gesetz in außenpolitisch so brisanter Zeit einbringt (ähnlich auch M. Voigt, Lex Cornelia, 252, Anm. 27). Das ist aber modern gedacht. Die Römer beurteilten die Bedeutung von *leges sumptuariae* sicher anders. Gegen sie hätten auch Memmius und andere Populare nicht polemisieren können (so aber I. Sauerwein, Leges sumptuariae, 99), weil sie ja gerade die kritisierten Mißstände zu beseitigen versuchten. Wenn die Optimaten also ein Luxusgesetz einbrachten, nahmen sie der popularen Agitation zumindest partiell den Wind aus den Segeln. Auch Populare konnten nicht gegen ein Gesetz sein, das doch offensichtlich

von der Person des Antragstellers als auch vom historischen Hintergrund her besser in diese als die vorgracchische Zeit (134).[357]

Mehrere Jahre nach der Einbringung ist das Gesetz durch den Volkstribunen Duronius[358] abrogiert worden. *M. autem Antonius et L. Flaccus censores Duronium senatu moverunt, quod legem de coercendis conviviorum sumptibus latam tribunus plebi abrogaverat. mirifica notae causa: quam enim impudenter Duronius rostra conscendit illa dicturus: freni sunt iniecti vobis, Quirites, nullo modo perpetiendi: alligati et constricti estis amaro vinculo servitutis; lex enim lata est, quae vos esse frugi iubet. abrogemus igitur istud horridae vetustatis[359] rubigine obsitum imperium. etenim quid opus libertate si volentibus luxu perire non licet.*[360] Für diese Rede also wurde Duronius von den Zensoren des Jahres 97[361] aus dem

---

die Nobilität auf den *mos maiorum* verpflichten sollte. Gerade Marius preist sich in seiner Rede nach seiner Wahl zum Konsul, und nachdem ihm Numidien als Provinz zuteil geworden war, als wahrer Verfechter des *mos maiorum*, von dem sich die *nobiles* besonders durch ihren Luxus entfernt hatten, Sall. Jug. 85, 39 ff.: *sordidum me et incultis moribus aiunt, quia parum scite convivium exorno neque histrionem ullum neque pluris preti coquom quam vilicum habeo... (40) arma non supellectilem decori esse... (41) ament, potent; ubi adulescentiam habuere, ibi senectutem agant, in conviviis, dediti ventri et turpissimae parti corporis... (43) ita iniustissume luxuria et ignavia, pessumae artes, illis, qui coluere eas, nihil officiunt, rei publicae innoxiae cladi sunt.*

[357] Diese Datierung ist nach G. Aste, Aevum 15, 1941, 581 ff., v. a. von I. Sauerwein, Leges sumptuariae, 94–101, ausführlich, aber in allen Punkten zweifelhaft und darum leicht widerlegbar vertreten worden: 1. Die Bemerkung des Duronius von der *horrida vetustas* bezieht sich ganz offensichtlich auf das Alter der hinter dem Gesetz stehenden Grundsätze, nicht auf das des Gesetzes (s. Anm. 359). Und eine «rasche Abfolge so konträrer Gesetze wie der *lex Licinia* und der *lex Duronia*» vermag ich bei einem Abstand von fast 10 Jahren, in denen sich politisch einiges getan hat, auch nicht zu sehen. 2. Die Einschränkung von G. Aste a. a. O., 583, widerlegt Sauerwein, 98 f., selbst. 3. Der Verweis von L. Lange, Alterthümer III, 69 f., auf die Rede des Rutilius *de modo aedificiorum* (Suet. Aug. 89) ist so schwach nicht, wie Sauerwein, 99, vermerkt; er zeigt immerhin, daß gerade zu dieser Zeit Diskussionen dieser Richtung stattfanden, also warum nicht auch im Bereich des Tafelluxus? 4. Auch die «Scharfmacher» (so Sauerwein, 99) Memmius und Manilius konnten nicht gegen eine *lex sumptuaria* agitieren (s. oben Anm. 356). 5. Bedenkenswert, aber keineswegs zwingend bleibt die Namensnennung *Dives* bei Macr. 5, 17, 7. Die politische Aktivität dieses Crassus (dazu Sauerwein, 101 f.) spricht allerdings durchaus gegen seine Urheberschaft einer *lex sumptuaria* und zwar erst recht, wenn man die Zustimmung und die Eile des gesamten Senates (bei einem Parteigänger der Gracchen doch wohl wenig wahrscheinlich) bedenkt. 6. Sauerwein, 104, stimmt ferner der Überlegung von M. Voigt, Lex Cornelia, 250, Anm. 18, zu, die aber schon von B. Kübler, RE IV A, s. v. sumptus, 906, als nicht zwingend bewertet wurde.

[358] F. Münzer, RE V (1905), s. v. Duronius (3), 1862 f.; E. Cuq, DS III/2 (1904), s. v. lex Duronia, 1143.

[359] Gemeint sind die Grundsätze der Vergangenheit, nicht etwa das Alter der *lex Licinia*.

[360] Val. Max. 2, 9, 5.

[361] Zur Datierung G. Niccolini, Fasti, 210: Duronius hat seinen Abrogationsantrag kurz nach Amtsantritt (10. 12. 98) in den ersten Monaten d. J. 97 und vor dem Amtsantritt der Zensoren (April) eingebracht. Da die Senatslese die erste zensorische Amtshandlung war

Senat geworfen.[362] Sie ist nun in der Tat revolutionär – denn sie bricht mit allen bisher noch gültigen römischen Grundsätzen –, was allerdings glauben läßt, daß sie so nicht gehalten wurde. Wahrscheinlicher ist, daß sie später von seinen Gegnern so umgedeutet wurde, daß sie für römische Verhältnisse ungeheuerlich klingen mußte.[363] Auf dieser Ebene sind die *leges sumptuariae* an der Wende vom 2. und 1. Jahrhundert sicher nicht diskutiert worden.[364] Die Gegenrede gegen den Abrogationsversuch hielt offensichtlich ein gewisser Favorinus,[365] der uns sonst völlig unbekannt ist. Die bisherigen Konjekturen zu der Stelle sind unbefriedigend.[366] Allerdings ist ein Favorinus in dieser Zeit sonst nicht erwähnt, während Gellius mehrfach einen Favorinus Arelatensis, Philosoph und Sophist, nennt. Daher ist es immerhin merkwürdig, daß Gellius den Favorinus, der hier einmalig auftaucht, nicht besonders kennzeichnet, um ihn von dem bekannten abzusetzen. Die Rede selbst[367] klagt die Zustände dieser Zeit an und ist vergleichbar mit der des C. Titius zur *lex Fannia*.

2.3.6.6 *Lex Cornelia* (81 v. Chr.)

Sulla hat in seiner Eigenschaft als *dictator legibus scribundis et rei publicae constituendae* im Rahmen der staatlichen Neuordnung offensichtlich auch Sittengesetze erlassen, die von Speisevorschriften, Bestattungsluxus, Ehebruch[368] und vielleicht auch Würfelspiel handelten.[369]

(A. H. J. Greenidge, Infamia, 79), wurde er gleich notiert, konnte aber noch als Volkstribun Antonius belangen, ohne Privatmann zu sein (s. Anm. 362).

[362] Daraufhin drohte Duronius dem Antonius mit einer Anklage wegen *ambitus*, Cic. de orat. 2, 274; Val. Max. 2, 9, 5.

[363] Vgl. dazu J. Bleicken, Staatliche Ordnung, 24, Anm. 19; Ch. Wirszubski, Libertas, 35 f.

[364] Nach H. Kloesel, Libertas, in: H. Oppermann (hrsg.), Römische Wertbegriffe, Darmstadt 1967, 129, ist die von Duronius formulierte Auffassung «ein Aufbegehren der überindividualistischen Persönlichkeit gegen die Gemeinschaft, die den *modus libertatis* reglementiert». (!)

[365] Gell. 15, 8.

[366] Fannius; Favonius. Vgl. F. Münzer, RE VI (1909), s. v. Favonius, 2074–77. Da aber dessen Lebenszeit später anzusetzen ist, wurde vermutet, daß er seine Rede zugunsten der gar nicht promulgierten *rogatio* von 55 gehalten hat (zurückgewiesen von H. Malcovati, ORF, 203 f., frg. 52; dies., Favorinus e Favonius, Athenaeum 7, 1929, 216 ff.; I. Sauerwein, Leges sumptuariae, 108 ff.).

[367] Gell. 15, 8.

[368] Plut. comp. Lys. et Sulla 3, 3: τοὺς περὶ γάμων καὶ σωφροσύνης εἰσηγεῖτο νόμους τοῖς πολίταις. Sonst ist über das Gesetz nichts bekannt; man wird es wohl nicht als besonders einschneidend empfunden haben. Die Kriminalisierung des Ehebruchs blieb der *lex Iulia de adulteriis* vorbehalten. Möglicherweise handelt es sich bei der Bestimmung nur um ein Kapitel der *lex Cornelia de iniuriis*, vgl. D 48, 5, 23, 2; anders L. Lange, Alterthümer II, 665; III, 166.

[369] Unwahrscheinlich ist die Annahme, daß sich all diese Bestimmungen in einem Gesetz, der *lex Cornelia sumptuaria*, fanden, so aber M. Voigt, Lex Cornelia, 244 ff.; vgl. auch G. Rotondi, Leges publicae, 354 f.; E. Cuq, DS III/2 (1904), s. v. lex Cornelia, wo neben Speisevorschriften auch der Bestattungsluxus und die Bestimmungen über Ehebruch aufge-

Unsere beiden Hauptquellen Gellius und Macrobius erwähnen jedoch nur die Speisevorschriften als Bestandteil der *lex Cornelia sumptuaria*. In der Tendenz beurteilen sie das Gesetz unterschiedlich: *Postea L. Sulla dictator, cum legibus istis situ atque senio oblitteratis*[370] *plerique in patrimoniis amplis elluarentur et familiam pecuniamque suam prandiorum (conviviorum)que gurgitibus proluissent, legem ad populum tulit, qua cautum est, ut Kalendis, Idibus, Nonis diebusque ludorum et feriis quibusdam sollemnibus sestertios trecenos in cenam insumere ius potestasque esset, ceteris autem diebus omnibus non amplius trecenos.*[371] Gellius also stellt das Bestreben Sullas in den Vordergrund, der Vermögensverschwendung Einhalt zu gebieten: 300 Sesterzen an den Kalenden, Iden und Nonen sowie an den Spieltagen und anderen Festtagen, 30 Sesterzen an den übrigen Tagen dürfen aufgewandt werden. Gegenüber der *lex Licinia* erhöhte also die *lex Cornelia* lediglich die Höchstgrenze für den Aufwand an Fest- und Feiertagen. Von solchen Einschränkungen berichtet Macrobius nichts; vielmehr deutet sein Bericht darauf hin, daß für die einzelnen Delikatessen die Preise nicht nur festgelegt, sondern sogar gesenkt wurden: *Has sequitur lex Cornelia et ipsa sumptuaria, quam tulit Cornelius Sulla dictator, in qua non conviviorum magnificentia prohibita est nec gulae modus factus, verum minora pretia rebus imposita: et quibus rebus, di boni, quamque exquisitis et paene incognitis generibus deliciarum! quos illic pisces quasque offulas nominat, et tamen pretia illis minora constituit! ausim dicere ut vilitas edulium animos hominum ad parandas obsoniorum copias incitaret et gulae servire etiam qui parvis essent facultatibus possent. dicam plane quod sentio. adprime luxuriosus mihi videtur et prodigus cui haec tanta in epulis vel gratuita ponantur. itaque tanto hoc saeculum ad omnem continentiam promptius ut pleraque harum rerum quae Sullana lege ut vulgo nota comprehenduntur, nemo nostrum vel fando compererit.*[372] Zweifellos wollte Sulla mit diesem Preisedikt[373] die Ausgaben für ein Gastmahl senken: nicht indem er, wie bei den vorherigen *leges sumptuariae*, die Zahl der Gastmahlteilnehmer oder die Verwendung bestimmter Speisen einschränkte, sondern indem er ihnen ihre Kostbarkeit nahm.[374] Darüber hinaus ist es durchaus nicht abwegig, daß Sulla den Handel mit Luxusgütern treffen, zugleich auch die Ausbreitung dieses Produktionszweiges, der seit dem 2. Jahrhundert entstanden war,[375] eindämmen wollte. Vor

---

zählt werden. Voigt vermutet sogar noch völlig wesensfremde Bestimmungen, wie den Schutz der Grabstätten und die Höhe der Bürgschaften, als Teil dieses Gesetzes.

[370] Vgl. die ähnliche Wendung bei Amm. Marc. 16, 5: *leges sumptuarias. . .quas ex rhetris et axonibus Romam translatas diuque observatas, sed senescentes paulatim reparavit Sulla dictator reputans ex praedictis Democriti, quod ambitiosam mensam fortuna, parcam virtus adponit.*

[371] Gell. 2, 24, 11.

[372] Macr. 3, 17, 11.

[373] Vgl. z. B. auch das Preisedikt Diokletians.

[374] Das war schon im Edikt der Zensoren von 89 bei Wein geschehen. Über die Preise einiger besonders wertvoller Delikatessen sind wir unterrichtet, vgl. dazu H. Schneider, Wirtschaft und Politik, 192 ff.

[375] Die positiven Folgen der Bankette für die Wirtschaft beschreibt Varro rust. 3, 2, 16: *sed ad hunc bolum* (Varro hat 5000 Drosseln für 3 Denare [12 Sest.] verkauft und also eine Ein-

allem aber war es der Handel mit ausländischen Erzeugnissen,[376] der sich infolge dieses Gesetzes kaum noch lohnte; seine Träger, die zu den Rittern gehörten, wurden auf diese Weise erheblich geschädigt.[377]

Das eigentliche Ziel war aber – wie Gellius auch herausstreicht – der Schutz der Vermögen vor Verschwendung.[378] Auf der anderen Seite haftete der *lex Cornelia* jedoch, wie vielen sullanischen Maßnahmen, trotz ihrer konservativen Tendenz der Makel des Diktats an. Die Senatoren waren am Zustandekommen des Gesetzes nicht beteiligt[379] und empfanden es daher als Gängelei, die sie – obwohl Sulla ihre Interessen im Auge hatte[380] – nur widerwillig ertrugen. Es ist daher kein Wunder, daß bereits 10 Jahre später die *lex Antia sumptuaria* das sullanische Gesetz ersetzte.[381] Der Autorität seiner Verfügung schadete schon Sulla selbst, der sich offenbar nicht an sie gebunden fühlte,[382] sich also auch in diesem Bereich über seine Standesgenossen hinaushob und damit das ohnehin schon vorhandene Mißtrauen der Aristokratie gegen ihn noch steigerte.

Die sullanischen Verfügungen über die Sitten sind bei aller technischen Unvollkommenheit als der erste Versuch zu werten, umfassender als bisher die Oberschicht auf traditionelle Verhaltensweisen auch und vor allem im Privatbereich zu verpflichten. Sie sind somit ein Vorläufer der allerdings viel systematischeren augusteischen Gesetzgebung. Sittenkontrolle beruhte jetzt nicht mehr auf einem Grundkonsens der Aristokratie über die Ursachen von Fehlentwick-

---

nahme von 60 000 Sest., zweimal so viel, wie die 200-iugera-Farm des Axius einbringt, gemacht) *ut pervenias opus erit tibi aut epulum aut triumphus alicuius, ut tunc fuit Scipionis Metelli aut collegiarum cenae, quae nunc innumerabiles excandefaciunt annonam macelli. Reliquis annis omnibus si non hanc expectabis summam, spero non tibi decoquet ornithon; neque hoc accidit his moribus nisi raro ut decipiaris. Quotus quisque enim est annus, quo non videas epulum aut triumphum aut collegia non epulari?* Vgl. auch 3, 2, 17; 3, 3, 10 zu den Gewinnen aus dem Verkauf von Fischen; ferner 3, 9, 18; 12, 5 ff.; 14, 4. Viele Betriebe stellten auf die rentablere Luxusproduktion um, vgl. I. Shatzman, Wealth, 95; H. Schneider, Wirtschaft und Politik, 192 ff.

[376] Die Preise waren z. T. sehr hoch, vgl. Polyb. 31, 24 für pontischen Kaviar 1200 Sest./Faß; Diod. 37, 3, 5 für pontischen Räucherfisch 1600 Sest./Krug; für Wein bis 400 Sest./40 Lit.; vgl. Gell. 6, 16.

[377] J. F. Houwing, De Romanorum legibus sumptuariis, 83, schreibt das Gesetz sogar allein Sullas Haß auf die Ritter zu; ähnlich E. Savio, Leggi suntuarie, 187. G. Rotondi, Leges publicae, 355, sieht – ohne Begründung und zu Unrecht – in den Preisbeschränkungen eine fiskalische Maßnahme; ähnlich G. Longo, NNDI IX, s. v. leges sumptuariae, 630.

[378] Nach A. Passerini, Studi di filologia classica, N. S. XI, 1934, 55, sollten die Preissätze «lo scoglimento delle clientele fondate nella τρυφή» dienen.

[379] Vgl. auch Chr. Meier, Res publica amissa, 249.

[380] Sicher war die *lex sumptuaria* nicht etwa ein Zugeständnis an das Volk und gegen die Nobilität gerichtet, wie J. Carcopino, Sylla ou la monarchie manquée, Paris 1931, 57 f., meint.

[381] Cic. ad fam. 7, 26, 2 bezieht sich wohl deshalb und aus anderen Gründen nicht auf die *lex Cornelia* (so J. F. Houwing, De Romanorum legibus sumptuariis, 65; I. Sauerwein, Leges sumptuariae, 141); dazu unten S. 98, Anm. 394 und 395.

[382] Plut. Sulla 35, 3; comp. Lys. et Sulla 3, 3.

lungen, sondern sie wurde ein Mittel der ‹Großen›, die Oberschicht an ihre eigenen Ziele zu binden und zu kontrollieren, auch wenn sie, wie im Falle Sullas, dabei tatsächlich die Interessen der Nobilität im Auge hatten. So kam es, daß auch Sullas Nachfolger Pompeius, Cäsar, Antonius und Augustus Gesetze dieser Art erließen (oder zumindest den Versuch unternahmen), wobei sie sich von den ursprünglichen Zielen der Aufwandsgesetzgebung entfernten und sie zu einem Disziplinierungsinstitut umgestalteten.

2.3.6.7 Lex Antia (71/70 v. Chr.)

Eine *lex sumptuaria* mit besonderem Charakter ist die *lex Antia*, die etwa in das Jahr 71/70 zu legen ist. Macrobius[383] bezeugt, daß sie wenige Jahre nach der *lex Cornelia* erlassen wurde, und ein C. Antius scheint um diese Zeit Volkstribun gewesen zu sein.[384] Das Gesetz belegt, daß man auch auf dem Gebiet der Sittengesetzgebung die sullanischen Maßnahmen wenn nicht formal, so doch faktisch beseitigen bzw. ersetzen wollte. *Lex deinde Antia praeter sumptum aeris id etiam sanxit, ut qui magistratus esset magistratumve capturus esset, ne quo ad cenam, nisi ad certas personas, itaret.*[385] In Anlehnung an frühere *leges sumptuariae* legte also auch diese einen Höchstsatz für die Aufwendungen bei Gastmählern fest. Darüber hinaus enthielt sie erstmalig auch formal die (inhaltlich allerdings auch früheren Gesetzen innewohnende) Bestimmung, daß kein amtierender oder designierter Magistrat oder Amtsbewerber an Gastmählern teilnehmen durfte, außer wenn sie von bestimmten Personen veranstaltet wurden.

Da für den Ausgang römischer Wahlen persönliche Beziehungen ausschlaggebend waren[386] und der Kandidat sich also durch besondere Gunstbeweise Stimmen sichern mußte,[387] hatte er u. a. auch an Gastmählern teilzunehmen. Dieser Bereich war durch die bisherige *ambitus*-Gesetzgebung noch nicht geregelt worden. Mit der *lex Antia* tritt zum ersten Mal die politische Bedeutung eines Gastmahles expressis verbis vor Augen, denn es betreffen nun die Bestim-

---

[383] Macr. 3, 17, 13: *Dein paucis interiectis annis alia lex pervenit ad populum ferente Antio Restione.*

[384] Vgl. CIL I 744; 589 *(lex Antonia de Termessibus).* Zur Datierung vgl. L. Lange, Alterthümer III, 199; G. Rotondi, Leges publicae, 367 f.; G. Niccolini, Fasti, 248 f.; E. Savio, Leggi suntuarie, 187 f.; T. R. Broughton/M. L. Patterson, Magistrates II, 138 f.; R. Syme, JRS 53, 1963, 55 ff.; I. Sauerwein, Leges sumptuariae, 143. L. Lange sieht einen Zusammenhang zwischen der erstmaligen Wahl von Zensoren nach Sulla und der *lex sumptuaria.* Zur Person des Antius E. Klebs, RE I (1894), s. v. Antius Restio, 2565; I. Sauerwein, Leges sumptuariae, 140 ff.

[385] Gell. 2, 24, 13.

[386] Dazu Chr. Meier, Res publica amissa, 38 ff.; 194 ff.; L. R. Taylor, Party politics, 62 ff.

[387] Hierher gehört auch die Institution der *nomenclatores* (oben S. 79), die vielleicht schon durch die *lex Orchia* von 182 berührt wurde, spätestens aber im 1. Jahrhundert von gesetzlichen Beschränkungen betroffen war, Plut. Cat. min. 8, 2. Der Ursprung dieser Einrichtung war natürlich, persönliche Beziehungen zwischen Politikern und Wählern vorzutäuschen.

mungen des Gesetzes auch den *nobilis* in seiner öffentlichen Funktion und nicht nur, wie bei den früheren *leges sumptuariae*, als Privatmann.

Es scheint, daß das Gesetz darüber hinaus auch die Preisbestimmungen für Speisen aufgehoben hat und insgesamt strenger als die *lex Cornelia* war. *Dein paucis interiectis annis alia lex pervenit ad populum ferente Antio Restione. quam legem quamvis esset optima, obstinatio tamen luxuriae et vitiorum firma concordia nullo abrogante irritam fecit. illud tamen memorabile de Restione latore ipsius legis fertur, eum quoad vixit foris postea non cenasse ne testis fieret contemptae legis quam ipse bono publico pertulisset.*[388] Diese Bemerkungen lassen darauf schließen, daß Antius nach den Wirren des Bürgerkriegs und der nachsullanischen Zeit noch einmal versuchte, eine moralische Besserung der Nobilität zu erreichen.[389] Zugleich aber wird deutlich, daß das Gesetz von Anfang an nicht beachtet wurde; man versuchte nicht einmal mehr, es zu abrogieren. Zwar scheint der Antragsteller selbst sich nach Kräften bemüht zu haben, dem Gesetz Geltung zu verschaffen,[390] doch wurden offensichtlich in dieser Zeit derartige Gesetze nicht mehr ernst genommen. Schon die älteren *leges sumptuariae* waren ja Gegenstand satirischer Bemerkungen gewesen,[391] und man hatte sogar mit einer fiktiven *lex Tappula*[392] solche gesetzgeberischen Aktivitäten parodiert. Die praktischen Auswirkungen – jedenfalls bei offiziellen Gelegenheiten[393] – wer-

---

[388] Macr. 3, 17, 13. Die positive Bewertung des Macrobius läßt darauf schließen, daß die *lex Antia* wieder nach Art der älteren *leges sumptuariae* handelte und also die Preisbindungen nicht mehr im Gesetz aufgenommen waren.

[389] Nach R. Syme, JRS 53, 1963, 59, war die *lex Antia* «a curb on the habits of opulent optimates such as Q. Hortensius (cos. 69)».

[390] Catull. 44, 6–12: *Fui libenter in tua suburbana villa malamque pectore expuli tussim, non immerenti quam mihi meus venter, dum sumptuosas adpeto dedit cenas; nam Sestianus dum volo esse conviva, orationem in Antium petitorem plenam veneni et pestilentiae legi.* Möglicherweise also wird Sestius von Antius wegen Übertretung der *lex sumptuaria* belangt; dazu I. Sauerwein, Leges sumptuariae, 141 ff.

[391] Vgl. Gell. 2, 24, 4; 9; 10 bei Lucilius und Laevius.

[392] ILS 8761; Fest. v. *Tappulam legem* 363 M (= 496 L): *Tappulam legem convivalem ficto nomine conscripsit iocoso carmine Valerius Valentinus, cuius meminit Lucilius hoc modo: Tappulam rident legem, conterunt Opimi.* Dazu Th. Mommsen, Lex Tappula, Boll. dell'Ist. di Corresp. Arch. 1882, 186 ff.; A. v. Premerstein, Lex Tappula, Hermes 39, 1904, 327 ff.; G. Rotondi, Leges publicae, 486; I. Sauerwein, Leges sumptuariae, 115 ff. Das ‹Gesetz› fällt in die 2. Hälfte des 2. Jahrhunderts, ist aber so fragmentarisch überliefert, daß es über den Scherz hinaus keine Aufschlüsse über die Aufwandsgesetzgebung gibt.

[393] Zur Prachtentfaltung gerade bei den *cenae aditiales* vgl. Varro rust. 3, 6, 6 (= Macr. 3, 13, 1); Plin. n. h. 10, 45; Ael. hist. anim. 5, 21; Tertull. pall. 5: Q. Hortensius führt bei einer solchen Gelegenheit den Pfau als Gericht ein, vgl. auch Plin. n. h. 29, 58; Sen. ep. 123, 4; 95, 41: *quid est cena sumptuosa flagitiosius et equestrem censum consumente?... et deciens tamen sestertio aditiales cenae frugalissimis viris constituerunt.* Eine (bis auf die Nachspeise) komplette Speisekarte einer priesterlichen Antrittsmahlzeit findet sich bei Macr. 3, 13, 10 ff. (zur Datierung zwischen 74 und 63 Th. Mommsen, Röm. Forsch. I, 87, 34). Überhaupt galt das Essen, das man unter Freunden und besonders unter Amtskollegen gab, als besonders wichtig und daher kostspielig, Plut. Cat. mai. 21, 4.

den aus einem Brief Ciceros[394] deutlich, falls er sich auf die *lex Antia* bezieht.[395] Die alte Bestimmung, daß heimische pflanzliche Produkte von den Beschränkungen nicht betroffen sein sollten, fehlt demnach auch in diesem Gesetz nicht. Die *lex Antia* war die letzte *lex sumptuaria,* die von einem Volkstribunen eingebracht wurde;[396] die folgenden Aufwandsgesetze standen in der Tradition der *lex Cornelia*: Sie waren mehr oder weniger Diktate und kamen ohne Mitwirkung des Senates zustande.

2.3.6.8 *Rogatio Pompei* (55 v. Chr.)

Im Jahre 55 beabsichtigten die Konsuln Pompeius und Crassus eine weitere *lex sumptuaria,*[397] die aber nicht durchgesetzt werden konnte.[398] Die Stoßrichtung scheint sich allgemein gegen den privaten Luxus gerichtet zu haben, besonders aber zielte man auch hier auf seine politische Bedeutung.[399] Das läßt sich der *dissuasio* des Hortensius[400] entnehmen, der den Sinn derartiger Maßnahmen

---

[394] Cic. ad fam. 7, 26, 2: *Ac tamen, ne mirere unde hoc acciderit quo modove commiserim, lex sumptuaria, quae videtur* λιτότητα *attulisse, ea mihi fraudi fuit. nam dum volunt isti lauti terra nata, quae lege excepta sunt, in honorem adducere, fungos helvellas, herbas omnis ita condiunt, ut nihil possit esse suavius. in eas cum incidissem in cena augurali apud Lentulum, tanta me* διάρροια *arripuit, ut hodie primum videatur coepisse consistere. ita ego, qui me ostreis et murenis facile abstinebam, a beta et a malva deceptus sum. posthac igitur erimus cautiores.* Allgemein wird angenommen, daß der Brief im Jahre 57 geschrieben wurde, da in diesem Jahr die *cena auguralis* des P. Cornelius Lentulus Spinther stattfand (vgl. F. Münzer, RE IV [1901], s. v. Cornelius [239], 1398). Dagegen aber D. R. Shackleton Bailey, Cicero: epistulae ad familiares II, Cambridge 1977, 373 f., der eher das Jahr 46 annimmt, da hier nicht die Rede von der *cena aditialis* sei und außerdem die Anfangsformulierung (*quae videtur...*) eine jüngere *lex sumptuaria* vermuten lasse, nämlich die *lex Iulia Caesaris,* auf die auch G. Walter, Caesar, London 1953, Anm. 322, den Brief bezieht.

[395] Auf die *leges Cornelia, Licinia* oder *Aemilia* kann er sich wohl nicht beziehen, da sie entweder abrogiert oder aber außer Übung waren und die *lex Antia* das jüngste Luxusgesetz und auch strenger war. Auf diese beziehen den Brief auch L. Lange, Alterthümer II, 671; E. Weiss, RE XII (1925), s. v. lex Antia, 2324; G. Niccolini, Fasti, 248; E. Savio, Leggi suntuariae, 187.

[396] Ihre Erfolglosigkeit macht auch die von Macr. 3, 17, 13 erzählte Anekdote deutlich, daß Antius deshalb nie auswärts gegessen habe, um nicht mit anzusehen, wie sein Gesetz mißachtet wurde. Es sei durch Nichtbeachtung abgeschafft worden; mißverstanden von E. Pais, Leges sumptuariae, 455 und v. a. 460, der Antius selbst als Übertreter des Gesetzes sieht. Unter Trajan wurde die *lex Antia,* was die Beziehung Amtsbewerbung und Gastmahl betrifft, durch einen ähnlichen Senatsbeschluß praktisch erneuert, Plin. ep. 6, 19.

[397] Dio 39, 37.

[398] Zu weiteren Gesetzesinitiativen des Pompeius, die er nach Widerstand zurückzog, vgl. M. Gelzer, Pompeius, München 1959², 159 f.; auch Isid. Orig. 5, 1, 5.

[399] Das macht allein schon der Bericht Dios deutlich, der an die Mitteilung, daß die Konsuln gegen *ambitus* vorgegangen sind, direkt den Bericht über die *rogatio sumptuaria* anschließt.

[400] Gemeint ist der berühmte Redner, dessen Hang zum Luxus allgemein bekannt war, Cic. Brut. 320; leg. Man. 51; parad. 49; 37; Plin. n. h. 35, 130; 10, 45; Ael. hist. anim. 3, 42; 5, 21; Varro, rust. 3, 6, 6 (= Macr. 3, 13, 1); Tertull. pall. 5. Seine Haltung kommt auch darin

anzweifelt. Schon das Vorgehen der Konsuln gegen Amtserschleichung war unglaubwürdig. Um so mehr galt das für ihre *rogatio* gegen den Luxus. So machte Hortensius darauf aufmerksam, daß Pompeius und Crassus selbst sich angesichts ihrer politischen Stellung den damit zusammenhängenden aufwendigen Verpflichtungen nicht würden entziehen können; ein Gesetz aber, das sie selbst nicht einhalten könnten, wäre sinnlos.[401]

2.3.6.9 *Lex Iulia Caesaris* (46 v. Chr.)

Cäsar hat durch verschiedene Edikte und Gesetze in die private Lebensführung eingegriffen, zu denen auch eine *lex sumptuaria* gehört.[402] Erstaunlich ist, daß die beiden Hauptquellen für die *leges sumptuariae,* Gellius und Macrobius, das Gesetz nicht erwähnen; wahrscheinlich haben sie aber die *leges Iuliae Caesaris* und *Augusti* nicht als verschiedene Gesetze aufgefaßt.[403] Die Einzelheiten des Gesetzes sind uns nicht bekannt. Es enthielt aber wie die früheren *leges sumptuariae* qualitative und quantitative Beschränkungen der Gastmähler.[404] Auch hier mag der ökonomische Aspekt, der Schutz einheimischer Produkte, eine Rolle gespielt haben; von Cäsar erhobene Zölle auf ausländische Waren bestärken diese Vermutung sogar.[405] Zentrales Anliegen seiner Aufwandsbeschränkungen – wie auch seiner sonstigen Verfügungen über die Sitten[406] – war es jedoch, die Stabilisierung der politischen Verhältnisse nach dem Bürgerkrieg

---

zum Ausdruck, daß er die *lex Claudia de nave senatorum* von 218 als *mortua lex* bezeichnete, Cic. Verr. 2, 5, 45.

[401] Hortensius versuchte also, Pompeius und Crassus in ihrem eigenen Interesse von dem Gesetz abzubringen. Die riesigen Ausgaben der Triumvirn hätten zwangsläufig dem Ansehen eines gerade gegen den Luxus gerichteten Gesetzes geschadet. Darüber hinaus begründet Hortensius die Sinnlosigkeit eines derartigen Gesetzes mit den durch die Größe des Staates gestiegenen Kosten, ein Argument, dessen sich auch Asinius Gallus in einer Stellungnahme gegen ein Luxusgesetz unter Tiberius bediente, Tac. ann. 2, 33.

[402] Suet. Caes. 43: *Legem praecipue sumptuariam exercuit dispositis circa macellum custodibus, quo obsonia contra vetitum retinerent deportarentque ad se, submissis non numquam lictoribus atque militibus, qui si qua custodes fefellissent, iam adposita e triclinio auferrent;* vgl. Dio 43, 25, 2.

[403] Der Grund dafür ist jedenfalls nicht darin zu sehen, daß der Hauptaspekt der *lex Iulia* ein bevölkerungspolitischer gewesen sei, so I. Sauerwein, Leges sumptuariae, 153 f.

[404] Suet. Caes. 43; Dio 43, 25, 2; Cic. ad. fam. 9, 15, 5: *Quid ergo est? tamen quam diu hic erit noster hic praefectus moribus, parebo auctoritati tuae, cum vero aberit, ad fungos me conferam. domum si habebo, in denos dies singulos sumptuariae legis dies conferam;* 9, 26, 4: *epulamur uno non modo non contra legem, si ulla nunc lex est, sed etiam intra legem, et quidem aliquanto. . . non multi cibi hospitem accipies, multi ioci;* 9, 5, 1; ad Att. 12, 13, 2: *Cum enim mihi carendum sit conviviis, malo id lege videri facere quam dolore;* vgl. auch ad fam. 7, 26, wenn sich dieser auf die *lex Iulia* bezieht, vgl. oben S. 98, Anm. 394.

[405] Suet. Caes. 43: *Peregrinarum mercium portoria instituit;* vgl. E. Pais, Leges sumptuariae, 459: «Le *leges sumptuariae* sia del tempo di Fannio che di Cesare avevano pertanto uno scopo fiscale» (Überbetonung des ökonomischen Aspekts).

[406] Zusammenfassend Suet. Caes. 43. Dio 43, 25, 2 stellt sie in den Zusammenhang mit den Verhältnissen nach dem Bürgerkrieg.

durch die Eindämmung der Verschwendung und finanziellen Ausblutung der Oberschicht[407] überhaupt zu ermöglichen und gleichzeitig die politischen Aktivitäten seiner Standesgenossen zu kontrollieren. Diesem Ziel maß Cäsar erhebliche Bedeutung zu, wie die rigorose Überwachung des Gesetzes zeigt. Die Einhaltung der *lex sumptuaria* versuchte er dadurch zu erreichen, daß er den Einkauf überwachen ließ und stichprobenartig auch Soldaten und Liktoren zu den Gastmählern schickte. Die verbotenen Speisen beschlagnahmte er.[408] Keine andere *lex sumptuaria* ist so streng kontrolliert worden.[409] Doch trotzdem fehlt es nicht an Zeugnissen, daß auch die *lex Iulia* keinen Erfolg hatte,[410] obwohl sie zu Anfang durchaus begrüßt worden war.[411]

2.3.6.10 *Lex Iulia Augusti* (18 v. Chr.)

Vor Augustus hat auch Antonius ein Edikt gegen den Luxus erlassen, dessen Inhalt aber völlig unbekannt ist.[412] Die augusteische ist dann die letzte *lex sumptuaria*;[413] sie ist als Teil seiner breitangelegten Sittengesetzgebung erlassen worden.[414] *Postrema lex Iulia ad populum pervenit Caesare Augusto imperante, qua*

---

[407] Vgl. G. Walter, Caesar II, 188: «the principle object of this law seems to have been to prevent opulent Romans from squandering their money». Diese konkrete Zielsetzung trifft den Sachverhalt besser als die abstrakte Formulierung von der «Hebung der höheren Stände» (E. Meyer, Caesars Monarchie, 420 ff.; ähnlich M. Gelzer, Caesar, der Politiker und Staatsmann, Wiesbaden 1960⁶, 267: «Hebung der reichen Stände»).

[408] Suet. Caes. 43; zur Strenge des Gesetzes vgl. E. Pais, Leges sumptuariae, 455 ff.

[409] Darauf weist auch Macr. 3, 17, 1 hin: *imperari coepit ut patentibus ianuis pransitarentur et cenitarentur.* Vorbild war hier vielleicht die griechische Institution der Gynaikonomoi, vgl. oben S. 58.

[410] Cic. ad Att. 13, 7, 1: *Sestius apud me fuit et Theopompos pridie. Venisse a Caesare narrabat litteras, hoc scribere, sibi certum esse Romae manere, causam eam adscribere, quam erat in epistola nostra, ne se absente leges suae neglegerentur, sicut esset neglecta sumptuaria.* Fast alle Anspielungen in Ciceros Briefen sind ironisch gehalten und zeigen, daß man selbst in den konservativen Kreisen von der Notwendigkeit solcher Gesetze nicht mehr überzeugt war.

[411] Dio 43, 27, 1. Vgl. auch die Forderungen nach gesetzlichen Maßnahmen zur Besserung der Sitten bei Cic. Marc. 23. Bezeichnenderweise äußerte sich Sall. ep. 1, 5, 4 trotz der Forderung nach Aufwandsbeschränkungen kritisch gegenüber den *vetera instituta*, d. h. den *leges sumptuariae: id ita evenisset, si sumptuum et rapinarum licentiam dempseris, non ad vetera instituta revocans, quae iam pridem corruptis moribus ludibrio sunt, sed si quam quoique rem familiarem finem sumptuum statueris;* vgl. Sall. ep. 2, 7. Dazu ausführlich I. Sauerwein, Leges sumptuariae, 147 ff.

[412] Macr. 3, 17, 14: *His legibus adnumerarem edictum de sumptibus ab Antonio propositum, qui postea triumvir fuit, ni indignum crederem inter cohibentes sumptum Antonio locum facere.* Vgl. auch Plin. n. h. 37, 81 f., wo berichtet wird, daß Antonius den Senator Nonius wegen Besitzes eines besonders wertvollen Ringes (2 Mill. HS) proskribiert hat.

[413] Deren offenkundige Zugehörigkeit zur republikanischen Aufwandsgesetzgebung, die sie beschließt, rechtfertigt ihre Behandlung an dieser Stelle.

[414] Suet. Aug. 34, 1: *Leges retractavit et quasdam ex integro sanxit, ut sumptuariam et de adulteriis et de pudicitia, de ambitu, de maritandis ordinibus;* Vell. 2, 89, 4: *leges emendatae utiliter, latae salubriter;* Flor. 2, 34, 65: *Hinc* (19 v. Chr.) *conversus ad pacem pronum in omnia*

profestis quidem diebus ducenti finiuntur, Kalendis, Idibus, Nonis et aliis quibusdam festis, trecenti, nuptiis autem et repotiis sestertii mille.[415] Die gegenüber der früheren Aufwandsgesetzgebung kräftig erhöhten und damit wohl auch realistischeren Höchstsätze waren also 200 Sest. an normalen Tagen, an Kalenden, Iden, Nonen und anderen Festtagen 300 Sest., bei Hochzeiten und Nachfeiern[416] 1000 Sest. Diese Beträge wurden später noch von Augustus selbst[417] insoweit erhöht, als nun bei allen Festlichkeiten 2000 Sest. für ein Gastmahl aufgewandt werden durften.

Wahrscheinlich hat Augustus schon früher im Jahre 22 v. Chr. Bestimmungen über den Tafelluxus erlassen,[418] wie wir überhaupt von vielen Maßnahmen gegen den Luxus hören, ohne daß wir sie eindeutig einem Gesetz zuordnen können.

Über die Handhabung des Gesetzes ist nichts bekannt. Insgesamt war aber auch dieser *lex sumptuaria* das gleiche Schicksal wie den früheren beschieden: sie war erfolglos. Das ist zu schließen aus späteren Modifikationen und vor allem aus der ausdrücklichen Feststellung ihrer Erfolglosigkeit durch Tiberius,[419] der infolgedessen auf derartige Gesetze verzichtete.

2.3.6.11 Zusammenfassung

Im Mittelpunkt der ersten Speisegesetze stand das Bestreben, die Anzahl der Gastmahlteilnehmer zu beschränken *(leges Orchia, Fannia, Didia)*. Auf diese Weise wollte man nicht nur den zunehmenden Luxus, sondern auch die politische Nutzung der Gastmähler bekämpfen. Nach dem Mißerfolg des ersten Gesetzes kombinierte man diese Bestimmung mit Aufwands- und Auswahlbegrenzungen der Speisen *(lex Fannia, lex Didia)*, um die Möglichkeit eines großen Gelages von vornherein auszuschließen. Die folgenden Gesetze regelten dann z.T. sehr ausführlich Kosten, Qualität und Quantität der *convivia*. Die erlaubten Höchstsätze stiegen dabei in einem Zeitraum von ca. 150 Jahren um das 10 bis 20fache und wurden damit der Entwicklung der wachsenden Bedürfnisse und Preise angepaßt. Besonders bekämpft wurde außerdem die Zufuhr

---

mala et in luxuriam fluens saeculum gravioribus severisque legibus multis coercuit, ob haec tot facta ingentia dictator perpetuus et pater patriae.

[415] Gell. 2, 24, 14.

[416] Vgl. Fest. v. *repotia* 281 M: *Repotia* (= Nachfeiern) *postridie nuptias apud novum maritum coenatur quia quasi reficitur potatio.*

[417] Gell. 2, 24, 15 ist sich unschlüssig, ob dies von Augustus oder von Tiberius geändert wurde: *Esse etiam dicit Capito Ateius edictum – divini Augusti an Tiberii Caesaris non satis commemini –, quo edicto per dierum varias sollemnitates a trecentis sestertiis adusque duo sestertia sumptus cenarum propagatus est, ut his saltem finibus luxuriae effervescentis aestus coerceretur.* I. Sauerwein, Leges sumptuariae, 158, hält es zu Recht für augusteisch (allerdings beruht seine Begründung auf einem Mißverständnis der tiberianischen Haltung). Zu den Gründen s. unten S. 157 und Anm. 165.

[418] Dio 49, 16, 1.

[419] Vgl. Tac. ann. 3, 52: *Tot a maioribus repertae leges, tot quas divus Augustus tulit, illae oblivione, hae quod flagitiosius est, contemptu abolitae securiorem luxum fecere.* Zur Haltung des Tiberius unten S. 155 ff.

von ausländischen Delikatessen, während die heimischen Erzeugnisse fast unbegrenzt erlaubt waren.

Von den 9 *leges cibariae* sind sicher 2 tribunizisch *(lex Orchia; lex Antia)*, 2 konsularisch *(leges Fannia, Aemilia)*, 3 stammen von Siegern aus Bürgerkriegen *(leges Cornelia, Iuliae Caesaris, Augusti)*, 2 sind nur schwer zuzuordnen *(leges Licinia, Didia)*, wahrscheinlich entweder tribunizisch oder prätorisch.[420] Einen Einschnitt bildet zweifellos die *lex Cornelia*, da sie nicht wie die früheren *leges sumptuariae* ihren Ursprung im Senat hatte. Im Gegenteil, zum ersten Mal wurde in die Lebensgewohnheiten der Oberschicht von einer gleichsam übergeordneten Instanz, nämlich Sulla, eingegriffen. Diese Entwicklung verstärkte sich noch in den *leges Iuliae.*

Die Speisegesetze des 2. Jahrhunderts sind ohne Ausnahme konservativen Ursprungs (Cato, Fannius, Aemilius, Licinius), während im 1. Jahrhundert die Zuordnung zu einer politischen Richtung innerhalb der Nobilität nicht mehr möglich ist; oder anders gesagt: die *leges sumptuariae* wurden den politischen Vorstellungen der ‹Großen› – immerhin so unterschiedlichen Persönlichkeiten wie Sulla, Cäsar und Augustus[421] – angepaßt, und darüber gerieten auch die alten Ziele der Gesetzgebung ins Hintertreffen. Erstes Gesetz dieser Art war wiederum die *lex Cornelia.*

Betroffen von den Gesetzen war naturgemäß nur die Oberschicht, obgleich sie sich formal an alle Bürger wandten. Die hinter den Gesetzen stehenden Absichten waren vor allem politischer Natur: Abwehr von *ambitus* und Wahrung der Gleichheit der Standesgenossen durch die Normierung der Ausgaben, so daß die überlieferten politischen Spielregeln eingehalten wurden. Damit sollte gleichzeitig auch die Vermögensverschwendung eingedämmt werden, da alle von den gleichen Voraussetzungen auszugehen hatten. Auf diese Weise trugen die *leges sumptuariae* erheblich zur Abschließung der Nobilität bei, da der Zugang neuer Männer, die ihren vielleicht durch Handelsgeschäfte erworbenen Reichtum für eine politische Karriere nutzen wollten, erschwert wurde. Darüber hinaus spielte gewiß auch eine Rolle, daß üppige Gelage in der Oberschicht, zumal in Zeiten einer Hungersnot,[422] soziale Unruhen provozieren konnten und man überhaupt sozialen Konflikten durch die Signalisierung einer gewissen Opferbereitschaft der Mächtigen zuvorkommen wollte *(lex Licinia).* Die wirtschaftliche Motivation, also der Schutz einheimischer Waren und die Wertminderung der Luxusgüter, ist im 1. Jahrhundert weitaus stärker ausgeprägt als im 2. Jahrhundert, wie die *leges Cornelia* und *Iuliae* sowie die zensorischen Edikte belegen.

Gemeinsam ist jedoch allen Gesetzen der Bezug auf den *mos maiorum.* Sie geben damit Auskunft über die Ursachen der Krisenanfälligkeit, wie sie von der Nobilität selbst gesehen wurden. Daher ist auch die Erfolglosigkeit der *leges sumptuariae,* die in neueren Darstellungen so oft als bezeichnendes Merkmal

---

[420] Zur Interpretation dieser formalen Seite E. Pais, Leges sumptuariae, 452 f.

[421] Dazu kommen noch Pompeius und Antonius mit einer *rogatio* bzw. einem Edikt.

[422] Vgl. die *lex Didia,* oben S. 85, Anm. 308.

herausgestellt wird, weniger bedeutsam als die Tatsache, daß es vom 2. Punischen Krieg bis zum Ende der Republik überhaupt möglich war, sie zu formulieren. Dies zeigt nämlich, daß sie immer wieder als wichtiges Instrument zur Bewältigung der Krise aufgefaßt wurden.

2.3.7 Würfelspiel

Gelegentlich wird Sulla auch zugeschrieben, das Glücksspiel gesetzlich geregelt zu haben, vor allem aus einer Digestennotiz des Marcian: *Senatus consultum vetuit in pecuniam ludere, praeterquam si quis certet hasta vel pilo iaciendo vel currendo saliendo luctando pugnando quod virtutis causa fiet,*[423] *in quibus rebus ex lege Titia et Publicia et Cornelia etiam sponsionem facere licet: sed ex aliis, ubi pro virtute certamen non fit, non licet.*[424] Definitiv können wir also nur die Existenz mindestens dreier Gesetze und eines Senatsbeschlusses bestätigen. Darüber hinaus muß eines dieser Gesetze oder ein weiteres bereits um 200 v. Chr. in Kraft gewesen sein, wie aus einer Notiz bei Plautus zu entnehmen ist.[425] Ein Hinweis, daß man Glücksspiel auch in früherer Zeit ahndete, findet sich noch bei Ovid:[426] *quibus alea luditur, artes: est ad nostros non leve crimen avos.* Die Überwachung der Einhaltung fiel in die Zuständigkeit der Ädilen.[427] Verboten war grundsätzlich das *in pecuniam ludere* und damit auch diesbezügliche *sponsiones;* nur bei Spielen *virtutis causa* waren sie erlaubt.[428] Das prätorische Edikt versagte demjenigen, bei dem gespielt wurde, das Klagerecht z. B. bei Mißhandlungen.[429] Unter Justinian wurde schließlich sogar die Rückforderung des verlorenen Geldes gestattet.[430] An gewissen Festlichkeiten, wie den Saturnalien, war das Spielen allerdings erlaubt.[431]

Das Ansehen eines *aleator* war denkbar schlecht; selbst bei einem Sklaven

---

[423] D 11, 5, 2, 1.

[424] D 11, 5, 3. Zur Lesart H. Siber, Römisches Recht, Darmstadt 1968 (ND d. Ausg. Berlin 1925–8), 179, Anm. 8. J. F. Houwing, De Romanorum legibus sumptuariis, 65, und M. Voigt, Lex Cornelia, 253 ff., halten die hier erwähnte *lex Cornelia* für die *lex sumptuaria;* zu Recht zweifelnd E. Cuq, DS III/2 (1904), s. v. lex Cornelia de aleatoribus, 1138.

[425] Plaut. mil. glor. 164 f.: *atque adeo ut ne legi fraudem faciant aleariae adcuratote ut sine talis domi agitent convivium.* Es kann also nicht die *lex Orchia* von 182 als das betreffende Gesetz gelten (so M. Voigt, Lex Cornelia, 255), auch wenn es sich gegen Glücksspiel bei Gastmählern richtet, da Plautus die *lex Orchia* nicht gekannt haben konnte. Spekulativ ist die Identifikation mit einer *lex Publicia* des Volkstribunen, der auch die *lex Publicia de cereis* 209 eingebracht hat (so I. Sauerwein, Leges sumptuariae, 46 ff.).

[426] Ov. trist. 2, 471 f.

[427] Vgl. Mart. 5, 84; 141. Zur Strafe auf das *quadruplum* vgl. Ps. Ascon. 194 St. (nicht unanfechtbar), vgl. W. Rein, Das Criminalrecht der Römer, Leipzig 1844, 833 f.; C. Schönhardt, Bestrafung, 36 f.; M. Voigt, Lex Cornelia, 253 ff.; Th. Mommsen, Strafrecht, 860.

[428] D 11, 5, 2, 1.

[429] D 11, 5, 1 pr; dazu auch C. Schönhardt, Bestrafung, 78 ff.; L. M. Hartmann, RE 1 (1894), s. v. alea, 1359; O. Lenel, Das edictum perpetuum, Leipzig 1907², 170.

[430] CJ 3, 43, 3; vgl. Nov. 123, 10 bei Geistlichen.

[431] Mart. 1, 4, 7 f.; 5, 84, 6; 11, 6, 2 ff.; 14, 13 f.; Suet. Aug. 71.

bedeutete diese Eigenschaft eine ebensolche Wertminderung, wie wenn er ein Lügner, Trinker oder Dieb gewesen wäre.[432] Umso mehr traf das bei hochgestellten Personen zu: So wirft Cicero[433] dem Antonius vor, einen gewissen Licinius Denticula[434] *de alea condemnatus* von den Strafen eines Gesetzes gegen das Glücksspiel befreit zu haben,[435] um weiter mit ihm spielen zu können. Auch sonst gehört der Vorwurf, ein Glücksspieler zu sein, zum Repertoire Ciceros im Kampf gegen den politischen Gegner.[436]

Der Grund für die Gesetzgebung *de alea* liegt in dem Risiko begründet, das das Spielen um Geld mit sich brachte.[437] Einmal wollte man der Vermögensverschwendung entgegentreten, zum anderen eine Quelle der Verschuldung beseitigen. Die Gläubiger konnten ihre Spielschuld nicht einklagen – unter Justinian konnte der Verlierer, selbst wenn er bezahlt hatte, sogar eine Rückforderungsklage anstrengen –, und auch Bürgschaften waren bei Glücksspiel nicht gestattet.[438] Die Strafe bei Zuwiderhandlung beinhaltete gleichzeitig auch gesellschaftliche Ächtung (Infamie).

Es muß aber weiterhin völlig offenbleiben, welcher Zeit die Gesetze und der Senatsbeschluß zuzuordnen sind,[439] ebenso ob es eine sullanische *lex Cornelia de aleatoribus* gegeben hat – die allerdings zu Sulla passen würde – oder ob sie gar ein Kapitel der *lex Cornelia sumptuaria* war.

---

[432] Cic. off. 3, 91.

[433] Phil. 2, 23, 56: *Licinium Lenticulam de alea condemnatum, conlusorem suum restituit, quasi vero ludere cum condemnato non liceret, sed ut, quod in alea perdiderat, beneficio legis dissolveret. Quam attulisti rationem populo Romano cur eum restitui oporteret? absentem credo, in reos relatum; rem indicta causa iudicatam; nullum fuisse de alea lege iudicium; vi oppressum et armis; postremo, quod de patruo tuo dicebatur, pecunia iudicium esse corruptum ... Hominem nequissimum, qui non dubitaret vel in foro alea ludere, lege, quae est de alea, condemnatum qui in integrum restituit, is non apertissime studium suum ipse profitetur?* Vgl. Dio 45, 47; Ascon. 72 St. (bei einem Curius).

[434] Zu seiner Person F. Münzer, RE XIII (1926), s. v. Licinius (80), 350.

[435] Nach C. Schönhardt, Bestrafung, 20 ff., ist die Strafe für Licinius nicht Verbannung, da er offensichtlich nicht im Exil ist. Gegen diese Auffassung spricht allerdings der Ausdruck *restituit* und Dio 45, 47: τὸν μὲν συγκυβευτὴν τὸν Δεντίκουλον τὸν ἐπὶ τῇ τοῦ βίου ῥᾳδουργίᾳ φυγόντα ἐπανήγαγε. Vgl. deshalb F. Münzer, RE XIII, s. v. Licinius (80), 350; Th. Mommsen, Strafrecht, 861, Anm. 4. Zum strafrechtlichen Aspekt insgesamt C. Schönhardt, Bestrafung, 20 ff.

[436] Cic. Phil. 2, 67; 56; 104; 13, 24; Verr. 2, 1, 12, 12; vgl. Ambros. de Tobia 11, 38: hier die Zusammenstellung *furem, adulterum, aleatorem;* ähnlich Cic. Cat. 2, 23; Verr. 2, 1, 33; Phil. 8, 26.

[437] Das Spielen um Essen und Trinken beim *convivium* war erlaubt, D 11, 5, 4.

[438] Insofern hat man gelegentlich die *sponsio*-Gesetzgebung mit der Glücksspielgesetzgebung verbinden wollen. Eine möglicherweise sullanische *lex Cornelia de sponsu* (Gai. 3, 124; vgl. G. Rotondi, Leges publicae, 362), die einen Höchstsatz für Bürgschaften festlegte und damit einen sumptuarischen Charakter erhält, betrachtet M. Voigt ebenfalls als Kapitel der *lex sumptuaria.*

[439] Nach C. Schönhardt, Bestrafung, 72 f., ergibt sich folgende Reihe: *lex alearia* (von Plautus erwähnt); SC; *lex Titia, Publicia* (nach M. Voigt, Lex Cornelia, 258 f., *lex Publilia,* die bei Gai. 3, 127; 422 auftaucht, aus dem Jahre 327); *lex Cornelia.*

2.3.8 Bauluxus

Ob der Bauluxus gesetzlich beschränkt wurde, ist ungewiß. Er fiel aber, soweit wir wissen, unter das zensorische *regimen morum*.[440] Zudem läßt sich nicht entscheiden, ob eventuelle gesetzliche Maßnahmen der Bausicherheit dienen oder den Luxus bekämpfen sollten. Vielleicht hielt der Konsul des Jahres 105, P.Rutilius Rufus, anläßlich eines Gesetzesantrages die Rede *de modo aedificiorum*,[441] die Augustus wiederum, möglicherweise als Begründung eines eigenen Gesetzesantrages gegen den Bauluxus, vortragen ließ.[442] Außerdem ist uns noch eine gesetzlich fixierte Säulensteuer *(columnarium)* Cäsars bekannt, die aber wohl eher fiskalische als sumptuarische Gründe hatte.[443]

Kritisiert wurde, wenn überhaupt, nur der private Bauluxus, während die öffentliche Prachtentfaltung praktisch keine Grenzen kannte.[444] Ferner ist auch die Beurteilung des privaten Bauluxus durchaus ambivalent; neben seiner Brandmarkung als Ausdruck eines moralischen Niedergangs wird er doch auch in Beziehung zur *dignitas* des einzelnen *nobilis* gesetzt und damit, selbst von konservativen Politikern wie Cicero,[445] seine repräsentative Bedeutung anerkannt.

---

[440] Dazu oben S.19 f.

[441] Suet.Aug. 89. Nach M.Voigt, Römische Baugesetze, Ber. ü. d. Verh. d. kön. sächs. Ges. d. Wiss., phil.-hist. Kl. 55, 1903, 181 f., eine Anklagerede anläßlich der Verletzung eines Gesetzes, «welches den Hausbau mit *paries diplinthius* oder *triplinthius* (Vitruv. 2, 8, 17) und so insbesondere den *paries communis* als gemeinsame Brandmauer unter Androhung einer im ädilizischen Multprozeß mit *accusatio* vor den Tributkomitien einzutreibenden Geldstrafe untersagte und dessen Beschränkung auf Erdgeschoß und *contignatio* im Maximum feststellte» (180). Danach hätte Rutilius die Rede als Ädil etwa im Jahre 111 gehalten (da er nach den *leges annales* in diesem Jahre Ädil gewesen wäre), also zur Zeit des großen Brandes in Rom, Liv. per. 39.

[442] G.Rotondi, Leges publicae, 447 f.; vgl. M.Voigt a. a. O., 184 f.

[443] Cic. ad Att. 13, 6, 1: *Columnarium vide ne nullum debeamus, quamquam mihi videor audisse a Camillo commutatam esse legem;* vgl. Caes. bell. civ. 3, 32, 2. Dazu A. v. Premerstein, RE IV (1901), s. v. columnarium, 603; G. Humbert, DS I/2 (1887), s. v. columnarium, 1355. J. Carcopino, Histoire Romaine II, Paris 1950, 997 f., vermutet, daß die großen Bauten eine Herausforderung an die *plebs* gewesen seien.

[444] Vgl. allgemein Cic. Mur. 76: *odit populus Romanus privatam luxuriam, publicam magnificentiam diligit;* Flacc. 28: *haec enim ratio ac magnitudo animorum in maioribus nostris fuit ut cum in privatis rebus suisque sumptibus minimo contenti tenuissimo cultu viverent, in imperio atque in publica dignitate omnia ad gloriam splendoremque revocarent;* Sall. Cat. 52; Vell. 2, 1, 2. Dazu H.Drerup, Zum Ausstattungsluxus in der römischen Architektur. Ein formgeschichtlicher Versuch, Münster 1957, der zu dem Ergebnis kommt, «daß von einer prinzipiellen Verdammung kostbaren Architekturschmucks als Abkehr von der alten Sitte und damit als dem Römer nicht anstehende *luxuria* keine Rede sein kann» (8). Vielmehr sei der Luxus in diesem Bereich «zeitbedingte Abwandlung altrömischer Formvorstellungen» (29).

[445] Vgl. allgemein zur Beziehung von *dignitas* und Baupracht Cic. off. 1, 138 ff.: *ornanda enim est dignitas domo,* wobei aber auf Angemessenheit zu achten ist. Zu den Haus- und Mietpreisen vgl. H.Schneider, Wirtschaft und Politik, 178 ff.; 182 f.

2.3.9 Luxus bei Spielveranstaltungen

Die besondere politische Bedeutung des Luxus tritt uns am hervorstechendsten in der Spielgebung vor Augen, und auch wenn die diesbezügliche Gesetzgebung sich nicht nur an den *nobilis* als Privatmann (wie bei den eigentlichen *leges sumptuariae*), sondern auch als Inhaber einer öffentlichen Funktion (nämlich als Ädil oder Prätor als Veranstalter der *ludi publici*) wandte, so rechtfertigen Thematik (es handelt sich um Aufwandsbeschränkungen) und Motivation eine Berücksichtigung im Rahmen der *leges sumptuariae:* Der Instrumentalisierung des Luxus zur Heraushebung der eigenen Person versuchte man durch Senatsbeschlüsse und Gesetze (wenn auch zurückhaltend) entgegenzuwirken.

Drei Gelegenheiten gab es für die Angehörigen der Aristokratie, durch herausragende Veranstaltungen auf sich aufmerksam zu machen: 1. Während der Ädilität, in deren Zuständigkeit die Abhaltung fast aller regelmäßigen Spiele mit Ausnahme der vom *praetor urbanus* veranstalteten *ludi Apollinares* fiel. 2. Als Veranstalter sogenannter *ludi votivi*. 3. Als privater Veranstalter von Gladiatorenspielen anläßlich eines Leichenbegängnisses.[446]

2.3.9.1 Magistratische Spiele

Die regulären öffentlichen Spiele fielen in den Aufgabenbereich der Ädilen.[447] Ursprünglich wurden die Aufwendungen für die magistratischen ebenso wie für die priesterlichen Spiele[448] aus öffentlichen Mitteln bestritten,[449] über die der Senat zu entscheiden hatte.[450] So war die festgesetzte Summe für die *ludi Romani* 200 000 Sest.,[451] die jedoch aus eigenem Vermögen ergänzt werden konnte, um die Spiele prachtvoller auszugestalten. Das scheint schon im 3. Jahrhundert üblich gewesen zu sein, denn die Summe von 200 000 Sest. galt aus-

---

[446] Damit wird natürlich nur derjenige Teil des Spielwesens berücksichtigt, der sich politisch ausnutzen ließ und also zu einem Objekt von Gesetzen werden konnte. Sakrale und sacerdotale (stadtrömische) Spiele werden daher nicht behandelt. Vgl. Th. Mommsen, Röm. Forsch. II, Berlin 1899, 55 ff. (= RhM 14, 1859, 85 ff.); ders., Ges. Schr. I, 217 f.; 252; VIII, 516 f.; G. Wissowa, Religion, 451.

[447] Cic. leg. 3, 7: *curatores . . . ludorum sollemnium.* Zur Entwicklung des Spielwesens von der Einrichtung der *ludi Romani* durch Tarq. Priscus (Cic. rep. 2, 36; Liv. 1, 35, 9; Eutrop. 1, 6) bis hin zu ihrer Etablierung als Jahresfest im Zusammenhang mit der Einsetzung curulischer Ädilen 366 v. Chr. Th. Mommsen, Röm. Forsch. II, 42 ff.; ders., Staatsrecht II, 517 ff.; G. de Sanctis, Storia II, 533; J. P. V. D. Balsdon, Leisure, 243; anders: A. Piganiol, Recherches, 75 ff., dessen These von sehr frühen plebejischen Jahresspielen sich kaum aufrechterhalten läßt.

[448] Die sacerdotalen Spiele wurden aus dem Gewinn der heiligen Haine finanziert (*lucar*); vgl. G. Wissowa, Religion, 451; E. Habel, RE Suppl. V (1931), s. v. ludi publici, 614.

[449] Vgl. dazu L. Friedländer, in: J. Marquardt, Staatsverwaltung III, 482 ff.; ders., Darstellungen II, 10 ff.; J. Toutain, DS III/2 (1904), s. v. ludi publici, 1372 f.; G. Wissowa, Religion, 451, Anm. 1; A. Piganiol, Recherches, 16 f.; 79 f.

[450] Vgl. Th. Mommsen, Staatsrecht III, 1178.

[451] Dion. Hal. 7, 71, 2 spricht von 500 Minen; Ps. Ascon. 217 St.

drücklich nur bis zum 2. Punischen Krieg[452] und ist danach sicher erhöht worden.[453] Auch für die anderen öffentlichen Spiele waren die Staatszuschüsse festgelegt. Bekannt ist, daß ursprünglich für die vom *praetor urbanus* auszurichtenden *ludi Apollinares* 12 000 Sest. vorgesehen waren.[454] Bedeutend geringer waren die Aufwendungen für Spielveranstaltungen in den Munizipien. Nach dem Stadtrecht von Urso, also in der Spätphase der Republik, waren die Magistrate von Amts wegen verpflichtet, jährlich ein *munus*[455] oder *ludi scaenici* zu geben, wofür die *duoviri* 2000 HS, die Ädilen 1000 HS aus der Staatskasse erhielten und 2000 HS aus eigener Tasche bezahlen mußten.[456] Einem gesetzlichen Zwang zu Eigenleistungen wie in den Munizipien waren die Ädilen in Rom offenbar nicht unterworfen, aber man erwartete gleichwohl von ihnen Zuschüsse, und zwar weitaus höhere als sie in Urso rechtlich vorgeschrieben waren. Die *cura ludorum* wurde das Charakteristikum der Ädilität und schon bald entscheidend für die politische Laufbahn des Amtsinhabers.[457] Da die Beliebtheit und damit die Wahlchancen von Prätur- oder Konsulatskandidaten wesentlich von der Qualität der während ihrer Ädilität veranstalteten Spiele abhing, entwickelte sich das Amt immer mehr zum Spielfeld für einen gleichsam legitimen *ambitus*.[458] Der Zusammenhang von Ädilität und politischer Kar-

---

[452] Dion. Hal. 7, 71, 2.

[453] 217 während der Diktatur des Fabius Maximus gelobte der Prätor M. Aemilius dem Iupiter Spiele, für die die Summe von 333 333 1/3 HS ausgesetzt wurde: Liv. 22, 10, 7; Plut. Fab. 4. Zur Summe Th. Mommsen, Geschichte des römischen Münzwesens, Berlin 1860 (ND Graz 1956), 302.

[454] Liv. 25, 12, 12. Der beträchtliche Aufwandsunterschied im Vergleich zu den *ludi Romani* drückt das Rangverhältnis der Spiele zueinander aus. Die *fasti Antiates* von 51 n. Chr. (vgl. unten S. 161) zeigen, daß die *ludi Romani* die bedeutendsten waren.

[455] *Munera* (d. h. Gladiatorenspiele) waren hier also anders als in Rom von den Magistraten zu veranstalten; dazu unten S. 111 ff.

[456] Lex col. Gen. 70 f. Dazu Mommsen, Ges. Schr. VIII, 514; R. Duncan-Jones, An epigraphic survey of costs in Roman Italy, PBSR 33 (N. S. 20), 1965, 227; P. Garnsey, Honorarium decurionatus, Historia 20, 1971, 313 f.; 323 f.; P. Sabbatini Tumolesi, Gladiatorum Paria. Annunci di spettacoli gladiatorii a Pompei, Rom 1980, 129 f. Zu derartigen Leistungen waren die Magistrate gesetzlich verpflichtet: CIL X 829 = ILS 5706: *ex ea pecunia quod* (sic) *eos* 〈scil. *duoviros*〉 *e lege in ludos . . . consumere oportuit.* Auch sonst waren die Summen der in den Munizipien veranstalteten Spiele weitaus geringer, vgl. CIL XI 5820 = ILS 5531 (Iguvium): 7750 HS; ferner CIL VIII 9052, Z. 10; 15 (135 Denare); XI 6377; XII 670. Dazu L. Friedländer, Darstellungen II, 10 ff.; R. Duncan-Jones, Epigraphic survey, 270.

[457] Vgl. Cic. leg. 3, 7: *Suntoque aediles curatores urbis annonae ludorumque sollemnium, ollisque ad honoris amplioris gradum is primus ascensus ordo.* Irrig ist die Ansicht von H. Aigner, Gymnasium 85, 1978, 236 und Anm. 25, daß die Spielgebung für die Wahlwerbung keine Rolle gespielt habe: «Die Ausrichtung der Spiele wird ja nicht von den Wahlwerbern, sondern von den zuständigen Magistraten (Ädilen, aber auch Prätoren) durchgeführt» (Anm. 25). Dies trifft nur vordergründig zu. Aber 1. wurden Spiele auch von Privatpersonen veranstaltet (*munera*) und 2. übersieht Aigner die Werbewirksamkeit der ädilizischen Spiele für die weitere Karriere. Gerade das von Aigner selbst zitierte Beispiel Sullas belegt dies.

[458] Vgl. W. Kroll, Kultur I, 48.

riere ist nachweisbar[459] und zu keiner Zeit trotz der übermäßigen Verschwendung während der Amtszeit grundsätzlich in Frage gestellt worden;[460] wer glaubte, die Ädilität und die mit ihr verbundenen Kosten umgehen zu können, mußte Rückschläge hinnehmen.[461]

Das Ausmaß der Aufwendungen überstieg in aller Regel die finanziellen Möglichkeiten der Amtsinhaber, zumal das Publikum immer höhere Anforderungen an die Ausstattung und Qualität der Spiele stellte.[462] Die politische Zukunft mußte also durch das Amt des Ädilen geradezu erkauft werden;[463] die überlieferten Nachrichten, in denen das Ausmaß der Vermögenseinbußen und Verschuldung[464] deutlich wird, sprechen für sich. Zu einem über den Einzelfall

---

[459] Dazu Th. Mommsen, Staatsrecht I, 524 f.; 532 f.; II, 517 ff.; W. Kroll, Kultur I, 48 f.; E. Meyer, Staat, 170 ff.; H. Schneider, Wirtschaft und Politik, 141 ff.

[460] Vgl. Cic. off. 2, 57: *quamquam intellego in nostra civitate inveterasse iam bonis temporibus, ut splendor aedilitatum ab optimis viris postuletur;* ferner Mur. 40; 72; 76, wo immer wieder auf die Sitten der Vorfahren verwiesen wird.

[461] So etwa Sulla, der bei der Bewerbung um die Prätur abgewiesen wurde, Plut. Sulla 5 (mißverstanden von H. Aigner, Gymnasium 85, 1978, 236, Anm. 25); vgl. Plin. n. h. 8, 16, und Mamercus, der aus diesem Grund eine Zurückweisung bei der Bewerbung um das Konsulat erfuhr, Cic. off. 2, 58. Auch M. Aemilius Scaurus, Zensor 109, gab offenbar zu wenig Spiele während seiner Ädilität, so daß er 117 nicht zum Konsul gewählt wurde, Auct. vir. ill. 72, 4 (er verlor gegen Q. Fabius Maximus: Cic. Mur. 36). Allgemein zur Bedeutung der Spiele Cic. leg. agrar. 2, 71; Phil. 2, 116; Mil. 35, 95.

[462] Das galt z. B. für die Bühnenausstattung: während der prätorischen Spiele des Jahres 66 (Val. Max. 2, 4, 6; Plin. n. h. 33, 53) und 65 (Cic. Mur. 40; Plin. n. h. 33, 53) waren die Bühnen aus Silber, 64 (Val. Max. 2, 4, 6) sogar aus Gold. Auch Cäsar ließ als Ädil die Bühnen in Silber ausrichten (Plin. n. h. 33, 53), während M. Scaurus i. J. 58 in seiner wegen der prachtvollen Spiele schon berühmten Ädilität die Bühne mit Marmor, Goldplatten, Mosaiken und 3000 Bronzestatuen schmücken ließ: Plin. n. h. 36, 5; 36, 114; ferner 34, 36; 36, 50; 36, 189. Auch erlesene Kunstschätze gehörten zum Festschmuck, deren Herbeischaffung ebenfalls mit erheblichen Kosten verbunden gewesen ist, vgl. Cic. Verr. 2, 4, 6; dom. 111 *(ornatus aedilitatis)*. Allgemein zur Last der Ädilität: Dio 48, 53, 4; 54, 11, 1; Liv. 25, 2; Cic. off. 2, 57.

[463] Es handelt sich dabei um das Ergebnis einer Entwicklung, die einerseits von Individualisierungstendenzen innerhalb der Oberschicht, andererseits von den steigenden Ansprüchen des Wahlvolkes, der *plebs urbana*, geprägt war; daß dahinter die Absicht der herrschenden Oligarchie gestanden habe, «weniger vermögenden Politikern den politischen Aufstieg unmöglich zu machen» (so H. Schneider, Wirtschaft und Politik, 144) ist schon deshalb unwahrscheinlich, da gerade diese Oligarchie selbst der Hauptleidtragende war.

[464] Vgl. z. B. die Ädilität des M. Scaurus (E. Klebs, RE II [1894], s. v. Aemilius [141], 588–590), der 58 sein Vermögen aufgebraucht und große Schulden gemacht hatte, Ascon. 22 St.; vgl. Plin. n. h. 36, 113: *M. Scauri nescio an aedilitas maxime prostraverit mores maiusque sit Sullae malum tanta privigni potentia quam proscriptio tot milium.* P. Cornelius Lentulus Spinther, Ädil 63 (zu seinen Spielen Cic. off. 2, 57; Plin. n. h. 9, 137; 36, 59; gab auch während seiner Prätur glänzende Spiele, Val. Max. 2, 4, 6; Plin. n. h. 19, 23), mußte seine Landgüter verkaufen, Cic. ad Att. 6, 1, 23. Auch Milo hatte erhebliche Vermögensverluste aufgrund der Aufwendungen für Spiele hinnehmen müssen, Cic. Mil. 95 (von 3 Erbschaften ist die Rede); vgl. Cic. ad Q. fr. 3, 6, 6; 3, 7, 2: zu seinen Schulden H. Schneider,

hinausgehenden Problem wurde die Finanzierung der Spiele, als die Ädilen auch von den Bundesgenossen und Provinzialen Sonderabgaben zu ‹erbitten› begannen,[465] und vor allem, als sie ihre weitere politische Laufbahn auch zur finanziellen Sanierung zu benutzen versuchten, in erster Linie also während einer Provinzstatthalterschaft.[466] Nicht nur war also die wirtschaftliche Substanz bedroht – da jeder, der politische Karriere machen wollte, sich den Zwängen unterwerfen mußte –,[467] sondern auch die Provinzen mußten durch zusätzliche Belastungen die Spiele unmittelbar oder mittelbar mitfinanzieren.

Ähnlich verhielt es sich mit den Votivspielen. Schon früh wurden – vor allem in Kriegszeiten – von den Feldherrn zur Abwendung der Gefahren dem Jupiter Spiele gelobt, aus deren Wiederholungen allmählich Jahresfeste wurden.[468] Außerordentliche und einmalige Spiele hat es aber zumal in Krisenzeiten auch später immer wieder gegeben.[469] Votivgrund war in der Regel die glückliche Beendigung eines Feldzuges und, insbesondere während des 2. Punischen Krieges, der Fortbestand des Staates für einen bestimmten Zeitraum.[470] Auch für die Ausrichtung außerordentlicher Spiele war eine bestimmte

---

Wirtschaft und Politik, 209. Ähnliches gilt für Livius Drusus, Volkstribun 91, Auct. vir. ill. 66, und Cäsar, der sich ebenfalls hoch verschuldet hat, App. civ. 2, 1.

[465] Liv. 40, 44, 11 f.; Cic. ad Q. fr. 1, 2, 26; vgl. ad Att. 5, 21, 5; 6, 1, 21; ad fam. 2, 11, 2; 8, 2, 2; 4, 5; 6, 5; 8, 10; 9, 3. Ap. Claudius Pulcher, Zensor 50, brachte Kunstschätze aus Griechenland mit, um als Ädil, was er dann nie geworden ist, große Spiele zu veranstalten: Cic. dom. 111. Ähnlich bei Votivspielen, Liv. 39, 5, 6 ff. Vgl. ferner Cic. Pis. 89.

[466] Vgl. M. Scaurus (s. Anm. 464) als Proprätor von Sardinien und Cäsar als Proprätor von Spanien: Ascon. 22 St: *aedilitatem summa magnificentia gessit, adeo ut in eius impensas opes suas absumpserit magnumque aes alienum contraxerit. ex praetura provinciam Sardiniam obtinuit, in qua neque satis abstinenter se gessisse existimatus est et valde arroganter;* dazu A. Klotz, RE X (1918), s. v. Julius (131), 195, mit Quellen. Ferner H. Schneider, Wirtschaft und Politik, 206 f.

[467] Vgl. Ambros. offic. minist. 2, 21, 109: *quod faciunt qui ludis circensibus vel etiam theatralibus et muneribus gladiatoriis vel etiam venationibus patrimonium dilapidant suum, ut vincant superiorum celebritates.*

[468] Grundlegend dazu Th. Mommsen, Röm. Forsch. II, 42 ff.; ferner L. Friedländer, in: J. Marquardt, Staatsverwaltung III, 482 f.; G. Wissowa, Religion, 449 ff.; bes. 452 f.; G. de Sanctis, Storia II, 533; anders A. Piganiol, Recherches, 75 ff.; bes. 90 f., der eine Parallelität von Anfang an behauptet. Die Begründung der *ludi Romani* als Votivspiele wird Tarquinius zugeschrieben, Liv. 1, 35, 9 (dazu R. M. Ogilvie, A commentary on Livy Books 1–5, Oxford 1965, ad loc.); Eutrop. 1, 6; Cic. rep. 2, 36. Der Terminus für die jährlichen, dem Jupiter geweihten Spiele war *ludi Romani* bzw. *maximi,* während die dem Jupiter gelobten, außerordentlichen Spiele mit *ludi magni* bezeichnet wurden: Liv. 4, 27; 5, 19; 7, 11; 22, 9, 10; 27, 33, 8; 30, 2, 8; 31, 9, 10; 36, 2; 39, 5, 7. Die jährlichen Jupiterspiele sind mit der Einsetzung der curulischen Ädilen zu verbinden: Th. Mommsen, Staatsrecht II, 517 ff.; J. P. V. D. Balsdon, Leisure, 243.

[469] A. Piganiol, Recherches, 78, teilt die *ludi votivi* in 2 Gruppen: 1. diejenigen des 5. Jh. und am Anfang des 4. Jh.; 2. die des 3. Jh. und am Anfang des 2. Jh.

[470] Z. B. i. J. 218: Liv. 21, 62, 10: *si in decem annos res publica eodem stetisset statu,* u. ö. Vgl. G. Wissowa, Religion, 453; A. Piganiol, Recherches, 79 f.

Summe festgesetzt *(pecunia certa),*[471] die in Analogie zu den jährlichen *ludi Romani* wahrscheinlich 200 000 HS bis zum Beginn des 2. Punischen Krieges betragen hat.[472] 217 v. Chr. wurden von dem Prätor M. Aemilius[473] *ludi magni* gelobt, deren Budget man auf 333 333 1/3 HS festsetzte.[474] 200 v. Chr. ist zum ersten Mal «die Höhe der auf die Spiele zu verwendenden Summe der späteren Festsetzung durch den Senat» überlassen worden:[475] *Octiens*[476] *ante ludi magni de certa pecunia votierant, hi primi de incerta.*[477]

Von diesem Zeitpunkt an verselbständigten sich die *ludi votivi.* Der während der Notzeit des Krieges immer greifbare religiöse Bezug wurde in der Folgezeit nur noch formal eingehalten. In Wirklichkeit dienten die Spiele dem Ansehen der sie gelobenden und veranstaltenden Generäle. Sie repräsentieren eine für die Nachkriegszeit typische Entwicklung innerhalb der Nobilität, die auch für die *leges sumptuariae* maßgebend war. In diesem Fall waren es die Feldherrn, deren Selbstbewußtsein angesichts der militärischen Erfolge der Glanz der Spielveranstaltungen widerspiegelte.

Von den ädilizischen Spielen unterschieden sich die *ludi votivi* darin, daß 1. die Veranstalter den Zenit ihrer Macht schon erreicht hatten und 2. die Kostenfrage zweitrangig war, da man ja einen Teil der Feldzugsbeute verwenden konnte.[478]

Die letzte Entscheidung über die Spiele im allgemeinen und die Kosten im besonderen hatte allerdings der Senat.[479] Als P. Cornelius Scipio, der schon

---

[471] Liv. 31, 9, 7.

[472] Dies ist zu ersehen aus der gleichen Dauer beider Spiele: Cic. Verr. 1, 10, 31 zeigt, daß die *ludi votivi* des Pompeius wie die regelrechten *ludi Romani* auf 15 Tage festgesetzt waren.

[473] Dieser wurde in Vertretung des Fabius Maximus beauftragt, *quoniam Fabium belli cura occupatura esset:* Liv. 22, 9, 11.

[474] Liv. 22, 10, 7. Zu der Summe vgl. A. Piganiol, Recherches, 16, und Th. Mommsen, Münzwesen, 302.

[475] Th. Mommsen, Röm. Forsch. II, 54.

[476] Dazu A. Piganiol, Recherches, 80.

[477] Liv. 31, 9, 10, trotz religiöser Bedenken: *(Licinius pontifex maximus) negavit, ex incerta pecunia vovere licere; ex certa voveri debere, quia ea pecunia non posset in bellum usui esse seponique statim deberet nec cum alia pecunia misceri.* Das von den Konsuln daraufhin befragte *collegium pontificum* entschied anders, obwohl Licinius *iuris pontificii peritissimus* war (Liv. 30, 1, 5); dazu H. Scullard, Roman politics, 86–88; U. Schlag, Regnum in senatu, 149 ff.

[478] I. J. 205 gestattete der Senat Scipio durch einen Beschluß die Ausrichtung von Spielen, *quos . . . inter seditionem militarem in Hispania vovisset, ex ea pecunia, quam ipse in aerarium detulisset:* Liv. 28, 38, 14; vgl. auch 36, 36, 2.

[479] Mit Genehmigung des Senats: Liv. 4, 12, 2; 5, 19, 6; 7, 11, 4; 33, 44, 1; 36, 2; 42, 28, 8. Eigenmächtigkeiten der Feldherren wurden daher nicht immer geduldet, vgl. Th. Mommsen, Staatsrecht III, 1178; A. Piganiol, Recherches, 82 f. Vgl. auch Liv. 40, 51, 1: Einer der Zensoren von 179, M. Aemilius, erbittet vom Senat die Bewilligung von Geldern für die Ausrichtung der Spiele anläßlich der Weihung des Tempels für die Juno und Diana, die er gelobt hatte. Bewilligt wurden 20 000 As.

205[480] und 200[481] prächtige Votivspiele abgehalten hatte, sich erstmalig Votiv-spiele auf Staatskosten geben wollte,[482] wies der Senat das als *novum atque ini-quum* zurück und erklärte nun seinerseits, daß Votivspiele *inconsulto senatu* auf eigene Kosten oder aus der Feldherrnbeute bestritten werden müßten, *si quam pecuniam ad id reservasset.*[483] Dieser direkte Verweis auf die Eigenverantwort-lichkeit mag die Feldherren später veranlaßt haben, in den Provinzen speziell für ihre Votivspiele Geld einzufordern, das dann von den Bürgerschaften als ‹freiwillige› Abgabe deklariert wurde. Im Jahre 187 erklärte M.Fulvius Nobilior vor dem Senat, daß er während des ätolischen Krieges am Tag der Einnahme der Stadt Ambracia dem Jupiter Spiele gelobt habe und *in eam rem sibi centum pondo auri*[484] *a civitatibus conlatum.*[485] Auch L.Scipio[486] und Q.Fulvius[487] haben auf diese Weise Mittel für die Ausrichtung ihrer *ludi votivi* zusammengebracht. Damit wurden die Votivspiele stärker noch als die ädilizischen Spiele zu einer Last für Bundesgenossen und Provinzen, ganz abgesehen davon, daß sich die Feldherren auf diese Weise über ihre Standesgenossen herauszuheben versuch-ten[488] und damit ebenfalls die aristokratische Gleichheit in Frage stellen konn-ten.[489]

2.3.9.2 *Munera* (Gladiatorenspiele)

Auch Privatleute konnten Spiele veranstalten, deren Anlaß zumeist Leichenfei-ern waren.[490] Hierher gehören die *munera*[491], die seit ihrem ersten Erscheinen in Rom 264 v.Chr.[492] eine immer größere Bedeutung erlangten[493] und daher

---

[480] Liv. 28, 38, 14.

[481] Liv. 31, 49, 4.

[482] Er hatte als Proprätor in Spanien während eines Kampfes Spiele gelobt: Liv. 35, 1, 8.

[483] Liv. 36, 36, 1–2.

[484] Das sind 400000 HS, Th. Mommsen, Münzwesen, 402, Anm. 115.

[485] Liv. 39, 5, 7: bewilligt wurde vom Senat jedoch nur ein Fünftel der Summe. Da die Spiele dennoch abgehalten wurden (Liv. 39, 22), hat Fulvius sicher aus eigenen Mitteln bei-gesteuert.

[486] Liv. 39, 22, 8: *L. Scipio ludos eo tempore, quos bello Antiochi vovisse sese dicebat, ex con-lata ad id pecunia ab regibus civitatibusque per dies decem fecit.*

[487] Liv. 40, 44, 9: *in eam rem sibi pecuniam conlatam esse ab Hispanis.*

[488] A. Piganiol, Recherches, 83: «les jeux voués par les géneraux sont un phénomène tar-dif, ils sont un symptôme du progrès de l'individualisme, ils annoncent la révolte des géne-raux contre l'Etat».

[489] Vgl. insbesondere den Widerstand des Senates gegen M.Fulvius Nobilior, gegen den Cato später eine Rede hielt, in der er wahrscheinlich auch seine Erfolge in Ätolien herab-setzte, Gell. 5, 6, 24ff.; vgl. auch Cic.Tusc. 1, 3; Fest. v. *retricibus* 356, 357 L; F.Münzer, RE XIII (1910), s.v. Fulvius (91), 265 ff.

[490] Vgl. dazu schon die Luxusbeschränkungen der 12 Tafeln, oben S.45ff.

[491] Den Begriff *munus* erklärt Tertull.spect. 12, 1; Serv.Aen. 3, 67. Die *munera* sind streng zu unterscheiden von den *ludi* und gehören nicht zum Festprogramm.

[492] Leichenspiele des D.Junius Brutus Pera, an denen 3 Gladiatorenpaare kämpften: Liv.per. 16; Val.Max. 2, 4, 7; Serv.Aen. 3, 67. Aus der Vielzahl der Arbeiten über das Gla-diatorenwesen sei besonders verwiesen auf die Artikel in DS III/2 (1896), s.v. Gladiator

auch immer aufwendiger veranstaltet wurden.[494] Der formal weiterbestehende religiöse Charakter war in späterer Zeit kaum mehr als ein Vorwand: Die Spiele wurden zu einem Zeitpunkt abgehalten, der vorteilhaft für die politische Karriere war.[495] Besonders bezeichnend ist das Beispiel des Q. Gallius. Dieser hatte im Jahre seiner Ädilität (67) für seine geplanten Spiele keine wilden Tiere bekommen, verschob daher die Spiele auf das nächste Jahr, in dem er sich um die Prätur bewarb, und gab dann ein Gladiatorenspiel als Leichenfeier.[496] Die rasch zunehmende Beliebtheit der *munera*, die schon für die erste Hälfte des 2. Jahrhunderts bezeugt ist,[497] wurde in der politischen Auseinandersetzung schon bald benutzt. C. Gracchus steigerte seine Popularität erheblich, als er im Jahre 123 die anläßlich eines *munus* errichteten Zuschauertribünen abbrechen ließ, damit auch die armen Leute die Kämpfe sehen konnten.[498] Gerade weil die Gladiatorenspiele privater Natur[499] waren und also die Veranstalter weder an

---

1563–1599, von G. Lafaye; in RE Suppl. III (1918), s.v. Gladiatoren, 760–784, von K. Schneider; ferner L. Robert, Gladiateurs; G. Ville, Gladiature.

[493] Vgl. z. B. die Klage des Terenz Hec. 39–41 und die politische Nutzung der *munera* durch C. Gracchus (Plut. C. Gracchus 12).

[494] Deutlich abzulesen an der Zahl der auftretenden Gladiatoren: Cäsar ließ 320 Paare kämpfen (i. J. 65, Plut. Caes. 6, 5; Suet. Caes. 10, 3 u.ö.; vgl. G. Ville, Gladiature, 60). Vgl. die Entwicklung, wie sie bei A. Balil, La ley gladiatoria de Itálica, Madrid 1961, 29, Anm. 23 und vor allem M. R. de Berlanga, El nuevo bronce de Itálica, Malaga 1891, 112 ff., sowie G. Ville, Gladiature, 42 ff., dargestellt ist.

[495] G. Ville, Gladiature, 78 ff. Die *munera* fanden oft Jahre, sogar Jahrzehnte nach dem Tode des durch sie Geehrten statt: nämlich zu einem für die Karriere des Veranstalters günstigen Zeitpunkt; z. B. 18 Jahre nach dem Tode des Vaters veranstaltete Faustus Sulla ein *munus* (Cic. Sull. 54 f.), und Cäsar sogar 21 Jahre später (Plin. n. h. 33, 16, 40; Dio 37, 8, 1; Plut. Caes. 6, 5; Suet. Caes. 10, 3).

[496] Ascon. 68 St.; vgl. P. von der Mühll, RE VII (1912), s.v. Gallius (6), 672.

[497] Der von Cato i. J. 184 zensorisch notierte L. Flamininus wollte mit seiner grausamen ‹Vorführung› bei einem Gastmahl seinem Lustknaben das infolge der Abwesenheit von Rom vermißte Gladiatorenspiel ersetzen: Liv. 39, 42, 8–12; Plut. T. Flam. 18; vgl. dazu Plut. Cat. mai. 17; Cic. senect. 12, 42; Val. Max. 2, 9, 3; 4, 5, 1; Auct. vir. ill. 47, 4; Sen. controv. 9, 2. Terenz beklagt, daß eine Vorstellung seiner Komödie wegen eines Gladiatorenspieles unterbrochen werden mußte (Hec. 39–41).

[498] Plut. C. Gracch. 12, 5; 6.

[499] Unbegründet ist die in fast allen Handbüchern verbreitete Ansicht, 105 v. Chr. seien die Gladiatorenspiele staatlich anerkannt worden (z. B. L. Friedländer, in: J. Marquardt, Staatsverwaltung III, 555; G. Wissowa, Religion, 466; G. Lafaye, DS III/2, s.v. Gladiator, 1565; K. Schneider, RE Suppl. III, s.v. Gladiatoren, 762, u.ö.). Sie geht zurück auf E. Huschke, ZRG 9, 1870, 330–332, und v.a. F. Bücheler, Die staatliche Anerkennung des Gladiatorenspiels, RhM 38, 1883, 476–9 (= Kl. Schr. II, Leipzig/Berlin 1927, 497–500). Hauptquelle ist Ennod. Paneg. CSEL VI, 284 Hartel: *Rutilium et Manlium conperimus gladiatorum conflictum magistrante populis providentia contulisse, ut inter theatrales caveas plebs diuturna pace possessa quid in acie gereretur agnosceret.* Daß hier offensichtlich ein Mißverständnis vorliegt, geht aus Val. Max. 2, 3, 2 und Nepotiani Epitome 10, 22 (Auszug aus Val. Max. 2, 3, 2) hervor, vgl. Th. Mommsen, Über eine Stelle des Ennodius, Ges. Schr. VII, Berlin 1909, 517 f. (= ZRG 10, 1872, 47 f.), dessen Einwände F. Bücheler offenbar nicht

einen bestimmten Termin (es sei denn einen testamentarisch festgelegten; im übrigen zeigen aber die oben angeführten Beispiele, daß die Ausrichtung derartiger Leichenspiele vollständig den Veranstaltern überlassen war) noch an bestimmte Funktionen[500] gebunden waren, wurden sie von ehrgeizigen Politikern, wenn sie entsprechend vermögend waren oder reiche Geldgeber fanden, v.a. im letzten Jahrhundert v.Chr. für ihre politische Karriere als Mittel des *ambitus* eingesetzt.[501] Der Aufwand für solche Spektakel ist quellenmäßig kaum überliefert und hat auch je nach Intention und Herkunft des Veranstalters variiert. Im 2.Jahrhundert kostete ein gehobenes Gladiatorenspiel ca. 30 Talente (=720000 HS);[502] wie viele Gladiatoren davon bezahlt werden konnten,[503] ist nicht bekannt, aber herausragende Veranstaltungen aus derselben Zeit ließen ca. 50 bis 100 Teilnehmer kämpfen.[504] Man kann also ermessen, wie aufwendig Cäsars Spiele im Jahre 65 gewesen sein müssen, bei denen 320 Paare auftraten;[505] bei derartigen Anlässen sind ganze Vermögen aufgebraucht worden.[506]

---

kannte. Entscheidend ist aber, daß auch nach 105 Gladiatorenspiele von Amts wegen nicht auftauchen, worüber die genannten Handbücher hinweggehen (vgl. z.B. die lapidare Bemerkung Schneiders) oder die Vermutung gesetzlicher Maßnahmen anstellen (L. Friedländer/J. Marquardt a.a.O.) Die Ungesetzlichkeit kommt jedenfalls noch bei Dio 47, 40, 6 zum Ausdruck; vgl. auch G.Ville, Les jeux de gladiateurs dans l'empire chrétien, Mél.d'Arch. et d'Hist. de l'Ecole Franc. de Rome 72, 1960, 306f.; F.Münzer, RE I A (1914), s.v. Rutilius (34), 1273. Daß auch Amtsträger *munera* gaben, bedeutet nicht staatliche Anerkennung, da sie nicht als Ausdruck ihres Amtes gegeben wurden (vgl. Cäsar, der als Ädil Gladiatorenspiele gab, aber nicht ‹amtlich›, sondern als nachträgliche Leichenfeiern, s. oben S.112, Anm.494). Sie wurden vielmehr in solchen Fällen – das zeigt Suet.Caes. 10 – von den staatlichen getrennt.

[500] Irrig die Ansicht von H.Aigner, Gymnasium 85, 1978, 236, Anm.25.

[501] Zur Häufigkeit z.B. zwischen 65 und 50 v.Chr. G.Ville, Gladiature, 87f., und Anm.31.

[502] Polyb. 31, 28, 5–6. Zum Vergleich: Die Erbschaft des Aemilius Paulus betrug 60 Talente. In der frühen Kaiserzeit wurde für ein 3tägiges Gladiatorenspiel in Kampanien die Summe von 400000 HS aufgewendet, Petr. 45, 6. Herodes erhielt zur Abhaltung eines Augustus gewidmeten Festspieles von diesem 500 Talente. Unter Tiberius war nach dem Debakel von Fidena (Tac.ann. 4, 62) ein Mindestvermögen von 400000 HS für einen *munus*-Veranstalter Voraussetzung. In den Munizipien waren die Kosten erheblich geringer.

[503] Zum Preis für Gladiatoren vgl. Liv. 44, 31, 15: *vix gladiatorio accepto, decem talentis, ab rege rex, ut in eam fortunam recideret;* vgl. 41, 20. In der frühen Kaiserzeit bezahlte Tiberius für einen reaktivierten *auctoratus* 100000 HS, Suet.Tib. 7. Natürlich waren das Preise für freigeborene Gladiatoren. Zu den Preisen im 2.Jahrhundert n.Chr. und ihrer gesetzlichen Festlegung vgl. das SC *de sumptibus ludorum gladiatorum minuendis:* ILS 5163 = CIL II Suppl. 6278.

[504] Im Jahre 200 v.Chr. traten 25 Paare auf, Liv. 31, 50, 4; 174 starben 74 Männer, Liv. 41, 28, 11; 183 waren es 60 Paare, Liv. 39, 46, 2. In der 2.Hälfte des 2.Jahrhunderts fanden auch die Leichenspiele des Terentius Lucanus statt, an denen 30 Paare an 3 Tagen teilnahmen, Plin.n.h. 35, 47.

[505] Suet.Caes. 10, 3 und Plut.Caes. 6, 5; vgl. Plin.n.h. 33, 16, 40; Dio 37, 8, 1. Dennoch müssen um diese Zeit bereits gesetzliche Regelungen hinsichtlich der Anzahl der Gladiato-

2.3.9.3 Gesetzliche Aufwandsbeschränkungen

Es hat durchaus nicht an Versuchen gefehlt, zumindest die Auswüchse dieser Entwicklung einzudämmen, auch wenn man grundsätzlich die Instrumentalisierung der Spiele in der politischen Auseinandersetzung nicht in Frage gestellt hat.[507] Zunächst hat man die unmittelbaren politischen Auswirkungen der Spiele zu reduzieren versucht. Wahrscheinlich um 197 v. Chr. wurde die direkte Aneinanderreihung von Prätur an die plebejische Ädilität[508] untersagt,[509] deren Regelmäßigkeit[510] v. a. auf den Eindruck zurückzuführen ist, den die Spiele auf das Wahlvolk machten.

Wesentlich wirksamer war natürlich eine direkte Begrenzung der Kosten. An eine normative Festsetzung der Summe, die dann weder aus staatlichen noch privaten Mitteln überschritten werden durfte, ist allerdings nie gedacht worden, einmal wegen des religiösen Hintergrundes der Spiele, v. a. aber konnte man sich wegen der allgemeinen Beliebtheit zu einem direkten Eingriff in die Spielveranstaltungen nicht durchringen. Aber man bemühte sich doch, durch die Betonung der Eigenverantwortung des Veranstalters, d. h. durch eine gewisse Begrenzung seiner Geldquellen, die Kosten zu reduzieren. Staatliche Zuschüsse

ren bestanden haben. Gerade die vorangegangenen Ereignisse hatten die Gefahr zu großer Gladiatorentruppen in den Händen Einzelner gezeigt; weniger wahrscheinlich ist, daß *ambitus* der Grund dieser Beschränkungen war (so G. Ville, Gladiature, 81 f.).

[506] So hat z. B. Milo 3 Erbschaften für Spiele aufgewendet: Cic. Mil. 95; vgl. H. Schneider, Wirtschaft und Politik, 147, Anm. 37.

[507] Cic. Mur. 72: Da Murena v. a. dank seiner glanzvollen Spielgebung die Wahl zum Konsul gewonnen hatte (37 ff.), wurde ihm vorgeworfen, dabei die gesetzlichen Bestimmungen *(lex Tullia / lex Calpurnia)* nicht beachtet zu haben. Cicero führt zu seiner Verteidigung aus: *quod enim tempus fuit aut nostra aut patrum nostrorum memoria quo haec sive ambitio est sive liberalitas non fuerit ut locus et in circo et in foro daretur amicis et tribulibus;* vgl. auch 40.

[508] G. Rögler, Klio 40, 1962, 106: «Es kann also gar nicht bestritten werden, daß um 197 v. Chr. die römische Magistratur in umfassender Weise in eine feste Ordnung gebracht worden ist». Gegen Th. Mommsen vermutet er, daß das jedoch nicht auf einem Gesetz, sondern auf einer Regelung des Senates beruht; anders U. Schlag, Regnum in senatu, 144.

[509] Das ist aus der Tatsache zu schließen, daß nach 196 diese direkte Aneinanderreihung nicht mehr vorkommt, Th. Mommsen, Staatsrecht I, 533. Schon vorher scheint die Reihenfolge und der Abstand zwischen der Bekleidung curulischer Ämter geregelt worden zu sein. G. Rögler, Klio 40, 1962, 101, legt diese Normierung um das Jahr 208, da nämlich «die Kontinuierung und kurzfristige Iterierung der kurulischen Ämter aufhören». Th. Mommsen, Staatsrecht I, 524 f., verlegt sie dagegen vor den Krieg; ausschlaggebend dafür seien die Bedenken gewesen, «den Curulädilen die Bewerbung um die höheren Ämter zu gestatten, während die Menge noch unter dem frischen Eindruck der von ihnen ausgerichteten Lustbarkeiten stand»; vgl. G. de Sanctis, Storia IV, 493.

[510] Von den curulischen Ädilen haben zwischen 217 und 187 alle das Konsulat oder die Prätur erreicht; von den 27 bekannten plebejischen Ädilen haben nur 2 nicht die Prätur erreicht. Darüber hinaus haben 17 die Prätur direkt im Anschluß an die Ädilität erlangt: Th. Mommsen, Staatsrecht I, 533; H. H. Scullard, Roman politics, 24 f.; G. Rögler, Klio 40, 1962, 103.

für außerordentliche Spiele wurden nur dann gewährt, wenn der Senat vorher die Genehmigung erteilt hatte.[511] Die Folge war allerdings, daß die Feldherren und auch die Ädilen das Geld von den Bundesgenossen und Provinzen in Form einer ‹freiwilligen› Sonderabgabe zusammenbrachten. Daraufhin wurde zunächst 187 dem M. Fulvius Nobilior nur die Verwendung eines Fünftels der von ihm eingetriebenen Summe, nämlich 80 000 HS, für seine Votivspiele gestattet,[512] und acht Jahre später wurde dieser Betrag zur Norm gemacht, nachdem Q. Fulvius erneut auf ‹Sondereinnahmen› für seine Spiele verwiesen hatte, und darüber hinaus ausdrücklich verboten, *ne quid ad eos ludos arcesseret, cogeret, acciperet, faceret adversus id senatus consultum quod L. Aemilio Cn. Baebio consulibus* (sc. 187) *de ludis factum esset.*[513] Die Ädilen hatten nämlich diese Möglichkeit genutzt, um die für die politische Karriere erforderliche eigene finanzielle Belastung in Grenzen zu halten.[514] Zeugnisse des letzten Jahrhunderts der Republik belegen trotz dieses Senatsbeschlusses eine Vervollkommnung der Ausplünderungsmethoden: Kunstschätze wurden als *ornatus aedilitatis* aus den Provinzen nach Rom geschafft,[515] die *venationes* mußten mit exotischen Raubtieren ausgestattet sein,[516] und die Eintreibung eines Beitrages der Provinzen für die ädilizischen Spiele war eine feste Einrichtung geworden. Dabei handelte es sich um beträchtliche Summen: Als Q. Cicero während seiner Statthalterschaft in Asien im Jahre 60 das Edikt erließ, *ne ad ludos pecuniae*

---

[511] Liv. 36, 36, 1–2.

[512] Liv. 39, 5, 6 ff. Fulvius hatte 100 Pf. Gold = 400 000 HS gesammelt. Gerade dieser livianische Abschnitt zeigt die oben schon angesprochenen religiösen Bedenken gegen eine pauschale Kostenbegrenzung. Denn nachdem Fulvius korrekt vom Senat erbeten hatte, die für die Spiele reservierte Summe von 400 000 HS von dem Geld abzusondern, *quam in triumpho latam in aerario positurus esset,* und damit immerhin das Doppelte des Betrages beanspruchte, der für die *ludi Romani* vom Staat gezahlt wurde, kamen dem Senat zwar Bedenken wegen der Höhe, er entschied aber erst, nachdem die Angelegenheit dem Priesterkollegium zur Prüfung vorgelegt worden war *(num omne id aurum in ludos consumi necesse esset)* und diese die Kostenfrage nicht als zur *religio* gehörig ansahen. Eine ähnliche Bewertung hatte das Priesterkollegium bereits 200 gegen den *pontifex maximus* vorgenommen: Liv. 31, 9, 10. Jedenfalls wird hier der religiöse Vorbehalt deutlich, mit dem man die finanzielle Seite der Spiele behandelte.

[513] Liv. 40, 44, 8 ff.; § 10 wird direkt auf die dem M. Fulvius Nobilior zugestandene Summe Bezug genommen. Q. Fulvius Flaccus hatte eine nicht näher bezeichnete, sicher aber mindestens ebenso hohe Summe aus Spanien mitgebracht wie Nobilior aus Ätolien.

[514] Liv. 40, 44, 12: *decreverat id senatus propter effusos sumptus factos in ludos Ti. Sempronii aedilis, qui graves non modo Italiae ac sociis Latini nominis, sed etiam provinciis externiis fuerant.* Vgl. dazu E. Schmähling, Sittenaufsicht, 91, Anm. 208; F. Münzer, Adelsparteien, 265 f. Gracchus war 182 Ädil und 169 Zensor, vgl. T. R. Broughton/ M. L. Patterson, Magistrates I, 382; H. H. Scullard, Roman politics, 172; J. Suolahti, Roman Censors, 372 ff.

[515] Vgl. oben S. 109, Anm. 465; bes. Cic. dom. 111.

[516] Vgl. dazu die Hinweise aus der Cicero-Korrespondenz: ad Att. 5, 21, 5; 6, 1, 21; ad fam. 2, 11, 2; 8, 2, 2; 8, 4, 5; 8, 6, 5; 8, 8, 10; 8, 9, 3.

decernerentur, beklagte ein einzelner, nicht näher bezeichneter *homo nobilis*[517] öffentlich den Verlust von 200000 HS.[518] Eine weitaus größere Last für die Provinzen waren jedoch die Statthalter selbst, die oft genug ihre Schulden, die sie zum großen Teil während ihrer Ädilität gemacht hatten, durch Ausplünderung der ihnen zugeteilten Provinzen ausglichen.[519] Und gerade die Aussicht auf eine Statthalterschaft direkt im Anschluß an die Prätur bzw. das Konsulat bewog viele Gläubiger auch, unverhältnismäßig hohe Kredite auszugeben, da sie ja auf eine baldige Rückzahlung hoffen konnten.[520] Möglicherweise nahm auf diese Praktiken ein Senatsbeschluß von 53 Bezug, der ein Intervall von mindestens 5 Jahren zwischen Stadtämtern und Provinzstatthalterschaft vorschrieb;[521] ein Jahr später wurde das SC sogar in Gesetzesform gebracht.[522] Dieser Regelung lag vielleicht das Motiv zugrunde, Gläubiger von allzu freizügiger Geldverleihung abzuschrecken, da sie nun ein Jahrzehnt auf die Rückzahlung warten mußten.[523] Gelegentlich wurde auch auf die Ausstattung der Spiele direkt Bezug genommen. Ein Senatsbeschluß unbekannten Datums, sicher aber aus der ersten Hälfte des 2. Jahrhunderts, verbot für die *venationes* afrikanische Tiere einzuführen.[524] Dagegen veranlaßte der Volkstribun Aufidius wahrscheinlich 170 ein Volksgesetz, das die Einfuhr zur Durchführung der circensischen Spiele wieder erlaubte.[525] Die Ursachen sowohl für das Verbot wie

---

[517] D. R. Shackleton Bailey (ed.), Cicero: Epistulae ad Quintum Fratrem et M. Brutum, Cambridge 1980, 154, vermutet L. Domitius Ahenobarbus, der 61 als Ädil prächtige Spiele veranstaltet hat (Plin. n. h. 8, 131). Doch wird Domitius in ad Q. fr. 1, 2, 16 aus dem Jahre 56 unter die *amicissimi* Ciceros gerechnet.

[518] Cic. ad Q. fr. 1, 1, 26.

[519] Vgl. oben S. 108 f., Anm. 464.

[520] Zum daraus resultierenden politischen Einfluß der Gläubiger H. Schneider, Wirtschaft und Politik, 211 ff., der jedoch durchaus den finanziellen Aspekt überbetont: Die Behauptung (223) «Nicht mehr die Herkunft, die Zugehörigkeit zu einer patrizischen gens oder zur Nobilität, bestimmte in der späten Republik den sozialen Status eines Römers, sondern sein Vermögen», ist in ihrer Ausschließlichkeit irreführend.

[521] Dio 40, 46, 2.

[522] Dio 40, 56, 1: zur *lex Pompeia* G. Rotondi, Leges publicae, 411. Vgl. aber A. Giovannini, Consulare imperium, Basel 1983, 114 ff.

[523] Vgl. J. P. V. D. Balsdon, Leisure, 262. Vielleicht hat gerade die Erinnerung an Scaurus dazu beigetragen, der 55 direkt im Anschluß an die Prätur Sardinien als Provinz zugewiesen bekam und darin eine Möglichkeit zur Begleichung seiner Schulden sah: Ascon. 22 St.

[524] Plin. n. h. 8, 64: *Senatusconsultum fuit vetus ne liceret Africanas in Italiam advehere.* Tierhetzen mit eingeführten wilden Tieren aus Afrika sind erstmals für 186 anläßlich der Spiele des Fulvius bezeugt (Liv. 39, 22, 2). Da diese Spiele ohnehin im Vorfeld umstritten waren und Fulvius sie auch sonst außergewöhnlich prachtvoll veranstaltet hatte, ist möglicherweise auf diesen Anlaß hin der Senatsbeschluß erfolgt.

[525] Plin. n. h. 8, 64: *Contra hoc tulit ad populum Cn. Aufidius tribunus plebis permisitque circensium gratia importare.* Zum Gesetz L. Lange, Alterthümer II, 311; E. Klebs, RE II (1896), s. v. Aufidius (5), 2288 f.; E. Cuq, DS III/2 (1904), s. v. lex Aufidia, 1131; G. de Sanctis, Storia IV, 615, Anm. 319; E. Weiss, RE XII (1925), s. v. lex Aufidia, 2335; G. Niccolini, Fasti, 420; E. Schmähling, Sittenaufsicht, 91; E. Savio, Leggi suntuarie, 183 f.; J. Suolahti, Roman

für seine Aufhebung sind unklar; vielleicht ließ sich der Senat neben der Kostenfrage auch von den Befürchtungen leiten, die die Anwesenheit vieler ungezähmter Tiere in Rom bedeutete,[526] während Aufidius mit seinem Gesetz v. a. den Interessen des Volkes an attraktiven Zirkusspielen entsprach.[527] Zwei weitere Maßnahmen werden dagegen von den Quellen mit dem Sittenverfall in Zusammenhang gebracht. Im Jahre 154 hatten die Zensoren den Bau eines steinernen Theaters verpachtet. Dagegen hielt 151 Scipio Nasica eine Rede, mit der er einen Senatsbeschluß bewirkte, daß nicht nur das Baumaterial verkauft wurde, sondern sogar Sitze während der Spiele nicht aufgestellt werden durften.[528] Einmütig werden von den Quellen moralische Aspekte als maßgeblich für diese Entscheidung angeführt, vor allem die Erhaltung der Wehrtüchtigkeit.[529] Im Jahre 115 wurde schließlich die *ars ludicra* von den Zensoren aus der Stadt entfernt.[530]

Von einem systematischen Vorgehen kann bei diesen Versuchen keine Rede sein, und selbst wenn man die diesbezüglichen Unzulänglichkeiten der römischen Gesetzgebung in Rechnung stellt, so ist die Untätigkeit gegenüber dem Spielluxus, der sich anders als der Speise-, Kleider- oder Schmuckluxus fast ungehindert entfalten konnte, doch erstaunlich, und das umso mehr, als es auch in diesem Bereich nicht an konservativer Kritik gemangelt hat.[531] Sie erklärt sich in erster Linie aus dem politischen und religiösen Charakter der magistratischen Spiele. Zum einen waren Aufwandsbeschränkungen bei dem wichtigsten

---

Censors, 382. Aus unerfindlichen Gründen wird dieses Gesetz gelegentlich unter die *leges sumptuariae* eingereiht, obwohl es doch gerade im Gegensatz zu diesen steht (E. Savio, Leggi suntuarie, 183 f.). Die Datierung ergibt sich v. a. aus der Tatsache, daß ein Cn. Aufidius 170 tr. pl. war (Liv. 43, 8, 2) und vielleicht auch aus Liv. 44, 18, 8. G. Niccolini, Fasti, 420, identifiziert den Tribunen Aufidius mit dem bei Cic. Tusc. 5, 112 erwähnten Prätorier, der dann einige Jahre zuvor Volkstribun gewesen sein könne. Die Hypothese wird von E. Klebs, RE II, s. v. Aufidius, 2288 f., als «völlig haltlos» gewertet.

[526] Vgl. G. Ville, Gladiature, 54 f., der dazu noch als Motiv anführt, Karthago kein Geld zukommen zu lassen.

[527] E. Savio, Leggi suntuarie, 184, die das Gesetz in das Jahr 103/4 ansiedelt, sieht seine Ursache in der gestiegenen Zahl der Zirkusspiele und darin, daß der Aufwand für die Beschaffung geringer gewesen sei, nachdem Afrika Provinz war.

[528] Liv. per. 48; Val. Max. 2, 4, 2; App. civ. 1, 25 (28) (mit falscher chronologischer Einordnung, vgl. Appiani bellorum civ., liber primus, a cura di E. Gabba, Florenz 1958, 96 f.); Tertull. apol. 6; spect. 10; Aug. civ. dei 1, 31; Oros. 4, 21, 4. Vgl. dazu C. Bauthian, Lois somptuaires, 49; M. Gelzer, Philologus 86, 1931, 285 f.; E. Schmähling, Sittenaufsicht, 81; E. Frézouls, La construction du theatrum lapideum et son contexte politique, in: Théâtre et spectacles dans l'antiquité, Actes du colloque de Strasbourg, 5–7 novembre 1981, Leiden 1983, 193 ff.; bes. 195 f.

[529] Oros. 4, 21, 4: *inimicissimum hoc fore bellatori populo ad nutriendam desidiam lasciviamque commentum.*

[530] Cassiod. chron. zu 115; zu den Motiven vgl. J. E. Spruit, Acteurs, 58 ff.; bes. 59 f.; oben S. 27.

[531] So z. B. Cicero in off. 2, 55 ff. und Cato Uticensis in Plut. Cat. min. 46.

Unterhaltungsvergnügen des Volkes natürlich wenig populär,[532] zum anderen scheute man sich ganz einfach, der *liberalitas* der Magistrate[533] angesichts des immer präsenten religiösen Hintergrundes sowohl der jährlichen Spiele als auch der Votivspiele[534] gesetzlich fixierte Grenzen zu setzen.

Anders verhielt es sich bei den *munera*, die von Privatleuten veranstaltet wurden und bis auf die Zeit Cäsars keine staatliche Anerkennung gefunden hatten.[535] Es ist deshalb kein Zufall, daß die einzigen überlieferten direkten gesetzlichen Eingriffe diesen Bereich betrafen. Doch handelt es sich auch hier nicht um qualitative oder quantitative Einschränkungen,[536] sondern lediglich um die Abgrenzung ihrer Werbewirksamkeit bei Wahlen. Es war üblich geworden, Gladiatorenspiele zu einem für die eigene Karriere günstigen Zeitpunkt, d. h. kurz vor Wahlen zu veranstalten.[537] Der private Charakter der Spiele ließ daher, anders als bei den magistratischen Veranstaltungen, den Tatbestand des *ambitus*[538] deutlich werden.[539] Dennoch scheute man sich auch hier lange Zeit einzugreifen, da die *munera* zu Ehren eines Verstorbenen ausgerichtet wurden bzw. testamentarisch verfügt waren[540] – Eingriffe in diese Bereiche vermied man nach Möglichkeit –, und natürlich auch (wie bei den magistratischen Spielen), weil sie sehr beliebt waren. Erst als der Mißbrauch immer haarsträubender

---

[532] Mit diesem Aspekt setzt sich Cic. off. 2, 56 kritisch auseinander; vgl. auch 2, 105 zum Verhältnis *ambitus-liberalitas;* ferner Cic. Mur. 37. In der Praxis wußte Cicero sehr wohl um den Unterhaltungswert der Spiele für die Bevölkerung und daher auch um die Undurchführbarkeit von Kostenbegrenzungen: Cic. Mur. 76: *odit populus Romanus privatam luxuriam, publicam magnificentiam diligit;* ähnlich Mur. 40; 72; Planc. 45.

[533] Vgl. dazu H. Kloft, Liberalitas Principis, Köln 1970, 35 ff. *liberalitas* bei Amtsbewerbungen (Scaurus): Cic. ad Att. 4, 17, 4; vgl. auch A. Lippold, Consules, 97 f.

[534] Vgl. oben S. 109 f.; zur religiösen Komponente der Spiele K. Latte, Religionsgeschichte, 248 ff.

[535] Dazu oben S. 112 f., Anm. 499. Cic. off. 2, 55 reiht bezeichnenderweise nur diese Privatspiele unter den Begriff verschwenderisch ein, nicht etwa auch die öffentlichen Spiele.

[536] Die Gladiatorenspiele und die *venationes* waren ebenfalls außerordentlich beliebt, so daß Aufwandsbeschränkungen kaum durchzusetzen gewesen wären (vgl. Cic. Mur. 38: *quid dicam populum ac volgum imperitorum ludis magno opere delectari*). Die Angriffe auf diejenigen Kaiser, die die Gladiatorenspiele einschränken wollten (Suet. Tib. 34; Vesp. 16) lassen sicher Rückschlüsse auf die spätrepublikanische Zeit zu. Auch Ciceros Haltung ist durchaus ambivalent; er pflegte sie, wenn irgend möglich, zu besuchen: ad Att. 2, 1, 1; vgl. dagegen ad fam. 7, 1.

[537] Das konnte, mußte aber nicht während der Ädilität sein, vgl. L. Ross Taylor, Party politics, 30 f.; vgl. oben S. 112.

[538] D. h. wenn der Veranstalter gleichzeitig Amtsbewerber war, vgl. dazu Th. Mommsen, Strafrecht, 868.

[539] Faktisch erfüllen natürlich auch die ädilizischen bzw. Votivspiele diesen Tatbestand, aber in diesen Fällen handelt es sich auch von ihrer Veranlassung her nicht um Spiele, die auf Einzelpersonen bezogen sind, sondern zum Nutzen des Staates mit Staatsgeldern ausgerichtet werden; ‹privat› war also die Entscheidung des jeweiligen Veranstalters über seinen eigenen Kostenbeitrag, und hier konnte und wollte man nichts beschränken.

[540] Vgl. die Ausnahmeregelung der *lex Tullia de ambitu:* Cic. Vat. 37.

wurde, erließ der Senat unter Federführung Ciceros im Jahre 63 einen Ergän-
zungsbeschluß zur *lex Calpurnia de ambitu,* der die Platzverteilung nach Tribus
bei Gladiatorenspielen untersagte.[541] Durch die *lex Tullia* wurde darüber hinaus
festgelegt, daß niemand während der beiden Jahre, in denen er sich um ein Amt
bewarb bzw. bewerben wollte, *munera* veranstalten durfte, außer wenn durch
testamentarische Verfügung ein bestimmter Tag festgesetzt worden war.[542] Das
Gesetz stellte also auch in seinen Formulierungen einen direkten Zusammenhang von *ambitus* und luxuriösen Spielveranstaltungen heraus, so daß in diesem
Bereich die auch sonst in der Spätphase der Republik erkennbare Tendenz
bestätigt wird, daß nämlich die politische Bedeutung des Luxus in Gesetzen
expressis verbis zutage tritt.[543]

Zusammenfassend muß man festhalten, daß trotz der immensen politischen
Bedeutung der Spielveranstaltungen und trotz der konservativen Kritik ihr
Mißbrauch nur begrenzt gesetzliche Eingriffe zur Folge gehabt hat, die in
erster Linie die Effektivät der Spiele für die politische Karriere, nicht aber den
Aufwand direkt betrafen. Ein systematisches Vorgehen war von vornherein
nicht zu erwarten, aber im Gegensatz zu anderen vergleichbaren Bereichen –
Tafelluxus, Kleiderluxus etc. – blieb der Gesetzgeber während der gesamten
republikanischen Epoche in diesem Bereich erstaunlich untätig.

---

[541] Cic. Mur. 67: *Dixisti senatus consultum me referente esse factum, ... si gladiatoribus
volgo locus tributim (datus esset) contra legem Calpurniam factum videri;* vgl. auch Mur. 72.
Wahlentscheidend war nicht die Mehrheit der einzelnen Stimmen, sondern der Tribus, so
daß entsprechend die Wahlbestechung organisiert wurde, vgl. Cic. ad. Att. 4, 17, 4;
Mur. 42; Planc. 45; 47; dazu Th. Mommsen, Strafrecht, 869 f. Mit diesem Verbot galten
natürlich auch die Strafen der *lex Calpurnia* für Zuwiderhandelnde, also Ausstoßung aus
dem Senat, Ausschluß von der Ämterlaufbahn und darüber hinaus eine Geldstrafe: Dio 36,
38; vgl. Schol. Bob. 78 f. St. Zur *lex Calpurnia* G. Rotondi, Leges publicae, 374.

[542] Cic. Vat. 37; Sest. 133; Schol. Bob. ad Pro Sest. 140 St. *(ne hoc ipso popularis animus
eblanditus designationi eius succumberet);* vgl. Cic. har. resp. 56: *quos munera contra leges (sc.
Tullias) gladiatoria parantis;* vgl. G. Rotondi, Leges publicae, 379; G. Ville, Gladiature, 64 f.;
82 ff. Die Ausnahmeregelung für die testamentarisch verfügten Termine ist so gefaßt, daß in
jedem Fall dem Verstorbenen die ihm geschuldete Ehre erwiesen werden konnte, wenn dieser es so gewollt hatte, daß aber andererseits auch Umgehungsmöglichkeiten ausgeschlossen waren, die etwa eine nicht terminierte testamentarische Verfügung eröffnet hätte. Zur
tatsächlichen Umgehung des Gesetzes durch Vatinius vgl. Cic. Sest. 133 ff., bes. 135. Das
biennium umfaßt wahrscheinlich den Zeitraum vom 1. Januar des der Wahl vorangehenden
Jahres bis zum Tag der Wahl: G. Ville, Gladiature, 83, gegen Th. Mommsen, Staatsrecht I,
478, Anm. 4; Strafrecht, 868, Anm. 2, der als Endtermin den Tag des Amtsantritts nennt.
Zum *biennium* vgl. Th. Mommsen, Staatsrecht I, 529 f.; G. Rotondi, Leges publicae, 278 f.

[543] So z. B. die *lex Antia* (Speiseluxus); Cic. Att. 2, 16, 13 (Schenkungen); SC zur *lex Calpurnia* (Cic. Mur. 67).

2.3.10 Die *leges sumptuariae* in der politischen Auseinandersetzung

Um sich ein Bild von der praktischen Bedeutung der *leges sumptuariae* im 2. und 1. Jahrhundert machen zu können – die heute allgemein als sehr gering angesehen wird –, ist es unumgänglich, ihre Stellung innerhalb der politischen Diskussion dieser Zeit zu untersuchen, die zum Teil recht heftig geführt wurde. Im folgenden geht es daher ausschließlich um die von Befürwortern bzw. Gegnern vorgebrachten Argumente.

2.3.10.1 Quellenlage

Zwar beschränken sich die beiden Hauptquellen für die *leges sumptuariae*, Gellius und Macrobius, im wesentlichen auf die Aufzählung und Inhaltsangabe der Gesetze, aber die Schriftsteller der späten Republik und des frühen Prinzipats haben einige Auseinandersetzungen um das Für und Wider der Luxusgesetzgebung überliefert, so daß wir also zumindest für diesen Zeitraum die Diskussion nachvollziehen können. Livius[544] hat uns zudem mit seiner Konstruktion des Rededuells Cato – Valerius um die *lex Oppia* in genauer Kenntnis der catonischen Argumentation eine wichtige Quelle auch für die Diskussionsebene der Zeit nach dem 2. Punischen Krieg hinterlassen. Darüber hinaus können verschiedene Redefragmente Catos und anderer Verteidiger und Gegner der *leges sumptuariae* trotz mancher Zweifel an ihrer Authentizität[545] hinzugezogen werden. Hauptquellen[546] sind aber der Brief, mit dem Tiberius die im Jahre 22 n. Chr. erneut entfachten Auseinandersetzungen beendete,[547] und die bei Livius beschriebene Diskussion um die Abschaffung der *lex Oppia* im Jahre 195.[548]

2.3.10.2 Zustimmung

Obwohl die Aufwandsgesetze massiv in die Privatsphäre der Senatoren eingriffen, fanden sie vor allem im 2. Jahrhundert z. T. breite Zustimmung. Die erste *lex cibaria*, die *lex Orchia* von 182, wurde *de senatus sententia*,[549] die *lex Fannia* 20 Jahre später sogar *ingenti omnium ordinum consensu* und *ex omnium bonorum consilio et sententia*[550] eingebracht, und auch die Schenkungsgesetze wurden nachweislich von der Gruppe um Fabius Maximus unterstützt.[551] Gegen Ende des Jahrhunderts, als der innere Zusammenhalt der Nobilität brüchig geworden war, setzte man sich gar über die Promulgationsfrist des Trinun-

---

[544] Liv. 34, 1–8.

[545] Das gilt v. a. für die Worte des Duronius zur Abschaffung der *lex Licinia*, Val. Max. 2, 9, 5.

[546] Berücksichtigt wurden ausschließlich solche Quellen, die direkten Bezug zur Aufwandsgesetzgebung haben und damit für die Diskussion konkrete Anhaltspunkte bieten.

[547] Tac. ann. 3, 52–55.

[548] Liv. 34, 1–8.

[549] Macr. 3, 17, 2.

[550] Macr. 3, 17, 4; vgl. Gell. 2, 24, 2.

[551] Cic. senect. 10.

dinums hinweg, damit die *lex Licinia* sofort beachtet würde.[552] Und auch der *lex Iulia Caesaris* von 46 gingen Forderungen nach Eindämmung des Luxus voraus.[553]

Nichts zeigt deutlicher die politische Bedeutung der privaten Lebensweise als die ständigen Wiederholungen dieser Gesetze, die auf die politischen Krisensymptome mit Eingriffen in die Privatsphäre reagierten. Die zeitgenössische Argumentation zugunsten der *leges sumptuariae* konzentrierte sich auf den Sittenverfall. Die Reden des Titius für die *lex Fannia*[554] und des Favorinus für die *lex Licinia*[555] sind beredte Zeugnisse für die nach römischer Vorstellung entartete und dem Luxus, vor allem dem Tafelluxus ergebene Oberschicht und stellen daher die Notwendigkeit einer entsprechenden Gesetzgebung vor Augen. Die als Ursache für den Verfall der gesamtstaatlichen Ordnung angesehene moralische Verkommenheit der Nobilität veranlaßte auch Cicero in der Marcellus-Rede[556] zu der Aufforderung an Cäsar, hier gesetzlich einzuschreiten. In die gleiche Richtung zielten die Vorschläge Sallusts,[557] der sich allerdings ausdrücklich gegen das bisher so erfolglose und verspottete Institut der *leges sumptuariae* wendet.[558] Der Zusammenhang von steigendem Luxus und politischem Niedergang wurde schon von Cato in seiner Rede gegen die Abschaffung der *lex Oppia* hervorgehoben:[559] je größer die territoriale Ausdehnung, um so größer auch die Notwendigkeit, den daraus resultierenden Verlockungen zu widerstehen.[560] In der Frühzeit fehlten gesetzliche Beschränkungen, da es keinen Luxus gab; nun aber seien sie notwendig, so daß eine Abrogation der *lex Oppia* verhängnisvolle Folgen hätte.[561] Denn besonders gefährlich für das bestehende gesellschaftliche System ist nach Cato die Ungebundenheit der

---

[552] Macr. 3, 17, 7.

[553] Cic. Marc. 23; Sall. ep. 1, 5, 4; Dio 43, 27, 1.

[554] Macr. 3, 16, 15 f.

[555] Gell. 15, 8.

[556] Cic. Marc. 23. Die Argumentation in dieser Frage war allerdings sehr vom politischen Tageskampf und von den jeweiligen Zielgruppen bestimmt, und das selbst bei einem nach eigener Aussage in seiner politischen Überzeugung so unwandelbaren Mann wie Cicero (Pis. 79); an anderer Stelle macht er Piso gerade die Bedürfnislosigkeit bei den Gelagen zum Vorwurf: Cic. Pis. 67.

[557] Sall. ep. 1, 5, 4; vgl. 2, 7.

[558] Sall. ep. 1, 5, 3 f.: *firmanda igitur sunt vel concordiae bona et discordiae mala expellenda. 4. id ita eveniet, si sumptuum et rapinarum licentiam dempseris, non ad vetera instituta revocans, quae iam pridem corruptis moribus ludibrio sunt, sed si quam quoique rem familiarem finem sumptuum statueris.*

[559] Liv. 34, 4, 1 f.: *saepe me querentem de feminarum, saepe de virorum nec de privatorum modo sed etiam magistratuum sumptibus audistis, diversisque duobus vitiis, avaritia et luxuria, civitatem laborare, quae pestes omnia magna imperia everterunt.* Vgl. auch Sall. Cat. 5, 8; Liv. praef. 11.

[560] Liv. 34, 4, 3; die wachsende Größe des Reiches wurde von den Kritikern auch gegen die Notwendigkeit einer Aufwandsgesetzgebung angeführt, vgl. unten S. 127.

[561] Liv. 34, 4, 19.

Frauen, so daß hier die *lex Oppia* und überhaupt Gesetze über den Frauenluxus
eine über den bloßen Anti-Luxus-Charakter hinausgehende Dimension erhalten.[562] Die moralische Argumentation konzentriert sich vor allem darauf, daß
Luxus allgemein eine Vernachlässigung der Pflichten[563] und auch Habgier nach
sich ziehe[564] und im besonderen bei Frauen zur Steigerung eines für die Gesellschaftsordnung schädlichen Selbstbewußtseins beitrage. Die Befürworter der
leges sumptuariae identifizierten einen Verfall der privaten Sitten mit einem Verfall der *res publica,* dem man daher nicht nur durch das zensorische Sittengericht und den politischen Prozeß, sondern auch durch die Aufwandsgesetzgebung entgegen zu treten hatte. Auch andere politische und ökonomische
Aspekte tauchen in der Argumentation auf. Die zunehmende Bedeutung des
Luxus für den politischen Einfluß des einzelnen *nobilis* gefährdete in zweifacher Hinsicht die Grundordnung: Zum einen bestand die Möglichkeit, daß sich
Einzelne, gestützt auf die Macht des Geldes, über die anderen herausheben
konnten,[565] zum anderen, daß eine politische Betätigung die wirtschaftlichen
Mittel vieler *nobiles* überforderte. Diese Entwicklung war vielleicht auch eine
der Ursachen für die Schenkungsgesetze. Die catonische Begründung der *lex
Cincia, quia vectigalis iam et stipendiaria plebs esse senatui coeperat,*[566] deutet
darauf hin, daß die Oberschicht einen Teil ihrer Ausgaben durch ‹Geschenke›
ihrer Klienten zu kompensieren versuchte.

Neue Einnahmequellen erschlossen sich mit der Erweiterung des Herrschaftsgebietes, aber sie waren nicht allen Angehörigen der Oberschicht gleichermaßen zugänglich, so daß es schon im 2. Jahrhundert große Vermögens-
unterschiede innerhalb des Senatorenstandes gab.[567] Luxus war aber auch
Ausdruck von *dignitas;*[568] infolgedessen war derjenige, der nicht mithalten
konnte,[569] im Kampf um politischen Einfluß entweder von vornherein chancen-
los, oder er beschaffte sich im Vertrauen auf die kommende Machtposition
durch Verschuldung oder auf andere Weise die notwendigen Geldmittel. Ein
Verzicht auf politische Betätigung jedenfalls war für ein Mitglied der Nobilität,
deren Legitimation als führende Schicht auch und vor allem in der Leistung der
Vorfahren für die *res publica* bestand, gleichbedeutend mit gesellschaftlicher
Abwertung. So war die Vermögensverschwendung durch übermäßigen Luxus
weniger ein Ergebnis des Sittenverfalls als vielmehr einer gesellschaftlichen Ent-

---

[562] Liv. 34, 2, 14: *feminae omnium rerum libertatem, immo licentiam, si vere dicere volumus,
desiderant;* vgl. auch Tac. ann. 3, 33; Liv. 34, 3, 2.

[563] Vgl. die Rede des Titius bei Macr. 3, 16, 15f.; außerdem Macr. 3, 17, 4.

[564] Vgl. oben S. 121, Anm. 559.

[565] Vgl. A. Passerini, St. di filol. class. 11, 1934, 54; J. Bleicken, Staatliche Freiheit, 56.

[566] Liv. 34, 4, 8.

[567] Vgl. I. Shatzman, Wealth, 18.

[568] Vgl. Cic. off. 1, 138 ff. Der Fall des Q. Aelius Tubero (oben S. 94, Anm. 301) zeigt mit
aller Deutlichkeit diesen Zusammenhang; vgl. A. Lintott, Historia 21, 1972, 631.

[569] Vgl. z. B. Hor. Sat. 1, 2, 1 ff. Man war verpflichtet, Aufwand zu treiben: vgl. für die
spätere Zeit Plin. ep. 2, 12, 3; Hor. Sat. 1, 6, 100 ff.; dazu D. Daube, Disobedience, 124 ff.

wicklung, die denjenigen, der etwas erreichen wollte, zwang, sich den üblichen Regeln zu beugen. Die daraus erwachsende Bedrohung für die wirtschaftliche Stabilität der Oberschicht wurde auch von den antiken Autoren begriffen.[570] Die Befürworter der *leges sumptuariae* haben sich daher von der Vorstellung leiten lassen, daß durch die allgemeine Beschränkung der Ausgaben wieder der ursprüngliche, idealisierte Zusammenhang von persönlicher *virtus* und politischem Ansehen erneuert werden könnte.[571] Durch die Normierung des Aufwandes sollte der bestehenden wirtschaftlichen Ungleichheit innerhalb der Oberschicht ihre politische Bedeutung genommen werden. Diese Zielsetzung äußert Cato direkt, zwar mit Bezug auf den Frauenluxus, aber durchaus übertragbar auf den allgemeinen Luxus: Wenn die Aufwendungen für die private Lebensweise für alle gleich beschränkt werden, braucht keiner eine Bloßstellung als ‹arm› zu fürchten.[572] Damit war die Aufwandsgesetzgebung auch Ausdruck des Gleichheitsgrundsatzes, der Voraussetzung für ein Funktionieren des aristokratischen Systems war.

Und auch der handelspolitische Aspekt der Luxusgesetze wurde schon in der Antike diskutiert: Tiberius beklagt sich in seinem Brief über die riesigen Geldsummen, die vor allem wegen der Luxusbedürfnisse der Frauen ins Ausland gehen[573] und die Plinius[574] auf 100 Mill. HS pro Jahr veranschlagt.

Es läßt sich also feststellen, daß die Befürworter der *leges sumptuariae* sich in erster Linie gegen die Auflösungserscheinungen des *mos maiorum* wandten, der v. a. im 2. Jahrhundert idealisiert und zum Dogma wurde. Denn die Veränderungen in der privaten Lebensführung, die durch ihre politische Bedeutung auch die wirtschaftliche Stabilität und den Zusammenhalt der herrschenden Klasse bedrohten, wurden als eine Ursache für den Zerfall der *res publica* angesehen.[575] Die angestrebte innere Einheit der Nobilität sollte durch eine gesetzlich bestimmte äußere Gleichheit im Bereich der Ausgaben erreicht werden.

---

[570] Macr. 3, 17, 5 in der Bewertung der *lex Orchia*; Liv. 34, 4, 15; Tac. ann. 3, 54, 55; Gell. 2, 24, 11; vgl. Sall. Cat. 13; Sen. ep. 95, 41; dazu E. Gabba, RSI 93, 1981, 553; M. Bonamente, Leggi suntuarie, 74. Vgl. ferner die aus dem wirtschaftlichen Ruin erwachsende Bedrohung für den Bestand des Staates, Flor. 2, 4, 1; Suet. Caes. 30.

[571] Vgl. das Redefragment Catos zur *lex Orchia* Schol. Bob. ad or. pro Sest. 138 (141 St) mit seiner Gegenüberstellung von *virtus-voluptas;* vgl. Sall. Cat. 7.4.

[572] Liv. 34, 4, 12: *pessimus quidem pudor est vel parsimoniae vel paupertatis; sed utrumque lex vobis demit, cum id, quod habere non licet, non habetis.* Vgl. D. Daube, Disobedience, 124 ff.; E. Gabba, RSI 93, 1981, 551 f. Durch diese *exaequatio* (§ 14) wurde jedes *certamen* ausgeschlossen. Vgl. R. F. Newbold, Athenaeum 52, 1974, 134: «One of the primary motives behind sumptuary legislation is to reduce envy»; ferner B. Levick, Early principate, 59 f.

[573] Tac. ann. 3, 53.

[574] Plin. n. h. 12, 84; vgl. 9, 117.

[575] Die *leges sumptuariae* sind also Reaktionen auf spezifisch römische Verhältnisse und können daher nur bedingt mit entsprechenden griechischen Maßnahmen verglichen werden. Erst recht sind sie nicht beabsichtigt als Instrument des Kampfes zwischen Gegnern und Anhängern des Hellenismus, wie M. Bonamente, Leggi suntuarie, 67 f., vermutet.

2.3.10.3 Ablehnung

Die *leges sumptuariae* fanden natürlich nicht nur Zustimmung. Wir sind über zahlreiche Angriffe auf die Aufwandsgesetzgebung in der Form von Abrogationsanträgen unterrichtet.[576] Die *lex Oppia* wurde bereits 20 Jahre nach ihrer Einbringung formal abgeschafft, nachdem der Krieg als unmittelbarer Anlaß des Gesetzes beendet war.[577] Im Jahre 97 erfolgte die Abschaffung der *lex Licinia* durch die *lex Duronia*.[578] Zu diesen beiden erfolgreichen Abrogationsanträgen kamen weitere, die entweder zurückgewiesen wurden oder deren Ausgang uns nicht bekannt ist. Schon die erste *lex cibaria*, die *lex Orchia*, mußte von Cato gegen Abmilderungsanträge verteidigt werden.[579] Auch die folgenden Gesetze waren heftig umstritten: ca. 30–40 Jahre nach der Einbringung versuchte man, die *lex Fannia* auch formal zu beseitigen.[580] Das gleiche gilt für die *lex Aemilia* und dann – erfolgreich – auch für die *lex Licinia*. Darüber hinaus kam ein geplantes Gesetz wegen des großen Widerstandes überhaupt nicht zustande.[581]

Bei 4 der 9 *leges cibariae* sind uns also Abrogationsanträge bekannt. Wenn wir die *leges Cornelia* und *Iuliae* ausnehmen, da sie von Alleinherrschern stammen und wahrscheinlich nicht auf dem üblichen Weg mit aktiver Beteiligung des Senates entstanden, fehlen uns somit nur bei 2 Gesetzen Hinweise auf Abrogationsanträge. Die *lex Didia* ist aber nichts anderes als die Ausdehnung der *lex Fannia* auf Italiker einerseits und Gastmahlteilnehmer andererseits[582] und wird daher von dem Abrogationsversuch der *lex Fannia* mitbetroffen gewesen sein. Bei der *lex Antia* wird zwar ausdrücklich bezeugt, daß sie nicht abrogiert wurde,[583] aber dazu bestand auch keine Veranlassung, da sie ohnehin nicht ernst genommen wurde. Es liegt also die Vermutung nahe, daß die ständigen Wiederholungen der Gesetze z. T. auch durch formale Abschaffungen der vorherigen verursacht wurden. Diesen Widerstand gegen die Gesetze belegen auch die zahlreichen Übertretungen, von denen uns die Quellen berichten. Die Vorschriften der *lex Fannia* sollen nur Mucius Scaevola, Aelius Tubero und Rutilius Rufus beachtet haben,[584] und auch die Notwendigkeit der *lex Didia* mit der Ausdehnung der Bestimmungen auf die Gastmahlteilnehmer zeigt die Unwirksamkeit der *lex Fannia*. Die *lex Cornelia* wurde schon von Sulla selbst

---

[576] Nicht richtig also E. Badian, Tiberius Gracchus and the Roman Revolution, ANRW I 1, 1972, 698, der von wenigen Vetos gegen die Gesetze spricht. Ebenso ist die These zu modifizieren, daß die meisten Gesetze durch *desuetudo* abgeschafft wurden, so H. Honsell, FS Coing I, 137 f.

[577] Liv. 34, 1 ff.

[578] Val. Max. 2, 9, 5.

[579] Vgl. Fest. v. *percunctatum* 242 M; *obsonitavere* 201 M; Schol. Bob. 141 St.

[580] Macr. 3, 16, 14.

[581] Die *rogatio* des Pompeius von 55, Dio 39, 37.

[582] Macr. 3, 17, 6.

[583] Macr. 3, 17, 13: *nullo abrogante*.

[584] Athen. 6, 108; vgl. E. Pais, Leges sumptuariae, 461.

nicht eingehalten,[585] dessen Beispiel sicher spätestens nach seinem Rücktritt Schule gemacht hat. Die *lex Antia* soll nach Macrobius so sehr mißachtet worden sein, daß der Antragsteller es gar nicht mehr wagte, auswärts zu essen, um nicht Zeuge der Nichtbeachtung seines Gesetzes sein zu müssen.[586] Cäsars Gesetz ist trotz der von ihm eingerichteten Kontrollen ebenso übertreten worden[587] wie die *lex sumptuaria* des Augustus.[588]

Übrigens scheint das Übertreten der Gesetze straffrei gewesen zu sein.[589] Die Wirkung der *leges sumptuariae* beruhte wohl darauf, daß Rechtsbrecher leicht zu erkennen waren, da es ja um öffentliche Präsentation ging, und infolgedessen aus Furcht vor gesellschaftlicher Ächtung abgeschreckt werden sollten.[590] Dieses System funktionierte aber nur dann, wenn die überwiegende Mehrheit die Bestimmungen befolgte. Da aber das offensichtlich nicht der Fall war[591] und man härtere Strafen nicht verhängen wollte oder konnte, waren die Gesetze nicht mehr als Appelle an den altrömischen Geist der Nobilität und Beschwörungen des *mos maiorum*. Diese Kluft zwischen Anspruch und Wirklichkeit, zwischen Zustimmung und Ablehnung zeugt nicht von einer tatsächlichen Bereitschaft der Nobilität zu Opfern, aber wenigstens von der Erkenntnis, daß die Fehlentwicklungen ihren Ursprung in dem nicht mehr mit dem *mos maiorum* übereinstimmenden Verhalten des einzelnen *nobilis* hatten.

Es gab aber nicht nur passiven Widerstand, sondern es bildete sich, wie die Abrogationsversuche zeigen, auch eine aktive, den Sinn der *leges sumptuariae* anzweifelnde Opposition. Dabei ging es nicht oder jedenfalls nicht in erster Linie um einen Schutz der Privatsphäre oder der persönlichen Freiheitsrechte.[592] Vielmehr stand die Diskussion auf einer ganz anderen Ebene, die im folgenden untersucht werden soll.

Die Hauptquellen für die oppositionelle Haltung zu den *leges sumptuariae*

---

[585] Plut. Sulla 35, 3; comp. Lys. et Sulla 3,3.

[586] Macr. 3, 17, 13; vgl. Catull 44, 6–12; oben S. 98, Anm. 396.

[587] Cic. ad Att. 13, 7, 1.

[588] Tac. ann. 3, 52 ff. – Auch die Schenkungsgesetze sind umgangen worden, wie die späteren Modifikationen und der Fall Ciceros bei Gell. 12, 12 zeigen. Für eine Nichtbeachtung der *lex Oppia* kann Liv. 26, 35, 5 wohl nicht als Beleg herangezogen werden (vgl. oben S. 53 Anm. 101).

[589] Lediglich im Bereich des Grabluxus ist eine Strafbestimmung überliefert, vgl. Cic. ad Att. 12, 35, 2; oben S. 49 f.

[590] Vgl. J. Bleicken, Lex publica, 218 ff.

[591] Vgl. die zahlreichen allgemeinen Hinweise ihrer Nichtbefolgung: Varro Sat. 158, 9 (Riese); Sall. ep. 1, 5, 4; Tac. ann. 3, 52 ff.; Gell. 2, 24, 11; 20, 1, 23; Macr. 3, 17, 13; Amm. Marc. 16, 5. Vgl. auch die *leges sumptuariae* als Gegenstand der Satire, Gell. 2, 24, 4 *(lex Fannia);* 9 *(lex Licinia); lex Tappula* (oben S. 97, Anm. 392), die die gesamte Art der Gesetze über Tafelluxus verspottete; ferner Bemerkungen Ciceros in seinen Briefen zur *lex Iulia*. Vgl. J. Griffin, JRS 66, 1976, 100 f.

[592] Auch von den Gegnern wurde nicht der hemmungslose Gebrauch des erworbenen Reichtums propagiert, vgl. A. La Penna, in: Società romana . . . III, 291 («Una teoria consumistica non esista»); G. Clemente, Leggi sul lusso, 8. Vgl. Ch. Wirszubski, Libertas, 34.

sind die Rede des Valerius zur Abschaffung der *lex Oppia* und der Brief, mit
dem Tiberius auf Forderungen nach neuen *sumptus* – Restriktionen im Jahr 22
reagierte. Eines der Hauptargumente der Gegner ist die Zeitbezogenheit der Luxusgesetze, wie sie vor allem bei der *lex Oppia* zum Ausdruck kommt.[593] Da hier
nicht ein sittlicher Verfall der Frauen ausschlaggebend gewesen sei, sondern die
Notzeit des 2. Punischen Krieges,[594] müsse der Vorkriegszustand wiederherge-
stellt werden, wie das auch bei anderen Maßnahmen geschehen sei.[595] Überdies
habe die *lex Oppia* neue Ungerechtigkeiten geschaffen: Frauen seien im Bereich
des Kleiderluxus Männern[596] und Bundesgenossen[597] gegenüber im Nachteil.
Ihnen werde anders als den Männern verwehrt, die Früchte des Erfolges zu ge-
nießen, obwohl auch sie in schlechten Zeiten sich opferbereit gezeigt hätten.[598]

Allgemein seien Leistungen für das Gemeinwesen durch Privilegien z.B. in
der Lebensführung zu belohnen. Gerade die Oberschicht als Träger der politischen Verantwortung habe Anspruch auf Bevorzugung vor den anderen
Schichten, da sie größere Gefahren und Mühen für den Staat auf sich
nehme.[599] Die Aufwandsgesetzgebung aber beschneide die freie Verfügungsgewalt über den erworbenen Reichtum[600] und führe zu Gleichmacherei.[601] Damit
konzentrierte sich die Kritik nicht auf eine unrechtmäßige Verletzung der Freiheitsrechte des Einzelnen durch die *leges sumptuariae,* sondern auf die Folgen
für die gesamte Gesellschaftsordnung. Man fürchtete um die herausragende
Stellung der Oberschicht, die sich, zumal in der Kaiserzeit, um so mehr dem
Repräsentativen zuwandte, je weniger Anteil sie am politischen Entscheidungs-
prozeß hatte und daher viel stärker als in der Republik die Kriminalisierung des
Luxus als Bedrückung empfand.[602] Damit wird der catonischen Formel von der

---

[593] Damit wird auch Catos allgemeines Urteil über Abschaffungen von Gesetzen (Liv. 34,
3, 4: *ut unam tollendo legem ceteras infirmetis*) widerlegt, Liv. 34, 6, 1 ff.

[594] Liv. 34, 5, 3; 10 ff.; Tac. ann. 3, 34.

[595] Liv. 34, 6, 9; 34, 6, 17.

[596] Liv. 34, 7, 3.

[597] Liv. 34, 7, 5.

[598] Liv. 34, 5, 5 ff.; 7, 1.

[599] So Asinius Gallus bei Tac. ann. 2, 33: *distinctos senatus et equitum census, non quia
diversi natura, sed, ut locis ordinibus dignationibus antistent, ita iis quae ad requiem animi aut
salubritatem corporum parentur, nisi forte clarissimo cuique plures curas, maiora pericula sub-
eunda, delenimentis curarum et periculorum carendum esse.*

[600] Plut.Cat.mai. 18, 4: πλούτου γὰρ ἀφαίρεσιν οἱ πολλοὶ νομίζουσιν τὴν κώλυσιν
αὐτοῦ τῆς ἐπιδείξεως· ἐπιδείκνυσθαι δὲ τοῖς περιττοῖς, οὐ τοῖς ἀναγκαίοις. Vgl. auch
Duronius bei Val. Max. 2, 9, 5.

[601] Liv. 34, 4, 14: Cato nimmt einen möglichen Einwand gegen seine Auffassung auf:
‹hanc› inquit ‹ipsam exaequationem non fero› illa locuples.

[602] Tac. ann. 3, 54: *idem illi civitatem everti, splendidissimo cuique exitium parari, neminem
criminis expertem clamitabunt.* Vielleicht lautete ähnlich auch die Argumentation des Duronius bei seinem Antrag gegen die *lex Licinia,* die dann nachträglich von seinen Gegnern so
umgedeutet wurde, als solle der Aristokratie erlaubt werden, durch Luxus unterzugehen,
Val. Max. 2, 9, 5.

Gleichheit innerhalb der Nobilität die zu bewahrende Ungleichheit der Gesellschaft gegenübergestellt. Man beurteilte Maßnahmen gegen den Luxus, die in republikanischer Zeit vielleicht sinnvoll waren,[603] als unzeitgemäß. Mit der Ausdehnung des Reiches seien auch Vermögen und Ausgaben gewachsen; eine Luxusgesetzgebung sei dieser Entwicklung nicht mehr angemessen[604] und auch als Mittel zur Beschränkung des Luxus untauglich.[605] Ihre Bedeutung stehe zudem in keinem Verhältnis zu den wirklich drängenden Problemen des Reiches, und sie brächten dem Antragsteller lediglich überflüssige Beschimpfungen ein.[606] Denn dieselben, die gesetzliche Maßnahmen gegen den Luxus forderten, würden diese schon bei ihrem Inkrafttreten bekämpfen. Daher sei ein Erfolg der Gesetze von vornherein zweifelhaft, wie ja auch die geschichtliche Erfahrung zeige. In Konsequenz dieser Erkenntnisse beschränkte sich Tiberius darauf, nur noch sporadisch per Edikt den Luxus einzuschränken;[607] im übrigen verzichtete er aber auf eine umfangreiche Aufwandsgesetzgebung.[608]

Die Opposition gegen die Institution der *leges sumptuariae* gründete sich also auf gesamtgesellschaftliche Auswirkungen, die historisch nachweisbare Erfolglosigkeit und auf ihre Situationsgebundenheit, d.h. die Vorstellung, daß sie nur in Krisenzeiten sinnvoll, im übrigen aber als Instrument zur moralischen Erneuerung ungeeignet ist.[609]

Aus dieser Gegenüberstellung von Für und Wider wird deutlich, daß die *leges sumptuariae* lebhaft diskutiert und umkämpft wurden – nicht nur bei der Promulgation, sondern auch nach Erlaß der Gesetze – und jedenfalls nicht die Mißachtung verdienen, mit der die moderne Forschung dieses Institut behandelt hat. Sie sind ein bedeutender Faktor der römischen Innenpolitik und geben ungeachtet ihres tatsächlichen Erfolges allein durch ihre Existenz und durch die um sie geführte Diskussion Einblick in römische Denkweisen und Reaktionen auf die Krisensituation im 2. und 1. Jahrhundert v. Chr.

2.3.11 Zusammenfassung: Entwicklung und Adressat der Aufwandsgesetzgebung

Die vorangegangene systematische Darstellung der *leges sumptuariae* soll im folgenden durch einen zusammenfassenden Überblick über die einzelnen Phasen der Gesetzgebung ergänzt werden.

---

[603] Tac. ann. 3, 34 stellt die Notwendigkeit zur Härte der alten Zeit der Gefahrlosigkeit der eigenen Zeit gegenüber, vgl. auch Val. Max. 2, 9, 5.

[604] Dio 39, 37, 3: Hortensius stimmt in seiner Kritik an der beabsichtigten *lex sumptuaria* des Pompeius von 55 mit den Argumenten des Asinius Gallus bei Tac. ann. 2, 33 überein.

[605] Vgl. schon Sall. 1, 5, 3 f.; Dio 57, 13, 3 f.; Tac. ann. 3, 52; 54.

[606] Vgl. wie auch zum folgenden Tac. ann. 3, 54.

[607] Suet. Tib. 33 f.; Tac. ann. 2, 33.

[608] Zu den Grundsätzen des Tiberius ausführlich unten S. 155 ff.

[609] Also durchaus weitergehend, als es Ch. Wirszubski, Libertas, 35, den Gegnern zugesteht.

Die frühesten römischen Aufwandsbeschränkungen – sieht man von den zweifelhaften Nachrichten über Maßnahmen des Königs Numa ab – betrafen den Grabluxus in der Mitte des 5. Jahrhunderts. Bei aller grundsätzlichen Verschiedenheit verweisen sie in ihrer politischen Zielrichtung bereits auf die historischen *leges sumptuariae.* Deren Entwicklung ist durch drei Phasen gekennzeichnet.

1. Die ersten Aufwandsgesetze enthielten Bestimmungen über den Kleiderluxus, besonders der Frauen, zu Beginn des 2. Punischen Krieges, der infolge seiner Bedrohlichkeit entscheidenden Anteil am Zustandekommen der Gesetze hatte. Das gilt in besonderem Maße für die *lex Oppia,* durch die die Oberschicht zu Opfern veranlaßt wurde, das gilt aber auch für die Gesetze, die das Geschenkegeben zugunsten der Klienten regelten. Beide Gesetzesgruppen sollten innerhalb der Nobilität Deformationen im politischen und sozialen Verhalten korrigieren; denn diese stellten die gesellschaftliche Geschlossenheit in Frage, mit der allein der existenzbedrohende Krieg erfolgreich geführt werden konnte. Sie sollten dazu beitragen, Spannungsfelder mit den übrigen Schichten in der Kriegszeit zu beseitigen, teils durch soziale Erleichterungen (Schenkungsgesetze), teils durch demonstrative Enthaltsamkeit der Reichen *(lex Oppia).*

2. Aber in dem Maße, wie die Nobilität auf der einen Seite aus dem Krieg innenpolitisch gestärkt hervorging und auf der anderen Seite ihr Konsens als Folge der territorialen Ausdehnung und dem Zufluß materieller Reichtümer[610] und fremder Sitten zunehmend brüchig wurde, konzentrierte sich auch die Gesetzgebung weniger auf die Interaktion mit den Bürgern, wie es in der Kriegszeit notwendig war, als auf den standespolitischen Aspekt: die Sicherung der bestehenden Verhältnisse und die Wahrung der aristokratischen Gleichheit gegen die individualistischen und die Einheit der Klasse gefährdenden Entwicklungen. Zeugnis hierfür legt das restriktive Verhalten des Senates gegenüber den Aufwendungen für Spielveranstaltungen erfolgreicher Generäle in der Nachkriegszeit ab, auch wenn man sich begreiflicherweise scheute, rechtliche Schranken zu errichten.[611] Das gleiche gilt für die Wandlung in der Bewertung der *lex Oppia* durch Cato, deren ursprünglich situationsbedingten Beschränkung des Frauenluxus er einen grundsätzlichen und standespolitisch notwendigen Charakter verleiht.[612] Besonders aber sollten die Gesetze über den Tafelluxus, die Anfang des 2. Jahrhunderts einsetzten und als *leges sumptuariae* im eigentlichen Sinne bezeichnet werden können, die Beziehungen der Senatoren untereinander regeln und zur Wahrung des Konsenses durch eine Normierung der Ausgaben beitragen. Der Kern der Motivation lag also auf standespoliti-

---

[610] Zur Konzentration des Reichtums in den Händen der Nobilität I. Shatzman, Wealth, 14; 35 f.; M. Frederiksen, I cambiamenti delle strutture agrarie nella tarda repubblica: La Campania, in: Società romana . . . I, 269 f.

[611] Vgl. oben S. 109 ff.; 114 ff.

[612] Vgl. oben S. 123.

schem Gebiet: Sicherung der wirtschaftlichen Stabilität[613] und Wahrung der Gleichheit innerhalb der Aristokratie durch Beseitigung des angenommenen Störfaktors, der Verschwendungssucht, durch eine für alle verbindliche Normierung des Aufwandes. Gleichzeitig sollte die Oberschicht auf die Einhaltung der überlieferten politischen Spielregeln verpflichtet werden,[614] da die Chancengleichheit durch die Bindung des politischen Einflusses an die vorhandenen Finanzmittel im Zuge der auch wirtschaftlichen Auseinanderentwicklung nicht mehr gewährleistet war. Daher war auch die Abwehr von *ambitus* und Bestechung unmittelbar und mittelbar Ziel der *leges sumptuariae,* die damit einen Beitrag zur Erhaltung der politischen Moral darstellten. Am deutlichsten tritt die Beziehung von Aufwand und *ambitus* im Bereich der Spielgebung vor Augen.

Ebenfalls zur Wahrung der Homogenität der Nobilität gehört die fast völlige Abschließung nach unten. Die *lex Claudia* hat wesentlich dazu beigetragen, und auch die *leges sumptuariae* des 2. Jahrhunderts sind unter diesem Aspekt zu betrachten: Der (z. B. durch die Monopolisierung des Handels bei den Rittern) erworbene Reichtum sollte nicht politisch eingesetzt werden können; die Gewinnung von Einfluß durch Luxus als Voraussetzung für politischen Erfolg war damit den Rittern versperrt; die neue Einkommensquelle war also gewissermaßen mit einer Privatisierung ihrer Nutzung per Gesetz verknüpft.

3. Einen erneuten Einschnitt bildet die *lex Cornelia* von 81, und zwar sowohl in formaler wie inhaltlicher Hinsicht. Waren die früheren Gesetze noch Ausdruck der Reaktionsfähigkeit der Senatoren selbst und belegten sie insofern eine gewisse grundsätzliche Konsensbereitschaft, so wurde mit Sulla bereits vorweggenommen, was dann – nach kurzer Unterbrechung – Cäsar und Augustus perfektionierten: Ihre Gesetze, ohne entscheidenden senatorischen Anteil zustandegekommen, waren nichts anderes als Diktate, durch die sie das Erscheinungsbild der Oberschicht in ihrem Sinne korrigieren und kontrollieren wollten. Nun spielten auch andere, wesensfremde Motive eine Rolle, wie die Bevölkerungspolitik oder die Kennzeichnung von Rangunterschieden, und wurden bewußt Ausnahmen von den gesetzlichen Restriktionen als Belohnung für vorbildliches Verhalten gewährt.[615] Damit war ihnen ein nicht unbedeutendes Mittel der Kontrolle in die Hand gegeben, für das sie sich auch noch auf die *exempla maiorum* berufen konnten. Ferner trat nun die ökonomische Moti-

---

[613] Vgl. Macr. 3, 17, 4. Erreicht wurde dieses auch durch eine für alle gültige Eindämmung des Risikos (z. B. die *leges de alea*). In dieser Hinsicht überschneiden sich die Luxusgesetze mit anderen Gesetzen, die die Vermögensgrundlage stabil halten wollten (z. B. *lex Claudia de nave senatorum*).

[614] Das gilt auch für die Schenkungsgesetze, da durch diese die Bedeutung besonders finanzkräftiger Klienten reduziert werden sollte, vgl. bes. Plaut. Menaech. 571 ff. (oben S. 65, Anm. 181).

[615] Ansatzweise findet sich Luxus als Belohnung schon in den 12-Tafel-Bestimmungen über den Grabluxus, vgl. oben S. 47.

vation verstärkt hervor,[616] die v. a. im Schutz einheimischer Waren ihren Ausdruck findet *(leges Cornelia, Antia,*[617] *Iulia Caesaris);* die *lex Cornelia* versuchte darüber hinaus durch feste Niedrigpreise auch den Handel mit Luxusgütern und die ihn tragende Schicht, die Ritter, zu treffen.

In der Kaiserzeit ließen sich *sumptus*-Gesetze politisch nicht oder jedenfalls nur schwer durchsetzen. Einmal erkannte die Oberschicht nicht mehr ihre vormals gültige innere Rechtfertigung an, zum anderen wurde das gesellschaftliche Ansehen der Senatsaristokratie um so mehr vom äußeren Glanz bestimmt, je geringer ihre politische Bedeutung wurde. Tiberius hat daher auch mit Blick auf die Erfolglosigkeit der Gesetzgebung einen Schlußstrich gezogen.[618]

Diese Darstellung der Motivationen zeigt, daß der Komplex *leges sumptuariae* nicht isoliert dasteht. Das ungeachtet der unterschiedlichen Thematik der unter diesen Begriff gefaßten Gesetzesgruppen verbindende Element ist der *mos maiorum*, die Wahrung der bestehenden Verhältnisse. Hier überschneiden sie sich mit anderen, in die gleiche Richtung zielenden Bereichen der Gesetzgebung wie die über *ambitus* oder Bestechung, die auf die Senatoren in bestimmten öffentlichen Funktionen zielten. Die *sumptus*-Gesetze, die der Sache nach ebenso Amtserschleichung *(leges cibariae)* oder Bestechung (Schenkungsgesetze) bekämpften, wandten sich dagegen mit ihren Aufwandsbegrenzungen in den verschiedenen Bereichen an den *nobilis* als Privatmann. Insofern sind auch die Schenkungs- und Erbrechtsgesetze, die Geschenke bzw. Legate über ein bestimmtes Maß hinaus verboten, zu Recht zu den *leges sumptuariae* gezählt worden. Lediglich diese Beziehung auf die Senatoren als Privatpersonen, also die im engeren Sinne standespolitische Motivation, läßt die Luxusgesetzgebung als einen gesonderten Komplex erscheinen. Dieses gilt insbesondere für die *leges cibariae*, die als einzige Aufwendungen für den privaten Bedarf in klaren Zahlenangaben umgrenzen, so daß insofern der antike Begriff *leges sumptuariae*, der ja nur die Speisegesetze umfaßt, durchaus logisch ist. Die oben herausgestellten politischen Ziele, die den *leges cibariae* mit anderen Aufwandsgesetzen gemeinsam sind, zeigen jedoch, daß die moderne Erweiterung des Begriffes zwar schon Interpretation der verschiedenen Gesetzesgruppen bedeutet, aber durchaus zu rechtfertigen ist.

Die Aufwandsgesetze versuchten also wie das zensorische Sittengericht, die Einhaltung tradierter Verhaltensweisen innerhalb der Oberschicht zu erzwingen. Das bedeutete aber nicht, daß die beiden Institute voneinander abhängig gewesen wären, etwa in dem Sinne, daß die Gesetzgebung dort eingreifen mußte, wo das *regimen morum* sich nicht durchsetzen konnte, oder umgekehrt, daß sie miteinander konkurrierten.[619] Weite Teile des durch die Luxusgesetze geregelten Bereiches wurden vom Sittengericht auch gar nicht erfaßt, wie etwa

---

[616] Die v. a. E. Pais, Leges sumptuariae, 450 ff.; bes. 457 ff., hervorhebt; vgl. H. Schneider, Militärdiktatur, 33 f.

[617] Vgl. Cic. ad fam. 7, 26, 2.

[618] S. dazu unten S. 155 ff.; oben S. 127.

[619] So z. B. I. Sauerwein, Leges sumptuariae, 131.

der Frauenluxus. Das *regimen morum* beschränkte sich (zumindest theoretisch) auf die Prüfung der moralischen Integrität des einzelnen Bürgers, während die *leges sumptuariae* auf politische, soziale und wirtschaftliche Fehlentwicklungen, deren Ursachen man in der Abkehr der Nobilität von der überlieferten Lebensweise vermutete, mit einer Verrechtlichung des *mos maiorum* reagierten. Daher war der Adressat der Gesetze die Aristokratie, auch wenn die meisten Gesetze sich formal an alle römischen Bürger wandten. Lediglich ausnahmsweise wurde direkt die Oberschicht angesprochen, z. B. bei konkreten Anlässen[620] oder wenn – wie bei der *lex Voconia* – besondere Regelungen unumgänglich waren. Aber auch die übrigen Gesetze, also auch die *leges cibariae*, betrafen faktisch nur die Oberschicht, da bei ihrer politisch exponierten Stellung das Privatleben nicht nur Sache des einzelnen *nobilis* war, zumal die römische Gesellschaftsordnung keine klare Trennung zwischen privatem und öffentlichem Verhalten kannte. Es lag also im Interesse der Nobilität selbst, wenn sie sich dieser gesellschaftlichen Kontrolle unterwarf. Daher ist auch eine deutliche Abstufung bei der Behandlung der Ritter zu vermuten, da die politische und ökonomische Stabilität dieses Standes für den Bestand der *res publica* weniger entscheidend war als die der Nobilität, so daß auch nach der Eingliederung der Ritter in die politische Verantwortung durch C. Gracchus[621] ihre private Verhaltensweise wahrscheinlich unkontrolliert blieb und sich also die Aufwandsgesetzgebung auf die Senatsaristokratie als politisches Zentrum des Staates konzentrierte.

Die Entwicklung der *leges sumptuariae* vollzog sich also – wie die des *regimen morum* – dreistufig und entsprechend dem jeweiligen inneren Zustand der Aristokratie: Die 1. Phase stand ganz unter dem Eindruck des Krieges, der die vollständige Mobilisierung aller Kräfte und daher eine Art ‹Ausgleich der Stände› erforderte; bezeichnend für diese Phase ist, daß die Gesetze v. a. von sogenannten Gegnern der Nobilität (Flaminius; Publicius) eingebracht wurden. Die 2. Phase ist geprägt von der unangefochtenen Stellung der Nobilität einerseits und den die Einheit der Klasse gefährdenden, expansionsbedingten Belastungen andererseits. Nun verschob sich auch die Zielsetzung der *leges sumptuariae* mehr auf den standespolitischen Aspekt. Die 3. Phase schließlich läßt die Aufwandsgesetze zu einem Kontrollinstitut der großen Einzelpersönlichkeiten über ihre Standesgenossen werden. Wie schon beim *regimen morum* übernahmen die Alleinherrscher auch das Institut der *leges sumptuariae* mit allerdings wesentlich veränderter Akzentuierung.

---

[620] Vgl. den Senatsbeschluß vor der *lex Fannia*, der sich an die *principes civitatis* anläßlich der *ludi Megalenses* wandte (oben S. 81 f.).

[621] Vgl. Chr. Meier, Res publica amissa, 72.

3. Die Kaiserzeit

3.1 Vorbemerkungen

Das zentrale Motiv der republikanischen Sittengesetzgebung bestand, wie die vorangegangene Untersuchung ergab, in der Aufrechterhaltung eines für den Bestand der (aristokratisch verfaßten) Ordnung unabdingbaren Konsenses innerhalb der Oberschicht. Dieser im engeren Sinne politische Aspekt wurde jedoch mit der augusteischen Prinzipatsverfassung hinfällig. Wenn dennoch fast alle *principes* nicht müde wurden, das Privatleben der Senatoren (und jetzt auch Ritter) durch Gesetze, Senatsbeschlüsse und Edikte zu reglementieren, so entsprang das sicherlich nicht nur ihrem Traditionsbewußtsein. Augustus, der diesen Weg am konsequentesten beschritt, versuchte durch eine systematische Zusammenfassung und Perfektionierung republikanischer Ansätze der ‹alten› Sittengesetzgebung einen neuen Inhalt zu geben. Eine Untersuchung der dahinter stehenden Motivation hat die gegenüber der Republik veränderte Situation innerhalb der Oberschicht zu berücksichtigen; eine kurze Betrachtung darüber soll daher vorangestellt werden.

Die augusteische Neuschöpfung sollte in erster Linie dem Verhältnis zwischen *princeps* und Senat einen rechtlichen Rahmen geben. Die Bedeutung des Kompromisses des Jahres 27 v. Chr. lag in der Anerkennung der herausragenden Position Oktavians durch den Senat einerseits – und zwar in der Form, daß «Quelle und Legitimationsgrundlage monarchischer Gewalt ... der Senat (ist)»[1] – und in der Sicherung der sozialen Stellung der Senatoren durch Oktavian andererseits.[2] Beide Gewalten zusammen regierten das Reich,[3] ohne daß jedoch die Schlüsselstellung des *princeps* zweifelhaft sein konnte.[4] Nicht nur wirkte aufgrund der *auctoritas*[5] der kaiserliche Einfluß

---

[1] W. Dahlheim, Kaiserzeit, 15.

[2] Vgl. Ch. Wirszubski, Libertas, 169: «Was der Senat erstrebte, war nicht die Wiederherstellung seiner verlorenen Suprematie, sondern die Bewahrung einer ehrenvollen Position als Partner des Kaisers»; W. Dahlheim, Kaiserzeit, 1 ff.; bes. 4 ff.; 30 f. Vgl. Tac. ann. 2, 35, 2; Dio 52, 32, 1.

[3] Vgl. Mommsens These von der Dyarchie, die lediglich formaljuristischer Betrachtungsweise entspringt: Staatsrecht II, 748; III, 1146; 1198; 1252 ff.; Abriß, 270 ff.

[4] Vgl. F. de Martino, Una rivoluzione mancata?, Labeo 26, 1980, 98; P. Garnsey/R. Saller, The early principate. Augustus to Trajan, Oxford 1982, 1 ff.; F. Millar, State and subject: The impact of monarchy, in: F. Millar/E. Segal, Caesar, Augustus, seven aspects, Oxford 1984, 37 ff.; v. a. 47. Zu weitgehend aber H. Castritius, Prinzipat, bes. 51 f.; 110 f., mit seiner These von der tatsächlich wiederhergestellten Republik.

[5] Vgl. die berühmte Bemerkung des Augustus in seinem Tatenbericht Kap. 34: *post id tem-*

auch in den Teil der Herrschaft hinein, der dem Senat vorbehalten war,[6] sondern die Herrscher hatten darüber hinaus auch Möglichkeiten, die Zusammensetzung des Senates selbst zu kontrollieren.[7] Bereits Augustus hat mehrfach[8] Senatslesen vorgenommen.[9] An der Ausführung hat er zwar die Senatoren beteiligt, um sich nicht zu sehr herauszuheben;[10] aber es konnte doch niemandem entgangen sein, daß der Kaiser die entscheidende Kontrolle über die Mitgliedschaft im Senat ausübte.

Die faktische Entmachtung des Senates zeigte auch der Verlust an Entscheidungsgewalt in eigener Sache.[11] So legte der *princeps* die öffentlichen Sitzungstage fest, zwang Senatoren durch Strafgelder zum Besuch der Versammlungen und regelte die Beschlußfähigkeit. Die nach wie vor den Senatoren vorbehaltenen traditionellen Magistraturen[12] behielten zwar ihre ideelle Bedeutung,[13] verloren aber bald an politischem Inhalt. Auf der anderen Seite aber wurde von Augustus die soziale Stellung der Senatoren anerkannt und sogar aufgewertet. Es entwickelte sich jetzt ein auch rechtlich abgeschlossener *ordo senatorius*,[14] zu

---

pus auctoritate omnibus praestiti, potestatis autem nihilo amplius habui quam ceteri qui mihi quoque in magistratu conlegae fuerunt.

[6] Ch. Wirszubski, Libertas, 169; J. Bleicken, Sozialgeschichte I, 38; P. Garnsey/R. Saller, Early principate, 2. Vgl. Tac. ann. 1, 2, 1; 3, 60, 1; 11, 5, 1.

[7] Z. B. Tac. ann. 4, 42; 6, 3; 12, 59; Dio 60, 24, 5 f. Unter späteren Kaisern konnten Ausgestoßene wieder aufgenommen werden, Tac. hist. 1, 77; 2, 86. Vgl. dazu Th. Mommsen, Staatsrecht II, 945 ff.; F. Millar, Emperor, 290 ff.; J. Bleicken, Sozialgeschichte I, 282 ff.

[8] Die genaue Zahl ist umstritten, da die Quellen Sueton, Dio und Augustus unterschiedliche Angaben machen. Vgl. dazu insbesondere M. Hammond, Augustan principate, 88 ff.; 93 f. u. Anm. in Auseinandersetzung mit der älteren Literatur; H. Siber, Führeramt, 44 f.; A. H. M. Jones, Studies, 23 ff.; P. Grenade, Essai, 301 ff.; bes. 304 ff.; A. E. Astin, Latomus 22, 1963, 226 ff.

[9] Auch in welcher Eigenschaft Augustus diese *lectiones* vornahm, ist nicht klar, vgl. die in Anm. 8 genannten; ferner Th. Mommsen, Staatsrecht II, 945 ff.; T. A. Abele, Der Senat unter Augustus, Diss. Paderborn 1907, 4; 39; F. Blumenthal, Klio 9, 1909, 498 f.; E. Meyer, Kaiser Augustus, Kl. Schrift. I, Halle 1924, 457; P. Sattler, Senat, 31.

[10] Dio 54, 18; vgl. M. Hammond, Augustan principate, 94 f.

[11] Vgl. Dio 55, 3 im Jahre 9 v. Chr.; zur *lex Iulia de senatu habendo* Gell. 4, 10; vgl. Plin. ep. 5, 13, 5; 8, 14, 9 f.; Suet. Aug. 35. Dazu Th. Mommsen, Staatsrecht III, 916 f.; 923 ff.; G. Rotondi, Leges publicae, 452; V. Gardthausen, Augustus I 2, 571 f.

[12] Zur senatorischen Ämterlaufbahn vgl. J. Gagé, Classes, 86 ff.; A. Chastagnol, La naissance de l'ordo senatorius, MEFR 85, 1973, 583 ff.; W. Eck, Beförderungskriterien innerhalb der senatorischen Laufbahn dargestellt an der Zeit von 69 bis 138 n. Chr., ANRW II 1, 1974, 158 ff. Zum Einfluß der Kaiser auf die senatorischen Ämter F. Millar, Emperor, 300 ff., und auch L. Friedländer, Darstellungen I, 138.

[13] Z. B. Sen. benef. 2, 27, 4; de ira 3, 31, 2; Plut. tranq. anim. 10; Tac. ann. 2, 36; Plin. ep. 1, 23. Selbst in der Kaiserzeit war die gesellschaftliche Stellung des Adels wesentlich auch durch dessen politisches Handeln bestimmt; angesehen war nach wie vor derjenige, der *obiit officia, gessit magistratus, provincias rexit,* Plin. ep. 4, 23, 3; 3, 1, 11.

[14] Vgl. A. Chastagnol, La naissance de l'ordo senatorius, in: C. Nicolet, Des ordres à Rome, 197: «Auguste a sans aucun doute donné le branle à une évolution radicale des insti-

dem die Frauen ebenso wie die agnatische Nachkommenschaft bis zum 3. Grad gehörte[15] und der auch im äußeren Erscheinungsbild – Kleidung, reservierte Sitze in Theater und Circus u. a. – sich deutlich von den anderen Ständen abhob.

Diese Politik, also die Kompensation des politischen Machtverlustes durch Steigerung des sozialen Ansehens,[16] hatte innerhalb der Senatorenschaft eine doppelte Wirkung: Einmal förderte sie die Bereitschaft, sich aus dem politischen Leben zurückzuziehen,[17] das ja auch mit riesigen Ausgaben verbunden war[18] und nicht selten in der Verarmung endete.[19] Auf der anderen Seite entwickelte sich jedoch ein Standesbewußtsein,[20] das seinen Ausdruck in einem repräsentativen Glanz, verstärkt noch durch zahlreiche Ehrenrechte, und in den Versuchen, die *principes* auf die Achtung der senatorischen Standesehre zu verpflichten, fand. Der Senat hatte die politische Machtüberlegenheit des *princeps* anerkannt und erwartete dafür als Gegenleistung die Respektierung der eigenen sozialen Stellung, wie sie im Kompromiß von 27 zum Ausdruck kam.

Augustus sah jedoch im Prinzipat nicht nur einen vielleicht nur kurzfristigen

---

tutions, mais il demeurait profondément influencé par le passé républicain.» Unter Caligula ist dann der endgültige Schritt vollzogen worden. Vgl. auch ders., MEFR 85, 1973, 583 ff.; zweifelnd R. P. Saller, Personal patronage under the early empire, Cambridge 1982, 51, Anm. 58.

[15] Suet. Aug. 38, 2; D 23, 2, 44. Dazu L. Friedländer, Darstellungen I, 115 f.; Th. Mommsen, Staatsrecht III, 466 ff.; 507 ff.

[16] Vgl. W. Dahlheim, Kaiserzeit, 42.

[17] Plinius spricht mit Verständnis von denen, die im Ritterstand bleiben wollen: ep. 1, 14, 5; 3, 2, 4; 7, 25, 2. Vgl. J. Bleicken, Sozialgeschichte I, 287; A. E. Astin, Latomus 22, 1963, 226 ff.

[18] Hor. sat. 1, 6, 100 ff.; Suet. Tib. 35, 2; Tac. ann. 1, 15; Mart. 12, 26, 1 ff.; Sen. brev. vit. 20, 1; Sen. quaest. nat. 1, praef. 6; Plin. ep. 2, 9; Column. 1, praef. 10; Epictet. Diss. 4, 1, 148; 4, 10, 20; 7, 23; Cyprian. ad Donat. 11. Zum Unterschied bei den Aufwendungen für die politische Karriere zwischen Prinzipat und Republik vgl. R. R. Newbold, Athenaeum 52, 1974, 130 f.; ferner L. Friedländer, Darstellungen I, 126 f.; R. Syme, Roman revolution, 351; W. Dahlheim, Kaiserzeit, 45 ff.

[19] Tac. ann. 3, 55; 14, 14; Mart. 10, 41. Vgl. dazu jetzt B. Levick, Early principate, 58 ff. Oft mußten die Kaiser daher die Senatoren finanziell unterstützen; aber auch untereinander halfen sich die Senatoren: Juv. 3, 212 ff.; Schol. Juv. 5, 108; Tac. ann. 15, 48. Dazu L. Friedländer, Darstellungen I, 134 f.; P. Sattler, Senat, 40 f.; H. Kloft, Liberalitas, 77 ff.; F. Millar, Emperor, 297 ff.; K. Hopkins, Renewal, 75 f. Auch hier war Augustus (im Gegensatz etwa zu Tiberius) freizügig. Natürlich konnte die Verarmung umgekehrt auch zur Ausstoßung aus dem Senat führen, sofern sie durch Verschwendung bedingt war: Sen. ep. 122; Tac. ann. 2, 48; Dio 57, 10, 4.

[20] Vgl. L. Friedländer, Darstellungen I, 115 ff.; J. Gagé, Classes, 90 f.; G. Alföldy, Chiron 11, 1981, 169 ff.: Es vollzog sich im Laufe der Zeit zwar eine Annäherung der Stände, bedingt durch ihre politischen Funktionen, aber der Standescharakter blieb grundsätzlich erhalten; zur besonderen Abgrenzung zum Ritterstand vgl. A. Chastagnol, MEFR 85, 1973, 583 ff.; F. Millar, Emperor, 341; B. Levick, Tiberius, 117; W. Dahlheim, Kaiserzeit, 39 ff.

Ausgleich zweier sich im Grunde bekämpfender Gewalten, sondern vielmehr einen Weg zur Überwindung der Spannungen. Daher ist sein Programm der moralischen Erneuerung auf der Basis des *mos maiorum* ein ebenso bedeutender Teil der Neuordnung wie die rechtliche Definition des Verhältnisses von Senat und *princeps*. Beides zusammen sollte die durch jahrzehntelange Bürgerkriege zerstörte Einheit langfristig wiederherstellen. Ferner ist die Einbeziehung der Ritter in die politische Verantwortung von herausragender Bedeutung. Dahinter stand auch die Erkenntnis, daß die Ritter während der Machtkämpfe in der späten Republik kaum Interesse an der Beilegung der Konflikte gezeigt hatten, da sie ja von den leitenden Funktionen ausgeschlossen waren, aber ihre ökonomische und seit C. Gracchus auch politische Bedeutung oftmals aus egoistischen Motiven in die Waagschale geworfen und damit nicht unwesentlich zu den Unruhen beigetragen hatten. Augustus beseitigte diese Distanz der Ritter zum Staat. Sie waren vollständig vom Kaiser abhängig: Standeszugehörigkeit, Ehren und Ämter verdankten sie seiner Gnade.[21] Gerade deshalb verspürten die *principes* eine besondere Verantwortung für die moralische Integrität einerseits und das soziale Ansehen der Ritter andererseits. Auch formal gehörte jetzt – neben einem Mindestvermögen von 400 000 HS und freier römischer Abkunft – ein tadelloser Lebenswandel zu den Voraussetzungen für die Zugehörigkeit zum Ritterstand.

Diese Entwicklung spiegelt die Sittengesetzgebung der Kaiserzeit, vor allem des Augustus, wider. Sie umfaßte drei Bereiche: die Wahrung der Standesehre, die Einschränkung eines allzu großen Aufwandes und die moralische Hebung der Oberschicht. Sie entsprach damit 1. dem Wunsch der Senatoren nach Respektierung ihres sozialen Ansehens, 2. dem Mißtrauen der Kaiser gegenüber möglichen Konkurrenten aus dem Senatorenstand, 3. dem Streben nach vollständiger Einbeziehung des Ritterstandes in die politische Ordnung und 4. den Plänen vor allem des Augustus, die Gesellschaft auf der Basis des *mos maiorum* zu erneuern. Im Mittelpunkt der folgenden Darstellung steht die Politik der julisch-claudischen Dynastie, vor allem des Augustus; es werden jedoch auch Beispiele aus späterer Zeit nicht fehlen.

Berücksichtigt wurden auch die Bestimmungen über gewisse Ehrenrechte, da einige Kaiser bewußt das gestiegene Standesbewußtsein der Oberschicht für ihre politischen Zwecke ausnutzten, indem sie jeweils für bestimmte Verhaltensweisen Ehrenrechte als Belohnung zu- bzw. als Strafe aberkannten. Adressaten der im folgenden diskutierten Bestimmungen waren je nach Intention Senatoren und/oder Ritter; eine Differenzierung wird, soweit sie möglich ist, bei der Darstellung der einzelnen Bestimmung erfolgen. Es erschien mir darüber hinaus jedoch gerechtfertigt, angesichts dieser für die Ritter neuen Eingriffe in ihr Privatleben am Schluß die Politik der Kaiser ihnen gegenüber sowie ihre Haltung gesondert darzustellen.

---

[21] J. Bleicken, Sozialgeschichte I, 297 f.; W. Dahlheim, Kaiserzeit, 39 f.

3.2 Die Verleihung von Ehrenrechten

Die Abgrenzung der gesellschaftlichen Gruppen und ihre Vereinheitlichung tritt auch und vor allem in den Bestimmungen über die Ehrenrechte,[22] namentlich die Sitzplatzordnung im Theater und Circus,[23] hervor. Die Ursprünge dieser Entwicklung reichen zurück bis in die Zeit des 2. Punischen Krieges, als die *lex Claudia de nave senatorum* von 218, vor allem aber die militärischen Erfolge über Hannibal ein neues Standesbewußtsein innerhalb der Oberschicht hervorgerufen hatten. Die im Jahre 194 v. Chr. durch ein zensorisches Edikt erfolgte Platzreservierung für Senatoren anläßlich der *ludi Romani* dokumentiert die Tendenz zur Absonderung von den übrigen Ständen auch nach außen hin.[24] Sie blieb auch dann bestehen und steigerte sich sogar noch, als die Einheit der Oberschicht in der Spätphase der Republik brüchig geworden[25] und die einst unermeßliche Machtfülle des Senates nach den innenpolitischen Auseinandersetzungen geschwunden war.

Ähnlich ist die Zuteilung von Ehrenplätzen für die Ritter zu bewerten. Nach ihrer Einbindung in die politische Verantwortung durch C. Gracchus und der

---

[22] Zur Bedeutung der Statussymbolik in der Republik vgl. A. Alföldi, Der frührömische Reiteradel und seine Ehrenabzeichen, Baden-Baden 1952, gegen Th. Mommsen, Staatsrecht III, 217; ferner F. Kolb, Chiron 7, 1977, 247 f. Zu den Statussymbolen der Ritter Th. Mommsen, Staatsrecht III, 499; L. Friedländer, Darstellungen II, 147. Vor allem der Goldring galt seit dem frühen Prinzipat als Symbol des Ritterranges, vgl. C. Nicolet, L'ordre équestre, 139 ff.; bes. 140; M. T. Henderson, The establishment of the equester-ordo, JRS 53, 1963, 61 ff.; T. P. Wiseman, The definition of ‹eques Romanus› in the late republic and early empire, Historia 19, 1970, 67 ff.; F. Kolb, Chiron 7, 1977, 249; S. Demougin, in: C. Nicolet (ed.), Des ordres à Rome, 217 ff. Verleihung von Goldring und *equus publicus* durch die Kaiser bedeutete Aufnahme in den Ritterstand, dazu J. Bleicken, Sozialgeschichte I, 297 f.

[23] Für die zugrundeliegende Problematik ist eine strenge Differenzierung nicht erforderlich, auch wenn für Theater und Circus jeweils verschiedene Ehrenplatzreservierungen gültig waren, vgl. dazu U. Scamuzzi, Rivista di studi classici 17, 1969, 279 ff. (Circus) und 283 ff. (Theater).

[24] Liv. 34, 44, 5: *gratiam quoque ingentem apud eum ordinem pepererunt quod ludis Romanis aedilibus curulibus imperarunt, ut loca senatoria secernerent a populo; nam antea in promiscua spectabant.* Vgl. Cic. har. resp. 24; Ascon. 55 f. St.; Liv. 34, 54, 4 f.; Val. Max. 2, 4, 3. Das Edikt bestätigte eine bis dahin geübte Praxis; vgl. zur Königszeit Liv. 1, 35, 8; Dion. Hal. 3, 68, 1. Dazu J. Suolahti, Roman Censors, 339; Chr. Meier, Res publica amissa, 62, Anm. 195; T. Bollinger, Theatralis licentia, 3, Anm. 14; I. Sauerwein, Leges sumptuariae, 168; J. Bleicken, Staatliche Ordnung, 39; J. v. Ungern-Sternberg, Chiron 5, 1975, 157 ff., die ebenfalls diese Verfügung in den politischen Kontext der Nachkriegszeit einreihen; vgl. ferner U. Scamuzzi, Riv. St. Cl. 17, 1969, 272 u. Anm. 244.

[25] Vgl. die Bestimmungen der *leges Iulia municipalis* cap. 137 und *col. Gen.* cap. 127, die gesonderte Senatorenplätze sowohl für Theater als auch Circus auch in Rom voraussetzen. Gerade die *lex col. Gen.* von 44 v. Chr. verdeutlicht die Abgrenzung der Stände, da sie Senatorensöhne sowie ehemalige Senatoren einbezieht.

damit verbundenen Erhöhung des Standesbewußtseins ist zu vermuten, daß bereits Ende des 2. vorchristlichen Jahrhunderts ihnen besondere Sitzreihen im Theater eingeräumt worden sind.[26] Im Jahre 68 oder 67 v. Chr.[27] wurde durch die *lex Roscia* diese Einrichtung auch gesetzlich verbindlich geregelt[28] – Sulla hatte offenbar den Rittern das Vorrecht genommen[29] – und damit die Abgrenzung des Ritterstandes von der *plebs* auch formal vollzogen.[30]

Sogar verschuldete Ritter *(decoctores)* erhielten besondere Plätze,[31] zwar außerhalb der 14 Reihen und daher wohl infamierend, aber doch als Kennzeichnung ihrer Standesabkunft.[32] Gerade diese Bestimmung offenbart aber, daß schon in der Spätphase der Republik die Sitzordnung eine über die bloße Kennzeichnung der Standeszugehörigkeit hinausgehende politische Bedeutung haben konnte. Die *principes*, v. a. Augustus, setzten diese Politik fort. Die Aufteilung der Sitzplätze muß in der Kaiserzeit geradezu als eine neue Form der Sittengesetzgebung angesehen werden, und das umso mehr, je größer die Bedeutung der Spiele im Leben der Bürger wurde.[33] Das Theater und der Cir-

---

[26] Cic. Mur. 40; Vell. 2, 32, 3 berichten, daß die *lex Roscia* ein bereits früher existierendes Vorrecht den Rittern zurückgegeben habe; außerdem verbinden sie die Nachricht mit dem Hinweis auf die *lex Aurelia*, durch die die ritterfeindlichen Maßnahmen Sullas rückgängig gemacht wurden: Vell. 2, 32, 3; Ascon. 61 St. Vgl. Chr. Meier, Res publica amissa, 73, Anm. 57; C. Nicolet, L'ordre équestre, 236 ff.; 648 f.; T. Bollinger, Theatralis licentia, 2. Anders U. Scamuzzi, Riv. St. Cl. 17, 1969, 270 ff., der aber ebenfalls ein steigendes standespolitisches Interesse der Ritter hervorhebt (273).

[27] Vgl. U. Scamuzzi, Riv. St. Cl. 17, 1969, 144 ff.

[28] Cic. Mur. 40; Phil. 2, 44; ad Att. 2, 1, 3; 19, 3; Ascon. 61 St.; Liv. per. 99; Hor. ep. 1, 1, 62; epod. 4, 15; Vell. 2, 32, 3; Juv. 3, 159; 14, 324; Plin. n. h. 8, 30 (31), 116; Tac. ann. 15, 32; Suet. Dom. 8; Plut. Cic. 13, 2; Dio 36, 24; vgl. Suet. Aug. 40; Nero 11; Plin. n. h. 33, 2, 8; Quint. decl. 302; SHA v. Hadr. 17. Dazu Th. Mommsen, Staatsrecht III, 519 ff.; V. Gardthausen, Augustus I 2, 910, Anm. 47; II 2, 529, Anm. 47; A. Stein, Ritterstand, 22 ff.; T. Bollinger, Theatralis licentia, 1 ff.; U. Scamuzzi, Riv. St. Cl. 17, 1969, 133 ff.; 259 ff.; 18, 1970, 5 ff.; 374 ff.; J. E. Spruit, Acteurs, 45 f.; A. Pociña Pérez, Zephyrus 26–27, 1976, 435 ff.; E. Tengström, Eranos 75, 1977, 44 ff.

[29] Vgl. Chr. Meier, Res publica amissa, 73, Anm. 57 (mit weiterer Literatur); vgl. aber U. Scamuzzi, Riv. St. Cl. 17, 1969, 270 ff.; bes. 274 ff., der in diesem Fall Resonanz in den Quellen vermutet hätte. Jedenfalls wäre eine solche Bestimmung von C. Gracchus durchaus denkbar gewesen, vgl. Plut. C. Gracch. 12.

[30] Vgl. A. Stein, Ritterstand, 30; C. Nicolet, L'ordre équestre, 236 ff.; bes. 237; 648 f.

[31] Cic. Phil. 2, 44: *lege Roscia decoctoribus certus locus constitutus, quamvis quis fortunae vitio, non suo decoxisset.* Auch hier sind die Söhne einbezogen, wie aus dem Vorherigen deutlich wird. Vgl. Th. Mommsen, Staatsrecht III, 500; R. Leonhard, RE IV (1901), s. v. Decoctor, 2287; T. Bollinger, Theatralis licentia, 4 f.; U. Scamuzzi, Riv. St. Cl. 17, 1969, 269; 18, 1970, 47 ff.

[32] So verbindet zu Recht T. Bollinger, Theatralis licentia, 4, die nur scheinbar widersprüchlichen Ansichten Mommsens und Leonhards (s. vor. Anm.). Die *decoctores* gehörten auch weiterhin dem Ritterstand an.

[33] Nicht nur in Bezug auf die Unterhaltung, sondern auch als politisches Artikulationsforum; vgl. diesen Aspekt schon z. Z. der Republik bei Cic. Sest. 96 ff.; bes. 106. J. Carcopino,

cus boten in der Zeit des Prinzipats einen fast vollkommenen Querschnitt der Gesellschaft: Stand, Beruf, Alter, Geschlecht, Leistungen für den Staat, Familienstand, Ruf waren die Kriterien, nach denen für jeden sichtbar gegliedert wurde. Für Augustus insbesondere war die Sitzordnung im Theater ein willkommenes Feld, auf dem er seine Vorstellungen von der Aufteilung der römischen Gesellschaft und ihrer moralischen Besserung verwirklichen konnte.[34] Durch einen Senatsbeschluß[35] ließ er auch außerhalb Roms die erste Sitzreihe für Senatoren reservieren;[36] in Rom durften nicht einmal ausländische Gesandte dort Platz nehmen.[37] Die Einhaltung der *lex Roscia* über die 14 Reihen wurde streng überwacht;[38] darüber hinaus wurde sie auch auf diejenigen Ritter ausgedehnt, die nicht mehr das für den Zensus erforderliche Vermögen aufbrachten.[39] Die mittleren Sitzreihen *(media cavea)* waren der Plebs vorbehal-

---

So lebten die Römer während der Kaiserzeit, Stuttgart 1959, 236, bezeichnet die Spiele als den Kern der augusteischen Innenpolitik; vgl. auch Z. Yavetz, Plebs, 105; R. Gilbert, Beziehungen, 110; D. Ladage, Collegia Iuvenum – Ausbildung einer municipalen Elite?, Chiron 9, 1979, 342; K. Hopkins, Renewal, 14 ff. Ferner Flav. Joseph. Ant. Jud. 19, 24. Das Ansehen der Kaiser wurde wesentlich von ihrer Spielgebertätigkeit bestimmt. Als Beispiel mag Tiberius angeführt sein, der wenig Interesse für Spiele zeigte und daher oft Gegenstand von Schmähungen wurde, Suet. Tib. 66; 75; vgl. Tac. ann. 6, 13 (32 n. Chr.); 3, 4, 2; 2, 6, 1 f. Wahrscheinlich ist auch die Opposition gegen die Ehegesetze des Augustus zu einem nicht geringen Teil auf das Besuchsverbot von Theater- und Circusvorführungen zurückzuführen, Suet. Aug. 34, 1; Dio 56, 1, 2 ff.; vgl. Macr. 2, 4, 25.

[34] Vgl. Suet. Aug. 44: *Spectandi confusissimum ac solutissimum morem correxit;* vgl. schon für 26 v. Chr. Dio 53, 25, 1.

[35] Über Form und Datierung der einzelnen Verfügungen sind nur Spekulationen möglich. Eine *lex Iulia theatralis* wird von Plin. n. h. 33, 32 und Quint. 3, 6, 18 f. *(lex theatralis)* erwähnt; vgl. Acta divi Augusti, Rom 1945, 201, gegen G. Rotondi, Leges publicae, 462. Nach U. Scamuzzi, Riv. St. Cl. 17, 1969, 311 ff., hat es eine derartige *lex* nie gegeben; Plin. n. h. 33, 32 sei vielmehr auf die *lex Roscia* bezogen. Ein Senatsbeschluß wird von Suet. Aug. 44 *(facto igitur decreto patrum)* genannt. Ebenso sind Verfügungen in Ediktform anzunehmen, wie ebenfalls aus den Termini bei Suet. Aug. 44 *(sanxit, concessit, dedit, summovit, edixerit)* hervorgeht. Eine der Verfügungen galt nur für einen bestimmten Anlaß.

[36] Suet. Aug. 44: *facto . . . decreto patrum, ut, quotiens quid spectaculi usquam publice ederetur, primus subselliorum ordo vacaret senatoribus.* Anlaß dieses Beschlusses war, daß in Puteoli einem Senator nicht Platz gemacht worden war; man wollte also römische Verhältnisse auch in den Munizipien verbindlich machen. Vgl. Dio 55, 22, 4, der für 5 n. Chr. eine Trennung von Senatoren und Rittern im Circus berichtet. Die Beziehung auf Theater und Circus wird von T. Bollinger, Theatralis licentia, 10 f., untersucht.

[37] Suet. Aug. 44: *Romae legatos liberarum sociarumque gentium vetuit in orchestra sedere, cum quosdam etiam libertini generis mitti deprehendisset.* Der Grund lag also darin, daß sich in der *orchestra,* d. h. dem halbrunden Platz vor der Bühne, Leute niederen Standes gesetzt hatten. Das Verbot blieb allerdings nicht sehr lange gültig, vgl. unter Claudius Suet. Claud. 25; Nero: Tac. ann. 13, 54, 3 f.; Trajan: Dio 68, 15, 2.

[38] Suet. Aug. 44 (kein Gewöhnlicher auf den Ritterplätzen); Quint. 3, 6, 18 f.; D 48, 7, 1 pr.

[39] Suet. Aug. 40; vgl. Plin. n. h. 33, 32; vgl. aber die Haltung des Augustus zu den durch Verschwendung Verarmten: Macr. 2, 4, 25.

ten, während die obersten und ungünstigsten Plätze von Armen,[40] Nichtbür-
gern, Sklaven und vielleicht auch Frauen eingenommen wurden.[41] Doch nicht
nur Standesunterschiede sollten sichtbar gemacht werden.[42] Die Heraushebung
von Leistungen und Funktionen bestimmter Gruppen durch Ehrenplatzzutei-
lung im Theater und Circus war gleichzeitig ein Mittel der augusteischen Sittengesetzgebung, dessen Effektivität noch durch die Gliederung nach Tribus[43]
– denn sie gestattete es kaum, in der Anonymität zu verschwinden[44] – und die
überragende Bedeutung der Spiele im Prinzipat gesteigert wurde. Diese wurde
gerade im Rahmen der Ehegesetzgebung von Augustus ausgespielt. So wies er
den verheirateten Bürgern eine eigene, sicher günstigere Sektion zu[45] und verbot sogar die Teilnahme an bestimmten Festlichkeiten denjenigen, die den
Bestimmungen der Gesetze nicht genügten, d.h. unverheiratet oder kinderlos
waren.[46]Aber auch andere moralische Anforderungen mußten die Angehörigen
der Stände erfüllen, wenn sie nicht ihr Vorrecht im Theater und Circus verlieren und damit in aller Öffentlichkeit degradiert werden wollten.[47] Auch hier
hielt sich Augustus durchaus an die überlieferten *exempla maiorum*; denn schon
in republikanischer Zeit bedeutete die Ausstoßung aus dem Senat oder die
Wegnahme des Ritterpferdes durch die Zensoren gleichzeitig auch den Verlust

---

[40] Calp. Sic. 7, 26 f.: *venimus ad sedes, ubi pulla sordida veste inter femineas spectabat turba
cathedras.*

[41] Suet. Aug. 44; Calp. Sic. 7, 26 f. für das Amphitheater. Eine Geschlechtertrennung ist,
wenn sie überhaupt gesetzlich festgelegt wurde, nicht streng eingehalten worden, wie zahlreiche Quellenbelege zeigen, vgl. T. Bollinger, Theatralis licentia, 19 f. Nach Dio 69, 8, 2
wurden unter Hadrian Frauen und Männer im Circus getrennt; dazu F. Coarelli, Rom. Ein
archäologischer Führer, Freiburg/Basel/Wien 1980, 171 ff.

[42] Vgl. Stat. Silv. 1, 6, 44: *parvi, femina, plebs, eques, senatus;* Dio 55, 22, 4; 60, 7, 3; Verg.
Georg. 2, 508 ff.

[43] So J. Marquardt, Staatsverwaltung III, 537; O. Navarre, DS V (1919), s. v. Theatrum,
204. Zweifelnd dagegen E. Tengström, Eranos 75, 1977, 46. Vgl. Dion. Hal. 3, 68, 1; Tac.
ann. 3, 4, 1 (Beisetzung des Germanicus auf dem Marsfeld *per tribus*); weitere Hinweise bei
T. Bollinger, Theatralis licentia, 14 f. Außerdem spricht die traditionell enge Bindung der *tribules* untereinander, wie sie v. a. auch in der Unterstützung von Amtsbewerbern zum Ausdruck kam, zumindest für eine faktische Gliederung im Theater bzw. Circus nach Tribus;
vgl. Chr. Meier, Res publica amissa, 38 ff.; L. R. Taylor, Party politics, 62 ff.

[44] Die auch äußerliche Sichtbarmachung bestimmter Leistungen für den Staat haben
Cäsar und Augustus auch sonst, v. a. durch Kleidung oder Schmuck, als Mittel ihrer Politik
eingesetzt, vgl. oben S. 59 f.

[45] Suet. Aug. 44: *maritis e plebe proprios ordines assignavit.* Wenn hier ausdrücklich die
Bestimmung auf die Plebs beschränkt wird, kann man vermuten, daß Augustus eine derartige Zweiteilung bei den oberen Ständen nicht wagen konnte.

[46] So zu erschließen aus den uns überlieferten Befreiungen von diesem Verbot im Jahre
17 (CIL VI 32323–32324) und 12 v. Chr. (Dio 54, 30, 5); vgl. dazu unten S. 166, Anm.
220.

[47] Dieser Zusammenhang wird v. a. daraus deutlich, daß die Quellen gelegentlich das
Recht, in den 14 Reihen zu sitzen, als synonym für die Zugehörigkeit zum Ritterstand
erwähnen, z. B. Plin. n. h. 33, 32; Quint. 3, 6, 18 f.; D 48, 7, 1 pr u. ö.

aller diesen Ständen zukommenden Ehrenrechte, zu denen auch die Sitzplätze im Theater zählten.[48] Bereits erwähnt wurde die Sonderplatzzuweisung an die *decoctores* aus dem Ritterstand durch die *lex Roscia* aus dem Jahre 67 v.Chr. Zur Zeit Cäsars durfte der Ritter Laberius, der als Schauspieler aufgetreten war, erst wieder auf den Ritterplätzen sitzen, nachdem ihm der *anulus aureus* als Zeichen seiner Wiederanerkennung als Ritter von Cäsar verliehen worden war,[49] und auch danach verwehrten ihm seine Standesgenossen den Zutritt.[50] Durch die *lex Iulia municipalis* war es anrüchigen Personen (Kupplern, Gladiatoren, Schauspielern, etc.) verboten, auf den Plätzen der *decuriones* zu sitzen.[51] In diesem Rahmen bewegte sich auch Augustus, als er – vielleicht durch ein Gesetz[52] – Schauspielern untersagte, in den ersten 14 Reihen zu sitzen,[53] womit natürlich ein Verbot für Ritter, als Schauspieler aufzutreten, gemeint war. Das gleiche galt wahrscheinlich auch für die nach der *lex de vi privata* Verurteilten[54] und überhaupt infame Personen.[55]

Auch das von ihm gelegentlich kritisierte äußere Erscheinungsbild der Plebs[56] versuchte er durch das Edikt *(sanxit), ne quis pullatorum media cavea sederet,*[57] auch im Theater zu korrigieren. Damit waren vor allem die Nichtbürger und Sklaven auf die obersten, d.h. ungünstigsten Plätze verwiesen. Darüber hinaus bekamen einzelne Bevölkerungsgruppen besondere Abteilungen im Theater,[58] die teils als Auszeichnung gedacht waren, teils das Zusammengehörigkeitsgefühl stärken, teils aber auch den moralischen Standard der Betreffenden aus-

---

[48] Im Jahre 189 v.Chr. durfte der von Cato notierte L.Quinctius Flamininus auf Drängen des Volkes wieder auf den Senatorenplätzen sitzen, Val. Max. 4, 5, 1; vgl. S. 15, Anm. 58.

[49] Vgl. oben S.20f. Besonders Suet. Caes.39, 2: *Ludis Decimus Laberius eques Romanus mimum suum egit, donatusque . . . anulo aureo, sessum in quattuordecim e scaena per orchestram transiit.* Ein ähnlicher Fall ist aus Cádiz überliefert, wo offenbar im Jahre 43 ebenfalls die 14 Reihen eingeführt wurden: Cic. ad. fam. 10, 32, 2: *. . . haec quoque fecit* (sc. L. Cornelius Balbus) *ut ipse gloriari solet, eadem quae C. Caesar: ludis quos Gadibus fecit, Herennium Gallum histrionem, summo ludorum die anulo aureo donatum, in XIIII sessum deduxit; tot enim fecerat ordines equestris loci;* vgl. CIL X 4587; für Perugia: Suet. Aug. 14.

[50] Macr. 2, 3, 10; 7, 3, 8; Sen. contr. 7, 3, 9: *omnes* (sc. *equites) ita se coartaverunt, ut venientem non reciperent,* womit sie deutlich die Verletzung des Standesbewußtseins durch Laberius zum Ausdruck brachten; vgl. dazu J. E. Spruit, Acteurs, 45 f.

[51] Cap. 138; 133; vgl. *lex col. Gen.* 125–127.

[52] Vgl. oben S. 139, Anm. 35.

[53] Quint. 3, 6, 18: *qui artem ludicram exercuerit in XIV primis ordinibus ne sedeat.*

[54] D 48, 7, 1 pr (Macrianus): *De vi privata damnati . . . neve in eum ordinem sedeat.*

[55] Vgl. Quint. decl. 302. Dazu A. Biscardi, Studi de Francisci IV, 120; O. Diliberto, Ricerche, 15 f., Anm. 33 und 34.

[56] Vgl. oben S. 60.

[57] Suet. Aug. 44.

[58] Dazu J. Kolendo, La répartition des places aux spéctacles et la stratification sociale dans l'empire romain. A propos des inscriptions sur les gradins des amphiteâtres et theâtres, Ktema 6, 1981, 301–315.

drücken sollten. Durch besondere Plätze geehrt und auch unter ihren Standesgenossen[59] herausgehoben wurden Amtsinhaber:[60] Überliefert sind Vorrechte
für die Volkstribunen,[61] *viatores tribunicii*,[62] vielleicht auch ehemalige Militär-
tribunen und Mitglieder des Vigintivirates,[63] Vestalinnen,[64] *pontifices* und
Auguren,[65] *fratres Arvales*,[66] ohne daß diese Liste Vollständigkeit beanspruchen
könnte. Diese Platzzuweisung entsprang in der Prinzipatszeit vor allem einer
politischen Absicht, nämlich die Übernahme öffentlicher Funktionen durch
gesellschaftliche Aufwertung attraktiver zu machen.[67] Aber sie konnte auch als
Belohnung verliehen werden.[68] Schon Augustus ließ den im Jahre 18 freiwillig
zurückgetretenen Senatoren die Insignien, darunter auch die Ehrenplätze im
Theater.[69] Im Jahre 32 schlug ein Senator vor, auch den Prätorianern nach ihrer
Entlassung das Recht der 14 Reihen zu erteilen, was allerdings von Tiberius
abgelehnt wurde.[70] Erzieherische Motive waren ausschlaggebend für die Schaf-

---

[59] Unter Tiberius klagte i. J. 21 ein Ex-Prätor Domitius Corbulo einen jungen Adligen
L. Sulla an, ihm bei einem Gladiatorenspiel nicht Platz gemacht zu haben. Die Angelegenheit wurde im Senat verhandelt, Tac. ann. 3, 31.

[60] Dazu U. Scamuzzi, Riv. St. Cl. 18, 1970, 41 ff.

[61] Dio 44, 4, 2 zur Zeit Cäsars.

[62] Tac. ann. 16, 12, 1 (65 n. Chr.): *locus in theatro inter viatores tribunicios.* Sonderplätze
also auch für Apparitoren.

[63] Ov. fast. 4, 383 f.: *hanc ego militia sedem, tu pace parasti / inter bis quinos usus honore
viros*; Porphyrio u. Ps. Acro ad Hor. epod. 4, 15 f.; vgl. Mart. 3, 95, 9 f.; dazu T. Bollinger,
Theatralis licentia, 5.

[64] Suet. Aug. 44: *Virginibus Vestalibus locum in theatro, separatim et contra praetoris tribu-
nal, dedit*; vgl. Tac. ann. 4, 16; ferner Cic. Mur. 35, 73; Plut. Crass. 1,; Macr. 3, 13, 11. Die
Vestalin Licinia stellte 63 v. Chr. L. Licinius Murena ihren Theaterplatz zur Verfügung, vgl.
B. Förtsch, Politische Rolle, 18.

[65] Lex. col. Gen. 66: *eisque pontificib(us) auguri(bus)q(ue) ludos gladiatores(que) inter decuriones spectare ius potestasque esto.*

[66] Vgl. die Arvalinschrift 80 n. Chr. CIL VI 32363 = ILS 5049; dazu T. Bollinger, Theatralis licentia, 21 ff.

[67] Die politische Bedeutungslosigkeit in Verbindung mit der hohen finanziellen Belastung
verstärkte den Unwillen, sich politisch zu betätigen, vgl. z. B. Tac. ann. 16, 17; hist. 2, 86, 3;
Suet. Aug. 40; Claud. 24, 1; Dio 54, 26, 3–9; 54, 30, 2 (Mangel an Tribunen). Dazu
A. E. Astin, Latomus 22, 1963, 226 ff., gegen A. H. M. Jones, The elections under Augustus,
JRS 45, 1955, 10 ff. Dem Rückzug ins Privatleben versuchten die Kaiser durch finanzielle
Unterstützung und Erteilung von Ehrenrechten entgegenzuwirken, vgl. L. Friedländer,
Darstellungen II, 134 ff.; P. Sattler, Senat, 40 f.; H. Kloft, Liberalitas principis, 77 ff.; F. Mil-
lar, Emperor, 297 f.

[68] Tac. ann. 16, 12: *liberto et accusatori praemium operae locus in theatro inter viatores tribunicios datur;* vgl. auch Suet. Aug. 40; Dio 53, 27, 6. Die Verselbständigung der Verleihung
von Ehrenrechten, die im Laufe der Zeit den Bezug zu ihrem ursprünglichen Zweck verloren, kann durchaus als typisch für die Prinzipatszeit angesehen werden, vgl. z. B. die Entwicklung des *ius liberorum,* dazu unten S. 165; 170.

[69] Suet. Aug. 35; Dio 54, 14, 4.

[70] Tac. ann. 6, 3; Dio 58, 18, 3 f.

fung eines eigenen *cuneus* für die *praetextati* in der Nähe ihrer Erzieher.[71] Ähnliche Maßnahmen sind auch für die *iuvenes* bezeugt.[72]

Aus sittlichen Gründen wurden Frauen ganz ausgeschlossen von Gladiatorenspielen[73] und von Athletenvorführungen;[74] bei den Spielen, die Augustus als *pontifex maximus* gab, wurde ihnen ein Besuch erst nach der 5.Stunde gestattet.[75] Auch das Militär erhielt von der Plebs gesonderte Plätze.[76]

Die Gültigkeit dieser Sitzordnung ist auch für die spätere Zeit belegt;[77] unter Tiberius galt das Recht, in den 14 Reihen zu sitzen, als ein Qualifikationserfordernis für die Zugehörigkeit zum Ritterstand.[78] Zusätzlich sind von Claudius und Nero feste Sitze auch im Circus für Senatoren[79] und Ritter[80] reserviert worden. Domitian schließlich ließ die Einhaltung der *lex Roscia* durch Aufseher

---

[71] Suet. Aug. 44; vgl. ILS 5654; ähnlich auch Suet. Aug. 31: *Saecularibus ludis iuvenes utriusque sexus prohibuit ullum nocturnum spectaculum frequenter nisi cum aliquo maiore natu propinquorum;* vgl. V. Gardthausen, Augustus II 2, 526; G. Pfister, Erneuerung, 32.

[72] Wobei allerdings die Urheberschaft des Augustus nicht sicher, aber wahrscheinlich ist, vgl. U. Scamuzzi, Riv. St. Cl. 17, 1969, 267; 18, 1970, 39 ff. Tac. ann. 2, 83; dazu M. I. Rostovtzew, Bleitesserae, 44; G. Pfister, Erneuerung, 32; 42; 111, Anm. 113. Auch in den Provinzen sind gelegentlich für *iuvenes* gesonderte Plätze bezeugt: CIL XIII 3708.

[73] Suet. Aug. 44: Bisher gab es offenbar für sie keine Beschränkungen, vgl. Ov. ars. amat. 1, 89 ff.

[74] Suet. Aug. 44. Der Grund lag wohl in dem nackten Auftreten der Athleten, Tac. ann. 14, 20; vgl. Plin. n. h. 15, 19; 29, 26; 35, 168; Sen. ep. 88, 18.

[75] Zu diesem Zeitpunkt waren nämlich die Faustkämpfe beendet, vgl. G. Pfister, Erneuerung, 91, Anm. 132; E. Mähl, Gymnastik und Athletik im Denken der Römer, Amsterdam 1974, 34.

[76] Suet. Aug. 44.

[77] Generell zur Entwicklung der *lex Roscia* U. Scamuzzi, Riv. St. Cl. 17, 1969, 292 ff. Unter Tiberius: Tac. ann. 2, 83, 4; 6, 3, 1; Dio 58, 18, 3 f.; Plin. n. h. 33, 32; Nero: Tac. ann. 15, 32; Domitian: Suet. Dom. 8 und unten Anm. 81; vgl. auch Juv. 3, 152 ff.; Dio 55, 22, 4; Stat. Silv. 1, 6, 44.

[78] So im Senatsbeschluß von 23 bei Plin. 33, 32; vgl. U. Scamuzzi, Riv. St. Cl. 17, 1969, 263 f. (schon für die *lex Roscia*); 299 f.

[79] Suet. Claud. 21: *propria senatoribus constituit loca promiscue spectare solitis.* Dio 60, 7, 3 f. berichtet von derselben Maßnahme mit dem Zusatz, daß auch in früherer Zeit die drei Stände getrennt gesessen hätten, vgl. Dio 55, 22, 4. Claudius gestattete aber ausdrücklich den Senatoren, auch auf anderen Plätzen zu sitzen, selbst in gewöhnlicher Kleidung. Daraus kann man schließen, daß nicht für alle Senatoren die Prohedrie erstrebenswert war und daß Sueton «nicht die geltende Ordnung..., sondern das Brauch gewordene Abweichen von ihr» gemeint hat (T. Bollinger, Theatralis licentia, 11), vgl. Plin. ep. 9, 23, 2. Caligula hatte den Senatoren auch das Vorrecht eingeräumt, auf Kissen zu sitzen: Dio 59, 7, 8.

[80] Suet. Nero 11: *Circensibus loca equiti secreta a ceteris tribuit;* Tac. ann. 15, 32: *equitum Romanorum locos sedilibus plebis anteposuit apud circum; namque ad eam diem indiscreti inibant, quia lex Roscia nihil nisi de quattuordecim ordinibus sanxit;* vgl. Plin. n. h. 8, 21; Suet. Caes. 39.

sichern, da immer häufiger Unbefugte auf den Ritterplätzen entdeckt worden waren.[81]

Wie sehr andererseits Ritter und Senatoren auf das Wohlwollen der Kaiser angewiesen waren, zeigen die von manchen Kaisern provozierten Mißachtungen ihrer Vorrechte.[82] Überhaupt führte die wachsende Bedeutung der mit zahlreichen Privilegien verbundenen Statussymbole zu immer häufiger werdenden widerrechtlichen Anmaßungen derselben durch Nichtberechtigte.[83] Das galt weniger für die der Senatoren als für die der Ritter. Schon bald waren deshalb gesetzliche Regelungen erforderlich,[84] von denen hier insbesondere ein Senatsbeschluß vom Jahre 23 n. Chr., der sich gegen die Usurpierung der Statussymbole des Ritterstandes richtete,[85] und die *lex Visellia* von 24 n. Chr., durch die Freigelassenen die Usurpation von Amt und Status von *ingenui* untersagt wurde,[86] hervorgehoben seien.

Es bleibt also festzuhalten, daß die Sitzplatzregelungen für beide Seiten, Kaiser und Oberschicht, bedeutsam waren: Der Oberschicht dienten sie zur Demonstration ihrer gehobenen sozialen Stellung und waren damit mehr als lediglich Ausdruck eines Standesbewußtseins; den Kaisern wiederum bot sich hier die Möglichkeit, die Abhängigkeit der Oberschicht von derartigen Privilegien und Statussymbolen als Bestätigung ihres sozialen Ansehens für ihre politischen Ziele auszunutzen.

---

[81] Suet. Dom. 8, 3: *licentiam theatralem promiscue in equite spectandi inhibuit* im Rahmen seiner *correctio morum;* Mart. 5, 8; 14, 2; 23; 25; 27; 38 (die Aufseher erwähnt Mart. 5, 8; 14).

[82] Das war besonders unter Caligula der Fall: Suet. Cal. 26, 4: *Scaenicis ludis inter plebem et equitem causam discordiarum serens decimas maturius dabat, ut equestria ab infimo quoque occuparentur;* vgl. Flav. Jos. Ant. Jud. 19, 24. Auch unter Trajan saßen Söhne von Kupplern, Gladiatoren und Fechtmeistern auf den Ritterplätzen, Juv. 3, 156 ff. Ferner für die spätere Zeit SHA v. Did. Jul. 4, 7; Pesc. Nig. 3, 1.

[83] Vgl. L. Friedländer, Darstellungen I, 114; Th. Mommsen, Strafrecht, 1032 ff.; A. Stein, Ritterstand, 39 ff.; M. Reinhold, Historia 20, 1971, 280 ff.; F. Kolb, Chiron 7, 1977, 256 f.

[84] Vgl. Paul. Sent. 5, 4, 10. Zu der diesbezüglichen Gesetzgebung Th. Mommsen, Staatsrecht III, 517 ff.; M. Reinhold, Historia 20, 1971, 275 ff.

[85] Plin. n. h. 33, 32: Das SC kam auf Klage des Senators C. Sulpicius Galba zustande, daß selbst Händler und Kneipenbesitzer den Goldring trügen und die Privilegien des Ritterstandes usurpierten. Es bestimmte, daß a) nur Freigeborene, deren Vater und Großvater auch *ingenui* waren und die b) ein Vermögen von mindestens 400000 HS besaßen und c) in den 14 Reihen sitzen durften, als Ritter aufgenommen wurden. Dazu A. H. M. Jones, Studies, 40 ff.; M. T. Henderson, JRS 53, 1963, 65 ff.; T. P. Wiseman, Historia 19, 1970, 81; ders., New men, 69; M. Reinhold, Historia 20, 1971, 286; B. Levick, Tiberius, 116 f.; S. Demougin, in: C. Nicolet, Des ordres à Rome, 228 f.

[86] CJ 9, 21; 31; 10, 33, 1; CTh 9, 10; Gai. 1, 32 a; Ulp. 3, 5; vgl. M. Reinhold, Historia 20, 1971, 286; B. Levick, Tiberius, 116 f.; S. Demougin in: C. Nicolet, Des ordres à Rome, 232. Unter Claudius wurden 400 Personen wegen Übertretung der Bestimmungen vor Gericht belangt, Suet. Claud. 25, 1; Plin. n. h. 33, 33.

3.3 Die Gesetzgebung

3.3.1 Die Gesetzgebung zur Wahrung der Standesehre

Derjenige Komplex von Bestimmungen, der die Ausübung gewisser Tätigkeiten oder Berufe den Senatoren bzw. Rittern untersagte, wird von der modernen Forschung häufig mißverstanden. Der Kaiser erscheint zumeist in der Rolle des Sittenrichters, der die Verstöße gegen die Standesehre als Ausdruck eines Sittenverfalls innerhalb der Oberschicht anprangert.[87] Die folgende Untersuchung wird jedoch zeigen, daß diese Auffassung kaum aufrechterhalten werden kann.

In der Republik unterlag der Bereich der Standesehre dem zensorischen *regimen morum*; die recht spärliche Überlieferung läßt allerdings vermuten, daß gravierende Verletzungen des traditionellen Verhaltenskodexes, wie etwa Bühnen- und Arenaauftritte von Senatoren bzw. Rittern, selten waren. Noch 46 v.Chr. weigerten sich die Ritter, einen der Ihrigen, D.Laberius, der von Cäsar zu einem Bühnenauftritt veranlaßt worden war, aber die Insignien des Ritterstandes erneut verliehen bekommen hatte, in ihren Reihen aufzunehmen.[88] Besondere Aufmerksamkeit verdient dabei jedoch weniger das Verhalten der Standesgenossen des Laberius, das ja lediglich die traditionelle Mißachtung dieses ‹Berufes› ausdrückt und daher nicht ungewöhnlich ist, sondern die Urheberschaft Cäsars.[89] Im gleichen Jahr 46 ließ er Angehörige der Oberschicht anläßlich seines *munus* auftreten.[90] Damit war die Schwelle für derartige, auch weiterhin mit Infamie behaftete Auftritte[91] auf der Bühne oder in der Arena,

---

[87] Z.B. L.Friedländer, Darstellungen II, 21: «daß die Hauptschuld dieser entehrenden Teilnahme der höheren Stände an den Schauspielen (wenn man die neronische Zeit ausnimmt) nicht auf seiten der Kaiser lag.»

[88] Vgl. oben S.20f.; 141f. Bes. Sen. contr.7, 3 (18), 9: *. . . Laberium divus Iulius ludis suis mimum produxit, deinde equestri illum ordini reddidit; iussit ire sessum in equestria; omnes ita se coartaverunt, ut venientem non reciperent.* Vgl. dazu die ironische Bemerkung Ciceros bei Macr.7, 3, 8: *reciperem te nisi anguste sederemus.* Das Verbot für Schauspieler, Gladiatoren etc., in den 14 Reihen Platz zu nehmen, muß nicht *expressis verbis* in der *lex Roscia* enthalten gewesen sein (so U.Scamuzzi, Riv. St. Cl. 18, 1970, 55; 57), angesichts der auch zu dieser Zeit ungeschmälerten Verachtung dieses Personenkreises, vgl. J.E.Spruit, Acteurs, 39; 44ff.

[89] Daß Cäsar sich auch sonst freizügig über traditionelle Vorstellungen in diesem Bereich hinwegsetzte, zeigt Suet. Caes.26, 3: *tirones neque in ludo neque per lanistas sed in domibus per equites Romanos atque etiam per senatores armorum peritos erudiebat.*

[90] Suet. Caes.39; Dio 43, 23, 4f. Wahrscheinlich meinen Sueton und Dio dieselbe Person, auf die vielleicht auch Hor. Sat.2, 7, 96 anspielt. Dazu F.Münzer, RE VII (1910), s.v. Fulvius (108), 279; M.Malavolta, SC da Larino, 354f., Anm. 2. Man wird dabei wohl an eine ähnliche Befreiung von der Infamie wie im Fall des Laberius zu denken haben, vgl. G.Ville, Gladiature, 256.

[91] Vgl. insbesondere die zur Zeit Cäsars erlassene *lex Iulia municipalis* cap.112; 123: die Auftritte waren ein Hindernis für das Dekurionat.

die in republikanischer Zeit für Ritter und erst recht für Senatoren fast undenkbar schienen,[92] von Cäsar erheblich gesenkt worden, wie die weitere Entwicklung zeigte. Der Grad der Entehrung in diesem Bereich richtete sich nach der
persönlichen Haltung der einzelnen Herrscher, die dabei immer mehr ihre eigenen, anders gelagerten Interessen in den Vordergrund stellten. Bereits unter
Augustus war die Veranstaltung von Spielen ein nicht unwesentliches Mittel seiner Innenpolitik.[93] Von Anfang an waren die Herrscher darauf bedacht, die von
ihnen gegebenen Spiele in besonderem Glanz erstrahlen zu lassen,[94] denn ihre
Popularität hing wesentlich von der Spielgebertätigkeit[95] und sogar von ihrem
Verhalten während der Spiele ab.[96] Deshalb lag es nahe, die Spiele durch Auftritte angesehener Mitglieder der Oberschicht attraktiver zu machen.[97] Damit

---

[92] Gladiatorenauftritte von Rittern und Senatoren sind vor Cäsar (jedenfalls in dieser
Form) nicht bezeugt, vgl. G. Ville, Gladiature, 255, Anm. 65, der sich auch mit den von
Cicero gegen L. Antonius erhobenen Vorwürfen in dieser Richtung auseinandersetzt (Cic.
Phil. 5, 7, 20; 6, 5, 13; 7, 6, 17; vgl. 3, 31).

[93] Das geht allein schon aus seinem Tatenbericht hervor, der sich zu einem großen Teil mit
der Spielgebung befaßt. Politische Funktionen hatten die Spiele natürlich auch in der Republik, über deren Tragweite v. a. auch eine restriktive Gesetzgebung besonders in der
Endphase Auskunft gibt (vgl. oben S. 106 ff.). Eine besondere Bedeutung, zumal als Forum
wechselseitiger Beeinflussung von Plebs und Princeps erlangten sie jedoch erst in der Prinzipatszeit: dazu Z. Yavetz, Plebs, 105; T. Bollinger, Theatralis licentia, 55; R. Gilbert, Beziehungen, 77; D. Ladage, Chiron 9, 1979, 342 (Klientelbildung!); J. Deininger, Brot und
Spiele, Tacitus und die Entpolitisierung der plebs urbana, Gymnasium 86, 1979, 278 ff. Flav.
Jos. Ant. Jud. 19, 24 sieht in dieser Wechselwirkung überhaupt den Hauptgrund für das Verlangen nach Spielen.

[94] Vgl. G. Ville, Gladiature, 123, zu dem Unterschied zwischen privaten und kaiserlichen
munera. Auch gesetzliche Maßnahmen zur Kostendämpfung verhinderten, daß andere mit
den Kaisern um die Austragung besonders glanzvoller Spiele rivalisieren konnten. Vgl.
L. Robert, Gladiateurs, 274 f.; G. Ville, Gladiature, 121 f.

[95] Die beiden Extreme während der Zeit der julisch-claudischen Dynastie werden von
Tiberius auf der einen Seite und Caligula und v. a. Nero auf der anderen Seite verkörpert:
Tiberius hatte offensichtlich «die Bedeutung einer gezielten Öffentlichkeitsarbeit» in Form
von Spielgebung verkannt (R. Gilbert, Beziehungen, 101): Suet. Tib. 34, 1; 47; Tac. ann. 4,
62, 2; Dio 58, 1, 1. Seine Unbeliebtheit, die sich in häufigen Schmähungen offenbarte (Tac.
ann. 3, 4, 2; 3, 6, 1 ff.; 6, 13; Suet. Tib. 66), liegt zum großen Teil in diesem Mangel an Sensi-
bilität für die Interessen der Massen begründet. Dagegen ließen sich Caligula (Suet. Cal. 15;
Dio 59, 9, 6) und Nero (Tac. ann. 14, 14 u. ö.) in diesem Bereich kaum einengen.

[96] Plin. pan. 51; vgl. J. Carcopino, So lebten die Römer, 235. Erwartet wurde zumindest
Aufmerksamkeit des Kaisers: Das Desinteresse Cäsars (Suet. Aug. 45) oder gar des Tiberius
empfand man als Kränkung. Besonders populär waren hingegen die Kaiser, die die vom
Volk begünstigte ‹Partei› z. B. im Circus unterstützten; vgl. dazu R. Auguet, Cruelty, 120 ff.;
Anm. 183 ff.; A. Cameron, Circus factions, Blues and Greens at Rome and Byzantium,
Oxford 1976; W. Backhaus, in: Geschichte der Leibesübungen II, 216.

[97] Vgl. Dio 56, 25, 8: δεινῶς οἱ ἀγῶνες αὐτῶν ἐσπουδάζοντο. Darin lag sicher ein
Hauptgrund für die Auftritte. Darüber hinaus mag die Teilnahme an den *ludi* für junge Ritter auch eine von den Kaisern begrüßte Prüfung gewesen sein: vgl. M. I. Rostovtzew, Bleitesserae, 64 f.; A. Neumann, RE Suppl. X (1965), s. v. disciplina militaris, 160 f.; M. Jaczy-

war aber keineswegs auch eine gesellschaftliche Aufwertung des Gladiatoren- oder Schauspielerberufes verbunden; im Gegenteil, das Standesbewußtsein gerade der Senatoren wurde, wie zahlreiche Äußerungen antiker Autoren zeigen,[98] empfindlich getroffen, wenn Angehörige ihres Standes oder auch des Ritterstandes sich für Bühnen- oder Arenaauftritte verdingten.[99] Die Gesetzgebung in diesem Bereich spiegelt also durchaus einen Interessenkonflikt zwischen Kaiser und Senat wider, und ihre Entwicklung offenbart auch das zunehmend sich verschiebende Gewicht beider Parteien: Ihren Höhepunkt erreichte sie in einer Zeit des Ausgleichs, um dann als Ausdruck der immer deutlicher hervortretenden Machtüberlegenheit des *princeps* abzufallen und schließlich zu verschwinden. Erste gesetzgeberische Maßnahmen sind uns noch aus der Bürgerkriegszeit überliefert. Im Jahre 40 v. Chr. sind zwar Ritter als Tierkämpfer bezeugt,[100] doch drei Jahre später wurde nicht nur ein junger Senator, der als Gladiator kämpfen wollte, daran gehindert, sondern Angehörigen des Senatorenstandes dieses allgemein verboten.[101] Neun Jahre später (29) scheint anläßlich der Weihung der *aedes Caesaris* dieses Verbot wieder ausgesetzt worden zu sein,[102] denn der Senator Q. Vitellius taucht als Gladiatorenkämpfer in der Arena auf.[103] Daß Augustus Ritter als Schauspieler, Tänzer[104] oder Gladiato-

---

nowska, Les associations de la jeunesse romaine sous le Haut-Empire, Wroclaw 1978, 50; anders: G. Pfister, Erneuerung, 58; 60.

[98] Horaz z. B. stellt die Schauspielerinnen mit *meretrices* auf eine Stufe (Sat. 1, 2, 58; vgl. 1, 2, 2; 1, 10, 6). Vgl. aber besonders die harte Kritik am Auftreten Adliger bei Tacitus (ann. 14, 14 ff.; 20 u. ö.) und Juvenal (v. a. in der 8. Satire; vgl. auch 11, 53).

[99] Über diese sogenannten *auctorati* vgl. Appendix. Gründe für das Verdingen waren in erster Linie Geld, aber auch Popularität (Gladiatoren tauchen als *decus puellarum; suspirium puellarum* auf: ILS 5142 a; 5142 b; vgl. K. Hopkins, Renewal, 21: «the shouts of the crowd»), Demonstration der im Training erworbenen Fähigkeiten (vgl. Plin. pan. 33, 1); vgl. C. Sanfilippo, Studi Biscardi I, 190 ff. Zur sozialen Herkunft der Gladiatoren vgl. L. Friedländer, Darstellungen II, 54 ff.; M. Grant, Gladiators, London 1967, 92 ff.; G. Ville, Gladiature, 228 ff.; zur Geringschätzung der Schauspieler und deren Ursache J. E. Spruit, Acteurs, 15 ff.; 90 ff.

[100] Dio 48, 33, 4: ἔν τε τῷ πρὸ τούτου ἔτει θηρία τε ἐν τῇ τῶν Ἀπολλωνίων ἱπποδρομίᾳ ἄνδρες ἐς τὴν ἱππάδα τελοῦντες κατέβαλον.

[101] Dio 48, 43, 3: προσαπηγορεύθη . . . βουλευτὴν μονομαχεῖν. In welcher Form dieses Verbot erlassen wurde, ist unbekannt.

[102] Sicher mit Billigung Oktavians und vielleicht gegen den Willen des Senates, vgl. G. Ville, Gladiature, 256.

[103] Dio 51, 22, 4. Den besonderen Charakter dieser sicher von Oktavian veranstalteten Spiele (vgl. G. Ville, Gladiature, 99 ff.) spiegelt auch die Tatsache wider, daß εὐπατρίδαι παῖδες das Trojaspiel vorführten. Dieses Reiterspiel – das er nach Suet. Aug. 43 *frequentissime* veranstaltete und das Dio 43, 20; 51, 22; 54, 26 bei drei Gelegenheiten überliefert – wurde von konservativen Senatoren wie Asinius Pollio, zweifellos aus politischen Gründen, obwohl Gefahren für die Gesundheit vorgeschoben wurden, bekämpft, Suet. Aug. 43; dazu G. Pfister, Erneuerung, 29 f. Auch an anderen Wettkämpfen nahmen Angehörige der Oberschicht teil.

ren[105] und sogar vornehme Frauen[106] auftreten ließ, ist mehrfach bezeugt. Im Jahre 22 wurde daraufhin ein Senatsbeschluß erwirkt, der allen Senatoren und Rittern dies generell verbot.[107] Auch diese Bestimmung wurde schon bald übertreten: L. Domitius Ahenobarbus *praeturae consulatusque honore equites R. matronasque ad agendam mimum produxit in scaenam.*[108]

Die Billigung des Augustus wird man voraussetzen können.[109] Es überrascht daher auch nicht, daß Augustus schließlich im Jahre 11 n. Chr. sogar das geltende Recht der Praxis anpaßte und damit seine wirkliche Haltung offenbarte: Mit einer wenig überzeugenden Begründung wurde den Rittern (nicht aber den Senatoren; so weit konnte oder wollte er nicht gehen) das Auftreten als Gladiatoren[110] erlaubt.[111] Aller Wahrscheinlichkeit nach handelt es sich bei dieser Ver-

---

[104] Dio 54, 2, 5; 53, 31, 3: Gerade hier wird deutlich, daß derartige Auftritte bewußt zur Aufwertung der Veranstaltungen benutzt wurden.

[105] Suet. Aug. 43: *ad scaenicas quoque et gladiatorias operas et equitibus Romanis aliquando usus est, verum prius quam senatus consulto interdiceretur.* Bemerkenswert ist die direkte Gegenüberstellung der Interessen des Kaisers und des Senatsbeschlusses, der hier als Folge der allzu großen Freizügigkeit des Augustus erscheint.

[106] Suet. Aug. 43.

[107] Dio 53, 31, 3; 54, 2, 5; Suet. Aug. 43. Damit wurde also die Verfügung von 38 auf Ritter sowie auf Bühnenauftritte ausgedehnt. Gerade auch in Verbindung mit der auf die Kritik des Asinius Pollio hin erfolgten Einstellung des Trojaspiels (Suet. Aug. 43) zeigt dieser Senatsbeschluß, daß Augustus in diesem Bereich Konzessionen machen mußte, also nicht etwa selbst die treibende Kraft war. G. Ville, Gladiature, 257, bezieht Suet. Aug. 43 auf einen Senatsbeschluß nach 11 n. Chr. (d. h. nach der den Rittern gegebenen Erlaubnis aufzutreten); es ist allerdings schwer vorstellbar, daß Augustus in dieser Phase seiner nunmehr abgesicherten Herrschaft zu einer Rücknahme einer kurz vorher erlassenen Verordnung gezwungen werden konnte; daher wohl richtig die Datierung von M. Malavolta, SC da Larino, 355, Anm. 3; vgl. ferner A. Stein, Ritterstand, 434, Anm. 3.

[108] Suet. Nero 4, 4. Das Konsulat hatte Domitius 16 v. Chr., die Prätur demnach möglicherweise 19 v. Chr. inne. Er war außerdem von Augustus unter die Patrizier aufgenommen worden, Suet. Nero 1. Vgl. E. Groag, RE V (1905), s. v. Domitius (28), 1343–1346. Die Verwandtschaft mit und das offenbar gute Verhältnis zu Augustus versuchte Ahenobarbus zur eigenen Profilierung auszunutzen.

[109] Lediglich gegen die Grausamkeit der von Domitius veranstalteten Gladiatorenspiele (vgl. dazu G. Ville, Gladiature, 403, Anm. 144; 420) richtete sich ein Edikt des Augustus, das allerdings erst erlassen worden war, nachdem ‹private› Ermahnungen erfolglos geblieben waren, Suet. Nero 4; vgl. M. Malavolta, SC da Larino, 355 f., Anm. 3; G. Ville, Gladiature, 101.

[110] Ob auch als Schauspieler ist ungewiß, nicht einmal wahrscheinlich. Das von Augustus besonders geförderte körperliche Training der *iuvenes* (Belege bei G. Pfister, in: Geschichte der Leibesübungen II, 270, Anm. 36; 252 ff.; dies., Erneuerung, 47 ff.) sollte auch Anwendung bei Spielen finden. Darauf ist auch die Auftrittsbegeisterung junger Ritter zurückzuführen. Zu dem mehrfach bezeugten Interesse des Augustus vgl. G. Pfister, in: Geschichte der Leibesübungen II, 266; dies., Erneuerung, 11 f. Zur Teilnahme der *iuvenes* an Spielen ebenda, 46; 58 f.; M. I. Rostovtzew, Bleitesserae, 74 ff.; M. Jaczynowska, Collegia Iuvenum, Torun 1964, 87.

fügung formal um ein Edikt, ohne, vielleicht sogar gegen den Senat zustandegekommen, und nicht um einen Senatsbeschluß.[112] Gerade der Senat hatte in
der Vergangenheit (und auch später) eine restriktive Haltung in dieser Frage
eingenommen. Im gleichen Jahr wurde durch seinen Beschluß das Mindestalter
für derartige, infamierende Auftritte auf 20 bzw. 25 festgesetzt;[113] vielleicht war
dies ein vom Senat erlangter Ausgleich für die Auftrittserlaubnis des Ritterstandes. Diese Rechtslage galt bis 19 n. Chr., so daß der überlieferte Gladiatorenkampf zwischen zwei Rittern im Jahre 15 nicht gegen bestehende Gesetze ver-
stieß.[114] Gleichwohl verbot Tiberius, nachdem einer der beiden getötet worden
war, dem anderen weiterzukämpfen.[115] Es entspricht durchaus dem allgemeinen Bemühen des Tiberius um ein gutes Verhältnis zur Oberschicht,[116] wenn er
freiwillig den vom Senat immer noch für den gesamten Stand als entehrend
empfundenen Arenaauftritten junger Angehöriger des Ritterstandes Grenzen
setzte.[117]

Im Jahre 19 folgte schließlich sogar ein Senatsbeschluß, der die augusteische
Freizügigkeit wieder rückgängig machte.[118] Der Wortlaut dieses Beschlusses ist
uns durch die in Larino gefundene, 1978 publizierte Inschrift teilweise überlie-

---

[111] Dio 56, 25, 7–8. Der Grund für die nach Dio verwunderliche Maßnahme lag angeblich in der bisherigen Nichtbeachtung des Verbotes; doch lassen das Erscheinen des Augustus und das dadurch bezeugte Interesse an den Spielen eher eine positive Einstellung des
Herrschers zu derartigen Auftritten vermuten; mißverstanden von M. Malavolta, SC da
Larino, 359 f.

[112] So M. Malavolta, SC da Larino, 374; V. Giuffrè, SC de matronarum lenocinio coercendo, 18.

[113] Vgl. das SC von Larino (Appendix) Z. 17 ff. mit Bezug auf ein SC aus dem Jahre 11
n. Chr. Dieses zitierte SC ist in seiner restriktiven Tendenz sicher nicht identisch mit der Verfügung, von der Dio 56, 25, 7–8 berichtet, wie M. Malavolta, SC da Larino, 358, annimmt.

[114] So G. Ville, Gladiature, 158, der aber zwischen 11 und 14 von einer (unwahrscheinlichen) Rücknahme der augusteischen Liberalisierung in diesem Bereich ausgeht; vgl. oben
S. 148, Anm. 107.

[115] Dio 57, 14, 3. Anlaß des Kampfes war ein *munus* des Drusus und Germanicus. Im gleichen Jahr wurde darüber hinaus durch einen Senatsbeschluß den Senatoren verboten, die
Häuser von Pantomimen zu betreten, und den Rittern, sich von Pantomimen begleiten zu
lassen; dazu und zu weiteren Maßnahmen gegen die *theatralis licentia* Tac. ann. 1, 77, wor-
aus deutlich hervorgeht, welche Bedeutung dieser Bereich (nämlich der Schutz der Standesehre) nach dem Verlust der politischen Macht für die Senatoren hatte. Tiberius erkannte die
Zuständigkeit des Senates dafür durchaus an, wie die abfällige Bemerkung des Tacitus
zeigt: *qui (sc. Tiberius) ea simulacra libertatis senatui praebebat.*

[116] Vgl. bes. Tac. ann. 4, 6.

[117] Auch das oben Anm. 115 erwähnte Verbot des Umganges mit Pantomimen belegt das
Bestreben des Tiberius nach Ausgleich; vgl. auch die Ausweisung der Schauspieler im
Jahre 23, Tac. ann. 4, 14.

[118] Suet. Tib. 35: *ex iuventute utriusque ordinis profligatissimus quisque, quo minus in opera
scaenae harenaeque edenda senatus consulto teneretur, famosi iudicii notam sponte subibant; eos
easque omnes, ne quod refugium in tali fraude cuiquam esset, exilio adfecit.* Dazu vgl. Appendix.

fert.[119] Bemerkenswert ist, daß nicht nur das Verbot selbst ausgesprochen wurde, sondern darüber hinaus auch die Umgehungsmöglichkeiten von vornherein beseitigt werden sollten. Er nahm damit Bezug auf ein vor 11 n.Chr. (also zur Zeit des für alle Angehörigen der Oberschicht, Senatoren und Ritter, geltenden Verbotes) anscheinend recht häufig angewandtes Verfahren junger Ritter, die trotz Verbot in der Arena kämpfen wollten: Sie ließen sich durch ein *famosum iudicium*[120] verurteilen oder bemühten sich um die Erlangung der *publica ignominia*.[121] Der zu erwartenden Ausstoßung aus ihrem Stand kamen sie zuvor, indem sie ‹freiwillig› die Ritterplätze im Theater verließen und damit als Schauspieler oder Gladiatoren ohne die vorgesehenen strafrechtlichen Folgen, nämlich Verbannung,[122] auftreten konnten. Ähnliche Umgehungsversuche der *lex Iulia de adulteriis* (und auch der *lex Iulia et Papia*)[123] sind im gleichen Jahr ebenfalls durch Senatsbeschluß unmöglich gemacht worden.[124] Die Konzentration auf die moralische Entrüstung über das hier angesprochene Verhalten der jungen Ritter und Senatoren bzw. der hochgestellten Frauen[125] (der römischen Tradition entsprechend in den Vordergrund gestellt) verdeckt die hinter den Senatsbeschlüssen stehenden standespolitischen Aspekte. Die von

---

[119] Ausführlich diskutiert in der Appendix. Die Urheberschaft des Beschlusses – Tiberius (so M.Malavolta, SC da Larino, 362; 350) oder der Senat (V.Giuffrè, SC de matronarum lenocinio coercendo, 10, Anm.7) – ist insofern ohne Bedeutung, da beide ihn befürworteten: Der Senat hatte ein grundsätzliches Interesse, Tiberius ging es v.a. um die Beziehungen zum Senat.

[120] Vgl. Appendix. Ferner M.Kaser, ZRG 73, 1956, 251ff.; vgl. Gai.4, 182. Eine derartige Verurteilung war relativ problemlos zu erreichen, vgl. V.Giuffrè, SC de matronarum lenocinio coercendo, 30, Anm.87, und das Beispiel bei F.Raber, Frauentracht und iniuria durch appellare, D 47, 10, 15, 15, in: Studi in onore di E.Volterra III, Mailand 1969, 633ff.; A.Guarino, Ineptiae iuris Romani II 2: Senatores boni viri, AAP 21, 1972, 148f.

[121] Zum Begriff *ignominia* M.Kaser, ZRG 73, 1956, 220ff.; bes. 227ff. mit Quellen.

[122] Suet. Tib.35, vgl. V.Giuffrè, SC de matronarum lenocinio coercendo, 31. Das inschriftliche Zeugnis spricht vom Verbot des *libitinum habere* (Z.15), das sich vielleicht aber nur auf die gefallenen Gladiatoren der oberen Schichten bezieht. Die Exilbestimmung könnte dagegen im verlorenen Teil gestanden haben, vgl. M.Malavolta, SC da Larino, 375.

[123] Vgl. dazu Appendix S.200ff.; E.Volterra, NNDI XVI (1969), s.v. senatusconsulta (79), 1065.

[124] Tac. ann.2, 85: *eodem anno* (sc. 19) *gravibus senatus decretis libido feminarum coercita, cautumque ne quaestum corpore faceret cui avus aut pater aut maritus eques Romanus fuisset.* Darauf bezieht sich auch Suet. Tib. 35: *feminae famosae, ut ad evitandas legum* (sc. *legis Iuliae de adulteriis*) *poenas iure ac dignitate matronali exsolverentur, lenocinium profiteri coeperant,* und Pap. D 48, 5, 11 (10), 2 *mulier, quae evitandae poenae adulterii gratia lenocinium fecerit aut operas suas in scaenam locavit, adulterii accusari damnarique ex senatusconsulto potest.* Daß dieser Bereich von dem SC von Larino nicht umfaßt wurde, also es sich hier um ein eigenes SC handelt, ist in der Appendix nachgewiesen. Als infame Person war man ursprünglich an die Eheverbote, die für Senatoren galten, nicht gebunden, D 23, 2, 47 (Paulus): *Senatoris filia, quae corpore quaestum vel artem ludicram fecerit aut iudicio publico damnata fuerit, impune libertino nubit: nec enim honos ei servatur, quae se in tantum foedus deduxit.*

[125] Vgl. Tac. ann.2, 85 mit Hinweis auf die altrömische Zeit.

Augustus geschaffene Exklusivität des Senatorenstandes verhinderte zwar den Zuzug aus den unteren Schichten und unterband im allgemeinen jeden unmittelbaren Aufstieg von Freigelassenen oder infamen Personen, etwa durch eheliche Verbindung mit Senatoren,[126] aber der Abstieg war grundsätzlich möglich und wurde zweifellos infolge der Beschränkungen durch die augusteische Gesetzgebung[127] nicht selten praktiziert: Viele zogen die größere persönliche Freiheit[128] einer nach wie vor zwar wegen ihrer ideellen Bedeutung angesehenen, aber eben einengenden gesellschaftlichen Stellung vor. Diese Lücke versuchten die erwähnten Senatsbeschlüsse zu schließen: Die Vorteile der Infamie wurden beseitigt und damit ein ‹Aussteigen› praktisch unmöglich gemacht. Den Nachteilen der Zugehörigkeit zur Oberschicht konnte man jedenfalls nicht mehr entgehen, was in erster Linie im Interesse des Senates selbst lag. Die Abgeschlossenheit der Stände sollte dadurch nicht nur von unten nach oben, sondern auch von oben nach unten erreicht werden. Im wesentlichen scheint diese Rechtslage von den Kaisern Caligula[129] und Claudius[130] anerkannt worden zu sein, auch wenn vor allem unter Caligula gelegentlich Ausnahmeregelungen bezeugt sind. Wie sehr aber die soziale Stellung der Senatoren von der persönlichen Haltung der einzelnen *principes* abhing, zeigt die systematische Degradierung des Standes durch Nero.[131] An dieser Abhängigkeit änderte sich

---

[126] Vgl. dazu die *leges Iulia de maritandis ordinibus* und *Papia Poppaea*, unten S. 164; 169 f.

[127] Natürlich v. a. die Ehegesetze, aber eben auch die oben aufgeführten Auftrittsverbote.

[128] Nicht nur entfielen die strafrechtlichen Folgen z. B. bei Ehebruch oder infamierendem Verhalten in der Öffentlichkeit (sprich Arena-, Bühnenauftritte), sondern man konnte auch die Ehebeschränkungen der augusteischen Gesetze umgehen, vgl. D 23, 2, 47. Dazu auch V. Giuffrè, SC de matronarum lenocinio coercendo, 36 ff.

[129] Das auf den ersten Blick rücksichtslose Vorgehen Caligulas beruht ebenfalls auf den Verbotsbeschlüssen: 38 n. Chr. holte er sich immerhin formal die Erlaubnis des Senates ein, um Angehörige der Oberschicht als Gladiatoren auftreten zu lassen, Dio 59, 10, 1 f.: παρὰ τῆς βουλῆς δὴ τοῦτο αἰτήσας. Der Fall des Ritters Atanius Secundus, der 37 gelobt hatte, als Gladiator aufzutreten, falls sich Gaius von einer schweren Krankheit erholen sollte, und dann von diesem zur Erfüllung seines Eides gezwungen wurde, ist anders gelagert, Dio 59, 8, 3; vgl. Suet. Cal. 14; 27. Das gilt auch für den Fall des Ritters, den der Kaiser zur Strafe als Gladiatoren kämpfen ließ, Dio 59, 10, 4. Dagegen bestrafte er auftretende Ritter mit dem Tode, Dio 59, 10, 2; Suet. Cal. 30, 2; vgl. Dio 59, 13, 2; als Wagenlenker ließ er allerdings Senatoren auftreten, Suet. Cal. 18, und auch sonst fehlte es nicht an Demütigungen des Senates: Suet. Cal. 26; 38; Sen. ben. 2, 12, 1; 2; 2, 21, 5; tranq. 14, 4; Philo leg. 107; 108; 110; Dio 59, 15, 3; 29, 10; 26, 9. Vgl. J. P. V. D. Balsdon, The emperor Gaius, Oxford 1964, 211 ff.; Z. Yavetz, Plebs, 114 f.; R. Gilbert, Beziehungen, 108.

[130] Unter Claudius normalisierten sich wieder die Verhältnisse, dazu R. Gilbert, Beziehungen, 109 ff. Dio 60, 7, 1 berichtet, daß Claudius nachträglich diejenigen Angehörigen der Oberschicht, die unter Caligula aufzutreten gewohnt waren, brandmarkte, indem er sie zu erneuten Auftritten zwang und dadurch angeblich eine Änderung ihres Verhaltens erreichte. Zu seiner Spielgebertätigkeit Suet. Claud. 21.

[131] Seine anfänglich noch restriktive Haltung (vgl. Suet. Nero 16, 2: *vetiti quadrigariorum lusus;* 26, 2; Tac. ann. 13, 25: Verbannung der Pantomimen) gab er bald vollständig auf: vgl. v. a. Tac. ann. 14, 14 ff.; 20; 42, 2; 15, 31, 2 (Frauen); 32; Suet. Nero 11 u. 12; Dio 61, 21, 1;

auch in der Folgezeit nichts: Der Senat war, soweit es seine Standesehre betraf, darauf angewiesen, daß die Kaiser an guten Beziehungen zu ihm interessiert waren.[132]

Es bleibt also festzuhalten: Die Gesetzgebung zur Wahrung der Standesehre ist eng mit der politischen Entwicklung des Prinzipats verknüpft. Sie bedeutete für die Oberschicht die rechtliche Absicherung ihrer gesellschaftlichen Stellung und war daher gleichsam auf der Grundlage des Kompromisses von 27 v. Chr. dem *princeps* vom Senat abgerungen. Doch so wie die Rechtsordnung, mit der sich die Kaiser ihre Stellung legitimieren ließen, war auch die Einhaltung der für die Senatoren wichtigen Bestimmungen, die die Standesehre schützen sollten, immer von ihrer Respektierung durch den Kaiser abhängig. Der aufge-

---

17, 3 f.; auch Juv. 8, 183 ff. Für das Training spendete er den Senatoren und Rittern Öl (vgl. Tac. ann. 14, 47, 2; Suet. Nero 12, 3; Dio 61, 21, 1) und forderte sie damit geradezu zur Teilnahme an Spielen auf. Seine eigenen (sehr zahlreichen) Auftritte wertete Nero durch Münzen auf, vgl. M. Grant, Roman history from coins, Cambridge 1958, 30. Bezeichnend ist, daß besonders die von ihm gestifteten *Neronia* und die *Iuvenalia* durch derartige Auftritte einen großen Glanz bekamen und auf diese Weise Neros Beliebtheit beim Volk steigerten (Tac. ann. 14, 14). Zu diesem Komplex M. I. Rostovtzew, Bleitesserae, 74 ff.; C. Göllmann, Zur Beurteilung der öffentlichen Spiele Roms bei Tacitus, Plinius dem Jüngeren, Martial und Juvenal, Diss. Münster 1942, 32; M. Jaczynowska, Collegia Iuvenum, 87; J. E. Spruit, Acteurs, 128 ff. (für Schauspiele); Z. Yavetz, Plebs, 128 f.; R. Gilbert, Beziehungen, 112; G. Ville, Gladiature, 258 ff.

[132] Schon Galba brach auf diesem Gebiet mit Neros Gewohnheiten, Tac. hist. 1, 20; Suet. Galb. 15, 1; Plut. Galb. 16, 2. Vitellius verbot zum letzten Mal ausdrücklich Senatoren und Rittern die Teilnahme an Spielen, vgl. Tac. hist. 2, 62, 4 (wo natürlich auch die Senatoren mit eingeschlossen sind; G. Ville, Gladiature, 260, klebt zu sehr am Wortlaut); Zon. 11, 16, obwohl er sonst ein Anhänger von Gladiatorenspielen war, Tac. hist. 2, 67; 70 f.; 87; 91; vgl. dazu L. Friedländer, Darstellungen II, 20 f; A. Stein, Ritterstand, 436. Bemerkenswert ist auch das Verhalten der Flavier. Die Wahrung der Standesehre war bei ihnen eng verbunden mit einer allgemeinen *correctio morum:* Vespasian verstärkte noch einmal das Ansehen der Senatoren auch gegenüber den Rittern, Suet. Vesp. 9, 2; vgl. Paul. Sent. 5, 4, 10. Ferner Suet. Vesp. 11: *auctor senatui fuit decernendi, ut quae se alieno servo iunxisset, ancilla haberetur,* also eine Wiederaufnahme des SC Claudianum. Der junge Titus hat selbst an Gladiatoren(-schein-)kämpfen teilgenommen: Dio 66, 15, 2 (für 75); vgl. Suet. Tit. 8. Dazu M. I. Rostovtzew, Pinnirapus iuvenum, MDAI (R) 15, 1900, 223 ff.; S. L. Mohler, TAPhA 68, 1937, 445, Anm. 8. Domitian ließ den Konsul von 91, M'. Acilius Glabrio, anklagen und hinrichten (95), der als Tierkämpfer auf Befehl des Kaisers aufgetreten war, vgl. Juv. 4, 94 ff.; Suet. Dom. 10; Dio 67, 14, 3; Fronto ad M. Caes. 5, 22, 23 (allerdings spricht Sueton von *molitores rerum novarum;* hinter der Anklage stand also wohl mehr). Einen Quästorier stieß er aus dem Senat, *quod gesticulandi saltandique studio teneretur,* Suet. Dom. 8; Dio 67, 13, 1. Auch Frauen ließ er auftreten, Suet. Dom. 4; vgl. Stat. Silv. 1, 5, 53. Den anrüchigen Frauen (v. a. der Oberschicht) entzog er gewisse Privilegien, Suet. Dom. 8 *(probrosis feminis lecticae usum ademit iusque capiendi legata hereditatesque).* Damit erneuerte er gerade in dieser Hinsicht Bestimmungen der augusteischen Ehegesetzgebung. Dazu E. Nardi, Studi Sassaresi 1938, 5 ff.; S. Solazzi, BIDR 46, 1939, 334 ff. (= Scritti III, 181 ff.); J. E. Spruit, Acteurs, 103 f.; R. Astolfi, Lex Julia et Papia, 133 ff.; bes. 146 ff.; ders., SDHI 39, 1973, 216; F. Grelle, ANRW II 13, 340 ff.

zeigte Interessenkonflikt zwischen Kaiser (glanzvolle Spiele) und Senat (Respektierung des sozialen Ansehens) ließ Probleme schon unter Augustus und Tiberius sichtbar werden; beide hielten sich jedoch im wesentlichen (z. T. widerstrebend) an die Rechtsordnung, da sie in guten Beziehungen beider Gewalten die Grundlage für ein funktionsfähiges System sahen. Je geringer jedoch das politische Gewicht der Senatoren wurde, umso schwieriger waren auch die den *princeps* auf einem für ihn so wichtigen Gebiet, nämlich seiner Darstellung in der Öffentlichkeit, einengenden Vorstellungen durchzusetzen. Das Eigeninteresse der Kaiser hatte im Konfliktfall Vorrang vor dem Interesse an der Standesehre der Senatoren: Wenn man die Bedeutung der Spielgebung für das positive oder negative Erscheinungsbild eines Kaisers bedenkt, ist es nicht verwunderlich, daß die *principes* immer häufiger geneigt waren, ihre Spiele durch Auftritte adliger Frauen und Männer aufzuwerten. Diese Tendenz verstärkte sich, je mehr der Senat vom Ritterstand ersetzt werden konnte, d. h. je entbehrlicher er wurde, und also je weniger Rücksicht die Kaiser zu nehmen hatten. Und auch der Auftrittsbegeisterung junger Ritter, die ihre im Training erworbenen Fähigkeiten demonstrieren wollten, wurde von manchem Kaiser gern entsprochen. Wie wenig die Senatoren überhaupt in der Lage waren, ihren ‹Rechtsanspruch› durchzusetzen, zeigen die Demütigungen, die sie über sich ergehen lassen mußten; ausschlaggebend war der Wille des einzelnen Kaisers.

3.3.2 Die Aufwandsgesetzgebung

Bei der Untersuchung der *leges sumptuariae* ist bereits herausgestellt worden, daß die Luxusgesetzgebung in der Spätphase der Republik einem Wandlungsprozeß unterworfen war, der in der Kaiserzeit abgeschlossen wurde. Es ist klar, daß die politischen und sozialen Veränderungen des Prinzipats auch den Charakter der Sittengesetzgebung beeinflußten. Das gesellschaftliche Ansehen des einzelnen *nobilis* war in der Republik wesentlich durch seine politische Stellung bestimmt, die er sich daher nicht selten durch Spielgebung, Speisungen, Schenkungen etc. fast zu erkaufen versuchte. Die *leges sumptuariae,* die die Auswüchse dieser Entwicklung im Interesse der Gleichheit der Standesgenossen einzudämmen bemüht waren, hatten also einen eminent politischen Charakter. In der Kaiserzeit bestand jedoch die politische Dimension des Luxus nicht mehr; eine im engeren Sinne politische Notwendigkeit für *leges sumptuariae* war daher mit der Auflösung der republikanischen Ordnung seit Cäsar und Augustus nicht mehr gegeben.[133] Wenn dennoch dieses Institut zunächst nicht abgeschafft wurde, so liegt das nicht allein an der bekannten konservativen Neigung der Römer, sondern in erster Linie daran, daß es sich ebenso für andere Zielsetzungen gebrauchen ließ. Schon die großen Potentaten der späten Republik, Sulla und Cäsar, kontrollierten auf diese Weise die Ambitionen ihrer Standesge-

---

[133] Der ablehnende Brief des Tiberius verdeutlicht diesen Zusammenhang von politischer Verantwortung der Aristokraten und *leges sumptuariae,* Tac. ann. 3, 53, 3; 54.

nossen, hielten sich also mögliche Konkurrenten vom Leibe, ohne daß sie gegen die *exempla maiorum* zu verstoßen brauchten.

Im Rahmen der neuen politischen und gesellschaftlichen Ordnung erhielt auch der Luxus – der als Problem natürlich weiterhin existierte, sogar mit ansteigender Tendenz[134] – einen neuen Stellenwert. Entscheidend dafür war das aus der sozialen Abgrenzung der Stände erwachsene neue Standesbewußtsein im Ritterstand und vor allem unter den Senatoren, mit dem man die verlorengegangene Machtstellung zu kompensieren suchte. Dadurch verstärkte sich die Bedeutung der Statussymbole im allgemeinen und des öffentlich zur Schau getragenen, standesgemäßen Luxus im besonderen.[135] Das galt um so mehr für diejenigen, die die höchsten Ämter anstrebten. Der alte politische Einfluß wurde durch repräsentativen Glanz ersetzt,[136] dessen Aufwand die finanziellen Möglichkeiten vieler, zumal der bürgerkriegsgeschädigten Senatoren überstieg. Für den Kaiser wurde der Luxus innerhalb der Senatsaristokratie in zweifacher Hinsicht zu einem Problem: In persönlicher, weil ihm aus den Reihen des Senates Konkurrenz erwachsen konnte, in gesellschaftspolitischer, weil die durch Bürgerkriege und die nachfolgenden Wirren ohnehin belastete wirtschaftliche Substanz der Oberschicht zusätzlich strapaziert wurde. Beides stellte eine Bedrohung für die innere Stabilität dar und natürlich in besonderem Maße in den ersten Jahren nach dem Ausgleich zwischen *princeps* und Senat. Augustus hat deshalb von zwei Seiten her dieser Entwicklung entgegenzuwirken versucht: Einerseits durch großzügige finanzielle Unterstützung vermögensschwacher Senatoren,[137] andererseits durch rigorose Aufwandsbeschränkungen, die Kleidung,[138] Speisen,[139] Spiele,[140] vielleicht auch das Würfelspiel[141] und Bau-

---

[134] Vgl. Tac. ann. 3, 55: *luxus mensae a fine Actiaci belli ad ea arma, quis Servius Galba rerum adeptus est, per annos centum profusis sumptibus exerciti paulatim exolevere;* die literarischen Quellen diskutieren ausführlich J. Meursius, De luxu Romanorum liber singularis, Den Haag 1605.

[135] Mart. 12, 41; Sen. ep. 112, 14; Juv. 11, 19 (bei Speisen); Mart. 5, 79 (bei Kleidung); Vitruv. 6, 5, 2: Bei der Differenzierung der verschiedenen Baustile nach dem Stand der Bauherren heißt es: *nobilibus vero, qui honores magistratusque gerendo praestare debent officia civibus, facunda sunt vestibula regalia alta, atria et peristylia amplissima, silvae ambulationesque laxiores ad decorem maiestatis perfectae; praeterea bibliothecas, pinacothecas, basilicas non dissimili modo quam publicorum operum magnificentia ‹habeant› comparatas;* vgl. Vell. 2, 10, 1; ferner auch Sen. ep. 95, 42.

[136] Zu den Ausgaben vgl. oben S. 135, Anm. 18 und 19.

[137] Tac. ann. 2, 37 ff.; 48; 13, 34; Dio 53, 2, 1; 54, 17, 3; 41, 8; 55, 13, 6; Suet. Aug. 41, 1; Macr. 2, 4, 23. Vgl. H. Kloft, Liberalitas principis, 77 ff.; F. Millar, Emperor, 297 f.; L. Friedländer, Darstellungen II, 134 f.; P. Sattler, Senat, 40 f.

[138] Schon 35 v. Chr. gegen Purpurkleidung: Dio 49, 16, 1; zum Kleiderluxus der Frauen Dio 54, 16, 3 ff.; vgl. oben S. 60.

[139] Vgl. oben S. 100 f.; vielleicht begannen seine Aktivitäten auf diesem Gebiet schon 22 v. Chr.

[140] Dazu unten S. 159 ff.

[141] Obgleich er selbst einen Hang dazu hatte: Suet. Aug. 71: vgl. oben S. 103 f.

luxus[142] betrafen und mit denen in erster Linie die Senatoren angesprochen waren. Eingebettet waren diese Maßnahmen in sein umfangreiches Programm zur Hebung des moralischen Niveaus gerade der Oberschicht, dessen Pfeiler die Ehegesetze und die Erneuerung der *iuventus* waren.[143] Zusammen mit der kaiserlichen Spielgebung und den Lebensmittelschenkungen, die auf die Plebs zielten, bezeugen diese Maßnahmen, daß Augustus den Prinzipat nicht auf die Absicherung seiner eigenen Stellung reduzieren, sondern vielmehr auch gesellschaftlich und moralisch untermauern wollte. Dazu gehörte ein in seiner sozialen Stellung respektierter, wirtschaftlich gesunder Senatorenstand, der freilich die dominierende Position des *princeps* zu akzeptieren hatte. Seine Nachfolger waren weitaus weniger behutsam, z.T. weil sie die augusteische Kombination von politischer Entmachtung und sozialer Aufwertung nicht recht verstanden hatten (Tiberius), z.T. weil sie es auch gar nicht nötig hatten, angesichts der Schwäche des Senatorenstandes Kompromisse einzugehen. Tiberius machte sich nicht nur bei der breiten Masse durch seine Abneigung gegen Spiele[144] unbeliebt, sondern mutete auch den Senatoren gerade mit Blick auf die realen Machtverhältnisse offensichtlich zuviel zu. Er stellte weit höhere Anforderungen an die Gewährung finanzieller Unterstützung;[145] die Bittsteller mußten einen Rechenschaftsbericht geben;[146] durch Verschwendung erfolgte Verarmung bestrafte er mit der Ausstoßung aus dem Senat.[147]

Leges sumptuariae wurden unter seiner Herrschaft, anders als unter Augustus, nicht erlassen. Der Grund dafür lag zweifellos darin, daß Tiberius die Initiative für ein derartiges Gesetz vom Senat ausgehen lassen wollte: Sowohl 16 n.Chr.[148] als auch 6 Jahre später, 22 n.Chr.,[149] als die Möglichkeiten einer Luxusgesetzgebung diskutiert wurden, wäre aber die Durchsetzung entsprechender Anträge nicht problemlos gewesen.[150] Tiberius wollte aber gerade die

---

[142] Suet. Aug. 89; oben S. 105.   [143] Dazu unten S. 185 ff. *(iuventus)*; 162 ff. (Ehegesetze).

[144] Vgl. oben S. 146, Anm. 95.

[145] Tac. ann. 1, 75; 2, 37 ff.; Dio 57, 10, 3 f.; Suet. Tib. 47; Vell. 2, 129, 3; Sen. ben. 2, 7; 8.

[146] Vgl. bes. Suet. Tib. 47: *negavit* (sc. Tiberius) *se aliis subventurum nisi senatui iustas necessitatum causas probassent.*

[147] Dio 57, 10, 4; Tac. ann. 2, 48: *prodigos et ob flagitia egentis ... movit senatu;* Sen. ep. 122, 10.

[148] Tac. ann. 2, 33: Dargestellt ist eine Debatte im Senat, bei der v. a. der Prätorier Octavius Fronto (vgl. SC von 19 n.Chr. Z 3) weitgehende Maßnahmen gegen den Luxus forderte. Gegen ihn trat Asinius Gallus auf, dem schließlich die Mehrheit und daraufhin auch Tiberius folgte.

[149] Tac. ann. 3, 52 ff.: Hier geht die Diskussion von den Ädilen, v. a. C. Bibulus, aus; die Senatoren *integrum id negotium ad principem distulerant,* d. h. entzogen sich also, sehr zum Unwillen des Tiberius, wie der folgende Brief zeigt, der Verantwortung. Zu den Hintergründen dieser Debatten vgl. das Folgende; nicht ganz den Kern treffend B. Levick, Early principate, 59 f.

[150] 16 n.Chr. hatte sich die Mehrheit gegen weitgehende Aufwandsbeschränkungen ausgesprochen *(facilem adsensum Gallo sub nominibus honestis confessio vitiorum et similitudo audientium dedit).* Daß Tiberius dem nur unwillig folgte, geht aus dem folgenden hervor:

Eigenverantwortlichkeit des Senates betonen[151] und konnte sich daher nicht selbst gleichzeitig als oberster Richter über die Sitten einsetzen,[152] was ein ohne oder sogar gegen den Senat durchgedrücktes Gesetz bedeutet hätte. Die Opposition des Tiberius war also lediglich von den politischen Umständen diktiert[153] und nicht inhaltlich bestimmt. Im Gegenteil, sein Brief nimmt gar keinen der inhaltlichen Vorbehalte gegen die Luxusgesetze auf, wie sie etwa Asinius Gallus 16 n. Chr. vor dem Senat formuliert hat.[154] Seine Analyse der Situation gründet sich ganz auf die traditionelle Auffassung vom Sittenverfall:[155] *Cur ergo olim parsimonia pollebat? quia sibi quisque moderabatur, quia unius urbis cives eramus; ne inritamenta quidem eadem intra Italiam dominantibus. externis victoriis aliena, civilibus etiam nostra consumere didicimus.* Die Lösung des Problems liege daher beim einzelnen selbst;[156] der *princeps* könne und solle die Verantwortung nicht übernehmen. Die hier formulierten Grundsätze hat er zum großen Teil eingehalten, ohne dabei freilich seine Grundüberzeugungen – die zweifellos den Luxus als zu bekämpfendes Übel betrachteten[157] – aufzugeben. Aber gerade diese ambivalente und nicht für jedermann verständliche Haltung verunsicherte den Senat, von dem Tiberius eine selbständige und aktive Politik erwartete, der aber andererseits angesichts der realen politischen Verhältnisse den Willen des

---

adiecerat et Tiberius non id tempus censurae, nec si quid in moribus labaret, defuturum corrigendi auctorem. Ähnliche Mehrheitsverhältnisse wären auch 22 n. Chr. zu erwarten gewesen (Tac. ann. 3, 52, 1: *ventris et ganeae paratus adsiduis sermonibus vulgati fecerant curam ne princeps antiquae parsimoniae durius adverteret*), so daß Tiberius mit Rücksicht auf etwaige negative politische Auswirkungen auf ohnehin in ihrem Erfolg zweifelhafte Beschränkungen (3, 52, 3: *num coercitio plus damni in rem publicam ferret, quam indecorum adtrectare quod non obtineret vel retentum ignominiam et infamiam virorum inlustrium posceret*) erneut verzichtete: In beiden Fällen also die Erkenntnis, daß die (Mehrheits-)Verhältnisse im Senat den Erfolg von vornherein ausschlossen (was Tiberius ja gerade mit einem Hinweis auf die historische Erfahrung mit Luxusgesetzen belegt).

[151] Vgl. bes. Tac. ann. 3, 53, 3 mit Bezug auf die traditionelle Zuständigkeit der Ädilen, Prätoren und Konsuln; ebenso 3, 54, 5: es fällt nicht in die Verantwortlichkeit des *princeps*.

[152] Vgl. auch Tac. ann. 3, 69, 1: Tiberius lehnt den Antrag des Cornelius Dolabella ab, *ne quis vita probrosus et opertus infamia provinciam sortiretur*. Der Antrag und die Antwort des Kaisers werfen die Frage nach der Stellung des Herrschers in der Verfassung auf, nach den Grenzen seiner Macht also, die Tiberius noch einmal definiert; ähnlich Dio 57, 13, 3 ff.

[153] Tac. ann. 3, 54, 1: *Nec ignoro in conviviis et circulis incusari ista et modum posci: sed si quis legem sanciat, poenas indicat, idem illi civitatem verti, splendidissimo cuique exitium parari, neminem criminis expertem clamitabunt;* vgl. Dio 57, 13, 3 ff.

[154] Besonders bezeichnend ist die unterschiedliche Deutung der außenpolitischen Erfolge und der Größe des Reiches für die Entwicklung: Dem einen (Tiberius) erschienen sie als Ursache eines im Luxus sich zeigenden Sittenverfalls (Tac. ann. 3, 54), dem anderen (Asinius Gallus) als Rechtfertigung für den Luxus (Tac. ann. 2, 33).

[155] Tac. ann. 3, 54.

[156] Tac. ann. 3, 54: *nos pudor, pauperes necessitas, divites satias in melius mutet.*

[157] Das geht nicht nur aus dem zitierten Brief hervor, sondern belegen auch andere Stellen: Tac. ann. 2, 33, 4; 3, 52, 1: *princeps antiquae parsimoniae* wird er genannt; Dio 57, 13; Suet. Tib. 34.

princeps immer im Auge behalten mußte. Diese Desorientierung führte dazu – man kannte ja die Position des Kaisers –, daß einzelne Senatoren möglichst einschneidende und z. T. absurde Antiluxus- und überhaupt Sittengesetze forderten,[158] natürlich in der Erwartung, dem kaiserlichen Willen entsprochen zu haben. Tiberius lehnte derartige Anträge in der zwar richtigen Erkenntnis ab, daß sie nicht einer wirklichen Überzeugung entsprangen,[159] und versuchte sogar, durch die Definition seiner persönlichen Stellung und Aufgaben, den Senatoren den Weg zu selbständigem Handeln zu erleichtern,[160] vergrößerte aber damit (ungewollt) nur die Unsicherheit. Denn auf der anderen Seite zeigte er sich als konsequenter Gegner des Luxus, sei es durch sein persönliches Verhalten – das er durchaus als bindendes Vorbild betrachtet wissen wollte[161] –, sei es über Preisbestimmungen,[162] Ausstoßungen aus dem Senat infolge Verschwendung[163] und, v. a. zu Beginn seines Prinzipats, auch durch Edikte oder von ihm veranlaßte Senatsbeschlüsse.[164]

So entstand zwar das Bild vom *princeps* als *corrector morum*,[165] doch eine weitgehende Normierung durch Gesetze, an denen man sich orientieren konnte und die daher eine gewisse Sicherheit vermittelten – die Rechtssicherheit war ja eine wesentliche Grundlage des Prinzipats – blieb aus. Diese Rechtsunsicherheit mag den Eindruck eines immer größer werdenden Luxus verstärkt haben. Augustus – auch hier ganz in der republikanischen Tradition stehend –

---

[158] Neben den erwähnten Anträgen aus den Jahren 16 und 22 vgl. z. B. Dio 57, 13, 3 (i. J. 14); 57, 15, 1 (16); Tac. ann. 3, 69, 1 (22); 4, 20 (24). Es handelt sich um Auswüchse der Unsicherheit, die als *adulatio* charakterisiert wurden.

[159] Für 22 heißt es bei Tac. ann. 3, 55, 1: *Auditis Caesaris litteris remissa aedilibus talis cura,* obwohl Tiberius ja ausdrücklich die Verantwortlichkeit der Magistrate und des einzelnen Senators betont hatte. Entscheidend war, daß vom *princeps* keine Gefahr drohte.

[160] Das zeigen der Brief von 22 und Tac. ann. 3, 69, 1; Dio 57, 13.

[161] Dio 57, 13, 5: als trotz des bestehenden Verbotes Purpurkleidung getragen wurde, tadelte oder strafte Tiberius nicht, sondern erreichte seine Absicht durch persönliche demonstrative Ablehnung der Purpurkleidung; vgl. auch Suet. Tib. 34; Sen. ep. 95, 42; Vell. 2, 129, 3.

[162] Suet. Tib. 34.

[163] Vgl. oben S. 155.

[164] Tac. ann. 2, 33; Dio 57, 15, 1 (16 n. Chr.: Kleiderluxus; Tafelluxus); vgl. Suet. Tib. 34.

[165] Suet. Tib. 33 ff.; 59, 1: *morum corrigendorum;* 42: *morum correctionem;* Tac. ann. 2, 33, 4; 3, 52, 1; 2, 85. Zu berücksichtigen sind auch andere in dieses Feld hineinreichende Maßnahmen, wie die Wahrung der senatorischen Standesehre (auch gegen die Usurpation von Statussymbolen: Plin. n. h. 33, 32) oder die Verschärfung der Caelibatsstrafen. Inhaltliche Milderungen bestehender Gesetze sind von Tiberius kaum zu erwarten; die Lockerung der *lex Iulia sumptuaria* ist sicher noch auf Augustus selbst zurückzuführen (Gell. 2, 24, 15), diejenige der *lex Papia* (Tac. ann. 3, 25) betraf lediglich unerwünschte Begleiterscheinungen (das Gesetz wurde unter Tiberius sogar durch das *SC Persicianum* noch verschärft) und ist im übrigen ein weiterer Beleg dafür, daß Tiberius den Senat zu selbständigem Handeln in eigener Sache bewegen wollte; dazu J. Bleicken, Senatsgericht, 98 f.; R. A. Baumann, The crimen maiestatis in the Roman republic and Augustan principate, Johannisburg 1967, 54; B. Levick, Tiberius, 103.

hatte die Aufwandsgrenzen fast schon unrealistisch eng gezogen.[166] Daß sein Gesetz nicht eingehalten wurde,[167] ist dabei zunächst belanglos; eine Barriere war es allemal, und jeder Übertritt war eine Rechtsverletzung. Unter Tiberius, der im Kern nicht anders als sein Vorgänger dachte, gab es diese gesetzlich fixierte Barriere nicht. Daß die Oberschicht freiwillig und aus besserer Einsicht den Luxus von sich aus bekämpfen würde, war eine naive Hoffnung; zu sehr erwartete die Oberschicht – auch eine Folge der Krise im ersten vorchristlichen Jahrhundert – die Jurifizierung bestimmter Verhaltensweisen, wurden Staat und Rechtsordnung miteinander identifiziert.[168] So erlebte gerade die Regierungszeit des strengen Tiberius paradoxerweise ein bisher ungekanntes Ansteigen des Luxus.[169] Der durchaus erkannte Wille des *princeps* führte zwar zu Versuchen einzelner Senatoren, diesen auch im Recht zu objektivieren; daß sie am Kaiser selbst scheiterten, erschien ihnen unverständlich, da sie doch erwartet hatten, seinen Vorstellungen entgegengekommen zu sein. So trat das Gegenteil von dem ein, was der Kaiser eigentlich wollte.

Die weitere Entwicklung der Sittengesetzgebung im allgemeinen und der Luxusgesetzgebung im besonderen weist keine besondere Tendenz auf, es sei denn die, daß die *principes* je nach persönlicher Haltung und ohne große Rücksichtnahme großzügig oder restriktiv handelten. Die *leges sumptuariae* der republikanischen Ära und auch des Augustus gingen von der zentralen Stellung des Senatorenstandes aus, dessen politische und wirtschaftliche Substanz es zu erhalten galt. Die offensichtliche Schwäche des Senates in der Kaiserzeit minderte gleichzeitig die Bedeutung der von Anfang an auf ihn zugeschnittenen Sittengesetzgebung. Das Verhältnis zum Senat schwand immer mehr aus dem Zentrum der kaiserlichen Überlegungen. Je mehr der *princeps* sich über sie erhob und je unangreifbarer er wurde, umso mehr richtete sich auch seine Innenpolitik auf das Volk als Ganzes und nicht in erster Linie auf die Senatoren.[170] Ansätze dafür bieten schon die z. T. auf Popularitätssucht beruhenden

---

[166] Die Einsicht in diese Realitätsferne mag ihn gegen Ende seiner Regierungszeit veranlaßt haben, seine *lex sumptuaria* abzumildern, s. vor. Anm.

[167] Tac. ann. 3, 54, 2.

[168] Vgl. dazu J. Bleicken, Staat und Recht in der römischen Republik, Wiesbaden 1978, 153–156; 161.

[169] Bes. Plin. d. Ä., «who was heavily interested in the subject, gives the distinct impression that Tiberius' reign was particularly noticeable for the acceleration of trends in conspicuous consumption and the introduction of novel forms of luxury», R. F. Newbold, Athenaeum 52, 1974, 130; dort auch die entsprechenden Hinweise in den Quellen. Vgl. außerdem J. E. Rhen, A historical commentary on the reign of Tiberius based on the evidence of the Historia naturalis of Pliny the Elder, Diss. Philadelphia 1967, 1 ff.; vgl. auch Tac. ann. 3, 52; 55.

[170] Das war wie oben herausgestellt wurde, unter der julisch-claudischen Dynastie weitgehend der Fall. Dagegen bezweifelt mit nicht überzeugender Argumentation H. Castritius, Prinzipat, 20 f., daß die Senatoren im Mittelpunkt der augusteischen Politik standen. Doch sind gerade die Formel *senatus populique Romani arbitrium* (res gestae 34), Wiedereinführung der Beamtenwahl und die Bedeutung der Volksversammlungen für das Gesetzge-

Demütigungen der Senatoren durch Caligula und Nero, vor allem aber die Sittenpolitik der Flavier.[171] Die Kaiser sahen sich immer mehr in der Position eines obersten Sittenwächters, der sich, zwar immer noch unter Berufung auf den *mos maiorum*, längst von der traditionellen (d.h. republikanischen und auch frühkaiserzeitlichen) Motivation entfernt hatte, da die wesentlichen politischen Voraussetzungen, nämlich die aristokratische Verfassung, auch nicht mehr in der modifizierten Form des augusteischen Prinzipats gegeben waren. Vielmehr kam – und das wird insbesondere unter den Flaviern deutlich – stärker die Kontrollfunktion zur Geltung und sollten die Sittenbestimmungen nur noch den Anspruch der Kaiser auf umfassende politische Leitung untermauern.[172]

Eine besondere und in der Kaiserzeit die bedeutendste Variante der Aufwandsgesetzgebung betraf das Spielwesen. Augustus hatte diesem Phänomen in doppelter Hinsicht Rechnung zu tragen:

1. Spielveranstaltungen waren, das hatte die Endphase der Republik in aller Deutlichkeit gezeigt, unumgänglich, wenn man sich eine politische Basis schaffen wollte. Auch Augustus wußte die machtstabilisierende Funktion der Spiele zu nutzen, deren Abhaltung er als Teil seiner Fürsorgepflicht gegenüber dem Volk verstanden wissen wollte.[173]

2. Republikanische Verhältnisse, nämlich ungehemmter Wettbewerb um die Gunst des Wahlvolkes, konnte Augustus schon aus eigenem Interesse nicht zulassen. Der Gefahr, daß auf diese Weise Konkurrenten erwuchsen, wußte er durch Reglementierung von Quantität und Qualität der Spiele (mit Ausnahme der eigenen) zu begegnen.

---

bungsverfahren ideelle Rückgriffe auf republikanische Praktiken mit Blick auf die Senatoren.

[171] Zu den Flaviern F. Grelle, ANRW II 13, 340 ff. Auch von Nero sind noch Luxusbeschränkungen bekannt (Kleider: Suet. Nero 32, 3; Speisen: Suet. Nero 16). Claudius, der noch am ehesten die augusteische Tradition weiterführte, erließ ebenfalls Edikte gegen den Luxus.

[172] Vgl. F. Grelle, in: Società romana . . . III, 235.

[173] Die Kapitel 15–23 seiner res gestae handeln von Taten für das Gemeinwesen (*congiaria*, *frumentationes*, etc.), zu denen auch die Spielgebung gehörte. Seine Veranstaltungen listet Augustus in den Kapiteln 22 und 23 auf. Auch sie sollten als ‹Geschenke› an das Volk verstanden werden: *populo praebui, populo dedi* sind die Formeln. Ähnlich bei Suet. Aug. 43, wo ebenfalls im Rahmen eines Abschnittes über die *liberalitas* die Spiele abgehandelt werden; vgl. ferner die Empfehlung des Maecenas bei Dio 52, 30, 1, Rom durch Spiele erglänzen zu lassen, um auf diese Weise den Prinzipat auch nach außen sichtbar werden zu lassen. Zur *liberalitas Augusti* vgl. insbesondere H. Kloft, Liberalitas principis, 73 ff., dort zu dem Fehlen des Begriffes in den res gestae S. 75 f., zum Zusammenhang *liberalitas* – Spielgebung S. 110 ff.; vgl. auch K. Hopkins, Renewal, 5 f. Augustus verstand es darüber hinaus auch durch seine persönliche Anwesenheit oder durch die Erlaubnis, Ritter und Senatoren auftreten zu lassen, die Gunst des Publikums zu gewinnen, vgl. R. Gilbert, Beziehungen, 71–79, bes. 74; H. Bengtson, Kaiser Augustus. Sein Leben und seine Zeit, München 1981, 275.

Aus dem Jahre 22 v. Chr. sind nun einige bezeichnende Bestimmungen überliefert:[174]

1. Die Ausrichtung der Spiele[175] wurde – mit staatlicher Unterstützung – den
Prätoren übertragen, eine Entscheidung, die in der wirtschaftlichen Überforde-
rung der Ädilen begründet gewesen sein mag.[176]

2. Keiner der Prätoren durfte mehr als sein Kollege für die Spielveranstaltungen aufwenden. Im Jahre 18 v. Chr. setzte Augustus als Höchstgrenze das drei-
fache des staatlichen Zuschusses fest.[177] Dieser wurde allerdings für prätorische
munera anläßlich einer Finanzkrise im Jahre 7 n. Chr. gestrichen.[178]

3. Besondere Beschränkungen betrafen die *munera*: Sie durften nicht ohne
vorhergehenden Senatsbeschluß[179] und nicht öfter als zweimal im Jahr veranstaltet werden; außerdem wurde die Zahl der kämpfenden Gladiatoren auf 120
festgesetzt.[180]

Diese Regelungen schufen die Voraussetzungen, daß kein anderer Spielgeber
auch nur annähernd den Glanz der kaiserlichen Feste erreichen konnte und
dem *princeps* daher ermöglicht wurde, ohne exzessiven Aufwand zum «eigentlichen Garanten des Vergnügens»[181] zu werden. Die wenigsten seiner Nachfolger hatten diese Politik verstanden: Ihre Popularitätssucht ließ sie entweder
jedes Maß verlieren,[182] oder aber ihre Abneigung gegen das Spielwesen ließ sie
blind werden für die innenpolitische Bedeutung dieser Feste. Letzteres galt in
besonderem Maße für Tiberius, für dessen Negativbild in der Bevölkerung

---

[174] Dio 54, 2, 3–4.

[175] Πανηγύρεις für *ludi* und nicht auch für *munera*, vgl. G. Ville, Gladiature, 120,
Anm. 41.

[176] Dio 53, 2, 2 (28 v. Chr.). Von den hohen finanziellen Belastungen, die das Amt des
Ädilen mit sich brachte, wurden viele Senatoren abgestoßen, so daß Oktavian einige Amts-
befugnisse auf die Prätoren übertrug.

[177] Dio 54, 17, 4 läßt diese Regelung als Zugeständnis erscheinen, so daß offensichtlich
vorher niedrigere Werte anzunehmen sind, vgl. G. Ville, Gladiature, 120. Ähnliche Bestimmungen auch für die *Augustalia*, die von Volkstribunen auszurichten waren, Dio 54, 47, 2.

[178] Dio 55, 31, 4 bezieht sich nur auf *munera*; die *ludi* waren also offenbar nicht betroffen.
Ungewiß ist die Dauer dieser Verfügung.

[179] Daran hat sich offensichtlich auch Augustus selbst gehalten, vgl. Dio 54, 19, 5. Vgl.
O. Hirschfeld, Die kaiserlichen Verwaltungsbeamten bis auf Diokletian, Berlin 1905²,
285 ff.

[180] Die kaiserlichen *munera* waren von dieser Regelung ausgenommen; bei den 8 *munera*,
die Augustus in den res gestae erwähnt, ergibt sich bei einer Gesamtzahl von 10 000 Kämp-
fern ein Schnitt von 1250 Gladiatoren pro *munus*. Caligula beseitigte diese gesetzliche Einschränkung auch für andere Spielveranstalter: Nach Dio 59, 14, 3 sollte diese Maßnahme
dazu beitragen, aus den Gladiatorenversteigerungen des Kaisers möglichst viel Geld her-
auszuholen; sie ist jedoch auch ein Zeichen dafür, wie wenig zu diesem Zeitpunkt die Konkurrenz aus dem Senat gefürchtet wurde.

[181] R. Gilbert, Beziehungen, 72. G. Ville, Gladiature, 122, prägte dafür den Begriff «ambitus d'un seul».

[182] Insbesondere Caligula (Suet. Cal. 15 f.; Dio 59, 2, 5; 59, 7; vgl. J. P. V. D. Balsdon,
Gaius, 211 f.) und Nero (Suet. Nero 11–13; Tac. ann. 14, 14).

nicht zuletzt seine restriktive Haltung gegenüber Spielveranstaltungen verantwortlich war.[183] Er schränkte die Spiele allgemein ein,[184] gab selbst keine außerordentlichen Spiele,[185] senkte die Kosten und die Anzahl der an den *munera*
teilnehmenden Gladiatoren,[186] ging gegen die Schauspieler vor,[187] verbannte die
venationes aus Rom,[188] veranlaßte im Jahre 27 aus besonderem Anlaß einen
Senatsbeschluß, der Veranstaltern von *munera* ein Mindestvermögen von
400 000 HS vorschrieb,[189] und, was durchaus als beleidigend empfunden
wurde, blieb nach Möglichkeit den Spielen fern.[190]

Über die tatsächlichen Kosten der Spielveranstaltungen in der Kaiserzeit sind
wir nur bruchstückhaft unterrichtet: Unter Claudius[191] waren als staatliche
Zuschüsse für die *ludi Romani* 760 000 HS, für die *ludi Apollinares* 380 000 HS,
für die *ludi Plebei* 600 000 HS und für die *Augustalia* 100 000 HS vorgesehen.
Die von den Veranstaltern[192] erwarteten Eigenleistungen waren aber so

---

[183] Die Unbeliebtheit kumulierte in dem Ruf *Tiberius in Tiberim,* Suet. Tib. 75; vgl. R. Gilbert, Beziehungen, 101: «Wenn Tiberius ein Essential des augusteischen Prinzipatsgedan-
kens nicht verstanden hat, so war dies die Bedeutung einer gezielten Öffentlichkeitsarbeit».

[184] Tac. ann. 4, 62, 2; Suet. Tib. 34; Dio 58, 1, 1; vgl. Sen. prov. 4: *Triumphum ego murmil-
lonem sub Ti. Caesare de raritate munerum audivi querentem: quam bella, inquit, aetas periit.*

[185] Suet. Tib. 47, der wohl nur außerordentliche Spiele meint; denn z. B. Dio 57, 24, 1; 58,
24, 2 erwähnt Festlichkeiten anläßlich des zehn- bzw. zwanzigjährigen Regierungsantrittes
des Tiberius.

[186] Suet. Tib. 34, 1: *ludorum ac munerum impensas corripuit . . . paribusque gladiatorum ad
certum numerum redactis.* Seine (und des Augustus) Begrenzung der Gladiatorenpaare
machte Caligula 39 wieder rückgängig, Dio 59, 14, 3. Die Zahl der Gladiatoren stand auch
später auf der Tagesordnung der Diskussionen, vgl. Plin. pan. 54: *de ampliando numero gladiatorum . . . consulebamur;* Tac. ann. 13, 49 (im Jahre 58): *non referrem vulgarissimum senatus consultum quo civitati Syracusanorum egredi numerum edendis gladiatoribus finitum per-
mittebatur, nisi Paetus Thrasea* (zu seiner Person R. Syme, Tacitus II, Oxford 1958, 561)
contra dixisset. Es handelte sich also um einen kaum erwähnenswerten Vorgang (vgl. auch
§ 3: *an solum emendatione dignum, ne Syracusis spectacula largius ederentur*).

[187] Dio 57, 14, 10; 21, 3; Suet. Tib. 37, 2; Tac. ann. 4, 14, 3; vgl. auch Dio 57, 11, 6; Tac.
ann. 1, 54, 3; 77. Von Caligula wurden die Bestimmungen teilweise wieder rückgängig
gemacht, Dio 59, 2, 5; vgl. auch L. Friedländer, Darstellungen II, 145 ff.; J. E. Spruit,
Acteurs, 122 f.; R. Gilbert, Beziehungen, 103.

[188] Dio 58, 1, 1 a: ἔδοξε γὰρ αὐτῷ τὰς τῶν κυνηγίων θέας τῆς πόλεως ἀπελάσαι.

[189] Tac. ann. 4, 63 nach einem Unglück in Fidenae.

[190] Suet. Tib. 47; vgl. dagegen noch zu Anfang seiner Regierungszeit Dio 57, 11, 4 f. Aus
seiner Abneigung gegen die blutigen Gefechte machte er auch sonst keinen Hehl, Tac.
ann. 1, 76.

[191] CIL I 328; I² 248 f.; zur Abfassungszeit der Fasti Antiates Th. Mommsen, CIL I² 207.

[192] D. h. also den damit beauftragten Magistraten; die privaten *munera* gab es seit Tiberius
bzw. Claudius nicht mehr, vgl. G. Ville, Gladiature, 161 ff. Den Abschluß dieser Entwicklung, d. h. also die staatliche Monopolisierung des Gladiatorenwesens, bildete die Schlie-
ßung der privaten Gladiatorenschulen in Rom wahrscheinlich zur Zeit Domitians,
Th. Mommsen, Staatsrecht II, 1071 f.; ders., Die Gladiatorentesseren, Hermes 21, 1886,
274. In Italien und den Provinzen galt das Verbot nicht.

beträchtlich,[193] daß die Kaiser sich zu gelegentlichen Eingriffen veranlaßt sahen. Claudius untersagte im Jahre 41 die prätorischen *munera*[194] und übertrug sie dem *collegium quaestorum*.[195] Kostenbegrenzungen – und die außerhalb Roms – sind uns allerdings nur noch von Antoninus Pius[196] und vor allem Mark Aurel[197] überliefert.

3.3.3 Die Ehegesetzgebung

Mit den augusteischen Ehegesetzen sind die wohl bedeutendsten und nachhaltigsten Eingriffe in das Privatleben des Einzelnen verbunden, deren Bedeutung schon früh erkannt wurde.[198] Eine ausführliche Untersuchung, die neben inhaltlichen Fragen, v.a. die Zielsetzung und die Auswirkungen, aber auch die Reaktion darauf umfaßt, erscheint deshalb gerechtfertigt.

3.3.3.1 Erste Versuche des Augustus

Wahrscheinlich hat Augustus schon 10 Jahre vor dem Erlaß des ersten uns bekannten Ehegesetzes, der *lex Iulia de maritandis ordinibus*, versucht, im Sinne seiner geplanten moralischen Erneuerung der römischen Gesellschaft diesbezügliche Gesetze vorzubereiten. So jedenfalls ist aus Properz zu entnehmen: *Gavisa es certe sublatam, Cynthia, legem / qua quondam edicta flemus uterque diu*

---

[193] Vgl. z. B. Mart. 10, 41, 5 (Zuschuß von 100000 HS); 4, 67, 5; 5, 25, 9. Für die spätere Zeit Zos. 2, 38, 4; Symm. ep. 9, 126; CTh 6, 4. Ein dreitägiges Gladiatorenspiel in Kampanien kostete zu Beginn der Kaiserzeit ca. 400000 HS: Petr. 45, 6; vgl. R. Duncan–Jones, Economy, 245 f.; K. Hopkins, Renewal, 7 ff. Hadrian gab als Prätor 2 Mill. HS für Spiele aus (SHA v. Hadr. 3).

[194] Dio 60, 5, 6: wahrscheinlich aus Kostengründen, wie der Zusammenhang ergibt.

[195] Suet. Claud. 24; vgl. Tac. ann. 11, 22, 3; 13, 5, 1–2. Diese Verfügung wurde unter Domitian wieder aufgehoben: Suet. Dom. 4. Alex. Severus erlegte nur den als *candidati principis* zur Quästur gelangten Beamten ein *munus* aus eigener Tasche auf; die übrigen *(quaestores arcarii)* richteten aus Mitteln des Ärars bescheidenere Spiele aus: SHA v. Alex. Sev. 43. Zu der Maßnahme des Claudius vgl. G. Ville, Gladiature, 165 f., gegen A. Piganiol, Recherches, 131 f.; ferner A. Hönle/A. Henze, Römische Amphitheater und Stadien: Gladiatorenkämpfe und Circusspiele, Zürich/Freiburg i. Br. 1981, 30; K. Hopkins, Renewal, 6, Anm. 7. Zu den Spielen des Claudius vgl. Suet. Claud. 21; Tac. ann. 12, 56. Zu seinem Verhalten Schauspielern gegenüber (Tac. ann. 11, 31, 1) vgl. J. E. Spruit, Acteurs, 126 ff.

[196] SHA v. Ant. Pius 12, 3: *sumptum muneribus gladiatoriis instituit.*

[197] SHA v. Marc. Aurel. 27, 6: *gladiatorii muneris sumptus modum fecit;* 11, 4: *spectacula omnifariam temperavit. temperavit etiam scaenicas donationes.* Unsere umfänglichste Quelle ist ein inschriftlich überlieferter Senatsbeschluß, wahrscheinlich aus dem Jahre 177 n. Chr., durch den die Gesamtkosten der Gladiatorenspiele in den Provinzen gesenkt werden sollten. Dazu v. a. Th. Mommsen, Senatusconsultum de sumptibus ludorum gladiatorum minuendis factum a. u. c. 176/7, Ges. Schr. VIII, Berlin 1913, 499–531.

[198] Vgl. z. B. Tac. ann. 3, 28; Pan. Lat. 7, 4: *Quare si leges eae quae multa caelibes notaverunt, parentes praemiis honorarunt, vere dicuntur esse fundamenta rei publicae;* vgl. auch die folgende Darstellung.

ni nos divideret.[199] Aus der Datierung des 2. Buches der Elegien kann man zumindest auf ein geplantes, dann aber zurückgezogenes Gesetz zwischen 28 und 23 v. Chr. schließen.[200] Außerdem erfahren wir für das Jahr 27, daß Augustus im Rahmen seiner Provinzialordnung den Kinderreichen und Verheirateten Vorrechte einräumte, wenn sie Statthalter einer Senatorenprovinz werden wollten, die üblicherweise durch Los vergeben wurde.[201]

Man sieht also, daß Augustus in dieser Phase seiner Herrschaft nicht nur bestrebt war, die Stellung seiner Person staatsrechtlich zu verankern, sondern bereits mit seiner Sozialpolitik begann, die dann einer der Grundpfeiler seiner Innenpolitik werden sollte.

3.3.3.2 *Lex Iulia de maritandis ordinibus* (18 v. Chr.)

Nach längerer Abwesenheit von Rom begann dann im Jahre 18. v. Chr. eine Sittengesetzgebung großen Stils. Dazu zählen nicht nur die Ehegesetze, sondern auch solche über Beschränkungen des Luxus,[202] Ehebruchs und der Amtserschleichung.[203]

Die *lex Iulia de maritandis ordinibus,* die mit einiger Sicherheit in das Jahr 18 zu datieren ist,[204] beinhaltete eine Pflicht zur Ehe[205] für alle römischen Bürger

---

[199] Prop. 2, 7.

[200] Vgl. R. Besnier, RD 57, 1979, 191–203. Die Properzstelle ist die einzige, die auf ein solches früheres Ehegesetz hinweist. Liv. praef. 9 ist zu allgemein gehalten, als daß man es speziell auf dieses Gesetz beziehen könnte. Da ausdrücklich von *lex* die Rede ist, nimmt P. Jörs, Ehegesetze, 4 ff., ein tatsächlich erlassenes, dann aber wieder aufgehobenes Gesetz an. Die von ihm aufgeführten weiteren Stellen sind zu allgemein gehalten und können nicht als Beleg herangezogen werden; ähnlich auch V. Gardthausen, Augustus I, 902; A. v. Premerstein, Wesen, 155. Dagegen weist schon Th. Mommsen, Strafrecht, 691, Anm. 1, darauf hin, daß es sich wohl um einen zurückgezogenen Gesetzesentwurf gehandelt hat, vgl. H. Last, CAH X, 1966, 441, Anm. 3; H. Siber, Deutsche Rechtswissenschaft 4, 1939, 156; unentschieden P. Brunt, Manpower, 558. R. Besnier, RD 57, 1979, 191 ff., nimmt das Jahr 28 an; vgl. auch B. Biondi, Legislazione, 130, Anm. 1; K. Galinsky, Philologus 125, 1981, 127.

[201] Dio 53, 13, 2. Diese Bestimmung, also Vorteile für Verheiratete und Kinderreiche, weist schon auf die *lex Iulia et Papia* hin, durch die dieser Zielgruppe generell, also auch bei der Ämtervergabe in Rom, Vorteile gewährt wurden.

[202] Vgl. oben S. 59 f.; 100 f.

[203] Suet. Aug. 34. J. Field, Class. Journal 40, 1945, 402, stellt auch die *lex sumptuaria* in den Dienst der Ehegesetzgebung «as a reply to protestations that the behavior of women and the young was a potent discouragement to matrimony».

[204] Sie wird in dem *SC de ludis saecularibus* von 17 v. Chr. ausdrücklich erwähnt, CIL VI 32323–32324. Danach dürfen die, die noch nicht verheiratet sind, an den Spielen teilnehmen. Die daraus folgende Gültigkeit für 17 bestreitet P. M. Meyer, Der römische Konkubinat nach den Rechtsquellen und den Inschriften, Leipzig 1895, 21. H. Last, CAH X, 441, hält es für möglich, daß nur Teile in Kraft waren. A. del Castillo, Hispania Antiqua 4, 1974, 179 ff., geht über die Schwierigkeiten, die das SC für seinen Datierungsvorschlag (dazu unten S. 168, Anm. 241) auslöst, hinweg.

[205] Allerdings nicht im technischen Sinne als ‹Zwang› aufzufassen, da man ja nach wie vor

innerhalb eines bestimmten Alters[206] und innerhalb eines bestimmten Rahmens. Sie enthielt das Verbot der Ehe zwischen Senatoren und *libertae*,[207] während alle übrigen *ingenui* Freigelassene heiraten durften.[208] Augustus hat damit wohl republikanische Praxis gesetzlich geregelt, den Senatoren aber auch hier eine gesonderte Stellung zugedacht.[209] Die Rechtsgültigkeit der gesetzeswidrigen Ehen blieb allerdings unangetastet.[210]

---

wählen konnte; aber die Entscheidung gegen das Gesetz war mit einer Reihe erheblicher Nachteile verbunden.

[206] Nach der *lex Papia* zwischen 20 (Frauen)/25 (Männer) und 50 bzw. 60 Jahren, Ulp. 16, 3; 16, 1; Suet. Claud. 23; Sen. in Lact. Inst. div. 1, 16. Aus Tertull. apol. 4 ist zu entnehmen, daß die *lex Iulia* offensichtlich von einem späteren Alter an die Ehe verlangte. Vgl. P. Csillag, Augustan laws, 83 f.; P. Jörs, Ehegesetze, 31. Im Falle der Scheidung trat nach 6 Monaten, im Falle des Todes des Ehepartners nach 1 Jahr eine Pflicht zur Wiederverheiratung ein, Ulp. 14.

[207] Dio 54, 16; 56, 7; D 23, 2, 44; Ulp. 13, 1; CJ 5, 4, 28 pr. Ausnahmen wird es mit Erlaubnis des *princeps* gegeben haben; D 23, 2, 31: *Si senatori indulgentia principis fuerit permissum libertinam iustam uxorem habere, potest iusta uxor esse.* Wohl kaum schon unter Augustus, sicher aber später, war es Senatoren erlaubt, mit Frauen, die sie laut Gesetz nicht heiraten durften, im Konkubinat zu leben, D 25, 7, 3. Daß allerdings eine *liberta* als Konkubine eines Patrons «eine ebenso ehrenvolle Stellung einnimmt wie die Ehefrau» (so P. M. Meyer, Konkubinat, 82), ist für die frühe Kaiserzeit abzulehnen; das gleiche gilt für die Auffassung (P. M. Meyer, Konkubinat, 24 ff.), daß der Konkubinat als Ersatzinstitut des zu eng gewordenen Kreises der *iusta matrimonia* von Augustus selbst geschaffen worden ist. Damit wäre die Effektivität des Gesetzes von vornherein in Frage gestellt worden, was man zumindest seinem Urheber nicht zutrauen sollte.

[208] Ehen mit anrüchigen Personen waren generell für alle römischen Bürger verboten, Ulp. 13, 2; vgl. dazu J. E. Spruit, Acteurs, 90 ff.; bes. 92 ff.; R. Astolfi, Lex Julia et Papia, 133 ff.

[209] Eine Forschungskontroverse hat sich über dieses Problem entwickelt. Th. Mommsen, Staatsrecht III, 429 ff., hat hervorgehoben, daß die Libertinenehe in der Republik allgemein verboten war und daß dieses Verbot dann durch die *lex Iulia* aufgehoben worden sei. Denn bereits in ciceronianischer Zeit sei in diesem Bereich freizügig verfahren worden. Augustus habe deshalb in Anerkennung dieser Tatsache das Verbot auf den Senatorenstand beschränkt; so auch P. M. Meyer, Konkubinat, 24; 27; P. Csillag, Augustan laws, 236, Anm. 281; R. Villers, ANRW II 14, 1982, 295. Bereits P. Jörs, Ehegesetze, 20 ff., hat aber darauf hingewiesen, daß den bei den genannten Autoren angeführten Quellen keine Beweiskraft für die Nichtigkeit der Libertinenehe in der republikanischen Zeit zugesprochen werden könne. Es spricht in der Tat einiges dafür, daß es sich eher um ein soziales Problem als um ein Verbot gehandelt hat (vgl. Cic. Sest. 110), und auch die Tatsache, daß D 23, 2, 44 und Ulp. 13, 1 f. ein Verbot und nicht eine Erlaubnis enthalten, deutet darauf hin, daß früher solche Ehen existiert haben. Vgl. dann Th. Mommsen, Strafrecht, 701 (mit einer Modifizierung seiner These); P. E. Corbett, Law of marriage, 32 ff.; J. Gaudemet, RIDA 2, 1949, 329 ff. u. Anm. 68; A. Watson, The law of persons in the later Roman empire, Oxford 1967, 37; P. Brunt, Manpower, 145; L. F. Raditsa, ANRW II 13, 1980, 327, u. a.

[210] Die Nichtigkeit einer derartigen Ehe ist erst durch eine *oratio* der Kaiser Marcus und Commodus und einem darauf folgenden Senatsbeschluß erklärt worden: D 23, 2, 16; 24, 1,

Darüber hinaus schuf das Gesetz bessere Rahmenbedingungen für eine Eheschließung: So war die Pflicht zur Ehe auch dann vorgesehen, wenn der Familienvater nicht einverstanden war.[211] Im Testament galt *pro non scripto,* wenn etwas unter einer *condicio caelibatus* hinterlassen worden war.[212] Ähnlich behandelt wurden die Fälle, wenn ein Mann seiner Frau etwas nur unter der Bedingung der Nichtwiederverheiratung hinterließ,[213] und ebenso, wenn bei der Freilassung dem Patron ein Eid vom Freizulassenden geleistet worden war, daß er keine Ehe eingehe.[214] Durch die *lex Aelia Sentia* aus dem Jahre 4 n. Chr. verlor der Patron, der dieses verlangte, sogar seine Patronatsrechte.[215]

Ein ausgeklügeltes System von Belohnungen und Strafen sollte das Ziel erreichen helfen. Bei der Amtsbewerbung verschaffte jedes Kind einen Nachlaß von einem Jahr;[216] im monatlichen Wechsel der Geschäftsführung der Konsuln hatte der Verheiratete vor dem Unverheirateten, der Kinderreichere vor dem -ärmeren den Ehrenvorrang, d. h. das Recht, im ersten Monat die Fascen führen zu dürfen.[217] Frauen konnten durch das *ius liberorum* von der Geschlechtsvormundschaft befreit werden,[218] Freigelassene von den eidlich oder durch Versprechen dem Patron zugesagten *operae libertorum,* wenn sie zwei Kinder hatten.[219] Ebenso war die Verleihung von Ehrenrechten als Belohnung für eine

---

3, 1; 23, 1, 16. Th. Mommsen, Staatsrecht III, 472, Anm. 3, sah darin zwar lediglich eine Verschärfung der *lex Iulia,* ist aber von P. Jörs, Ehegesetze, 21 f., unter Bezug auf Ulp. 16, 2 widerlegt worden. Die *lex Iulia* bestrafte also lediglich die Zuwiderhandlung, annullierte sie aber nicht. Diese Ansicht hat sich heute durchgesetzt, z. B. E. Volterra, BIDR 40, 1932, 87 ff.; E. Nardi, Conubium, bes. 35 f. (dagegen J. Gaudemet, RIDA 2, 1949, 331 ff.; bes. 333 f.); S. Solazzi, Scritti IV, 81 ff. (= Atti Acc. Napoli 59, 1939, 269 ff.); F. Schulz, Classical Roman law, 113; R. Astolfi, Lex Julia et Papia, 31; 38 ff; O. Robleda, Matrimonio inexistente o nullo in derecho romano, Studi in onore di G. Donatuti III, Mailand 1973, 142 ff. (gegen Solazzi); D. Nörr, in: Freiheit und Sachzwang, 327, u. a.

[211] D 23, 2, 19; 21; vgl. Acta divi Augusti, 196; P. E. Corbett, Law of marriage, 64; M. Kaser, Privatrecht, 315; P. Brunt, Manpower, 562.

[212] Paul. sent. 3, 46, 2.

[213] Um das Erbe antreten zu können, war eine einjährige Frist zur Wiederverheiratung gegeben, vgl. dazu mit Quellenhinweisen P. Jörs, Verhältnis, 14 ff.

[214] D 37, 14, 6, 4; vgl. Acta divi Augusti, 178, Anm. 5; M. Kaser, Die Geschichte der Patronatsgewalt über Freigelassene, ZRG 58, 1938, 121 ff.; R. Astolfi, Lex Julia et Papia, 224 f.; P. Brunt, Manpower, 562 f.; P. Csillag, Augustan laws, 89 f.

[215] D 40, 9, 31 f.; vgl. R. Astolfi, SDHI 39, 1973, 201 und Anm. 60.

[216] Plin. ep. 7, 16, 2; Tac. ann. 2, 51, 1; D 4, 4, 2; vgl. 50, 2, 6, 5; lex Malac. 56; Flav. Jos. Ant. Jud. 5, 10; CJ 10, 32, 9. Dazu D. Nörr, 3 Miszellen zur Lebensgeschichte des Juristen Salvius Iulianus, in: Daube noster, Edinburgh 1974, 240.

[217] Das *ius fascium sumendorum:* Gell. 2, 15, 4; Frg. Vat. 197, vgl. R. Astolfi, Lex Julia et Papia, 333 f.

[218] Gai. 1, 145; 194; 3, 44; Ulp. 29, 3. Die beiden letztgenannten beziehen sich allerdings nur auf die *lex Papia.* Vgl. dazu P. Jörs, Verhältnis, 25 f.; P. Csillag, Augustan laws, 118 f.; 164 ff.

[219] CJ 6, 3, 7, 1; D 38, 1, 35 und 37; Gai. 1, 29; Acta divi Augusti, 177. Auch die *liberta,* die

Eheschließung oder ihr Entzug im Falle der Ehelosigkeit im Gesetz enthalten.[220]

Wesentlich bedeutender aber sind die Bestimmungen bezüglich des Erbrechts:[221] Nach der *lex Iulia* ist der Unverheiratete (*caelebs*) oder in einer gegen das Gesetz geschlossenen Ehe Lebende[222] grundsätzlich *incapax*.[223] Falls der Bedachte nach 100 Tagen[224] noch unverheiratet war, fielen die Erbteile an das Ärar.[225] Besondere Bestimmungen betrafen die Erbfähigkeit der Ehegatten untereinander.[226]

---

eine Ehe mit Zustimmung des Patrons eingegangen war, wurde begünstigt, CJ 6, 6, 2; D 38, 1, 14; 35, 1, 48.

[220] Auszeichnende Kleidung für verheiratete Frauen (vgl. schon Cäsar in Suet. Caes. 43): Prop. 4, 11, 61 ff.; vgl. Val. Max. 6, 1 pr; Hor. Sat. 1, 2, 94; CIL III 8754; Paul. Sent. 5, 25, 12; dazu J. Marquardt, Privatleben, 575; P. Jörs, Verhältnis, 27; R. Astolfi, Lex Julia et Papia, 337, Anm. 5. Wer den Anforderungen des Gesetzes nicht genügte, durfte nicht an besonderen Feierlichkeiten teilnehmen. Das geht aus dem Dispens anläßlich der Säkularspiele im Jahre 17 v. Chr. durch einen Senatsbeschluß hervor, vgl. CIL VI 32323–32324; Acta divi Augusti, 240 ff. Augustus hat die *ludi saeculares* zwar gemäß römischer Tradition übernommen, sie aber in seinem Sinne umgeformt und sich dienstbar gemacht: Sie wurden zur Geburtstagsfeier des Prinzipats, vgl. M. P. Nilsson, RE I A (1920), s. v. saeculares ludi, 1717; J. Marquardt, Staatsverwaltung III, 385 ff. Der Zusammenhang zum Ehegesetz ist nicht nur aus Hor. carm. saec. zu ersehen, sondern auch im bei Zos. 2, 6 überlieferten Orakel der Sybille mit den dort genannten Gottheiten der Festnächte, den allerzeugenden Moiren, der kindergebärenden Ilithyia und der fruchtbaren Mutter Erde, vgl. R. Heinze, Die Augusteische Kultur (hrsg. A. Körte), Leipzig/Berlin 1930, 35; P. Sattler, Senat, 99 ff.; K. Galinsky, Philologus 125, 1981, 141 f.; D. E. E. Kleiner, The great friezes of the Ara Pacis Augustae, MEFR 90, 1978, 776. Ein ähnlicher Dispens ist für das Jahr 12 v. Chr. überliefert, Dio 54, 30, 5: Hier wird denjenigen, die von der *lex Iulia* betroffen waren, die Teilnahme an Gastmählern anläßlich der Geburtstagsfeierlichkeiten des Augustus ausdrücklich gestattet. Suet. Aug. 44 erwähnt außerdem, daß Augustus *maritis e plebe proprios ordines adsignavit* (sc. im Theater).

[221] Man darf allerdings die Ehegesetze nicht auf diesen Gesichtspunkt verkürzen, wie A. Wallace-Hadrill, PCPhS 27, 1981, 58 ff., es tut.

[222] Also z. B. die eines Senators mit einer *liberta* oder eines freien römischen Bürgers mit einer anrüchigen Person, Ulp. 13, 2; 16, 2.

[223] Die *personae exceptae* sind aufgeführt in den Frg. Vat. 216 f.; vgl. R. Astolfi, Lex Julia et Papia, 170 f.; A. Wallace-Hadrill, PCPhS 27, 1981, 62 ff., der zu Recht darauf hinweist, «that Augustus wanted property to stay ‹in the family›» (S. 64).

[224] Ulp. 17, 1.

[225] Gai. 2, 150; D 30, 96, 1; vgl. H. Siber, Deutsche Rechtswissenschaft 4, 1939, 163; P. Jörs, Verhältnis, 52.

[226] Allein aus der Tatsache, daß eine Ehe bestanden hat, sind die Ehegatten auf ein Zehntel des Erbes erbfähig, außerdem auf den Nießbrauch eines Drittels der Güter, Ulp. 15, 1. Daß Ehegatten hier offensichtlich gegenüber anderen *personae exceptae* benachteiligt waren, kann man aus Quint. 8, 5, 19; Juv. 1, 55 entnehmen, vgl. P. Jörs, Verhältnis, 35 ff.; P. Csillag, Augustan laws, 150; A. Levet, La quotité disponible et les incapacités de recevoir entre époux d'après les lois caducaires, RD 1935, 195 ff.

3.3.3.3 *Lex Iulia de adulteriis* (18 v. Chr.)

Die *lex Iulia de adulteriis*[227] stammt ebenfalls aus dem Jahre 18 v. Chr.[228] Sie diente dem Schutz der Ehen und kriminalisierte den Ehebruch, der in republikanischer Zeit noch privat bestraft wurde.[229] Die Bestrafung übernahmen jetzt öffentliche Gerichte,[230] und Augustus bildete eine *quaestio perpetua.* Ursprünglicher Anwendungsbereich waren Ehen, die gemäß der *lex Iulia de maritandis ordinibus* rechtmäßig geschlossen waren;[231] im Laufe der Zeit wurde das Gesetz jedoch auf die de facto-Ehefrauen, Konkubinen und Verlobten ausgedehnt.[232] Beide Ehebrecher, d. h. die *adultera* und ihr Liebhaber, wurden, sofern sie überführt waren, auf verschiedene Inseln verbannt; der Ehebrecher verlor die Hälfte seines Vermögens, die Ehebrecherin ein Drittel ihres Vermögens (dazu die Hälfte ihrer Mitgift).[233] Außerdem war der Frau jede Ehe mit einem freigeborenen römischen Bürger verboten.[234] Verheiratete Männer, die ihre Ehefrauen mit einer Nichtverheirateten betrogen, wurden in der Regel nicht bestraft.[235]

---

[227] So der Titel nach herrschender Auffassung, auch wenn einige Quellen andere Benennungen führen, vgl. die Stellen bei Acta divi Augusti, 112.

[228] Daß sie auf jeden Fall vor 16 eingebracht wurde, ergibt sich aus Hor. carm. 4, 5, 21 f.; Dio 54, 19. Wahrscheinlich ist sie aber ebenfalls 18 in Kraft getreten, vgl. Dio 54, 16. Da sie so kurz nach der *lex Iulia de maritandis ordinibus* folgte, haben K. Fitzler/O. Seeck, RE X (1918), s. v. Iulius (Augustus), 354, und E. Weiss, RE XII (1925), s. v. leges Iuliae, 2363, angenommen, daß es sich um ein Kapitel derselben handle.

[229] Sittliche Verfehlungen von Frauen zu ahnden stand ganz im Ermessen des Gewalthabers – Ehemann oder Vater –, vgl. Cic. rep. 4, 6; Dion. Hal. 2, 25, 6; Gell. 10, 23, 4. Ein Hausgericht in technischem Sinne wird in den juristischen Quellen nicht erwähnt, dazu oben S. 6 f. Private Bestrafung wurde zumal unter Tiberius noch zugelassen, Tac. ann. 2, 50; Suet. Tib. 35: *Matronas prostratae pudicitiae, quibus accusator publicus deesset, ut propinqui more maiorum de communi sententia coercerent, auctor fuit* (sc. Tiberius).

[230] Dio 54, 30, 4; D 48, 5, 9–11.

[231] Vgl. D 25, 7, 1. Voraussetzung für jede Ehebruchsklage war die Ehescheidung; denn reichte der Mann die Scheidung nicht ein, war die Frau vor strafrechtlicher Verfolgung geschützt, und zwar solange, bis der Mann der ‹Verzeihung› überführt wurde. Dabei galt aber wohl der Grundsatz, daß man nicht allzu leichtfertig die Ehe aufs Spiel setzen wollte, wenn der Mann unwissentlich den Ehebruch hinnahm, vgl. D 48, 5, 2, 3; D 48, 5, 27; D 48, 5, 12, 10. Falls der Mann seine Frau in flagranti ertappt hatte und den Geliebten getötet hatte, wurde die Angelegenheit innerhalb von 3 Tagen in die Hände eines Magistrats gelegt, Paul. Sent. 2, 26, 6. Sonst wurde dem Mann die Frist von 60 *dies utiles* zur Verfolgung des Falles gewährt, D 48, 5, 15 (14), 2; D 48, 5, 16, 16; Tac. ann. 2, 85.

[232] Coll. 4, 5; D 48, 5, 14, 1 und 3; D 48, 5, 25, 3.

[233] Paul. Sent. 2, 26, 14; Ulp. 13, 2; vgl. D 24, 3, 36; D 48, 20, 3.

[234] Ulp. 13, 2; D 48, 5, 12 (11), 13. Bei Strafe war es verboten, Ehebrecherinnen zu verzeihen, D 48, 5, 30 pr; Personen, die des Ehebruchs überführt waren, hatten kein Zeugnisrecht, gehörten also zu den Infamen, D 22, 5, 18; 22, 5, 13 f. Erst recht war es natürlich Senatoren verboten, Ehebrecherinnen zu heiraten, D 23, 2, 43, 10; D 34, 9, 13.

[235] D 4, 4, 37; D 48, 5, 14 (13), 5. Strafen konnten aber auch sie erwarten, wenn sie in moralisch fahrlässiger Weise die Familie störten, z. B. durch *stuprum* (außer mit einer beim Ädil angemeldeten Prostituierten); vgl. D 23, 2, 43; 44; D 25, 7, 1, 1; Paul. Sent. 2, 26, 11.

Th. Mommsen[236] hat das Gesetz als «eine der eingreifendsten und dauerndsten strafrechtlichen Neuschöpfungen» bezeichnet, doch scheinen auch vorher schon Gesetze über Ehebruch erlassen worden zu sein.[237] Geregelt wurden in diesem Gesetz die strafbaren Fälle des Ehebruchs, die Strafausmaße, die Verfahrensformen und die Zeitpunkte der Verfolgung.[238] Darüber hinaus wandte es sich auch gegen *lenocinium, stuprum* und *incestus*.[239] Es scheint später vorgekommen zu sein, daß sich Frauen, um der Strafe zu entgehen, beim Ädil als Prostituierte oder Schauspielerinnen meldeten; deshalb erging 19 n. Chr. ein Senatsbeschluß, der bestimmte, daß Frauen aus dem Ritterstand bzw. Senatorenstand diese Berufe nicht ausüben durften.[240]

Möglicherweise gab es dann zwischen 18 v. Chr. und 9 n. Chr. noch ein weiteres, eventuell schärferes Ehegesetz, dessen Inhalt jedoch im dunkeln liegt.[241]

3.3.3.4 *Lex Papia Poppaea* (9 n. Chr.)

Den Abschluß der Ehegesetzgebung bildet die *lex Papia Poppaea* vom Jahre 9 n. Chr.,[242] die die *lex Iulia* ergänzte,[243] einige Bestimmungen verschärfte,

---

Vgl. Th. Mommsen, Staatsrecht I, 694; II, 511, Anm. 2; B. Biondi, Legislazione, 156, dessen Behauptung, daß Ehebrecher und Ehebrecherinnen durch das Gesetz auf eine Stufe gestellt wurden, also nicht zutreffend ist.

[236] Strafrecht, 691.

[237] Coll. 4, 2, 2: *Et quidem primum caput legis* (sc. *Iuliae de adulteriis*) *prioribus legibus pluribus obrogat;* deshalb halten W. Kunkel, Untersuchungen zur Entwicklung des römischen Kriminalverfahrens in vorsullanischer Zeit, München 1962, 121 ff., und H. D. Ziegler, Untersuchungen zur Strafrechtsgesetzgebung des Augustus, Diss. München 1964, 23 ff., das Gesetz für keine umwälzende Neuerung. Vgl. B. Biondi, Legislazione, 155: «indubbiamente è la prima a regolare organicamente tutta la materia dei reati sessuali».

[238] Vgl. P. Csillag, Klio 50, 1968, 120; A. Richlin, Approaches to the sources on adultery at Rome, in: Reflections of women in antiquity (hrsg. H. P. Foley), New York 1981, 379 ff.

[239] Nach Papinian D 48, 5, 6 und Modestinus D 50, 16, 10 werden diese Begriffe im Gesetz nicht präzise unterschieden.

[240] Tac. ann. 2, 85, 1; Suet. Tib. 35, 2; D 48, 5, 11, 1. Dazu unten Appendix.

[241] P. Jörs, Ehegesetze, 55 f., nimmt an, daß das Gesetz 4 n. Chr. eingebracht worden sei, dieses dann 3 Jahre angesichts der großen Unruhe – vgl. Dio 55, 31 – zum ersten Mal ausgesetzt worden sei, dann von 7–9 noch einmal für zwei Jahre, vgl. Dio 56, 7, 3. Suet. Aug. 34 erwähnt nur die erste, 3-jährige *vacatio.* Doch ist ein derartiges Gesetz auch nach 17 v. Chr., dem Jahr des *SC de saecularibus,* möglich, vgl. H. Last, CAH X, 442; ferner J. Field, Class. Journ. 40, 1945, 403, Anm. 19; R. Astolfi, Lex Julia et Papia, 189 f.; R. Besnier, RD 57, 1979, 201 f. Diese *vacationes* bilden den Mittelpunkt des Datierungsversuches von A. del Castillo, Hisp. Ant. 4, 1974, 179 ff., der ein Ehegesetz annimmt, das 4 n. Chr. eingebracht worden sei.

[242] In diesem Jahr waren die Konsuln M. Papius Mutilus und Q. Poppaeus Secundus, die kurioserweise den wichtigsten Anforderungen ihres Gesetzs nicht genügten, da sie unverheiratet und kinderlos waren, Dio 55, 10, 3. Daß dieses Gesetz nicht von Augustus persönlich eingebracht wurde – wie die beiden anderen Ehegesetze –, mag darin seine Ursache gehabt haben, daß er sich direkten Angriffen entziehen wollte, die es zur Folge gehabt hätte. Unwahrscheinlich ist allerdings, daß Augustus eine Ablehnung befürchtet hat und deshalb

andere milderte. Sie bestrafte nicht mehr nur Ehelosigkeit, sondern auch Kinderlosigkeit, und zwar für die Frau ab dem 20. bis zum 50., für den Mann vom 25. bis zum 60. Lebensjahr.[244] Wer diese Bedingung nicht erfüllte, hatte Anspruch nur auf die Hälfte des ihm Vererbten.[245] Auf der anderen Seite enthält die *lex Papia* auch mildere Bestimmungen als die *lex Iulia*, wie z. B. die Verlängerung der Frist für die Wiederverheiratung im Falle einer Scheidung von 6 auf 18 Monate,[246] im Todesfalle des Ehepartners von 1 auf 2 Jahre.[247] Eine genaue Abgrenzung der Gesetze ist aber nicht möglich, da sie in den juristischen Kommentaren zumeist als Einheit behandelt werden.[248]

3.3.3.5 Ergänzende Verfügungen

Schon während der Regierungszeit des Augustus hat es viele Senatsbeschlüsse zu den Gesetzen gegeben. Davon gibt Horaz in seinem Festlied für die Säkularspiele 17 v.Chr. Auskunft.[249] Hier erwähnt er gar nicht das Gesetz selbst, sondern nur die *decreta patrum*, um der *lex Iulia* eine noch größere Autorität zu verleihen.[250]

Durch einen Senatsbeschluß wurde noch einmal eingeschärft, *non conveniens*

---

einer persönlichen Niederlage entgehen wollte, wie H. Siber, Führeramt, 63, annimmt; jeder wußte, welches Engagement er dafür aufbrachte und daß er auch bei diesem Gesetz die treibende Kraft war.

[243] Beide Gesetze waren nebeneinander geltendes Recht, vgl. P. Jörs, Verhältnis, 5 f.

[244] Ulp. 16, 1; vgl. oben S. 164, Anm. 206.

[245] Gai. 2, 286 a; 111; *orbi* sind all jene, die keine Kinder *secundum leges Iuliam Papiamve quaesiti* haben, vgl. Paul. Sent. 4, 8, 4 = Coll. 16, 3, 4, also auch Senatoren, die Kinder aus einer Ehe mit einer *liberta* haben. Daß diese Bestimmung noch nicht in der *lex Iulia* enthalten war, zeigt Gai. 2, 286 und 286 a; vgl. auch P. Jörs, Verhältnis, 30 f., Anm. 1; zweifelnd H. Last, CAH X, 454, Anm. 1.

[246] J. Geiger, SCI 2, 1975, 150 ff., sieht Tiberius als Initiator für diese Abmilderung (und zwar aus persönlichen Gründen), eine allerdings sehr hypothetische Vermutung.

[247] Ulp. 14. Frg. Vat. 218 scheint den Kreis der *personae exceptae* auf Eheleute zu erweitern, doch vgl. Acta divi Augusti, 186, Anm. 4. Die Frage, welches der beiden Gesetze strenger war, ist umstritten. Tac. ann. 3, 25 legt nahe, daß die *lex Papia* schärfer war: *de moderanda Papia Poppaea, quam senior Augustus post Iulias rogationes...sanxerat*, vgl. P. Jörs, Ehegesetze, 55 f.; Acta divi Augusti, 166; B. Biondi, Legislazione, 130; F. Della Corte, ANRW II 30, 1981, 540. Für milder als die *lex Iulia* halten H. Last, CAH X, 453; P. Brunt, Manpower, 560, die *lex Papia*.

[248] Rekonstruktionen der Gesetze, wie sie von früheren Juristen versucht wurden (Gothofredus 1653, Ramos del Manzano 1678, Heineccius 1726), erwiesen sich als fragwürdig, vgl. P. Jörs, Verhältnis, 1 ff.

[249] Hor. carm. saec. 17 ff.

[250] So muß man wohl die *decreta patrum* bei Horaz deuten; der Erklärungsversuch von P. Jörs, Ehegesetze, 33 f., klebt zu sehr am Wortlaut. A. Bouchè-Leclerq, RH 57, 1895, 264, Anm. 1, nimmt einen Senatsbeschluß mit Gesetzeskraft an; vgl. A. del Castillo, Hisp. Ant. 4, 1974, 182 f.; P. Csillag, Augustan laws, 221.

esse ulli senatori uxorem ducere aut retinere damnatam publico iudicio.[251] Offensichtlich wurde dieser Bestimmung große Bedeutung beigemessen, denn bereits die *lex Iulia* verbot derartige Ehen allen römischen Bürgern.[252] Darüber hinaus wurden Umgehungsmöglichkeiten der Ehegesetze durch Erlasse und Senatsbeschlüsse beseitigt. Augustus hatte bestimmt, daß keine Verlobung[253] gültig sein sollte, wenn nicht nach 2 Jahren die Heirat folge.[254] Dies war eine Reaktion auf Verlobungen mit noch lange nicht heiratsfähigen Mädchen, die geschlossen wurden, um auf diese Weise die Vorteile der Verheirateten zu erlangen.[255] Durch einen weiteren Senatsbeschluß wurde die Inkapazität bezüglich der Testamente und Legate auf *donationes mortis causa* ausgedehnt,[256] da auf diese Weise die Bestimmungen umgangen worden waren. Aber wir erfahren auch von Befreiungen von den Verfügungen der Gesetze zu bestimmten Anlässen durch den Senat: Im Jahre 17 v. Chr. der Senatsbeschluß aus Anlaß der *ludi saeculares* und ein weiteres SC i. J. 12 v. Chr., als der Senat diejenigen, die von der *lex Iulia de maritandis ordinibus* betroffen waren, von dem Verbot, an öffentlichen Gastmählern teilzunehmen, befreite. Anlaß waren die Geburtstagsfeierlichkeiten für Augustus.[257]

Im Jahre 9 v. Chr. wurde Livia das *ius trium liberorum* als Trost für den Verlust ihres Sohnes Drusus verliehen.[258] Dieses Recht befreite nicht nur von den Strafen der Gesetze, sondern gewährte auch ihre Belohnungen. Es bedeutete vor allem die Erlangung der vollen *capacitas* und – für Frauen von besonderer Bedeutung – die Befreiung von der Geschlechtsvormundschaft. In augusteischer Zeit ist eine Verleihung des *ius liberorum* noch selten; das Recht dazu hatte zunächst der Senat, später der Kaiser.[259]

---

[251] D 23, 2, 43, 10. Ob es sich hier um einen Ausführungsbeschluß zur *lex Iulia* handelt – so P. Jörs, Ehegesetze, 33 – oder ob der Beschluß nach der *lex Papia* entstanden ist – so R. Astolfi, Lex Julia et Papia, 30 f. –, kann nicht entschieden werden. R. J. A. Talbert, Senate, 450, bezieht diese Bestimmung auf das SC von 19 n. Chr. (SC von Larino), eine Folge der von M. Malavolta verursachten Fehlinterpretation (s. dazu Appendix). Vgl. auch D 24, 1, 3, 1, wo allerdings schon die Rechtsungültigkeit der gegen das Gesetz geschlossenen Ehen vorausgesetzt ist.

[252] Ulp. 13, 2: *ceteri autem ingenui prohibentur ducere. . .iudicio publico damnatam* (nachdem § 1 das Eheverbot für Senatoren und *libertae* erwähnt wurde).

[253] Verlobte erhielten nach der *lex Iulia* die *iura maritorum*, Dio 54, 16; 56, 7; Suet. Aug. 34.

[254] Dio 54, 16; Suet. Aug. 34.

[255] Verlobungen waren einseitig aufhebbar, ein Zwang zur Ehe bestand grundsätzlich nicht, D 45, 1, 134 pr; CJ 5, 1, 1.

[256] D 39, 6, 35 pr: *Senatus censuit placere mortis causa donationes factas in eos, quos lex prohibet capere, in eadem causa haberi, in qua essent, quae testamento his legata essent, quibus capere per legem non liceret.*

[257] Dio 54, 30, 5; vgl. Suet. Aug. 44.

[258] Dio 55, 2.

[259] Dio 55, 2; vgl. Th. Mommsen, Staatsrecht II, 847 ff.; P. Jörs, Verhältnis, 54, zum Dispensationsrecht des Senates. Zum *ius liberorum* vgl. P. Jörs a. a. O., 33 f.; noch unter Caligula wurde es vom Senat verliehen, Dio 59, 15, 1; erst Claudius verlieh selbst die *iura maritorum*,

Außerdem ist uns ein Beschluß bekannt, durch den einige Frauen von der *lex Voconia* dispensiert wurden.[260] Dieses Gesetz aus dem Jahre 169 v.Chr. verbot jedem Mitglied der ersten Zensusklasse, eine Frau als Erbin einzusetzen.[261] Der Dispens erfolgte, um für Frauen der Oberschicht, die gleichzeitig das *ius liberorum* hatten, die Möglichkeit der Erbeinsetzung zu schaffen, ohne die sie natürlich kein Erbe antreten konnten[262] und also auch das *ius liberorum* ohne Bedeutung wäre. So bittet Augustus den Senat, daß er seine Frau Livia, entgegen der *lex Voconia,* zu einem Drittel als Erbin einsetzen dürfe.[263]

Auch in der Folgezeit erwiesen sich die Ehegesetze als bedeutende Rechtsquelle, und sie wurden durch zahlreiche Senatsbeschlüsse und Edikte immer wieder modifiziert und interpretiert.[264] Erst 320 hob Konstantin die meisten Strafen für Ehe- bzw. Kinderlosigkeit auf,[265] 410 wurden die Bestimmungen bezüglich des Erbrechts abgeschafft.[266]

Die Gesetzgebung stellt sich also folgendermaßen dar:

1. Es gab eine Pflicht zur Ehe; sie galt selbst dann, wenn – wie im Falle des Todes des Ehepartners – es traditionellen Auffassungen[267] nicht entsprach. Die *lex Papia* dehnte zudem die Strafbestimmungen sogar auf kinderlose Ehepaare aus.

2. Die freie Auswahl des Ehepartners war je nach Stand eingeschränkt:[268]

Dio 60, 24, 3; vgl.Suet.Claud.19. Martial bekam das Recht unter Domitian, vielleicht Titus, 2, 91 f., u.ö.; unter Trajan wurde es Plinius verliehen, ep. 10, 2; 11, 1, 38 (für Voconius Romanus); 10, 94-5 (für Suetonius); außerdem ILS 1910; Ulp. 16, 1 a; Frg. Vat. 170. Erst im 4. Jahrhundert wurde es allen verliehen und damit die Zurücksetzung aufgehoben, CJ 8, 58/59.

[260] Dio 56, 10, 2.

[261] Gai. 2, 274; vgl. oben S.73 ff.

[262] P. Jörs, Verhältnis, 41 f., glaubt, daß das *ius communium liberorum* Voraussetzung für einen Dispens von der *lex Voconia* gewesen sei, wofür aber die Quellen, auch Ulp. 16, 1 a, keinen Anhalt bieten. R.Astolfi, SDHI 39, 1973, 209, denkt dagegen an *exceptae personae,* die die *lex Voconia* ja nicht kannte, aus dem Verwandtenkreis. Doch ist der Dispens wohl eher als Belohnung für Kinderreichtum zu verstehen. Zu den Bestimmungen, die Frauen betrafen, vgl. v.a. M. Humbert, Le remariage, 146–170.

[263] Dio 56, 32; vgl.P. Jörs, Verhältnis, 39 ff.; H. Siber, Deutsche Rechtswissenschaft 4, 1939, 160; P.Csillag, Augustan laws, 152 f. und Anm. 576–582.

[264] Es ist unmöglich, sie hier alle aufzulisten. Ich verweise daher auf die in den Anmerkungen genannte Literatur; die wichtigsten nennt A. Wallace-Hadrill, PCPhS 27, 1981, 75 f.

[265] CTh 8, 16.

[266] CJ 8, 57, 2.

[267] Diese betrafen v.a. das Ansehen einer nur einmal verheirateten Frau. Vielleicht liegt hier einer der Gründe für die Verleihung des *ius liberorum:* In besonderen Fällen erschien es möglicherweise als zu große Härte, eine neue Ehe zu erzwingen.

[268] Grundsätzlich unterlagen selbst Freigelassene den Bestimmungen der Gesetze; doch mußten sie einmal höhere Anforderungen in Bezug auf die Kinderzahl erfüllen, um die Vorteile der *lex Papia* zu erhalten (Paul.Sent. 4, 9, 8; oben S.165 f.), andererseits waren Ehen mit Angehörigen des Senatorenstandes verboten. Die Rechte der Patrone wurden durch die Gesetzgebung z.T. massiv beschnitten.

Senatoren durften keine Freigelassenen, Freigeborene keine Angehörigen infamer Personenkreise heiraten.

3. Belohnungen und Sanktionen gingen weit über das bisher gekannte Maß hinaus. Junggesellen hatten allgemein massive Eingriffe in das Erbrecht hinzunehmen. Unverheiratete Angehörige der Oberschicht waren darüber hinaus gegenüber Verheirateten im öffentlichen Leben (bei Amtsbewerbungen, Ehrenrechten etc.) benachteiligt.

4. Neben die Einführung einer Ehepflicht trat der Versuch einer moralischen Erneuerung der Ehe durch die Kriminalisierung des Ehebruchs in der *lex Iulia de adulteriis.*

3.3.3.6 Ziele der Gesetzgebung

Für die Zielsetzung ist es zunächst wichtig, die amtliche Stellung, in der Augustus seine Gesetzgebung betrieben hat, zu untersuchen. Er erwähnt in seinem Tatenbericht, daß er 19, 18 und 11 zum *curator legum et morum summa potestate solus* gewählt werden sollte und daß er dieses Ansinnen abgelehnt habe, weil er kein Amt *contra morem maiorum* annehmen wollte. Dennoch habe er das, was der Senat durch ihn ausgeführt wissen wollte, mit Hilfe der *tribunicia potestas* vollendet. Diese Bemerkung betrifft vor allem sein umfangreiches Sittengesetzgebungswerk.[269] Obwohl unsere beiden wichtigsten Quellen für diese Zeit – Dio und Sueton[270] – im Gegenteil übereinstimmend von einer Annahme der *cura* sprechen, so ist doch aus naheliegenden Gründen die Glaubwürdigkeit des Augustus nicht anzuzweifeln. Denn man muß davon ausgehen, daß Augustus in seinem für die Öffentlichkeit bestimmten Tatenbericht nicht so offenkundig die Unwahrheit sagen konnte. Eher sind den zeitlich viel entfernteren Sueton und Dio Ungenauigkeiten und von ihrer eigenen Zeit beeinflußte Aussagen zu unterstellen. Sueton spricht von *regimen,* und das kann er ganz allgemein als Augustus' Regierungsaufgabe auf Lebenszeit und nicht als Amt im engeren Sinne gemeint haben, zumal er besonders darauf hinweist, daß Augustus das *regimen* ohne den Ehrentitel eines Zensors übernommen hat. Dio meint zwar tatsächlich ein Amt in juristischem Sinne, da er es als zeitlich befristet darstellt, aber er geht hier wohl von den Erfahrungen seiner Zeit aus.[271] Man hat den Widerspruch auch mit der Annahme zu lösen versucht, daß Augustus zwar eine *cura morum* angenommen habe, nicht aber eine *maxima potestate,* denn nur eine solche wäre *contra morem maiorum* gewesen.[272] Es ist aber fraglich, ob sich

---

[269] Aug. res gest. 6. Daß Augustus das Gesetzgebungswerk nicht erwähnt, ist nicht verwunderlich, da er außer den materiell genau definierbaren ‹Taten› nur die Grundsätze seiner Regierungszeit niedergeschrieben hat.

[270] Suet. Aug. 27, 5 spricht von einer Übernahme des *morum legumque regimen* auf Lebenszeit; Dio 54, 10, 5 heißt es, daß er 19 für 5 Jahre ἐπιμελητὴς τῶν τρόπων wurde. Das gleiche behauptet er 54, 30, 1 für 12.

[271] Vgl. W. Weber, Princeps, 163, Anm. 599.

[272] So A. v. Premerstein, Wesen, 149 ff.; ihm folgen H. Siber, Führeramt, 60; V. A. Sirago, Principato, 201, Anm. 65. Diese Annahme führt zu Versuchen, diese *maxima potestas* zu

Augustus derartige Spitzfindigkeiten[273] dem informierten Leser gegenüber erlauben konnte.[274] Alles spricht dafür, daß Augustus nur eine faktische *cura morum* innegehabt[275] und seine Gesetze mit Hilfe der *tribunicia potestas* durchgesetzt hat. Auf diese Weise wurde der inhaltliche Rückgriff auf den *mos maiorum* durch den formalen gleichsam legitimiert. Eine rechtlich abgesicherte Sittenaufsicht hätte dagegen den Zielen der Gesetze sicher geschadet.

Die Ehegesetze sollten die Rahmenbedingungen für eine moralische Erneuerung der Gesellschaft schaffen. Nur auf dieser Grundlage ist der bevölkerungspolitische Aspekt zu sehen.[276] Kinder sollten aus gesetzlich anerkannten Ehen, die genau definiert waren, stammen. Wiederbelebung der alten sittlichen Normen, Stärkung der Familie, Kriminalisierung des Ehebruchs und Heiratsverbot zwischen bestimmten Personenkreisen hatten einen ebenso großen Stellenwert wie eine Erhöhung der Bevölkerungszahl.[277]

---

definieren. Nach W. Weber, Princeps, 163, Anm. 599, umfaßte sie die *censoria potestas* und das *consulare imperium,* ohne daß er diese Ansicht allerdings belegt, während H. Siber, Führeramt, 62, gar von einer *datio legis* ohne Mitwirkung der Volksversammlung spricht. All diese Interpretationen sind reine Spekulation.

[273] Das gilt auch für die Annahme von A. H. M. Jones, Studies, 25, daß die augusteische Aussage zweideutig sei, da sich eine Zurückweisung nicht auf die *cura,* sondern auf ein Amt *contra morem* beziehe.

[274] Vgl. J. Béranger, Recherches, 207.

[275] J. Béranger, Recherches, 209: «La cura morum est l'expression morale de la puissance tribunicienne»; vgl. P. Grenade, Essai, 301 ff.; A. E. Astin, Latomus 22, 1963, 226 ff.; B. Parsi Magdelain, RD 42, 1964, 373 ff.; G. Pièri, L'histoire du cens, 194 ff.; G. Pfister, Erneuerung, 61 ff. Gegen die res gestae verteidigen Dio und Sueton: G. Ferrero, Größe und Niedergang Roms V, Stuttgart 1909, 229 f., Anm. 21; J. C. Thibault, The mystery of Ovid's exile, Berkely/Los Angeles 1964, 137, Anm. 15.

[276] Die Behauptung von F. Della Corte, ANRW II 30, 1981, 541, «che ad Augusto, più che il matrimonio, interessava la prole», geht an der wahren Intention der Gesetzgebung vorbei. Ebenso verfehlt ist die Ansicht von E. Ciccotti, Profilo di Augusto, Turin 1938, 94; 139 f.; 145, der den bevölkerungspolitischen Aspekt überhaupt leugnet und v. a. den finanziellen hervorhebt. Zu weitgehend auch A. Wallace-Hadrill, PCPhS 27, 1981, 59: «But I think we do Augustus and his successors an injustice if we suppose they seriously expected this legislation to affect the general birthrate».

[277] Diese grundlegende Einschränkung einer bevölkerungspolitischen Zielsetzung schon bei H. Last, CAH X, 452; K. Galinsky, Philologus 125, 1981, 129. Eine finanzielle Absicht – nämlich die Einziehung möglichst vieler *caduca* – sollte Augustus nicht unterstellt werden, wenngleich die Gesetze vielleicht einen derartigen Effekt gehabt haben. Wenn E. Ciccotti, Profilo, 145 f., mit Tac. ann. 3, 25 behauptet, daß die *lex Papia* aus diesem Grund erlassen worden sei, verwechselt er Ursache und Wirkung; vgl. J. Field, Class. Journ. 40, 1945, 406 f.; 415 f.; R. Astolfi, SDHI 39, 1973, 187; 198 ff.; L. F. Raditsa, ANRW II 13, 1980, 325; K. Galinsky, Philologus 125, 1981, 128; A. Wallace-Hadrill, PCPhS 27, 1981, 68; 72. Suet. Aug. 40 verdeutlicht, daß Augustus auch bei der *lex Aelia Sentia* keine fiskalischen Überlegungen berücksichtigte. In späterer Zeit allerdings mögen sie herangezogen worden sein, vgl. Plin. pan. 42, 1; Ulp. 17, 2; dazu B. Biondi, Legislazione, 135; F. Millar, Emperor, 161 f.

Daß eine derartige Politik, die doch dem Zeitgeist entgegenstand,[278] nicht durch bloße Appelle mit Erfolg durchgeführt werden konnte, liegt auf der Hand; ein System von relativ harten Strafen und hohen Belohnungen sollte den Gesetzen daher Nachdruck verleihen. M. Humbert[279] hat in einer Analyse dieser Sanktionen bzw. Belohnungen deutlich gemacht, daß sie je nach Zweckmäßigkeit alle Bevölkerungsschichten auf die in den Gesetzen festgelegten Ziele verpflichten sollten. Dennoch ist seiner Schlußfolgerung, daß die augusteischen Gesetze «sont le reflet d'une politique démographique et non d'une politique de classe»,[280] nicht ganz zuzustimmen. Die herausragende Stellung der Senatoren wird schon durch das Libertineneheverbot deutlich, das für alle anderen *ingenui* nicht galt. Ferner bestanden auch Eheverbote zwischen römischen Bürgern und bestimmten anrüchigen Frauen,[281] so daß also auch hier die ‹politique démographique› der ‹politique de classe› untergeordnet war. Daß aber die Gesetzgebung der besonderen Bedeutung der oberen Schichten Rechnung getragen hat, wird vor allem durch den Gnomon des Idiologus offenbar, der über die Anwendung der Gesetze in Ägypten informiert.[282] Aus ihm geht hervor,[283] daß von den erbrechtlichen Strafmaßnahmen gegen Unverheiratete und Kinderlose nur Männer und Frauen mit einem Vermögen von mindestens 100 000 bzw. 50 000 Sesterzen betroffen waren.[284] Frauen, die nicht verheiratet waren und ein Vermögen von mindestens 20 000 Sesterzen hatten, mußten außerdem

[278] F. Schulz, Classical Roman law, 105, leugnet eine weitverbreitete Eheunlust im letzten Jahrhundert der Republik und frühen Prinzipat. Danach wäre aber die Beseitigung aller Ehehindernisse durch die Gesetze unerklärlich; dazu auch R. Villers, ANRW II 14, 1982, 293 f. Die Gründe für die Abnahme der Geburtenrate sind bei K. Hopkins, Renewal, 78 ff., zusammenfassend S. 98, aufgeführt.

[279] Le remariage, 142 ff.

[280] M. Humbert, Le remariage, 146. Anders J. Field, Class. Journ. 40, 1945, 399; M. Amelotti, Jura 21, 1970, 261 ff.; K. Galinsky, Philologus 125, 1981, 132.

[281] Vgl. L. F. Raditsa, ANRW II 13, 1980, 289, dessen These von einer Teilung der Gesellschaft (S. 315) aber verfehlt ist. Vgl. ferner R. Astolfi, SDHI 39, 1973, 194 f.; F. Della Corte, ANRW II 30, 1981, 546; D. Nörr, Irish Jurist 16, 1981, 352. Spekulativ ist die Annahme von R. I. Frank, CSCA 8, 1975, 41 ff., daß die Sittengesetzgebung die ländliche Moralität, die von den Rittern in den Munizipien geformt sei (49), der schändlichen Urbanität der stadtrömischen Aristokratie gegenübergestellt habe, zumal Augustus in immer größere Abhängigkeit vom Ritterstand gelangt sei. Diese These findet in den Quellen überhaupt keinen Rückhalt.

[282] Es ist allerdings nicht ganz sicher, ob die dort aufgeführten Bestimmungen den augusteischen Gesetzen oder späteren Modifikationen zuzuordnen sind, vgl. H. Last, CAH X, 451; P. Brunt, Manpower, 565.

[283] Kap. 30 u. 32. Die Angaben des Gnomon im Vergleich mit den juristischen Kommentaren hat R. Besnier, RIDA 2, 1949, 93 ff., untersucht.

[284] Die 100 000 HS-Grenze war auch sonst bedeutsam: Gai. 3, 42 überliefert, daß die *lex Papia* bestimmt habe, daß vom Vermögen eines Freigelassenen, wenn es 100 000 HS überstieg und der *libertus* weniger als 3 Kinder hatte, dem Patron eine *virilis pars* zustand, vgl. D 32, 8, 26; D 37, 14, 16. Auch betrug in der Regel der Zensus für die Zulassung zum städtischen Rat 100 000 HS, vgl. D. Nörr, in: Freiheit und Sachzwang, 313.

eine 1%ige Steuer zahlen, und zwar sowohl eine *ingenua* als auch eine *liberta*.[285]

Natürlich bedeutete das nicht, daß die Ehegesetze gegen die Reichen[286] gerichtet waren oder gar, wie gelegentlich behauptet worden ist,[287] als Instrument des Kampfes gegen die Nobilität gedacht waren. Aber die Eingriffe in das Erbrecht waren das einzige Mittel gegen eine Mißachtung der Gesetze durch die Oberschicht von vornherein, zumal die Vorteile oder Nachteile z.B. bei der Ämtervergabe nicht mehr dieselbe Bedeutung wie in der Republik hatten.[288]

In seiner Rede, die ihn Dio anläßlich der Einbringung der *lex Papia Poppaea* halten läßt,[289] weist Augustus ausdrücklich darauf hin, daß neben einem allgemeinen Bevölkerungswachstum vor allem die physische Erhaltung der alten aristokratischen Familien durch die Gesetzgebung gewährleistet sein sollte. Diese mußte mit einer Stabilisierung ihrer wirtschaftlichen Verhältnisse verbunden sein. Die besten Voraussetzungen dafür, daß das Vermögen in der Familie blieb, waren überhaupt familiäre Bindungen. Gleichzeitig sorgten die Erbrechtsbestimmungen[290] dafür, daß die Übertragung der Vermögen an außerhalb der Familie stehende Personen und damit auch die Schwächung der wirtschaftlichen Substanz erschwert wurde.[291] Es ist also ganz offensichtlich, daß Augustus

---

[285] Kap. 29; vgl. R. Besnier, RIDA 2, 1949, 107 f. Es sei darauf hingewiesen, daß auch die *lex de vicesima hereditatum* (Acta divi Augusti, 219) die 5%ige Erbschaftssteuer den Armen erließ, Dio 55, 25, 4; Plin. pan. 40, 1; vgl. Acta divi Augusti, 220, Anm. 4; M. Humbert, Le remariage, 144, Anm. 8; zu der Steuer vgl. G. Wesener, RE VIII A (1958), s. v. vicesima hereditatum, 2471–77; A. Wallace-Hadrill, PCPhS 27, 1981, 63 f.

[286] Jedenfalls nicht soweit sie Angehörige der Oberschicht waren; die Behandlung der reichen Freigelassenen ist vielleicht anders zu beurteilen: A. Wallace-Hadrill, PCPhS 27, 1981, 61 f.; zu den *bona libertorum* R. Astolfi, Lex Julia et Papia, 229 ff.

[287] E. Ciaceri, Le vittime del despotismo in Roma nel I secolo dell'impero, Catania 1898, 39; M. A. Levi, Il tempo di Augusto, Florenz 1951, 175; vgl. auch R. I. Frank, CSCA 8, 1975, 41 ff.; P. Csillag, Augustan laws, 45.

[288] Wie sehr sich die Oberschicht hier getroffen fühlte, zeigen die offensichtlich zahlreichen Umgehungsversuche durch *donationes mortis causa* und Fideicommisse, die deshalb gesetzlich beseitigt werden mußten: erstere durch ein SC (s. oben S. 170), die *fideicommissa* durch das *SC Pegasianum* unter Vespasian, Gai. 2, 286 a; dazu R. Astolfi, Lex Julia et Papia, 79; D. Nörr, Rechtskritik, 107 ff.; R. Besnier, L'extension des lois caducaires aux fideicommis d'après Gaius, Institutes II, 286 et 286 a, in: Droit de l'antiquité et sociologique juridique, Mél. H. Lévy-Bruhl, Paris 1959, 25–29.

[289] Dio 56, 2–9.

[290] Vgl. z. B. die umfangreiche Ausnahmeregelung in Bezug auf die Familienangehörigen, oben S. 166, Anm. 223; vgl. ferner die bei Ulp. 16 angeführten Regeln; ferner Dio 56, 3, 1 f.; 4 f.

[291] Vgl. A. Wallace-Hadrill, PCPhS 27, 1981, 58 ff.; bes. 70: «Augustus' laws sought to stabilize that transmission, and consequently the transmission of status, by advantaging the family man in the pattern of inheritance». Die wirtschaftliche und politische Bedeutung einer niedrigen Geburtenrate stellt K. Hopkins, Renewal, 98, heraus: «low fertility concentrated too much wealth in the hands of noble social rivals, and at the same time produced an unwelcome flood of new men».

nicht nur die Zweckmäßigkeit der jeweiligen Strafen und Belohnungen zur
Erreichung einer hohen Geburtenrate im Auge hatte, sondern vor allem die
Bestimmungen der Gesetze an der Bedeutung der einzelnen Klassen ausrich-
tete.[292] Eine Klärung der Frage, wieweit Ritter und Senatoren unterschiedlich
behandelt wurden, ist nach dem überlieferten Text nur begrenzt möglich. Es ist
aber unbestritten, daß die höchsten moralischen Anforderungen entsprechend
ihrer Stellung an die Senatoren gestellt wurden, erkennbar vor allem am Libertineneheverbot und an den Bestimmungen über die Amtsbewerbungen. Zudem
galt Augustus' besonderes Engagement der Erhaltung aristokratischer Familien,[293] und auch die *lex Iulia de adulteriis* hat, obwohl sie formal an alle Bürger
gerichtet war, in den senatorischen Verfehlungen ihre Hauptursache. Aber auch
die Ritter mußten ihre von der Zeit der Republik her gewohnte Freiheit erheblich einschränken, wie die von Sueton[294] besonders erwähnte Opposition zeigt.
Das große Interesse des Augustus an der sittlichen Erneuerung des Ritterstandes findet v. a. in der Wiederbelebung der *iuventus* und der Prüfung durch die
transvectio equitum seinen Ausdruck.[295]

Wie sehr die Stärkung der Familie die Politik des Augustus bestimmte, geht
daraus hervor, daß er trotz sehr großen Widerstandes während seines ganzen
Lebens daran festhielt, unnachgiebig an der Weiterentwicklung der Gesetze
arbeitete[296] und auch durch persönlichen Einsatz für dieses Ziel wirkte. Es ist
bekannt, daß er bei Reisen durch Italien besonders kinderreiche Familien mit
Geld belohnt und den Söhnen Unterstützung für ihre Karriere zugesichert
hat,[297] falls sie von ihrer Vaterstadt empfohlen wurden. Ihm vermachte Legate
pflegte er den Kindern der Toten zurückzugeben, entweder sofort oder bei der
Mündigkeitserklärung, wenn es Söhne, bei der Heirat, wenn es Töchter
waren.[298] Ferner hat Augustus vornehme Männer durch seinen Einfluß zur
Heirat bestimmt, z.T. mit Geld unterstützt: Als Cornelius Sisenna 13 v. Chr.
wegen des Lebenswandels seiner Frau belangt wurde, rechtfertigte er sich
damit, daß er sie mit Wissen und auf Wunsch des Augustus geheiratet habe.[299]
Dem Marcus Hortalus, Enkel des Redners Hortensius, also einer Familie mit

---

[292] Vgl. M. Humbert, Le remariage, 144 ff., der das anders sieht. Diese Differenzierung
unterschlägt im übrigen P. Brunt, Manpower, 565. Die gesamte soziale und politische Breite
der Ehegesetzgebung muß berücksichtigt werden.

[293] Dio 56, 1, 2–9; vgl. unten.   [294] Suet. Aug. 34.

[295] Vgl. unten S. 185 ff.

[296] Ein Indiz für diese Beharrlichkeit ist die Einführung einer Kontrolle, v. a. durch die *lex
Papia*, Tac. ann. 3, 28: *acriora ex eo vincla, inditi custodes et lege Papia Poppaea praemiis
inducti*; vgl. Macr. 2, 4, 9; Tac. ann. 1, 72; D 22, 6, 6. Die Prämien für Delatoren müssen
hoch gewesen sein, denn unter Nero wurden sie auf ein Viertel gesenkt, Suet. Nero 10.
Unter Hadrian wurde durch SC das Verfahren im Falle einer falschen Anzeige geregelt,
D 49, 14, 13; 15.

[297] Sein Ziel war, die Lebensfähigkeit der von ihm angelegten Kolonien zu sichern,
Suet. Aug. 46. Jedem Mann gab er 1000 HS für jedes Kind.

[298] Suet. Aug. 66; vgl. Gell. 10, 2, 2; Dio 56, 2, 2; 56, 4, 1; 56, 32, 3.

[299] Dio 54, 27.

ruhmreicher Vergangenheit, hatte er 1 Mill. HS geschenkt, damit er heiratete und seine Familie vor dem Aussterben bewahren konnte.[300] Auch Livia hat sich auf ähnliche Weise eingesetzt.[301] Gellius[302] berichtet, daß Augustus einer Magd ein Monument errichtet habe, da sie 5 Jungen geboren hatte, die aber wenige Tage nach der Geburt gestorben waren.

Der Geist der Ehegesetze sollte überall gegenwärtig sein. In seinen Dienst wurden, wie bereits erwähnt,[303] die *ludi saeculares* gestellt; das Festgedicht, das Horaz im Auftrag des Augustus für die Spiele schrieb,[304] enthält Anspielungen auf die *lex Iulia de maritandis ordinibus* und auf die *decreta patrum*.[305] Den gleichen Zweck verfolgten die Abbildungen auf der *ara pacis Augustae*: «The chief reason for the inclusion of women and children in the processional friezes of the Altar of Peace was to place before the eyes of the Roman public an image of the emperor and his associates as heads of families. The emperor and his retinue were thus depicted as the embodiment of Augustan social program; they set a standard for the rest of the population to emulate. There ist thus a strong connection between the social policy of Augustus and the processional friezes of the Ara Pacis Augustae».[306]

Angesichts dieser großen und auch propagandistisch herausgestellten Bedeutung der Ehegesetze ist noch auf das Verhalten des Augustus bei Übertretung der Gesetze, besonders der *lex Iulia de adulteriis* einzugehen. Der bekannteste Fall ist der seiner Tochter Julia,[307] die Ehebruch mit hochangesehenen Männern in Rom begangen hatte.[308] Die *lex Iulia* sah dafür das Anklägerverfahren und Kriminalstrafe vor, ließ aber die private Bestrafung weiterhin zu,[309] so daß Augustus hier mittels seiner *patria potestas* handeln konnte, ohne sein eigenes Gesetz zu verletzen. Er verbannte Julia und einige Ehebrecher 2 v. Chr. und handelte damit gesetzestreu, da ja Relegation und Vermögensentzug die übliche Strafe nach der *lex Iulia* war.[310] Er zeigte sich auch später unnachgiebig,

---

[300] Tac. ann. 2, 37; Suet. Tib. 47. Tiberius war in dieser Beziehung weitaus zurückhaltender.

[301] Dio 58, 2. Sie hat sich um Kinder gekümmert und für die Finanzierung der Mitgift gesorgt.

[302] Gell. 10, 2, 2.

[303] Vgl. oben S. 166, Anm. 220.

[304] Suet. Hor.

[305] Hor. carm. saec. 17 ff.

[306] D. E. E. Kleiner, MEFR 90, 1978, 776.

[307] Quellen: Dio 55, 10, 12–16; Suet. Aug. 65; Vell. 2, 100; Tac. ann. 1, 53; 3, 24; 4, 44; Sen. benef. 6, 32; Plin. n. h. 7, 149; Macr. 2, 5.

[308] Die Namen sind bei Vell. 2, 100, 4 f. aufgeführt.

[309] Vgl. Tac. ann. 2, 50; 13, 32; Suet. Tib. 35; vgl. aber Schol. ad Hor. Sat. 2, 7, 63; s. oben S. 167 f.

[310] Paul. Sent. 2, 26, 14; Ulp. 13, 2; s. oben S. 167. Schwierigkeiten bereitet die Todesstrafe des Iullus Antonius, eines der Ehebrecher. Doch vielleicht unterschlägt Tac. ann. 4, 44 einfach den Tatbestand des Hochverrates, der aus Dio 55, 10 zu schließen ist, vgl. auch Tac. ann. 1, 10; dazu J. Bleicken, Senatsgericht, 34. Sempronius Gracchus, ein anderer Ehe-

lehnte eine vom Volk geforderte Begnadigung ab[311] und dachte sogar daran, sie töten zu lassen.[312] Als Reaktion auf diesen Fall scheint es eine Flut von Anklagen gegen Frauen wegen Ehebruchs gegeben zu haben,[313] die Augustus dadurch einzudämmen versuchte, daß er Ehebrüche, die vor einem festgesetzten Termin geschehen waren, für straffrei erklärte. Daß er allzu lang zurückliegende Fälle nicht strafen wollte, geht auch aus einem Bericht Dios hervor:[314] Als ein Mann angeklagt wurde, der die Frau, mit der er Ehebruch begangen hatte – offensichtlich lange zurückliegend –, geheiratet hatte, wies Augustus die Klage ab mit dem Hinweis auf die Bürgerkriegszeit, in der der Ehebruch wahrscheinlich stattgefunden hatte. Dahinter steht der Wille, die Vergehen der zurückliegenden Zeit zu vergessen und mit den Ehegesetzen eine neue Ära einzuläuten. Weitere Fälle zumal aus seiner engsten Umgebung sind von ihm mit ähnlicher Strenge wie der seiner Tochter behandelt worden,[315] obwohl sonst gerade die Milde seiner Rechtssprechung betont wird.[316]

Die Zielsetzung der Ehegesetze läßt sich also unter 3 Hauptaspekte zusammenfassen: 1. Bevölkerungswachstum, nicht planlos allerdings, sondern unter bestimmten, auf die Bedeutung der einzelnen Bevölkerungsschichten zugeschnittenen Voraussetzungen. 2. Moralische Erneuerung der Oberschicht. 3. Erhaltung der physischen und wirtschaftlichen Substanz der Oberschicht. Augustus hat die Existenz dieser Gesetze überall und durch sein ganzes Handeln[317] bewußt zu machen versucht, um auf diese Weise die Oberschicht an sein moralisches Erneuerungsprogramm zu binden.

---

brecher, wird 14 Jahre lang auf die Insel Cercina verbannt; ein Tribun konnte wegen seiner Unverletzlichkeit erst nach seiner Amtszeit belangt werden. Für die hier zugrundeliegende Frage ist ohne Belang, ob Julia sich vielleicht am Hochverrat beteiligt hatte, was noch nicht bewiesen ist, vgl. R. Syme, The crisis of 2 B.C., München 1974, 18 ff.; verfehlt ist die Darstellung von E. Meise, Untersuchungen zur Geschichte der Julisch-Claudischen Dynastie, München 1969, 1–34.

[311] Suet. Aug. 65.

[312] Suet. Aug. 65; Dio 55, 10, 16. Er hätte es offenbar gerne gesehen, wenn Julia sich – ähnlich wie ihre Freigelassene Phoebe – selbst getötet hätte.

[313] Dio 55, 10, 16.

[314] Dio 54, 16, 6.

[315] Seinen liebsten Freigelassenen, der Ehebruch mit vornehmen Frauen begangen hatte, trieb er in den Selbstmord, vgl. Suet. Aug. 67. Seinen Enkel Agrippa Postumus verbannte er 7 n. Chr. u. a. wegen seines sittenlosen Charakters, Tac. ann. 1, 6; Suet. Aug. 65, 4; seine Enkelin Julia wurde wegen Ehebruchs mit D. Silanus in die Verbannung geschickt, Sen. brev. 4, 6; Tac. ann. 3, 24; 4, 71; Plin. n. h. 7, 149; Suet. Aug. 19; 65, 1; Claud. 26; Schol. Juv. 6, 158.

[316] Suet. Aug. 33; 51; 67.

[317] Lediglich bei seinen eigenen familienpolitischen Überlegungen nahm er keine Rücksicht auf den Geist der Gesetze. Er veranlaßte die Scheidung von Agrippa und Marcella, damit dieser Julia heiraten konnte (Suet. Aug. 63), und zwang Tiberius, sich von seiner schwangeren Frau und Mutter seines Sohnes zu trennen, um für eine Ehe mit Julia nach Agrippas Tod frei zu sein. Auch scheint er sich persönlich keinerlei Schranken gesetzt zu haben, Suet. Aug. 69; Dio 54, 16, 3; 19; Zon. 10, 38.

3.3.3.7 Opposition

Der Widerstand gegen die Gesetze scheint trotz aller Bemühungen des Augustus beträchtlich gewesen zu sein: Der erste Anlauf zu einer derartigen Gesetzgebung zwischen 28 und 23 v. Chr., wahrscheinlich 28 v. Chr., scheiterte noch an ihm.[318] Unsere Hauptquellen Dio und Sueton geben uns einen Einblick in die Entstehungsgeschichte der Gesetze. Dabei legt Dio[319] vor allem Wert auf die Darlegung der schlechten Startbedingungen der *lex Iulia de maritandis ordinibus,* die zum einen in der moralischen Verkommenheit der aristokratischen Frauen und Männer, zum anderen aber auch in dem nicht vorbildlichen sittlichen Verhalten des Augustus[320] begründet seien und aus denen Opposition erwachse. Diese erwähnt Sueton[321] vor allem gegen die *lex Iulia de maritandis ordinibus* und die später folgenden Verschärfungen des Gesetzes.[322] Augustus mußte weitgehende Abstriche machen,[323] und als schließlich die Ritter bei einem öffentlichen Schauspiel weiterhin für die Abschaffung demonstrierten, führte er die Kinder des Germanicus als Mahnung vor, sich einen so jungen Vater als Vorbild zu nehmen.[324] Eine inhaltliche Fixierung dieses Widerstandes ist kaum möglich. Doch wird man davon ausgehen können, daß nicht die Ziele der augusteischen Gesetzgebung im Blickpunkt der Kritik gestanden haben; kein Römer konnte sich offen gegen die Neubelebung der *mores maiorum* aussprechen. Ebensowenig ist – wie auch bei den *leges sumptuariae* oder dem zensorischen *regimen morum* – eine grundsätzliche Kritik, etwa im Sinne einer Verletzung der persönlichen Freiheitsrechte, denkbar. Die Quellen lassen vermuten, daß sich offener Widerstand vor allem im Vorfeld der *lex Papia* bildete,[325] nachdem man erkannt hatte, wie restriktiv Augustus die Gesetze auslegte, bisweilen sogar verschärfte. Persönliche Betroffenheit ist also die Ursache der Kritik,[326] das Bewußtsein, daß die Gesetze streng angewendet wurden und daß Erlasse und Senatsbeschlüsse Umgehungsmöglichkeiten eindämmen sollten. So

---

[318] Vgl. Prop. 2, 7; oben S. 162 f.

[319] Dio 54, 16, bes. §§ 3–7.

[320] Gemeint sind v. a. die Intimitäten mit verschiedenen Frauen (Dio 54, 16, 3); der Hinweis auf die Ermahnungen, die Augustus nach eigenem Bekunden seiner Frau hinsichtlich ihres sittlichen Verhaltens gegeben haben will, ist ironisch gemeint (§ 5).

[321] Suet. Aug. 34.

[322] Diese bestanden in dem Ausschalten der Kinderverlobungen (oben S. 170) und der Begrenzung der nun häufigen Scheinehen.

[323] Diese sind nach Suet. Aug. 34 Aufhebung oder Abmilderung der Strafen, Verlängerung der Frist für die Wiederverheiratung und Erhöhung der Belohnungen. Wann und wie diese Revision stattgefunden haben soll, bleibt im dunkeln.

[324] Daß sich dieses Ereignis aller Wahrscheinlichkeit nach auf die *lex Papia,* also 9 n. Chr., bezieht, hat P. Jörs, Ehegesetze, 51 f., mit dem Hinweis gezeigt, daß Germanicus erst nach diesem Zeitpunkt eine größere Kinderschar haben konnte.

[325] Dio 56, 1–10; Suet. Aug. 34; vgl. Tac. ann. 3, 25.

[326] Deutlich erkennbar bei Dio 56, 1 ff.; Prop. 2, 7.

ist etwa das negative Urteil des Properz und auch des Ovid von ihrer eigenen Betroffenheit geprägt.[327]

3.3.3.8 Die Stellung der Ehegesetze zur Tradition

Die Legitimation für die Strenge sieht Augustus in der Berufung auf den *mos maiorum,* der die Grundlage einer Gesellschaft werden sollte, die den Aufgaben der Gegenwart und Zukunft gewachsen war.[328] Die Idealisierung des *mos* war für Augustus daher ein Grundelement seiner Politik, und jener berühmte Satz: *Legibus novis me auctore latis multa exempla maiorum exolescentia iam ex nostro saeculo reduxi et ipse multarum rerum exempla imitanda posteris tradidi*[329] verdeutlicht, daß er sich in die Tradition eingebunden fühlte.[330] Seine zahlreichen Erlasse und Gesetze bestätigen das.[331] Der Wunsch, die darin formulierten Ziele als Ausdruck einer von den Vorfahren übernommenen Grundhaltung begreiflich zu machen, ist auch erkennbar in der Rezitation der Rede des Q. Caecilius Metellus Macedonicus, Zensor 131, *de prole augenda* im Senat[332] und in der ihm von Dio[333] in den Mund gelegten Rede anläßlich der Einbringung der *lex Papia Poppaea.*

Ein gewisses Spannungsverhältnis besteht aber zwischen Ziel und Mittel der Gesetze. So bedeutete die *lex Iulia de adulteriis* einen Eingriff in die Hausgewalt, da sie die Strafverfolgung des Ehebruchs aus dem privaten in den öffentlichen Bereich verlagerte.[334] Vor allem aber setzte Augustus sich mit der *lex Iulia*

---

[327] Zur Haltung der Elegiker zu den Ehegesetzen vgl. F. Della Corte, ANRW II 30, 1981, 539 ff.; bes. 541 ff.; 550 ff.; Tac. ann. 3, 25 benutzt die Ehegesetze als Folie für seinen Sittenexkurs. Für ihn ist ohnehin zweifelhaft, ob durch Gesetze ein moralischer Verfall aufgehalten werden kann, vgl. ann. 3, 27.

[328] K. Galinsky, Philologus 125, 1981, 138, reduziert die Zielsetzung der Gesetze auf die Außenpolitik, da Augustus dazu eine moralisch intakte Oberschicht benötigt habe. Diese Hypothese wird der ganzen Breite der Gesetzgebung nicht gerecht.

[329] August. res gest. 8.

[330] Vgl. A. Heuß, Mon. Chil. 82, 1975, 156; W. Weber, Princeps, 170 und Anm.

[331] Z. B. die Anordnung, eine Toga im Circus oder auf dem Forum zu tragen (Suet. Aug. 40, 5), die Sitzplatzreservierung im Theater (Suet. Aug. 44, 1), die Erneuerung der *iuventus* (dazu unten S. 185 ff.), die Beschränkung der Freilassungen (durch die *lex Fufia Caninia* 2 v. Chr. und die *lex Aelia Sentia* 4 n. Chr., vgl. Acta divi Augusti, 202 f.; 205 ff.), die *lex sumptuaria* (oben S. 60; 100 f.), die Bestrebungen im religiösen Bereich (dazu v. a. J. H. W. G. Liebeschütz, Continuity and change in Roman religion, Oxford 1979, 55–100) und natürlich die Ehegesetze.

[332] Suet. Aug. 34; Gell. 1, 6.

[333] Dio 56, 2–9.

[334] Zu den privatrechtlichen Änderungen, die die *lex Iulia de adulteriis* im Bereich der *patria potestas* nach sich zog, vgl. A. M. Rabello, Effetti personali, 208 ff.; 210 ff.; M. Antonio de Dominicis, Spunti in tema di «patria potestas» e cognazione, in: Studi in onore di A. Segni I, Mailand 1967, 577 ff. Tiberius scheint allerdings z. T. wieder zur voraugusteischen Praxis zurückgekehrt zu sein, indem er bei Ehebruch das *iudicium domesticum* zuließ, Suet. Tib. 35; Tac. ann. 2, 50: Er rät den Angehörigen einer des Ehebruchs überführten Frau,

et *Papia* über bislang geachtete Traditionen hinweg. Davon zeugt z. B. die
Pflicht zur Wiederverheiratung, die in früherer Zeit durchaus negativ bewertet
wurde; zumindest belegen zahlreiche Stellen antiker Autoren und Inschriften
die Anerkennung, die man einer nur einmal verheirateten Frau entgegen-
brachte.[335]

Die Einführung der Inkapazität bedeutete einen tiefen Einschnitt in die erb-
rechtliche Freiheit,[336] und ebenso griff Augustus in die Rechte der Patrone ein,
indem er Freilassungen reglementierte, Freigelassene von den *operae libertorum*
befreite, wenn sie zwei Kinder hatten, und Eide zwischen Freilasser und Frei-
zulassendem für ungültig erklärte, wenn sie zur Verhinderung einer Ehe gefordert wurden.[337] Frauen mit dem *ius liberorum* befreite er von der *tutela mulierum*. Bei der Besetzung von Ämtern waren Heirat und Kinder als Einstellungs-
kriterien wichtiger als das Alter.

Wenn man dazu die zahlreichen Ausführungsbestimmungen – seien es
Gesetze, Edikte oder Senatsbeschlüsse – betrachtet, ist die ganze Tragweite der
Gesetzgebung zu ermessen: Die Konsequenz, mit der Augustus seine Politik
durchführte, war so ‹unrepublikanisch›, daß die Juristen oft das *ius antiquum*
und die *leges* gegenüberstellen. Sogar eine Art Überwachung wurde eingerich-
tet. Nach der *lex Papia* mußte jeder, der den Anforderungen des Gesetzes nicht
genügte, also «in dessen Person ein Caducum entstand»,[338] dieses beim *praefectus aerarii* anzeigen; andernfalls konnte das jede andere Person tun, die dann
mit einem bestimmten Prozentsatz des Caducums belohnt wurde.[339] Diese *praemia delatorum* scheinen außerordentlich hoch gewesen zu sein, denn wir erfah-

---

diese nach alter Sitte mehr als 200 Meilen zu verbannen, vgl. Tac. ann. 13, 32. Das Handeln
des Tiberius wurde auch hier also von seinem Bemühen um gute Beziehungen zur Oberschicht bestimmt; denn in derartigen Fällen wurde von den Betroffenen ein öffentliches Verfahren, wie es die *lex Iulia* forderte, gescheut, da es zweifellos auch das Prestige der Angehörigen getroffen hätte. Natürlich kommt der hier erwähnte Vorgang einer freiwilligen
Verbannung näher als einem echten Familiengericht; vgl. dagegen E. Pólay, Studi Volterra III, 304 f.

[335] Val. Max. 2, 1, 3; Liv. 10, 23; vgl. ferner die bei P. Jörs/W. Kunkel, Privatrecht, 275,
Anm. 4, angeführten Stellen. In satirischer Überzeichnung der Folgen der Gesetze Juv. 6,
229 f.: *Sic crescit numerus sic fiunt octo mariti quinque per autumnos, titulo res digna sepulchri;*
vgl. ferner Sen. benef. 3, 16, 2.

[336] Der Antritt eines Erbes wurde verhindert aus einem Mangel der Person, obwohl der
Betroffene grundsätzlich zum Erben eingesetzt werden konnte (*libera testamenti factio pas-
siva*). Das kannte das voraugusteische Recht ebensowenig wie die Bestimmungen bezüglich
der Defizienz: hier griff Augustus in das bisher praktizierte System der *accrescentia* ein,
vgl. Gai. 2, 206–208, der deutlich den Einschnitt der *lex Papia* zum Ausdruck bringt.

[337] Das erscheint umso schwerwiegender, wenn man die besondere Bedeutung des Eides
eines Freigelassenen gegenüber einem Patron bedenkt, Cic. off. 3, 31, 111; der Bruch des
Eides unterlag in republikanischer Zeit dem zensorischen Sittengericht.

[338] P. Jörs, Verhältnis, 52 f.

[339] Tac. ann. 3, 28: *acriora ex eo vincla, inditi custodes et lege Papia Poppaea praemiis
inducti;* vgl. Macr. 2, 4, 9; Tac. ann. 1, 72; D 22, 6, 6.

ren, daß sie unter Nero auf ein Viertel gesenkt wurden.[340] Derartige Belohnungen führten zu Mißbrauch, so daß z. Z. Hadrians ein Senatsbeschluß ergangen ist, der das Verfahren im Falle einer falschen Anzeige regelte.[341] In jedem Falle mußte geprüft werden, ob eine absichtliche oder irrtümliche Falschanzeige vorlag. Ersteres wurde mit einem der Höhe der Delation entsprechenden Geldbetrag bestraft.[342] Wahrscheinlich war in der *lex Iulia de adulteriis* ein ähnliches Überwachungssystem festgeschrieben: Nicht nur der eigene Mann, sondern jeder (*extraneus*) konnte die ehebrecherische Frau anklagen.[343]

Zwar sind alle diese Maßnahmen, über deren Spannung zur Tradition sich Augustus im klaren war,[344] für sich gesehen nicht ohne Beispiel aus der Zeit der Republik. Eingriffe in die Testierfreiheit sind schon seit der *lex Furia* und der *lex Voconia* praktiziert worden,[345] Schenkungen wurden durch die *lex Cincia* untersagt,[346] und auch Gesetze gegen den Ehebruch gab es offenbar in republikanischer Zeit;[347] seine Bestrafung wurde nicht ausschließlich privat gehandhabt, sondern es sind auch einige Fälle bekannt, die vor die Ädilen gebracht worden sind.[348] Belohnungen für Kinderreichtum in republikanischer Zeit sind uns bekannt aus einem Edikt von 169,[349] nach dem Freigelassene mit einem Sohn von mehr als 5 Jahren privilegiert waren bei der Einschreibung in die Tribus, und von Cäsar, der kinderreiche Familien bei der Ackerverteilung begünstigte.[350] Sie werden auch erwähnt in einer Rede des Zensors P. Scipio *de moribus,* in der er die Gewohnheit derer tadelt, die statt selbst Kinder zu zeugen andere adoptieren, um die *praemia patrum* zu erlangen.[351] Ähnliches gilt für die Strafen. Daß im Jahre 403 v. Chr. die Zensoren ledige Männer durch eine Geldstrafe zur Heirat zwingen wollten, ist wohl eine aus augusteischer Zeit transpo-

---

[340] Suet. Nero 10: *Praemia delatorum Papiae legis ad quartas redegit.* Übrigens wird sowohl aus Tacitus wie aus Sueton deutlich, daß dieses Institut erst der *lex Papia* zuzuordnen ist.

[341] D 49, 14, 13, 10; 49, 14, 15: *Senatus censuit, si delator abolitionem petat, quod errasse se dicat, ut idem iudex cognoscat, an iusta causa abolitionis sit, et si errasse videbitur dei imprudentiae veniam, si autem calumniae, hoc ipsum iudicet eaque causa accusatori perinde cedat, ac si causam egisset et prodidisset.*

[342] D 49, 14, 15, 6; *Si quis argueturfalsas rationes detulisse, de eo praefectus aerarii cognoscat, quantam fraudem invenerit, ut tantam pecuniam in aerario iubeat inferri.*

[343] D 48, 5, 4, 2: *si ante extraneus instituerit accusationem an supervenienti marito permittatur accusatio quaeritur.*

[344] Das wird deutlich aus der Rechtfertigungsrede im Vorfeld der *lex Papia,* Dio 56, 2–9.

[345] Zur *lex Furia:* oben S. 70 ff.; zur *lex Voconia:* S. 73 ff.

[346] Vgl. oben S. 63 ff.

[347] Coll. 4, 2, 2 (zit. oben S. 168, Anm. 237). Es hat auch nicht an Spekulationen über derartige Gesetze gefehlt, vgl. W. Hoffmann, Ad legem Iuliam de adulteriis coercendi (1732), in: D. Fellenberg, Iurisprudentia antiqua I, Bern 1760, 144; L. Lange, Alterthümer III, 166.

[348] Liv. 8, 22; 25, 2; Val. Max. 6, 1, 8.

[349] Liv. 40, 51; 45, 15; vgl. auch die *lex Terentia de libertinorum liberis,* Plut. Flam. 18, 1; dazu G. Rotondi, Leges publicae, 274; E. Schmähling, Sittenaufsicht, 74.

[350] App. civ. 2, 10; Suet. Caes. 20; Dio 38, 7, 3.

[351] Gell. 5, 19, 15.

nierte Anekdote;[352] aber unbestritten ist, daß sich das *regimen morum* auch mit Ehelosigkeit zu befassen hatte[353] und in die *patria potestas* eingreifen konnte, wenn ein Vater seine verlobte Tochter dem Bräutigam versagte.[354] Die einzelne Bestimmung für sich gesehen konnte also durchaus als eine Wiederaufnahme republikanischer Tradition gelten; Augustus konnte sich auf die *exempla maiorum* berufen, und die Kritik an der Ehegesetzgebung richtete sich nicht etwa gegen eine Verletzung des *mos maiorum* durch den *princeps*. Eingriffe in die Intimssphäre und Einschränkungen der Freizügigkeit waren auch in der Republik üblich, aber sie waren – und hier liegt der entscheidende Unterschied – nicht als ‹staatlicher› Eingriff fühlbar. In ihrer Gesamtheit, zudem mit der Rigorosität ihrer Anwendung, stellten die augusteischen Maßnahmen etwas völlig Neues dar. Die wenig tauglichen, vereinzelten, unsystematischen republikanischen Ansätze wurden ungemein verschärft, systematisch zusammengefaßt, perfektioniert.[355] Durch die Masse und Intensität wurde ein eigenes, der Republik nicht mehr angemessenes Klima geschaffen. Jedem war jetzt bewußt, daß diese Maßnahmen ‹von oben› verordnet waren, also nicht mehr auf einem Konsens der Betroffenen beruhten. Und aus diesem Bewußtsein heraus wurden die augusteischen Gesetze umso schmerzlicher empfunden: nicht nur weil sie bisher ungekannte Ausmaße angenommen hatten, sondern auch weil die Oberschicht auf ihre Entstehung keinen Einfluß mehr hatte und ohnmächtig hinnehmen mußte, daß ihr auch die Kontrolle über private Angelegenheiten entzogen war; selbst die Ritter, deren Opposition von den Quellen besonders hervorgehoben wird, spürten jetzt zum ersten Mal massive staatliche Eingriffe in ihre zur Zeit der Republik nahezu unangetastete Handlungsfreiheit. Und so ist das Neue und spezifisch Augusteische ein Gesetzesperfektionismus, dessen Konsequenzen weit über die eigentlichen Ziele der Gesetzgebung hinausgingen.

3.3.4 Die Ritter als Adressaten der kaiserlichen Sittenpolitik

Während der republikanischen Zeit blieb das Privatleben der Ritter[356] anders als das der Senatoren weitgehend unangetastet. Zwar waren auch sie dem *regimen morum* der Zensoren, ja sogar den *leges sumptuariae* formal unterworfen.

---

[352] Val. Max. 2, 9, 1; Plut. Cam. 2. Angeblich wurden ebenso die bestraft, die sich darüber zu beklagen wagten, vgl. dazu E. Schmähling, Sittenaufsicht, 26; W. Krenkel, Familienplanung und Familienpolitik in der Antike, Würzburger Jb. f. Altertumswiss. N. F. 4, 1978, 200. Vgl. zum Zwang zur Ehe auch Cic. rep. 2, 20, 36; Liv. 1, 43; Dion. Hal. 9, 22, 2; Dio 56, 6.

[353] Cic. leg. 3, 3, 7; Plut. Cat. mai. 16; s. oben S. 14 ff.; 25.

[354] Varro ling. 6, 71.

[355] Über einen tatsächlichen Erfolg der Gesetze zu streiten, scheint mir müßig, da uns die Möglichkeiten einer zuverlässigen Beurteilung fehlen; vgl. dazu H. Last, CAH X, 425 ff. (erfolgreich); F. Schulz, Classical Roman law, 107 f.; P. Brunt, Manpower, 566; M. Humbert, Le remariage, 174 ff.; D. Nörr, Planung, 313 ff. (erfolglos).

[356] Damit sind zunächst alle reichen Bürger bezeichnet, die nicht Senatoren bzw. *nobiles* waren; die formale Trennung erfolgte erst 129 v. Chr., vgl. J. Bleicken, Verfassung, 60 ff.

Aber es besteht doch kein Zweifel, daß beide Institute faktisch ausschließlich auf die Senatoren bezogen waren.[357] Sie hatten ihren Ursprung in der Desintegration der politisch allein herrschenden Schicht, die durch die Verpflichtung auf den *mos maiorum* korrigiert werden sollte, und waren damit politisch motiviert. Der Ritterstand hatte aber am staatlichen Leben über seine Zugehörigkeit zur Volksversammlung hinaus zunächst gar keinen Anteil, und es war insofern also auch sein Privatleben für die politische Ordnung uninteressant. Die *lex Claudia de nave senatorum* von 218 unterstreicht diesen Tatbestand: Die Senatoren hatten höhere moralische Anforderungen zu erfüllen, während die Ritter als Nutznießer des Gesetzes in die von jenen hinterlassene Lücke stoßen konnten. Die späteren *leges sumptuariae* waren gegen die politische Ausrichtung des Luxus gerichtet und betrafen daher die Ritter nur insofern, als sie politische Karriere machen wollten. Die Ritterschaft konnte sich also ganz ihren privaten Interessen hingeben, ohne daß sie irgendwelchen Beschränkungen unterworfen war. Ihre Einbeziehung in die politischen Auseinandersetzungen in der Endphase der Republik änderte daran zunächst nichts; die politischen Entscheidungen wurden nach wie vor von den Senatoren gefällt, und die Sittengesetze der Revolutionszeit hatten wie die früheren lediglich das Verhalten der bestimmenden Schicht, der Senatoren, im Blick. Mit dem Beginn des Prinzipats wurde das anders: Die Ritter wurden, wie die Senatoren auch, in die gesamtstaatliche Ordnung integriert. Die Bedeutung dieses Wandels von einem Stand von Privatleuten zu öffentlichen Funktionsträgern wurde ihnen vor Augen geführt, als die Sittengesetzgebung des ersten *princeps* auch die Ritter einbezog und sie damit im Grunde zum ersten Mal drastische Eingriffe in ihr Privatleben hinnehmen mußten. Und so ist es keineswegs überraschend, daß der nachhaltigste Widerstand aus ihren Reihen kam; vielleicht sind sogar die ersten Versuche des Augustus daran gescheitert.[358] Deutlich zeigt sich die Haltung der Ritter bei der *lex Iulia de maritandis ordinibus*[359] und vor allem bei der *lex Papia Poppaea*.[360] Gerade auf die Ritter sind, auch nach dem Eingeständnis des Augustus, die immer wieder erfolgten Abmilderungen und die *vacationes,* außerdem die finanziellen Anreize bezogen.[361] Auch darin, wie dieser Widerstand formu-

---

[357] Vgl. dazu oben S. 22 ff.; 127 ff.; bes. 130 f.

[358] Vgl. die Freude des Properz (2, 7) über die Zurückziehung eines Gesetzentwurfes, von dem auch er und Cynthia betroffen waren (vgl. oben S. 162 f.).

[359] Suet. Aug. 34: *Hanc (sc. legem Iuliam) cum aliquanto severius quam ceteras emendasset, prae tumultu recusantium perferre non potuit, nisi adempta demum lenitave parte poenarum et vacatione trienni data auctis praemiis.* Daß es sich bei den *recusantes* um Ritter handelte, macht die folgende Bemerkung deutlich: *Sic quoque abolitionem eius publico spectaculo pertinaciter postulante equite. . .*

[360] Dio 56, 1, 2: ἐπειδή τε οἱ ἱππῆς πολλῇ ἐν αὐταῖς (sc. ταῖς θέαις) σπουδῇ τὸν νόμον τὸν περὶ τῶν μήτε γαμούντων μήτε τεκνούντων καταλυθῆναι ἠξίουν.

[361] Vgl. Suet. Aug. 34 und v. a. Dio 56, 6, 5. Auch in den Munizipien förderte Augustus kinderreiche Ritterfamilien: Suet. Aug. 46 (oben S. 176 f.); vgl. ferner Dio 56, 7, 2 (Freizügigkeit bei der Auswahl der Frauen); 56, 7, 3 (*vacationes*); vgl. auch Dio 54, 16, 2: Das Libertineneheverbot sei deshalb auf die Senatoren beschränkt worden, weil im Adel (außer

liert wurde, unterschieden sich Ritter und Senatoren. Scheinen letztere keineswegs offen gegen die Gesetze aufgetreten zu sein, sondern vielmehr indirekt Stellung bezogen[362] oder Auswüchse bekämpft zu haben,[363] zeigt sich die Opposition der Ritter in erstaunlicher Offenheit[364] und auch mit substantieller Kritik.[365] Es fiel ihnen schwerer als dem Senat, sich an Gesetze zu halten, die ihnen Pflichten und Verantwortung für den Staat auferlegten.

Augustus hat diese für die Ritter neue Einbeziehung in die von ihm gewünschte und auch rigoros betriebene moralische Erneuerung nicht nur mit Appellen an das Verantwortungsbewußtsein,[366] sondern auch durch konkrete Maßnahmen zu erreichen versucht. Der Grundstein dafür sollte schon durch die Erziehung gelegt werden, die er deshalb umfassend neu ordnete.

Es ist nun wichtig festzuhalten, daß diese Reorganisation der *iuventus*[367] ausschließlich Senatoren und Ritter betraf.[368] Zu ihr gehörten alle Senatorensöhne bis zum 25. Lebensjahr und alle Ritter bis zum 35. Lebensjahr.[369] Die augustei-

---

den Senatoren) der Anteil der Männer den der Frauen übertroffen habe; wahrscheinlich ist die Ausnahmeregelung für die Ritter als Zugeständnis aufzufassen.

[362] Dio 54, 16, 3 f.: auf dem Umweg einer Kritik am moralischen Verhalten der Frauen und nicht zuletzt des Augustus selbst.

[363] Vgl. unter Tiberius Tac. ann. 3, 25 ff.

[364] Vgl. Suet. Aug. 34; Dio 56, 1, 2.

[365] Vgl. die Bemerkungen des Augustus bei Dio 56, 7, 1, die auf diese Kritik antworten; ferner die Haltung der aus dem Ritterstand stammenden Tibull und Properz, die sicher keine Einzelfälle waren: F. Della Corte, ANRW II 30, 1981, 552.

[366] Vgl. Dio 56, 5, 3: καὶ μέντοι καὶ τὴν πολιτείαν καταλύετε, μὴ πειθόμενοι τοῖς νόμοις, καὶ τὴν πατρίδα προδίδοτε στερίφην τε αὐτὴν καὶ ἄγονον ἀπεργαζόμενοι.

[367] Zu den Ursprüngen der *iuventus* vgl. G. Pfister, Erneuerung, 1 ff.

[368] Vgl. dazu auch die Vorschläge des Mäcenas bei Dio 52, 26, die wohl auch augusteische Maßnahmen widerspiegeln: Περὶ μὲν οὖν τῶν βουλευτῶν τῶν τε ἱππέων ταῦτά σοι συμβουλεύειν ἔχω . . . (es folgen die Vorschläge). Dazu J. Bleicken, Der politische Standpunkt Dios gegenüber der Monarchie, Hermes 90, 1962, 462.

[369] Vgl. Th. Mommsen, Staatsrecht III, 506; M.I. Rostovtzew, Bleitesserae, 61; S.L. Mohler, TAPhA 68, 1937, 450; A. Alföldi, Der frührömische Reiteradel und seine Ehrenabzeichen, Baden Baden 1952, 90 f.; 95 ff.; 101; 121 f.; G. Pfister, Erneuerung, 34 ff. (mit Quellen und Literatur); bes. 42; anders: L.R. Tayler, Seviri equitum Romanorum and municipal Seviri. A study in pre-military training among the Romans, JRS 14, 1924, 160; zur besonderen Bedeutung des *princeps iuventutis* (griech.: πρόκριτος τῆς ἱππάδος: Dio 71, 35) für die Nachfolgeregelung vgl. L. Koch, De principe iuventutis, Diss. Leipzig 1863; Th. Mommsen, Staatsrecht II, 826 ff.; III, 523; M.I. Rostovtzew, Bleitesserae, 61 ff.; A. Stein, Ritterstand, 82 ff.; A. Alföldi, Reiteradel, 121 f.; W. Beringer, RE XXII (1954), s.v. princeps iuventutis, 2296 ff.; G. Pfister, Erneuerung, 35 ff. Zweifellos hat die Neuerrichtung der *iuventus* beispielhaft auch auf die munizipalen Collegia gewirkt, auch wenn direkte Einflußnahme des Augustus nicht nachgewiesen werden kann und sie sich in der sozialen Zusammensetzung von den stadtrömischen Vereinen unterschieden, vgl. M. Jaczynowska, in: Recherches sur les structures sociales dans l'antiquité classique 1, 1970, 267; G. Pfister, Erneuerung, 70 ff.; dies., in: Geschichte der Leibesübungen II, 259 f.; D. Ladage, Chiron 9, 1979, 319 ff.

schen Maßnahmen in diesem Bereich müssen unter 3 Aspekten gesehen werden:

1. Die Schaffung eines Zusammengehörigkeitsgefühls unter den jungen Rittern, das auch nach außen hin demonstriert werden sollte.[370]

2. Die enge Beziehung zum Kaiserhaus durch das Amt des *princeps iuventutis,* das zum ersten Mal den kaiserlichen Prinzen Gaius und Lucius Caesar[371] verliehen wurde und bis ins 4. Jahrhundert[372] den designierten Nachfolgern zukam.

3. Die Schaffung einer physisch[373] und moralisch intakten und leistungsfähigen Elite.[374]

Auch hier hat Augustus das Prinzip befolgt, das schon im Rahmen seiner Sittengesetzgebung deutlich wurde: Altrömische Traditionen[375] wurden zusammengefaßt und den Erfordernissen des Prinzipats entsprechend mit neuen Inhalten gefüllt. Das gilt in besonderem Maße für die *transvectio equitum,* deren Wiedereinrichtung[376] unter Augustus zu einer umfassenden *probatio* der Ritter geriet.[377] Im Mittelpunkt dieser Prüfung standen *vita* und *mores* der Ritter,[378] die er – anders als die republikanischen Zensoren – konsequent und systematisch durchführte.[379] Damit gehört auch die Reorganisation der römischen

---

[370] Vgl. oben S.142f. Es gehörte ja auch sonst zu den Prinzipien des Augustus, die Zusammengehörigkeit bestimmter Bevölkerungsgruppen etwa durch die Sitzplatzordnung im Theater zu stärken (*praetextati,* Ehemänner etc.).

[371] Im Jahre 5 v. Chr.: Res gestae 14.

[372] Vgl. die Liste der *principes iuventutis* bei W. Beringer, RE XXII, s. v. princeps iuventutis, 2299 ff.

[373] Die *iuvenes* wurden zu einem umfangreichen körperlichen Training angehalten, das von nicht zur Oberschicht gehörenden *magistri iuventutis* oft auf dem Marsfeld geleitet wurde (Wagenrennen, Reiten, Waffenübungen, Laufen, Speerwurf, Bogenschießen, Diskus, Boxen, Schwimmen, Ballspiel: vgl. G. Pfister, in: Geschichte der Leibesübungen II, 270, Anm. 36; der Schwerpunkt lag auf den militärischen Übungen: M. I. Rostovtzew, Bleitesserae, 64; G. Pfister, Erneuerung, 50).

[374] Die Vereine waren auf keinen Fall nur «weltmännische Klubs, in denen die wohlhabende Jugend...in die eleganten Sportarten eingeführt wurde» (H. I. Marrou, Geschichte der Erziehung im klassischen Altertum, München 1977[7], 550).

[375] Dies hat v. a. G. Pfister, Erneuerung, 1 ff., herausgestellt.

[376] Suet. Aug. 38, 3: *Equitum turmas frequenter recognovit, post longam intercapedinem reducto more travectionis.*

[377] Im Rahmen seiner zensorischen Befugnisse, vgl. G. Pfister, Erneuerung, 61; J. Bleicken, Sozialgeschichte I, 297.

[378] Vgl. Ov. trist. 2, 89 f.: *At memini vitamque meam moresque probabas illo quem dederas praetereuntis equo;* ebenso 541 f.: *carmina edideram, cum te delicta notantem praeterii totiens...eques.* Die Prüfung scheint also tatsächlich ernst genommen worden zu sein. Vgl. Suet. Aug. 37; 39: *impetratis a senatu decem adiutoribus, unum quemque equitem rationem vitae reddere coegit atque ex inprobatis alios poena, alios ignominia notavit, plures admonitione, sed varia;* ferner Dio 55, 31, 2.

[379] Die *probatio* fand jährlich statt (G. Pfister, Erneuerung, 62), und Augustus ließ sich dabei von Helfern unterstützen (Suet. Aug. 37 ff.). Daß auch hier in erster Linie die körperli-

iuventus in das moralische Erneuerungsprogramm, wie es durch die breitange-
legte Sittengesetzgebung vorgezeichnet war. Ritter wie Senatoren sollten in
jeder Beziehung auf ihre politischen und militärischen Aufgaben vorbereitet
werden und hatten daher auch von ihrem Privatleben Rechenschaft zu
geben.[380] Diese Nachteile, d. h. die umfassende Reglementierung aller Lebens-
bereiche der jungen Männer, versuchte Augustus durch die enge Bindung an
das Kaiserhaus (vor allem durch das Amt des *princeps iuventutis*) und durch
zahlreiche Ehrungen, also durch gesellschaftliche Aufwertung zu kompensieren
und erträglich zu machen.

3.3.5 Zusammenfassung: Sittengesetze in neuer Funktion

Auf drei Ebenen spiegelte die Sittengesetzgebung der Kaiserzeit das Verhältnis
von *princeps* und Oberschicht wider:
  1. Für den *princeps* stellte sie sich in erster Linie als eine Kontrollmöglichkeit
der Senatoren dar. Für die Luxusgesetze und -edikte, vor allem im Spielwesen,
war sicher die Furcht vor senatorischer Konkurrenz bei der politischen Nutzung des Luxus ausschlaggebend. Es verwundert daher auch nicht, daß mit der
zunehmenden Schwächung des Senatorenstandes dieser Bereich der Gesetzgebung an realer Bedeutung verlor und, wenn überhaupt noch Maßnahmen
ergriffen wurden, sie auf ihren ideellen Inhalt reduziert wurden.[381] Jedenfalls
drohte den *principes* von dieser Seite keine Gefahr mehr.
  2. Gleichzeitig diente die Sittengesetzgebung auch der gesellschaftlichen
Untermauerung des Prinzipats. Darauf legte, wie die Rigorosität der Ehegesetze zeigt, vor allem Augustus besonderen Wert. Indem er die Oberschicht auf
traditionelle Verhaltensweisen festlegte, hoffte er eine breitere und dauerhaftere
Grundlage für den Prinzipat zu schaffen. Daß er den *mos maiorum* in den Mittelpunkt seiner Politik stellte, sich also den aristokratischen Idealen der Vergan-

---

che Verfassung des Einzelnen im Vordergrund stand, ist wohl selbstverständlich. Wahrscheinlich dienten auch die *ludi* der Prüfung der Ritter, obwohl die Teilnahme an ihnen
natürlich nicht obligatorisch, aber von den Kaisern wohl gerne gesehen war; vgl. dazu
M. I. Rostovtzew, Bleitesserae, 64 f.; A. Neumann, RE Suppl. 10 (1965), s. v. Disciplina militaris, 161; anders: G. Pfister, Erneuerung, 58; 60 f. Zur Rittermusterung unter Caligula:
Suet. Cal. 16: *Equites R. severe curioseque, nec sine moderatione, recognovit, palam adempto
equo quibus aut probri aliquid aut ignominia inesset, eorum qui minore culpa tenerentur nominibus modo in recitatione praeteritis;* unter Claudius: Suet. Claud. 16, 1: *Recognitione equitum iuvenem probri plenum sed quem pater probatissimum sibi affirmavit, sine ignominia dimi-
sit, habere dicens censorem suum; alium corruptelis adulteriisque famosum nihil amplius quam
monuit, ut aut parcius aetatulae indulgeret aut arte cautius; addiditque: «Quare enim ego scio,
quam amicam habeas?»;* unter Nero: Dio 63, 13, 3; Vespasian: Suet. Vesp. 9, 2;
vgl. Plin. n. h. 33, 152; Domitian: Suet. Dom. 8; Hadrian: Corp. Gloss. Lat. III, 33, 1–25;
388, 11–21.
[380] Vgl. die Beispiele Anm. 379.
[381] Schon die ambivalente Haltung des Tiberius allein zeigt im Grunde, daß keine politische Notwendigkeit, jedenfalls nicht von der Seite des *princeps*, existierte.

genheit verpflichtet zeigte,[382] machte ihn gegen den Vorwurf der Zerstörung des Alten unangreifbar und legitimierte ihn auch, Senatoren und Ritter durch die Ehegesetze oder die Erneuerung der *iuventus* an die neue Ordnung zu binden. Durch nach außen sichtbar gemachte gesellschaftliche Abstufungen und finanzielle Unterstützung versuchte er darüber hinaus, die politische Aktivität zu fördern. Eine wesentliche Voraussetzung für die Funktionsfähigkeit des Prinzipats war ferner die Stabilität der Gesellschaft und hier in erster Linie der Oberschicht. Die Exklusivität des Senatorenstandes sollte weitgehend gewährleistet sein; die Möglichkeiten, in den Senatorenstand aufzusteigen oder aus ihm abzusteigen, wurden erheblich beschränkt (Ehegesetze; Auftrittsverbote für Senatoren und Ritter, etc.).[383] Damit eng verbunden war die Erhaltung bzw. Verbesserung der wirtschaftlichen Substanz: Sowohl das Eherecht (und Erbrecht), das durch die Einschränkung der Partnerwahl für Senatoren auch für die Stabilität der Eigentumsverhältnisse nicht unwesentlich war, als auch die Maßnahmen gegen Verschwendung sind auf diesem Hintergrund zu sehen.

Obwohl Senatoren und Ritter im Zentrum der Politik des Augustus standen, weist seine auf die Plebs zielende Spielgebertätigkeit und auch die systematisch betriebene Bevölkerungspolitik[384] schon auf die immer stärker werdende Hinwendung der kaiserlichen Innenpolitik auf das ganze Volk voraus. Dahinter stand die Vorstellung einer von allen gesellschaftlichen Gruppen akzeptierten und aktiv mitgestalteten Staatsordnung.

Jedoch gelang es Augustus nicht, Begeisterung für seine Ideen zu wecken; seine Vorschriften wurden nur widerwillig – wenn überhaupt – befolgt. Erst recht scheiterten die Bestrebungen des Tiberius, dem Senat selbst die Initiative zu überlassen. Die Machtüberlegenheit des *princeps* stand einer wirklichen Entscheidungsfreiheit entgegen. Gleichzeitig schwand mit der zunehmenden politischen Bedeutungslosigkeit der Oberschicht auch die Notwendigkeit einer auf sie bezogenen Sittenpolitik.[385] Der Senat spielte in der Innenpolitik der Kaiser eine immer geringere Rolle.

3. Auf der anderen Seite reflektierte die Sittengesetzgebung auch das neu definierte Verhältnis von Kaiser und Oberschicht, Senatoren wie Rittern. Deren soziale Stellung wurde durch den gesetzlichen Schutz der Standesehre und durch besonders auszeichnende Ehrenrechte vom *princeps* anerkannt und herausgehoben. Daß gerade in diesem Bereich der Kaiser Zugeständnisse machte, zeigen die gegen seine eigentlichen Interessen abgerungenen Verordnungen. Aber die Rücksichtnahme schwand auch hier mit der zunehmenden Dominanz

---

[382] Vgl. Res gestae Kap. 8, zu deuten als Weiterentwicklung der *exempla maiorum*.

[383] Vgl. oben S. 150 f.

[384] Vgl. oben S. 173 ff.; zwar mit Schwerpunkt auf die oberen Klassen, aber nicht allein auf sie bezogen.

[385] Das Handeln des Augustus war noch von der Vorstellung geprägt gewesen, daß die moralische Erneuerung des Senatorenstandes von elementarer Bedeutung für den Prinzipat war.

der Kaiser. Wahrung oder Verletzung der Standesehre hingen in immer stärkerem Maße von der persönlichen Haltung der jeweiligen Kaiser ab.

Je mehr sich also der Prinzipat von der Republik entfernte und je offenbarer die Machtüberlegenheit der Kaiser wurde, umso weniger war der legitimierende Rückgriff auf den *mos maiorum* notwendig.

4. Schlußbetrachtung

Zum Abschluß sollen noch einmal die wesentlichen Aspekte der Sittengesetzgebung in Republik und Kaiserzeit herausgestellt werden. Die Entwicklung der republikanischen Eingriffe in die Privatsphäre vollzog sich in 3 Phasen, die dem jeweiligen Zustand des Senates entsprachen:

1. Die erste Phase umfaßt den Zeitraum von der Entstehung des *regimen morum* bis zum Ende des 2. Punischen Krieges. Bis in das 3. Jahrhundert v. Chr. hinein war eine institutionalisierte Kontrolle des privaten Verhaltens nicht erforderlich, da die Gesellschaft infolge der Übersichtlichkeit und Persönlichkeit der Beziehungen innerhalb der herrschenden Schicht von sich aus im Falle gravierender Verfehlungen strafen konnte. Auch die Einrichtung der Zensur im 5. Jahrhundert war noch nicht mit einem Sittengericht verbunden. Dieses ist nicht bewußt als Aufsichtsbehörde über eine als zu groß empfundene rechtliche Freiheit geschaffen worden; die Zensoren haben vielmehr als Reaktion auf zunehmenden Individualismus die Befugnis, *ut. . . ex omni ordine optimum quemque curiatim in senatum legerent,* auf die Ausstoßung Unwürdiger erweitert.[1] Diese Ausprägung der Zensur als Kontrollorgan über die Sitten fällt, wie die Untersuchung der Straffälle gelehrt hat, in die zweite Hälfte des 3. Jahrhunderts, so daß man in dieser Zeit also innerhalb des Senates über die Ursachen der im Gefolge militärischer Siege eingetretenen Veränderungen nachzudenken begann. Daß man sich aber noch nicht über deren Bedeutung, geschweige denn darüber, wie man ihnen wirksam begegnen sollte, einig war, zeigen die Differenzen um die *lex Claudia de nave senatorum* von 218 v. Chr. Die Urheber des Gesetzes glaubten, daß man die für die Homogenität der Führungsschicht negativen Auswirkungen der ökonomischen Expansion in den Griff bekomme, wenn die Senatoren sich ausschließlich auf den ihnen angemessenen Landbau beschränken müssen; und damit das nicht auf einfache Art und Weise umgangen werden konnte, waren die Söhne von Senatoren einbezogen, was ebenso gravierende politische und gesellschaftliche Folgen nach sich zog wie der Rückzug der Senatoren aus den Handelsgeschäften. Der Krieg gegen Karthago verhinderte, daß der Meinungsstreit fortgeführt wurde. Die in dieser Zeit erlassenen Gesetze gegen den Luxus (*leges Metilia, Oppia*) und Schenkungen (*leges Publicia, Cincia,* vielleicht auch *Furia*) zeigen, daß auch die Gegner im Senat ihre Notwendigkeit angesichts der Notlage anerkannten oder jedenfalls ihren Widerstand zurückhalten mußten.

2. Die zweite Phase setzt ein mit der *lex Orchia* von 182, vielleicht schon mit dem Jahr 195, in dem Cato die Abrogation der *lex Oppia* zu verhindern versuchte. Das infolge des großen Sieges gewachsene Standesbewußtsein einer-

---

[1] Vgl. oben S. 10 f.

seits[2] und die nun immer deutlicher werdenden Desintegrationserscheinungen innerhalb der Führungsschicht andererseits bewirkten eine Stärkung des standespolitischen Aspektes der Gesetzgebung. Konservative *nobiles* wie Cato sahen in der moralischen Verkommenheit vieler Standesgenossen die Hauptursache für die Krisen und forderten daher eine Rückbesinnung auf die Vergangenheit, deren *mores* so viele Erfolge ermöglicht hatten. Die *leges sumptuariae* (einschließlich der Erbrechtsgesetze und der Einschränkungen im Spielluxus) mögen uns heute als völlig untaugliches Mittel zur Bewältigung der Strukturkrise der römischen Republik erscheinen; man sollte jedoch nicht übersehen, daß tatsächlich der Zufluß materieller Güter und die wachsende politische Bedeutung des Luxus (vor allem seine Beziehung zur *dignitas* des einzelnen *nobilis*) das Gleichgewicht innerhalb der Führungsschicht verschoben hatte. Die Nobilität regte also diese Gesetze nicht an, um etwa von wirklichen Problemen abzulenken, sondern sie (bzw. der konservative Teil) war von der Notwendigkeit und Wirksamkeit zumindest im 2. Jahrhundert überzeugt.[3]

Obwohl diese Gesetze formal an alle Bürger gerichtet waren, so sind sie doch von Anfang an nur auf die Senatoren bezogen gewesen, weil sich das Privatleben der Aristokraten – anders als das der übrigen Bürger – immer in einem öffentlichen Rahmen bewegte. Die *leges sumptuariae* normierten die privaten Verhaltensweisen im Interesse einer funktionsfähigen Ordnung; deshalb sind sie – auch wenn sie die persönliche Freiheit einschränkten – natürlich nicht gegen die Senatoren gerichtet gewesen. Die moderne Idee von den Freiheitsrechten des Einzelnen hat es in Rom ohnehin nie gegeben. Die keineswegs seltene Kritik an den *leges sumptuariae* gründete sich denn auch ausschließlich auf Zweifel an der Notwendigkeit und Wirksamkeit, bisweilen auf die Strenge derartiger Maßnahmen, niemals aber auf den Schutz der Privatsphäre vor staatlichen Eingriffen. Die Häufigkeit der Gesetze, Edikte und Senatsbeschlüsse, aber auch Form und Inhalt der Kritik spiegelten also das Bewußtsein und den Zustand des Senates jener Zeit wider.

3. Die dritte Phase schließlich, die mit der *lex Cornelia sumptuaria* von 81 v. Chr. einsetzt, sieht die Sittengesetzgebung nicht mehr wie vorher als Korrektiv privater Verhaltensweisen im Interesse der Nobilität, sondern als Kontrollinstitut über den Senat und mögliche Konkurrenten im Interesse der großen Einzelpersönlichkeiten; 4 der 5 *leges* bzw. *rogationes sumptuariae* im 1. Jahrhundert sind ohne die Mitwirkung des Senates eingebracht worden.[4]

Diese Entwicklung setzte sich in der Kaiserzeit zunächst fort. Im Vergleich zur Republik ergeben sich jedoch 3 entscheidende Veränderungen:

---

[2] Als ein Ausdruck dieses Standesbewußtseins mag auf die 194 v. Chr. erfolgte ausdrückliche Platzreservierung für Senatoren im Circus verwiesen sein (Liv. 34, 44, 5).

[3] Vgl. z. B. die Eile bei der Einbringung der *lex Licinia sumptuaria* (oben S. 91) oder die Kämpfe Catos gegen Abrogationen von Luxusgesetzen (*lex Oppia; lex Orchia*).

[4] *Leges Iuliae, lex Cornelia, rogatio Pompeia.* Übrig bleibt die *lex Antia* von 71/70, die allerdings mit der Wiederaufnahme des traditionellen Bedeutungsinhaltes keinen Erfolg hatte (wie nicht anders zu erwarten war), vgl. oben S. 96 ff.

1. Form und Intensität der Verfügungen. Träger des Rechts war nicht mehr der Senat, sondern der Kaiser. Das republikanische Instrumentarium wurde vor allem von Augustus systematisch zusammengefaßt und perfektioniert; durch ein ausgeklügeltes System von Strafen und Belohnungen[5] – z.B. in Form von Ehrenrechtsverleihungen – sowie durch eine in den Gesetzen festgelegte Überwachung (*lex Papia Poppaea; lex Iulia de adulteriis*) sollte ein Ausbrechen von vornherein unmöglich gemacht werden. In der Folgezeit änderte sich dann auch die Form der Verfügungen. Hatte Augustus noch seine Beschränkungen durch Volksgesetze legitimieren lassen, so wählten seine Nachfolger bald die Form des Senatsbeschlusses, bald des Ediktes, womit sie ihre zunehmende Überlegenheit demonstrierten.

2. Der Adressat. Einschränkungen im Privatleben hatten nicht mehr ausschließlich die Senatoren hinzunehmen (wie in der Republik), sondern auch die Ritter (als Folge ihrer gestiegenen politischen Bedeutung) und gelegentlich sogar die einfachen Bürger (Ehegesetze).

3. Die Funktion. Die Sittengesetze reflektierten nicht mehr wie in der Republik den Zustand der Oberschicht, sondern die Beziehungen zwischen *princeps* und Gesellschaft. Vor allem unter Augustus waren sie Bestandteil des umfangreichen Neugestaltungsprogrammes, mit dem der Prinzipat gesellschaftlich untermauert (Ehegesetze; *iuventus*), die Senatoren in ihrer sozialen Stellung respektiert (Bestimmungen zur Wahrung der Standesehre), aber gleichzeitig auch kontrolliert werden sollten (Luxusbeschränkungen).

Die Untersuchung hat also gezeigt, daß das Privatleben in vielfältiger Form reglementiert wurde, und zwar in Republik und Kaiserzeit gleichermaßen. Form, Intensität und Funktion der gesetzlichen bzw. institutionellen Eingriffe waren jedoch wesentlich von der politischen und gesellschaftlichen Entwicklung bestimmt gewesen.

---

[5] Diese Methode wurde ansatzweise auch schon von Cäsar praktiziert, vgl. oben S. 59 f.; 99 f.

Appendix

Ein Senatsbeschluß aus dem Jahre 19 n. Chr.

1978 wurde ein in Larino[1] gefundenes Fragment[2] eines 19 n. Chr.[3] erlassenen Senatsbeschlusses publiziert, der ein bedeutendes Zeugnis für die tiberianische Zeit vor allem in standespolitischer Hinsicht ist.

Zwei mehr oder minder ausführliche Arbeiten haben sich mit diesem Dokument beschäftigt: Der Text ist zusammen mit einem Kommentar zuerst von M. Malavolta[4] veröffentlicht worden, dessen Ausführungen trotz mancher Kritik am (v. a. juristischen) Detail von V. Giuffrè[5] im Grundsatz übernommen und lediglich nach der rechtlichen Seite hin komplementiert bzw. korrigiert worden sind. Doch halten ihre Ergebnisse im Hinblick auf Inhalt und Absicht des Senatsbeschlusses, die schon von M. A. Levi[6] in einer kurzen Stellungnahme bezweifelt worden sind, einer Überprüfung nicht stand. Beide Autoren konnten der Versuchung nicht widerstehen, das inschriftliche Dokument trotz gravierender Unterschiede als Bestätigung bekannter literarischer Zeugnisse zu interpretieren. M. Malavolta versuchte diese – ihm nicht entgangenen – Schwierigkeiten mit einem Hinweis auf die Unzulänglichkeiten und Ungenauigkeiten der antiken Autoren, die er zudem gegeneinander ausspielt, zu bagatellisieren,[7] was ihn jedoch nicht davon abhielt, die Ergänzungen nach ihnen vorzunehmen.[8] Diese Methode behielt V. Giuffrè bei und betitelt gar den Senatsbeschluß in Anlehnung an die Parallelquellen *de matronarum lenocinio coercendo*. Da aber dieser Bereich im Fragment überhaupt nicht berührt wird, verlegt V. Giuffrè die Bestimmungen darüber in den verlorenen Teil![9] Eine erneute und unvoreinge-

---

[1] Zum Ort vgl. H. Philipp, RE XII (1925), s. v. Larinum, 839 f.; V. Giuffrè (s. Anm. 5), 7, Anm. 1.

[2] AE 1978, Nr. 145, S. 50–53 (mit französischer Übersetzung). Ein Drittel bzw. ein Viertel des gesamten Textes sind erhalten.

[3] Die Datierung ist durch die Nennung der Konsuln des Jahres 19 n. Chr. M. Silanus und L. Norbanus Balbus gesichert.

[4] M. Malavolta, A proposito del nuovo S. C. da Larino, in: Sesta miscellanea greca e romana, Studi pubblicati dall' Istituto italiano per la storia antica 27, Rom 1978, 347–382.

[5] V. Giuffrè, Un senatusconsulto ritrovato: il «S. C. de matronarum lenocinio coercendo», in: Atti Accad. Scienze morali e politiche di Napoli 9, 1980, 7–40 (mit Abdruck des Textes, wie er von Malavolta gegeben ist, und italienischer Übersetzung).

[6] M. A. Levi, Un senatusconsulto del 19 d. C., Studi in onore di A. Biscardi, Mailand 1982, 69–74.

[7] Vgl. z. B. S. 368; 382.

[8] Vgl. S. 368; 377.

[9] S. 32 f.

nommene Untersuchung muß sich genau umgekehrt am erhaltenen Text orientieren, bevor Vergleiche mit Parallelquellen angestellt werden können. Im folgenden sollen daher zunächst die Bestimmungen des Senatsbeschlusses, der aus zwei Teilen besteht,[10] herausgestellt werden:

1. Es wurde untersagt, a) Senatoren und deren Angehörige bis zum 3. Grad und b) Ritter[11] und deren Angehörige für Bühnenauftritte anzuwerben oder zum Gladiatorenkampf[12] zu verdingen,[13] und zwar auch dann nicht, wenn sich einer von ihnen ausdrücklich anbieten sollte. Das Verbot scheint formal auf die für die organisatorische Seite der Spiele zuständigen *domini scaenicorum, locatores scaenicorum* und *lanistae* bezogen zu sein, und so ist es auch sowohl von M. Malavolta[14] als auch von V. Giuffrè[15] aufgefaßt worden. Doch ist wohl eher an die Spielgeber als die tatsächlichen Adressaten zu denken. Gerade sie hatten durch ihr besonderes Interesse an publikumswirksamen Veranstaltungen die

---

[10] Z. 7–16 und Z. 17–21.

[11] Die Zugehörigkeit zum Ritterstand wird auch hier mit dem *ius spectandi in equestribus locis* ausgedrückt, das ja gerade unter Tiberius zu einem Qualifikationserfordernis geworden war, vgl. oben S. 143.

[12] Hier ausgedrückt durch verschiedene Wendungen (Z. 9–10): *pinnae* waren Federn auf dem Helm, die der siegreiche Gladiator als Trophäe an sich riß (zu *rapere* vgl. Schol. ad Juv. 3, 152 ff.). Juv. 3, 152 ff. erwähnt die *pinnirapi* neben anderen reichen, aber infamen Personengruppen wie *lenones* oder *praecones;* vgl. dazu M. I. Rostovtzew, Pinnirapus iuvenum, MDAI (R) 15, 1900, 223–228; bes. 225 f.; G. Ville, Gladiature, 217, Anm. 101; M. Malavolta, SC da Larino, 371. – *rudis* war ein Stab, der einem Gladiator als Zeichen der Befreiung vom Kampf verliehen wurde (Prisc. Inst. 7, 70): vgl. schon Cic. Phil. 2, 29, 74: *tam bonus gladiator rudem tam cito?;* danach die Bezeichnung *rudiarius* (Suet. Tib. 7, 2) für einen besonders angesehenen Gladiator; vgl. dazu G. Lafaye, DS III/2, s. v. Gladiator, 1575 f.; G. Ville, Gladiature, 325 ff.; ferner O. Diliberto, Ricerche, 29, Anm. 75. Vgl. Coll. 11, 7, 4. Die hier auftauchende Verbindung *rudem tollere* ist aber ungewöhnlich. Sie bedeutet wahrscheinlich – wie *pinnas rapere* – einfach eine aktive Teilnahme an einem Gladiatorenkampf (vgl. Dio 72, 19, 2, wo von einem Holzschwert, das im Training benutzt wurde, die Rede ist; dazu J. Lipsius, Saturnalium Sermonum Libri Duo, Antwerpen 1604, 47 f.). Vielleicht ist auch eine Bezeichnung für die Tätigkeit eines Kampfrichters nicht ausgeschlossen (über deren Arbeit G. Ville, Gladiature, 367 ff.).

[13] Z. 9: *auctoramento rogare* bedeutet, jemanden vertraglich zum Kampf auffordern. Zu den Einzelheiten eines solchen Vertrages und seinen Auswirkungen vgl. A. Biscardi, Studi de Francisci IV, 107 ff.; G. Ville, Gladiature, 249, Anm. 48; 250, Anm. 52; O. Diliberto, Ricerche, 1 ff.; C. Sanfilippo, Studi Biscardi I, 181 ff. (mit einer zusammenfassenden, v. a. auf A. Biscardis Ergebnissen beruhenden Darstellung der sozialen Stellung der *auctorati*). Von *auctoramentum* kann nur im Zusammenhang mit freien römischen Bürgern *sui iuris* die Rede sein, es ist also nicht auf Sklaven zu beziehen, vgl. C. Sanfilippo, Studi Biscardi I, 183 f., gegen A. Guarino, Spartaco, Analisi di un mito, Neapel 1979, 148 (diese Ansicht scheint mir trotz Guarinos Antwort in Labeo 29, 1983, 7 ff.; bes. 16 f., zuzutreffen). Vgl. ferner W. Kunkel, Eos 48, 3, 1957, 207 ff. (gegen seine Ausführungen vgl. C. Sanfilippo, Studi Biscardi I, 189 f.); A. Balil, Ley gladiatoria, 30 ff. (bezieht sich v. a. auf die Häufigkeit, mit der *auctorati* in inschriftlichen Zeugnissen vorkommen). Vgl. auch unten S. 203 f., Anm. 53.

[14] S. 353, Anm. 1; 368 ff.

[15] S. 29.

öffentlichen Auftritte von Senatoren und Rittern auf der Bühne und in der Arena begünstigt. Es ist auch kaum vorstellbar, daß die *editores ludorum* in derartigen Fällen nicht die letzte Entscheidung gehabt haben; kein Unternehmer konnte schließlich gegen den Willen seines Auftraggebers handeln. Dem entsprechen zahlreiche Quellenhinweise über Spielveranstaltungen, die die Verantwortlichkeit der Spielgeber auch für bedeutende organisatorische Maßnahmen – zu denen die Verpflichtung von Angehörigen der oberen Stände gehört – demonstrieren.[16] Auch der vorliegende Senatsbeschluß wandte sich daher wohl an die *editores* als die über die verbotenen Auftritte letztendlich entscheidende Gruppe.

2. Den Angehörigen der Oberschicht wird verboten, sich zu verdingen.[17] Das gilt ausdrücklich auch für diejenigen, die frühere ähnliche Verbote durch freiwilligen Austritt aus dem Ritterstand[18] umgangen hatten.[19] Ihre Absicht war es, durch eine öffentliche Infamierung oder Verurteilung[20] – die ja ohnehin die Zugehörigkeit zum Senatoren- bzw. Ritterstand in Frage stellten – von den Vorschriften befreit zu werden, also straffrei auftreten zu können.

---

[16] Vgl. Suet. Nero 4 (*produxit;* Malavolta, 355, Anm. 3; 370; 381, gibt das nicht angemessen wieder); Suet. Tib. 7, 2: Tiberius engagierte einen *rudiarius;* Dio 53, 1, 4–6: 28 v. Chr. von Oktavian und Agrippa; 53, 31, 2–3: Marcellus im Jahre 23 v. Chr.; Suet. Aug. 43: hier wird die aktive Rolle des Augustus belegt (bis der Senat Verbotsbeschlüsse erließ); Dio 55, 2, 3: 8 v. Chr.; Dio 56, 25, 8: 11 n. Chr. Vgl. ferner den Fall des Laberius, der von Cäsar zu Bühnenauftritten gedrängt worden war, wohl ein Präzedenzfall, oben S. 145.

[17] Vgl. V. Giuffrè, 25, Anm. 69.

[18] Ausgedrückt durch die übliche Wendung: *postea quam ei desciverant sua sponte ex equestribus locis.* Ausdrücklich sind hier nur die Ritter und nicht auch die Senatoren erwähnt.

[19] Zur Handlungsweise dieser Ritter vgl. oben S. 150 f. Z. 11–14 bereiten einige Schwierigkeiten. Offensichtlich beziehen sie sich nicht nur auf die Angehörigen der Oberschicht, sondern auch auf diejenigen, die die Ritter/Senatoren unter Vertrag nehmen wollten und daher ebenfalls an deren ‹Infamierung› bzw. Verurteilung in einem infamierenden Prozeß interessiert waren, vgl. M. Malavolta, 373 f. Demnach forderte also der Senatsbeschluß Wachsamkeit gegenüber einem Zusammenwirken der Ritter auf der einen Seite und der Theaterunternehmer bzw. *lanistae* auf der anderen Seite, das zum Ziel die Infamie für die Ritter hatte und ihnen damit gestattete, ohne strafrechtliche Folgen aufzutreten. Die von V. Giuffrè, 25 f., vorgeschlagene Übersetzung dieser Zeilen ist inhaltlich durchaus vertretbar (vgl. seine Ausführungen S. 36, Anm. 71 und S. 30, in denen er gegen M. Malavolta es für unwahrscheinlich hält, «che si tentasse di attirarsi la *publica ignominia* e perciò *descicere sua sponte ex equestribus locis* proprio auctorandosi o comunque svolgendo a pagamento attività ludicra o ludica» und: «è difficile ritenere che siffatta ignominia potesse servire in seguito a fare praticare impunemente proprio quelle attività che l'avevano determinata»), entfernt sich aber – wie er S. 26, Anm. 71 auch einräumt – von der Satzkonstruktion: statt *ordinis eius* wäre *ordinis sui* (wie in Z. 5 und 15) zu erwarten (vgl. S. 25, Anm. 55), und auch Z. 13 scheint mit dem *ei* den Subjektswechsel zu bestätigen.

[20] Vgl. Z. 6: *adhibita fraude: fraus legis* ist nach Paul. D 1, 3, 29 definiert: *Contra legem facit, qui id facit quod lex prohibet, in fraudem vero, qui salvis verbis legis sententiam eius circumvenit;* vgl. Ulp. D 1, 3, 30. *fraus legis* ist also eine rechtlich zulässige, gegen den Sinn des Gesetzes gerichtete Handlung, wie auch aus dem Wortlaut des vorliegenden Senatsbeschlusses deutlich wird.

3. Die Sanktion bestand in der Verweigerung eines ehrenvollen Begräbnisses.[21] Davon betroffen waren allerdings nur die Angehörigen der Oberschicht, die aufgetreten waren, nicht aber die Spielgeber oder die Unternehmer, die sie unter Vertrag genommen hatten. Ausgenommen von der Bestrafung waren diejenigen, die vor dem Erlaß des Senatsbeschlusses auf der Bühne oder in der Arena aufgetreten waren, und auch Abkömmlinge von Schauspielern, Gladiatoren, *lanistae* oder Kupplern.[22]

4. Unter Berufung auf einen früheren Senatsbeschluß aus dem Jahre 11 n. Chr.[23] wurden darüber hinaus allen *ingenuae* unter 20 und allen *ingenui* unter 25[24] Bühnen- bzw. Arenaauftritte und der Abschluß entsprechender Verträge mit den obengenannten Unternehmern untersagt.[25] Ausgenommen waren diejenigen, die auf kaiserliche Veranlassung oder mit kaiserlicher Einwilligung in der Arena gekämpft hatten oder auf der Bühne aufgetreten waren.[26] Darüber hinaus wird den von Augustus bzw. Tiberius ausgesprochenen Rehabilitationen[27] Rechtsgültigkeit zuerkannt.

---

[21] Vgl. M. Malavolta, 373; V. Giuffrè, 22, Anm. 58; 27, Anm. 72. Das scheint der Sinn der Wendung *libitinam habere* zu sein, die allerdings nach M. Malavolta in dieser Form einmalig ist; zur *libitina* vgl. J. Lipsius, Saturn. serm., 118. Vgl. auch zur Bestattung der Gladiatoren allgemein L. Friedländer, Darstellungen II, 75; M. R. de Berlanga, El nuevo bronce, 131 f.; G. Lafaye, DS III/2, s. v. Gladiator, 1596, Anm. 22 f.; K. Schneider, RE Suppl. III, s. v. Gladiatoren, 760 ff. Tote Gladiatoren wurden in Leichenkammern geschafft (*spoliaria*): Dio 72, 21, 3; SHA v. Comm. 16 (§ 7: *porta Libitinensis*); Tertull. de cor. 13. Vgl. auch Th. Mommsen, De collegiis et sodalitiis Romanorum, Kiel 1843, 102; 108; A. Mau, Iscrizioni gladiatorie di Pompei, MDAI (R) 5, 1890, 37.

[22] Nach M. Malavolta, 375, «*infames . . . per nascita*». Diese Ausnahmeregelung ist nicht ganz verständlich: Z. 14/15 wendet sich ausdrücklich an die Ritter/Senatoren, auf die sich auch der erste Teil der *praeterquam* – Periode bezieht (Z. 15/16), in der festgestellt wird, daß der Senatsbeschluß nicht rückwirkend gelten soll. Z. 16 aber nennt Abkömmlinge von *infames*, die nicht zur Oberschicht gehören und daher auch nicht vom SC betroffen sein konnten. Ihre Einbeziehung ist daher eigentlich überflüssig und wohl allein dem (hier unpassenden) Streben nach Vollständigkeit anzulasten, vgl. auch V. Giuffrè, 27, Anm. 72.

[23] Datierung nach den Konsuln Manius Lepidus und T. Statilius Taurus; vgl. zu Z. 17 V. Giuffrè, 22, Anm. 61.

[24] Diese Altersgrenzen sind auch im augusteischen Eherecht gegeben, und zwar sowohl für die Eheschließung (vgl. oben S. 164, Anm. 206) als auch für das Anklagerecht im Rahmen der *lex Iulia de adulteriis* (Ulp. D 48, 5, 16, 6: Erst ab 25 galt man als *idoneus accusator*, der sich nicht durch *iuvenalis facilitas* und *fervor aetatis* beeinflussen ließ). Sie bedeuten allerdings nicht Volljährigkeit im modernen Sinne, so aber M. Malavolta, 376; vgl. V. Giuffrè, 9 f., Anm. 7.

[25] Dieses SC aus dem Jahre 11 ist wohl kaum identisch mit der bei Dio 56, 25, 7–8 erwähnten Verfügung (so meint M. Malavolta, 358; vgl. oben S. 149 f.). Eher ist es zu verstehen als Kompensation für die Auftrittserlaubnis für Ritter.

[26] Die besondere Rolle der kaiserlichen Eingriffe und ihre Unantastbarkeit wird mit dieser Bestimmung deutlich hervorgehoben: Die Wahrung der Standesehre findet dort ihre Grenzen, wo der Kaiser es für richtig hält.

[27] Z. 21: *ad larem redducendum* wird von M. Malavolta, 377, gedeutet als Rückberufung

Diese Übersicht ergibt als zentrales Anliegen des Senatsbeschlusses, Auftritte in der Arena oder auf der Bühne allen Angehörigen der Oberschicht und außerdem Minderjährigen zu untersagen. Die von M. Malavolta vorgeschlagene und von V. Giuffrè bestätigte Ergänzung von Z. 4: *uti negotium iis* [*datum de rebus ad libidinem femina*] *rum*[28] entbehrt daher jeder Grundlage. Gegen die von V. Giuffrè[29] ausgesprochene Vermutung, daß die Bestimmungen über die Frauen im verlorenen Teil des Senatsbeschlusses gestanden hätten, spricht allein schon die Reihenfolge der Bestimmungen, ganz abgesehen davon, daß der erhaltene Teil überhaupt keine derartigen Rückschlüsse zuläßt, die Behauptung also vollständig spekulativ ist: Bei der zu Beginn des Senatsbeschlusses gegebenen Gliederung (vorausgesetzt natürlich die Richtigkeit der Ergänzungen) wäre eine Entsprechung im Text, d. h. also die Frauenbestimmung vor dem Auftrittsverbot als Schauspieler oder Gladiator zu erwarten gewesen.[30] Von der Thematik und den Adressaten des Senatsbeschlusses her ist vielmehr ein allgemeiner Hinweis auf die beklagten Mißstände der Spielgebung wahrscheinlich. Die Formulierung: *uti negotium iis datum de rebus ad curam ludorum* entspricht dem folgenden Text: Nicht *cura ludorum* in ihrer Gesamtheit, sondern nur ein bestimmter Teil, nämlich derjenige, der die Teilnahmebedingungen regelt, wird ja von diesem Beschluß behandelt. Die Einwände Malavoltas[31] – von V. Giuffrè[32] ohne Kommentar übernommen – sind also gegenstandslos.

---

aus der Verbannung oder als Wiederherstellung des ursprünglichen Standes. Letztere Erklärung wird von V. Giuffrè, 23, Anm. 66, mit dem – allerdings kaum beweiskräftigen – Hinweis auf den Fall des Laberius in Macr. 2, 7, 3 f. angenommen.

[28] Übernommen z. B. auch von S. Demougin, Uterque ordo. Les rapports entre l'ordre sénatorial et l'ordre équestre sous les Julio-Claudiens, in: Atti del colloquio internazionale AIEGL su epigrafia e ordine senatorio, Roma, 14–20 maggio 1981, Rom 1982, I, 77: «Il répète les interdictions de la prostitution (sic), de la gladiature, de l'exhibition sur scène...»; R. J. A. Talbert, Senate, 450, bezieht gar Ulp. D 23, 2, 43, 10 (s. oben S. 170, Anm. 251) auf diesen Senatsbeschluß; vgl. auch S. 439.

[29] S. 33.

[30] Wie brüchig die These von Giuffrè ist, zeigt er selbst: Er begründet seine Ausführungen über den Inhalt des verlorenen Teiles damit, daß «le prescrizioni contro la *libido feminarum* non potevano essere limitate al divieto di darsi al teatro o circo», obwohl gerade der Ausgangspunkt dieser These, nämlich daß die *libido feminarum* Zielscheibe des Senatsbeschlusses war, gleichfalls auf Spekulation beruht. Die Fragwürdigkeit ahnt V. Giuffrè selbst, S. 34, Anm. 102.

[31] S. 368: «...ma anche questo supplemento non sembra convincere, dato che il testo del s. c. non riguarda se non indirettamente – almeno nella parte conservata – i problemi inerenti la cura ludorum propriamente detta». Gerade dieser nicht umfassende Bezug des SC's auf die *cura ludorum* wird durch die Formulierung *de rebus ad curam ludorum pertinentibus* ausgedrückt. Auch die eigentlichen Adressaten der Zeilen 7–10, die Spielgeber, sind auf diese Weise einbezogen; die Reihenfolge der Einleitung (Z. 4–5) entspricht damit derjenigen im Text (Z. 7–11).

[32] S. 20, Anm. 49.

Die Interpretationen des Senatsbeschlusses von M. Malavolta und V. Giuffrè sind schon vom methodischen Ansatz her zweifelhaft, beruhen sie doch nicht in erster Linie auf der Auswertung der Inschrift selbst, sondern auf dem Bestreben, das gefundene Senatusconsultum mit literarischen Quellen in Einklang zu bringen. Das führte nicht nur zu der oben beschriebenen Manipulation des Textes, sondern auch zu einer willkürlichen Deutung der juristischen und literarischen Quellen,[33] zumal diese wiederum weder untereinander noch mit dem inschriftlichen Zeugnis übereinstimmen. Dies wird bei einer direkten Gegenüberstellung deutlich:

a) Tac. ann. 2, 85: *Eodem anno gravibus senatus decretis libido feminarum coercita, cautumque ne quaestum corpore faceret cui avus aut pater aut maritus eques Romanus fuisset.*

b) Suet. Tib. 35: *Feminae famosae, ut ad evitandas legum poenas iure ac dignitate matronali exsolverentur, lenocinium profiteri coeperant, et ex iuventute utriusque ordinis profligatissimus quisque, quo minus in opera scaenae harenaeque edenda senatus consulto teneretur, famosi iudicii notam sponte subibant; eosque easque omnes, ne quod refugium in tali fraude cuiquam esset, exilio adfecit (sc. Tiberius).*

c) Papinian. D 48, 5, 11, 2: *Mulier, quae evitandae poenae adulterii gratia lenocinium fecerit aut operas suas in scaenam locavit, adulterii accusari damnarique ex senatus consulto potest.*

Tacitus, Papinian und der erste Teil der Nachricht Suetons scheinen sich auf denselben Senatsbeschluß zu beziehen, aber nur bei Sueton kommt das auch in der Inschrift beklagte Verhalten der jugendlichen Ritter und Senatoren zum Ausdruck, so daß hier, auch wenn an dieser Stelle kaiserliche Initiative unterstellt wird (was auch sonst bei Sueton nicht selten ist),[34] zweifellos an den vorliegenden Senatsbeschluß aus dem Jahre 19 n. Chr. zu denken ist.[35] Ihr Ziel, nämlich ungestraftes Auftreten im Theater oder Circus, versuchten die jugendlichen Ritter und Senatoren nach Sueton in Übereinstimmung mit dem inschriftlichen Zeugnis mittels einer *famosi iudicii nota* zu erreichen: ein in beiden Quellen als *fraus* gekennzeichnetes, weil gegen den Geist der vorhergehenden Senatsbeschlüsse gerichtetes Verhalten.

Unter den Oberbegriff *fraus* fällt auch die Vorgehensweise der *famosae femi-*

---

[33] Vgl. auch M. A. Levi, St. Biscardi, 69, Anm. 1, und die dort geäußerte Kritik an Malavolta.

[34] Die Maßnahme steht in einem sich ausschließlich mit der tiberianischen Politik der Sittenbesserung beschäftigenden Zusammenhang (*atque etiam, si qua in publicis moribus desidia aut mala consuetudine labarent, corrigenda suscepit*); eine Differenzierung der einzelnen gesetzlichen Maßnahmen hätte die Einheit des Abschnittes beeinträchtigt und ist für Suetons Absicht, die ganz auf den Kaiser ausgerichtet ist, auch überflüssig, zumal natürlich nicht gegen den *princeps* gehandelt wurde.

[35] Vgl. M. Malavolta, 349; V. Giuffrè, 14 ff.; 18 f.

nae;[36] doch deren Ziel war die Umgehung der *lex Iulia de adulteriis.* Die in diesem Gesetz festgelegte Einteilung der Frauen in Angesehene und Infame (d. h. in der Sprache des Gesetzes: *in quas stuprum non committitur*)[37] löste ein ganz gegen deren Sinn gerichtetes Verhalten vieler Frauen der oberen Schichten aus. Denn als infam angesehen zu sein, entband die Frauen von Standespflichten und war vor dem Hintergrund der gesetzlichen Ehebruchstrafen[38] sicher das kleinere Übel. Der Fall der Vistilia, die aus einer prätorischen Familie stammte,[39] zeigt das in aller Deutlichkeit.[40] Sie hatte sich als Prostituierte bei den Ädilen registrieren lassen[41] und damit außerhalb des Geltungsbereiches der *lex Iulia de adulteriis* gestellt. Durch den Senatsbeschluß, der nach Tacitus eine Folge dieses konkreten Falles war, wurde diese Umgehungsmöglichkeit beseitigt.[42] Vistilia wurde, wie in der *lex Iulia* vorgesehen, als Ehebrecherin auf eine

---

[36] D. h. Frauen mit schlechtem Ruf (vgl. auch das folgende *famosi iudicii nota;* ferner Tac. ann. 11, 25) und nicht etwa Frauen aus der Oberschicht, wie M. Malavolta, 349, die Stelle offenbar deutet. Gemeint sind aber anrüchige Frauen aus dem Senatorenstand bzw. Frauen, deren männliche Angehörige aus dem Ritterstand stammten, vgl. Tac. ann. 2, 85. Der Begriff *famosus* ist nach Isid. diff. 1, 208 zwar neutral, beinhaltet aber in der juristischen Terminologie durchaus nur den schlechten Ruf: Ulp. 13, 2; 16, 2; vgl. M. Kaser, ZRG 73, 1956, 251 f., Anm. 139.

[37] Paul. D 25, 7, 1, 1; Paul. Sent. 2, 26, 11; Ulp. D 48, 5, 14, 2. Ihnen waren Ehen mit *ingenui* verboten: Ulp. 13, 2; 15, 2; vgl. Marc. D 23, 2, 41 pr; Ulp. D 23, 2, 43; Paul. D 23, 2, 44; vgl. dazu R. Astolfi, Lex Julia et Papia, 133 ff.; B. Biondi, Legislazione, 156. Ferner Paul. D 23, 2, 47; dazu S. Solazzi, in: Scritti IV, 181 ff. (= BIDR 46, 1939, 49 ff.).

[38] Nach der *lex Iulia de adulteriis* also Verbannung sowie Verlust der Hälfte der Mitgift und eines Drittels des Vermögens: Paul. Sent. 2, 26, 14; vgl. D 24, 3, 36. Darüber hinaus hatte eine Verurteilung natürlich infamierende Folgen, vgl. Porph. ad Hor. Sat. 1, 2, 133. Jede Ehe mit einem unbescholtenen Bürger oder gar einem Senator war verboten: Ulp. 13, 2; D 48, 5, 12, 13; 23, 2, 43, 10; 34, 9, 13; außerdem hatten sie – wie alle Infamen – kein Zeugnisrecht: D 22, 5, 18; vgl. oben S. 167 f.

[39] Zur Person der Vistilia vgl. R. Syme, Personal namens in the Annals I–VI, JRS 39, 1949, 16 f. Ihr Ehemann, der in der Angelegenheit ebenfalls eine Rolle spielte, war Titedius Labeo, Prätor, Prokonsul und (ein schlechter) Maler, vgl. Plin. n. h. 35, 4, 7, 20.

[40] Tac. ann. 2, 85. Vgl. R. S. Rogers, Criminal trials and criminal legislation under Tiberius, Middletown 1935, 31 ff.; J. E. Spruit, Acteurs, 112 f.; vgl. ferner die Bemerkungen von E. Koestermann, Cornelius Tacitus, Annalen, Heidelberg 1963–68, und F. R. D. Goodyear, The Annals of Tacitus II, Cambridge 1981, zur Stelle.

[41] Zu dieser ‹formalen› Angelegenheit Th. Mommsen, Staatsrecht II, 511; F. Ciapparoni, NNDI XIV (1967), s. v Prostituzione, 230; vgl. aber V. Giuffrè, 38, Anm. 117; A. Guarino, Labeo 24, 1978, 116. – Tacitus ging es – wie der Verweis auf die *maiores* bestätigt – v. a. darum, den Sittenverfall hervorzuheben, und verurteilte deshalb rigoros und undifferenziert das Verhalten der Vistilia, die aber in diesem Fall wohl nur die Wahl zwischen zwei Übeln hatte.

[42] In diesen Fall war auch der Ehemann der Vistilia, Titedius Labeo, verwickelt, der gesetzlich verpflichtet war, die Angelegenheit vor Gericht zu bringen. Falls er der ‹Verzeihung› überführt wurde, er sich also zu passiv bei der Verfolgung der Straftat verhalten hatte, mußte auch er belangt werden: D 48, 5, 30 pr; 27; 48, 5, 2, 2; vgl. A. M. Rabello, Effetti personali, 212 ff.; R. Villers, ANRW II 14, 1982, 298. Man wollte ein Interesse des Ehemannes

Insel verbannt.[43] Sueton und Papinian bestätigen den Bericht des Tacitus. Alle drei stimmen überein, daß die häufigste Form zur Erlangung der Straffreiheit das *lenocinium profiteri*[44] war; nur Papinian gibt als Alternative das *operas . . . in scaenam locare* an. Für unsere Fragestellung ist indes von Bedeutung, daß Tacitus und Papinian lediglich die Frauenbestimmung erwähnen und also nicht als Gewährsmänner für das inschriftliche Zeugnis herangezogen werden können.[45] Es spricht alles dafür, daß zwei verschiedene Senatsbeschlüsse gemeint sind. Diese Möglichkeit läßt auch der Bericht Suetons offen;[46] sie gewinnt zudem noch durch die Verwendung des Plurals bei Tacitus (*gravibus senatus decretis*) an Wahrscheinlichkeit.[47]

Zusammenfassend ergibt sich also aus dem Text der Inschrift und dem Quellenvergleich:

1. Die Inschrift selbst enthält lediglich Auftrittsverbote für Angehörige des Senatoren- und Ritterstandes; es findet sich zumindest im überlieferten Teil kein Hinweis, daß auch die Bekämpfung der *libido feminarum* dem SC zugerechnet werden kann.[48]

2. Als einzige zuverlässige Parallelquelle kann Sueton gelten; Tacitus und Papi-

---

am Ehebruch seiner Frau ausschließen (das wäre als *lenocinium* gedeutet worden), vgl. D 48, 5, 9–11. Allerdings waren ihm gesetzlich 60 *dies utiles* zur Verfolgung des Falles eingeräumt (D 48, 5, 15, 2; vgl. Th. Mommsen, Strafrecht, 697; M. A. de Dominicis, St. Segni I, 605 f.; P. Csillag, Augustan laws, 191 ff.), worauf sich der säumige Labeo berufen konnte, so daß er einer Strafe entging.

[43] Die Bestrafung der Vistilia scheint den Senatsbeschluß bereits vorauszusetzen – andernfalls hätte ihr die Rechtsgrundlage gefehlt – und kann daher nicht seine Ursache sein. Man kann deshalb wohl davon ausgehen, daß das SC einen Rechtsstreit beenden sollte, nämlich wie zu verfahren sei, wenn der Ehebruch der Einschreibung in die Prostituiertenliste vorausging: Galt dann die *lex Iulia de adulteriis* oder entband die Infamie von einer Bestrafung?

[44] Sueton und Papinian verwenden diesen Ausdruck, der als Überbegriff für die Erklärung bei den Ädilen gelten kann, vgl. R. Syme, Tacitus I, 373, Anm. 5; F. R. D. Goodyear, Annals II, 439, Anm. 1. Nach Ulp. D 23, 2, 43, 6 (*lenocinium facere non minus est quam corpore quaestum exercere*) ergibt sich darüber hinaus eine rechtliche Gleichstellung.

[45] M. Malavolta, 350; 361; 382, muß daher zu einer nicht überzeugenden, spekulativen und spitzfindigen Interpretation der taciteischen Absicht Zuflucht nehmen, um die offensichtliche Diskrepanz zwischen Tacitus und der Inschrift zu erklären; V. Giuffrè ist sich nach eigenem Bekunden über die Motive des Tacitus im Unklaren. Unzulässig ist nach dem Gesagten ferner die von V. Giuffrè, 15, dargelegte Theorie über Mittel und Zweck der Verdingung an das Theater anhand von Sueton und Papinian. Mit den Voraussetzungen für die Interpretation des Senatsbeschlusses fällt die Interpretation selbst.

[46] Auch durch die Verschiedenartigkeit der Mittel wird sie bestätigt: Die Frauen wandten sich dem *lenocinium* zu, die Jugendlichen der freiwilligen *nota famosi iudicii*.

[47] V. Giuffrè, 16, Anm. 31, bezieht diese Formulierung allerdings auf verschiedene Bestimmungen eines einzigen Senatsbeschlusses.

[48] Über den Inhalt des verlorenen Teils sind jedenfalls nur Spekulationen möglich; wahrscheinlicher sind in ihm Strafbestimmungen enthalten gewesen (vgl. auch Suet. Tib. 35 und oben S. 150, Anm. 122).

nian dagegen sind infolge der Verschiedenartigkeit der Thematik für die Interpretation und damit auch für Ergänzungen ohne Belang. Zweifellos hat es ein
SC *de matronarum lenocinio coercendo* (o. ä.) gegeben; doch zeigt schon dieser
Titel die Unterschiedlichkeit im Vergleich zum Inhalt des vorliegenden Senatsbeschlusses, der jedenfalls so nicht überschrieben werden kann.

Text

1. S(enatus) c(onsultum) [. . .][49]

*2. [. . .] in Palatio, in porticu quae est ad Apollinis. Scr(ibundo) adf(uerunt)
C. Ateius L. f. Ani(ensi tribu) Capito, Sex. Pomp[. . .]*

*3. [. . .] Octavius C. f. Ste(llatina tribu) Fronto, M. Asinius Curti f. Arn(ensi
tribu) Mamilianus, C. Gavius C. f. Pob(lilia tribu) Macer q(uaestor),
A. Did[ius. . .]*[50]

*4. [Quod M. Silan]us L. Norbanus Balbus co(n)s(ules) v(erba) f(ecerunt) com-
mentarium ipsos composuisse sic uti negotium iis [datum de rebus ad curam]*

5. [ludo]rum pertinentibus[51] *aut ad eos qui contra dignitatem ordinis sui in scaenam ludumv[e prodirent seve auctora]-*

6. [rent][52] *u(ti) s(ancitur) s(enatus) c(onsultis) quae d(e) e(a) r(e) facta essent
superioribus annis adhibita fraude qua maiestatem senat[us minuerent q(uid)
d(e) e(a) r(e) f(ieri) p(laceret), d(e) e(a) r(e) i(ta) c(ensuere)]:*

*7. [pla]cere ne quis senatoris filium filiam nepotem neptem pronepotem proneptem
neve que[m cuius patri aut avo]*

*8. [v]el paterno vel materno aut fratri neve quam cuius viro aut patri aut avo
paterno ve[l materno aut fratri ius]*

*9. fuisset unquam spectandi in equestribus locis in scaenam produceret auctora-
mentove ro[garet ut ferro*[53] *depugna]-*

---

[49] M. Malavolta, 364, ergänzt: «[de fraude infamiae], o qualcosa del genere»; in dieser
Form zu Recht beanstandet von V. Giuffrè, 19, Anm. 44. Völlig abwegig und mit dem Text
überhaupt nicht in Einklang zu bringen ist der von beiden Autoren ausgesprochene Vorschlag, *de libidine feminarum* zu ergänzen.

[50] Zum Kopf des SC's und den dort aufgeführten Namen vgl. M. Malavolta, 364 ff.;
V. Giuffrè, 19 f. u. Anm. Bekannt ist v. a. C. Ateius Capito, dessen Teilnahme belegt, daß das
SC wohl im Sinne des Tiberius war. Seine insgesamt unterwürfige Haltung zum *princeps*
geht aus Suet. gram. 22; Dio 57, 17; Tac. ann. 3, 70 hervor. – Generell zum Schema eines
Senatsbeschlusses vgl. E. Volterra, NNDI XVI (1969), s. v. senatusconsulta 1054;
R. J. A. Talbert, Senate, 303 ff.

[51] Dazu oben S. 199.

[52] M. Malavolta hat sich für die Ergänzung *operas suas locarent* entschieden; doch scheint
mir aus dem Text, insbesondere Z. 9 (*in scaenam produceret auctoramentove rogaret*) die hier
vorgeschlagene Version einleuchtender; vgl. auch V. Giuffrè, 20, Anm. 50; 24, Anm. 69, der
aber am Vorschlag Malavoltas festhält.

[53] M. Malavolta (ihm folgt V. Giuffrè) ergänzt: *cum bestiis;* doch erscheint nach den
Quellen, die gerade Malavolta, 371, Anm. 2, als Beleg für seine Ergänzung anführt, ein
bestiarius als *locator,* den man vom *auctoratus* unterscheidet: vgl. bes. Coll. 9, 2, 2: *quive
depugnandi causa auctoratus erit, quive ad bestias depugnare se locavit locaverit;* vgl. D 38, 1,

10. *ret aut ut pinnas gladiatorum raperet aut ut rudem tolleret aliove quod eius rei simile min[istraret; neve si quis se]*

11. *praeberet, conduceret; neve quis eorum se locaret, idque ea de causa diligentius caveri dum [ne d(olo) m(alo) perseverent qui]*

12. *eludendae auctoritatis eius ordinis gratia quibus sedendi in equestribus locis ius erat aut p[ublicam ignominiam]*

13. *ut acciperent aut ut famoso iudicio condemnarentur dederant operam et postea quam ei des[civerant sua sponte ex]*

14. *[equ]estribus locis, auctoraverant se aut in scaenam prodierant; neve quis eorum de quibus [s(upra) s(criptum) e(st) si id contra dignitatem ordi]-*

15. *[nis su]i faceret libitinam haberet, praeterquam si quis iam prodesset* (sic) *in scaenam operasve [suas ad harenam locasset si]-*

16. *[ve na]tus natave esset ex histrione aut gladiatore aut lanista aut lenone.*

17. *[Utique*[54] *s(enatus)] c(onsulto) quod M(anio) Lepido T. Statilio Tauro co(n)s(ulibus) referentibus factum esset scriptum compen [....:*[55] *ne cui ingenuae quae]*

18. *[minor qua]m an(norum) XX neve cui ingenuo qui minor quam an(norum) XXV esset auctorare se opera[sve suas ad harenam scaenamve ...]*

19. *[...]s*[56] *locare permitteretur, nisi qui eorum a divo Augusto aut ab T. Caesare Aug[usto in ludum scaenam ...]*

20. *[... co]niectus esset; ‹qui eorum›*[57] *is qui ita coniecisset auctorare se operasve suas [locare, si eum divus Augustus aut Ti.]*

21. *[Caesar Aug. ad l]arem redducendum esse statuissent, id servari placere praeterquam [...]*

---

37 pr; Gai. 1, 13: *qui operas suas, ut cum bestiis depugnaret, locaverit. auctoramento rogatus* muß sich also auf einen Gladiatoren beziehen, so daß *ferro depugnaret* zu ergänzen ist. Zu der hier skizzierten Problematik O. Diliberto, Ricerche, 51 ff.; C. Sanfilippo, St. Biscardi, 185 f.; anders: F. M. de Robertis, Locatio operarum e status del lavoratore, SDHI 27, 1961, 19 ff.

[54] V. Giuffrè, 22, Anm. 61: «La integrazione non può essere, più correttamente, *cum* (invece di *utique*)? Cfr. il SC Volusiano (del 56 d. C.) in G. Santel, in: Les lois des Romains cit. 321».

[55] Dazu M. Malavolta, 375.

[56] Die Ergänzung Malavoltas *spurcosve quaestus* ist äußerst fragwürdig; sie bringt einen neuen Aspekt in den Senatsbeschluß, der jedenfalls aus dem erhaltenen Teil nicht gerechtfertigt werden kann. V. Giuffrè, 23, Anm. 64, billigt den Vorschlag Malavoltas (S. 377) trotz mancher Zweifel auch in formaler Hinsicht: «anche se lascia dubbiosi che oggetto del *locare* potessero essere le *operae... ad spurcos* (ovvere *turpes* od anche *sordidos*) *quaestus,* almeno quando non ci si sottomettava ad un lenone, ma lo sporco guadagno lo si realizzava in proprio». Darüber hinaus stellt sich natürlich die Frage, wie der Kaiser jemanden *ad spurcos quaestus* drängen kann.

[57] M. Malavolta, 377: Das *qui eorum* «sembra del tutto fuori posto. Potrebbe con molta probabilità trattarsi di due parole incise per errore (le stesse parole figurano nella l. precedente, e ciò rafforza il sospetto) e quindi da espungere».

Übersetzung

1. Senatsbeschluß [. . .]
2. [. . .] im Palatium im Säulengang, der sich beim Apollo-Tempel befindet. Bei der Niederschrift anwesend waren C. Ateius Capito, Sohn des Lucius, aus der Tribus Aniensis, Sex. Pomp[. . .]
3. [. . .] Octavius Fronto, Sohn des Gaius, aus der Tribus Stellatina, M. Asinius Mamilianus, Sohn des Curtius, von der Tribus Arnensis, C. Gavius Macer, Sohn des Gaius, von der Tribus Poblilia, Quästor, A. Did[ius. . .]
4. Die Konsuln [M. Silan]us und L. Norbanus Balbus haben erklärt, daß sie, wie es ihnen aufgetragen war, einen Entwurf ausgearbeitet haben über [Vor-
5. kommnisse, die in den Bereich der Spielgebung] gehören oder sich auf die beziehen, die ohne Rücksicht auf die Würde ihres Standes, wie es in früheren Jahren über dieses Problem erlassene Senatsbeschlüsse bestimmt haben, auf der Bühne oder bei Spielen [auftreten oder ihre Dienste
6. vermieten], wobei sie sich dazu eines Täuschungsmanövers bedienen, mit dem sie die Majestät des Senates [schmälern. Man war darüber folgender Ansicht, was bezüglich dieses Problemes beschlossen werden sollte:]
7. Niemand solle den Sohn, die Tochter, den Enkel, die Enkelin, den Urenkel, die Urenkelin eines Senators, ebenso nicht denjenigen, [dessen Vater
8. oder Großvater], väterlicher- oder mütterlicherseits oder Bruder und nicht diejenige, deren Mann oder Vater oder Großvater, väterlicher- oder [mütter-
9. licherseits, oder Bruder jemals das Recht] gehabt haben, bei Schauspielen auf den Ritterplätzen zu sitzen, auf die Bühne führen oder vertraglich dazu auffordern, [mit dem Schwert zu kämpfen]
10. oder die Federn von Gladiatoren zu rauben oder den Stab aufzunehmen,[58] oder was sonst diesen Dingen dienen könne, zu leisten; und niemand solle
11. sie dazu mieten, [wenn sich einer] anbietet; und niemand von diesen soll sich verdingen, und davor hüte man sich aus dem Grund mit besonderer Aufmerksamkeit, [damit diejenigen nicht in böswilliger
12. Absicht verharren, die], um die Autorität dieses Standes zu verspotten, es darauf abgesehen hatten, daß die, die von Rechts wegen auf den Ritterplätzen sitzen durften, entweder durch [öffent-
13. lichen Schimpf] gebrandmarkt wurden oder in einem ehrenrührigen Gerichtsverfahren verurteilt wurden; und nach ihrem [freiwilligen Rückzug von den]
14. Ritterplätzen hatten sie sich für Gladiatorenkämpfe verdingt oder waren auf der Bühne aufgetreten;[59] und keiner derjenigen, von denen [oben

---

[58] Zu der Wendung *rudem tollere* oben S. 196, Anm. 12. M. Malavolta, 372, schlägt als Übersetzung vor: «prendere in consegna la *rudis*» oder «togliere la *rudis* all'avversario»; V. Giuffrè, 25, schließt sich der letzten Version an (togliere loro il bastone).

[59] Zu den Schwierigkeiten dieses Abschnittes vgl. oben S. 197, Anm. 19.

15. die Rede war], soll ein ehrenvolles Leichenbegräbnis haben, [wenn er auf
    diese Weise gegen die Würde seines Standes handelt], außer wenn einer
    schon früher auf der Bühne aufgetreten ist oder seine Dienste [an die Arena
    vermietet hat

16. oder er] oder sie von einem Schauspieler oder Gladiator oder Gladiatoren-
    händler oder Kuppler abstammt.

17. [Und wie im Senatsbeschluß], der auf Antrag der Konsuln Manius Lepidus
    und T. Statilius Taurus erlassen worden ist, geschrieben ist [. . . keiner

18. Freigeborenen, die jünger als] 20 Jahre ist, und keinem Freigeborenen, der
    jünger als 25 Jahre ist, soll erlaubt sein, sich zu verdingen oder seine [Dien-
    ste an die Arena oder die Bühne. . .] zu vermieten,

19. außer wenn einer von ihnen vom vergöttlichten Augustus oder von Ti. Cae-
    sar Aug[ustus zur Teilnahme an den

20. Spielen, auf die Bühne. . .] gedrängt worden ist; wenn denjenigen, der auf
    diese Weise gedrängt worden ist, sich zu verdingen oder seine Dienste [zu
    vermieten, der vergöttlichte Augustus oder

21. Ti. Caesar Augustus in sein Haus] zurückzuführen beschlossen haben, so
    soll diese Maßnahme Gültigkeit behalten, außer wenn [. . .]

Abkürzungs- und Literaturverzeichnis

Die Zeitschriften wurden im wesentlichen nach dem Schema der Année Philologique abgekürzt.

ANRW	Aufstieg und Niedergang der Römischen Welt. Geschichte und Kultur Roms im Spiegel der neueren Forschung. Hrsg. v. H. Temporini und W. Hase.
CAH	The Cambridge Ancient History.
DS	C. Daremberg/E. Saglio, Dictionnaire des Antiquités Grecques et Romaines.
NNDI	Novissimo digesto italiano.

Alföldy, G. Die Stellung der Ritter in der Führungsschicht des Imperium Romanum, Chiron 11, 1981, 169–215.

Arangio Ruiz, V. Istituzioni di diritto romano, Neapel 1947[9].

Archi, G. G. La donazione. Corso di diritto romano, Mailand 1960.

Aste, G. Autore e tempo della Lex Licinia de sumptu minuendo, Aevum 15, 1941, 581–588.

Astin, A. E. Cato the Censor, Oxford 1978.

Astin, A. E. Censorships in the late republic, Historia 35, 1985, 175–190.

Astolfi, R. La Lex Julia et Papia, Padua 1970.

Astolfi, R. Note per una valutazione storica della ‹Lex Julia et Papia›, SDHI 39, 1973, 187–238.

Auguet, R. Cruelty and civilization: The Roman games, London 1972.

Bachofen, J. J. Die lex Voconia und die mit ihr zusammenhängenden Rechtsinstitute, Basel 1843.

Backhaus, W. Öffentliche Spiele, Sport und Gesellschaft in der römischen Antike, in: Geschichte der Leibesübungen, hrsg. v. H. Überhorst, II, Berlin 1978, 200–249.

Balducci, A. Intorno al iudicium domesticum, AG 191, 1976, 69–97.

Balil, A. La ley gladiatoria de Itálica, Madrid 1961.

Balsdon, J. P. V. D. Life and leisure in ancient Rome, London 1969.

Bartošek, M. Variazioni metodologiche su tema ciceroniano (Lex Voconia, ius novum, retroattività), in: Studi in onore di G. Scherillo II, Mailand 1972, 649–679.

Bauthian, C. Droit romain: Le luxe et les lois somptuaires. Droit francais: Le luxe et les lois somptuaires; rôle du luxe au point de vue économique, Paris 1891.

Béranger, J. Recherches sur l'aspect idéologique du Principat, Basel 1953.

Berlanga, M. R. de El nuevo bronce de Itálica, Malaga 1891.

Besnier, R. L'application des lois caducaires d'Auguste d'après le Gnomon de l'Idiologue, RIDA 2, 1949, 93–118.

Besnier, R. Properce et le premier échec de la législation démographique d'Auguste, RD 57, 1979, 191–203.

Biondi, B.   Successione testamentaria. Donazione, Mailand 1943.
Biondi, B.   La legislazione di Augusto, in: ders., Scritti giuridici II, Mailand 1965, 77–188.
Biscardi, A.   Nozione classica ed origine dell'auctoramentum, in: Studi in onore di P. de Francisco IV, Mailand 1956, 107–120.
Bleicken, J.   Das Volkstribunat der klassischen Republik. Studien zu seiner Entwicklung zwischen 287 und 133 v. Chr., München 1968[2].
Bleicken, J.   Senatsgericht und Kaisergericht, Göttingen 1962.
Bleicken, J.   Staatliche Ordnung und Freiheit in der römischen Republik, Kallmünz 1972.
Bleicken, J.   Lex publica. Gesetz und Recht in der römischen Republik, Berlin/New York 1975.
Bleicken, J.   Die Verfassung der römischen Republik, Paderborn 1978[2].
Bleicken, J.   Geschichte der römischen Republik, München/Wien 1980.
Bleicken, J.   Verfassungs- und Sozialgeschichte des römischen Kaiserreiches, Paderborn 1981[2] (2 Bde.).
Bollinger, T.   Theatralis licentia, Winterthur 1969.
Bonamente, M.   Leggi suntuarie e loro motivazioni, in: Tra Grecia e Roma. Temi antichi e metodologie moderne, Rom 1980, 67–91.
Bonfante, P.   Corso di diritto romano, I, Diritto di famiglia, Rom 1925.
Bouché-Leclerq, A.   Les lois démographiques d'Auguste, Revue Historique 57, 1895, 241–292.
Boxman, A.   De legibus Romanorum sumtuariis, Leiden 1816.
Bringmann, K.   Weltherrschaft und innere Krise Roms im Spiegel der Geschichtsschreibung des zweiten und ersten Jahrhunderts v. Chr., A & A 23, 1977, 28–49.
Broughton, T. R. S./ The magistrates of the Roman republic, New York 1951–1952
Patterson, M. L.   (2 Bde.).
Brunt, P. A.   Italian manpower 225 B. C. – A. D. 14, Oxford 1971.
Casavola, F.   Lex Cincia. Contributo alla storia delle origini della donazione romana, Neapel 1960.
Cassisi, S.   L'editto di C. Verre e la «lex Voconia», in: Annali del Seminario Giuridico dell'Università de Catania 3, 1949, 490–505.
Cassola, F.   I gruppi politici romani nel III secolo a. C., Triest 1962.
Castillo, A. del   Problemas en torno a la fecha de la legislación matrimonial de Augusto, HAnt 4, 1974, 179–189.
Castritius, H.   Der römische Prinzipat als Republik, Husum 1982.
Curchin, L. A.   The lex Cincia and lawyers' fees under the republic, EMC 27, 1983, 38–45.
Clemente, G.   Le leggi sul lusso e la società romana tra III e II secolo a. C., in: Società romana e produzione schiavistica. Modelli etici, diritto e transformazioni sociali a cura di Andrea Giardina e Aldo Schiavone, Bari 1981, III, 1–14.
Corbett, P. E.   The Roman law of marriage, Oxford 1930.
Cram, R. V.   The Roman censors, HSPh 51, 1940, 71–110.
Crook, J. A.   Law and life of Rome, London 1984 (Erstausg. 1967).
Csillag, P.   Das Eherecht des augusteischen Zeitalters, Klio 50, 1968, 111–138.
Csillag, P.   The Augustan laws on family relations, Budapest 1976.
Culham, P.   The lex Oppia, Latomus 41, 1982, 786–793.

Dahlheim, W. Geschichte der römischen Kaiserzeit, München 1984.

D'Arms, J. H. M. I. Rostovtzeff and M. I. Finley: The status of traders in the Roman world, in: Ancient and Modern: Essays in honor of G. F. Else, Ann Arbor 1977, 159–179.

D'Arms, J. H./ The seaborne commerce of ancient Rome. Studies in archaeology
Kopff, E. C. (ed.) and history. Memoirs of the American Academy in Rome 36, 1980.

D'Arms, J. H. Senators' involvement in commerce in the late republic: Some Ciceronian evidence, in: D'Arms, J. H./Kopff, E. C. (ed.), The seaborne commerce . . . 77–89.

D'Arms, J. H. Commerce and social standing in ancient Rome, Cambridge 1981.

Daube, D. Roman law. Linguistic, social and philosophical aspects, Edinburgh 1969.

Daube, D. Civil disobedience in antiquity, Edinburgh 1972.

Della Corte, F. Le leges Juliae e l'elegia romana, ANRW II 30, 1981, 539–558.

Delz, J. Der griechische Einfluß auf die Zwölftafelgesetzgebung, MH 23, 1966, 69–83.

Demougin, S. Uterque ordo. Les rapports entre l'ordre sénatorial et l'ordre équestre sous les Julio-Claudiens, in: Atti del colloquio internazionale AIEGL su epigrafia e ordine senatorio, Roma, 14–20 maggio 1981, Rom 1982, I, 73–104.

Demougin, S. De l'esclavage à l'anneau d'or du chevalier, in: C. Nicolet (ed.), Des ordres . . . 217–241.

Dernburg, H. Geschichte der römischen Luxusgesetzgebung, in: Monatsschrift d. wissenschaftl. Vereins in Zürich 1. Jg., 1856, 261–276.

Develin, R. The political position of C. Flaminius, RhM 122, 1979, 268–277.

Diliberto, O. Ricerche sull' «auctoramentum» e sulla condizione degli «auctorati», Mailand 1981.

Düll, R. Iudicium domesticum, abdicatio und apokeryxis, ZRG 63, 1943, 54–116.

Duncan-Jones, R. The economy of the Roman empire, Cambridge 1982².

Fantham, E. Censorship. Roman style, EMC 21, 1977, 41–53.

Field, J. The purpose of the lex Julia et Papia, Class. Journ. 40, 1945, 398–416.

Finley, M. I. The ancient economy, Berkeley 1973.

Forde, N. W. Cato the Censor, Boston 1975.

Fraccaro, P. Opuscula, Pavia 1956–1957 (3 Bde.).

Francisci, P. de Primordia civitatis, Rom 1959.

Francisci, P. de Appunti intorno ai mores maiorum e alla storia della proprietà romana, in: Studi in onore di A. Segni I, Mailand 1967, 613–638.

Frank, R. I. Augustus' legislation on marriage and children, CSCA 8, 1975, 41–52.

Frank, T. An economic survey of ancient Rome I, Baltimore 1933.

Frank, T. in: CAH VIII, Cambridge 1970 (ND v. 1930), Kap. XII: Rome, 357–387.

Friedländer, L. Die Spiele, in: Marquardt, J., Römische Staatsverwaltung III, Leipzig 1885², 482–566.

Friedländer, L. Darstellungen aus der Sittengeschichte Roms in der Zeit von Augustus bis zum Ausgang der Antonine, 9. Aufl. besorgt von G. Wissowa, Leipzig 1919–1921 (4 Bde.).

Gabba, E.   Riflessioni antiche e moderne sulle attività commerciali a Roma nei secoli II e I a.C., in: D'Arms, J.H./Kopff, E.C. (ed.), The seaborne commerce . . . 91–102.

Gabba, E.   Ricchezza e classe dirigente romana fra III e I sec.a.C., RSI 93, 1981, 541–558.

Gagé, J.   Les classes sociales dans l' empire romain, Paris 1964.

Galinsky, K.   Augustus' legislation on morals and marriage, Philologus 125, 1981, 126–144.

Gardthausen, V.   Augustus und seine Zeit, Leipzig 1891–1904 (6 Bde.).

Garnsey, P.   Social status and legal privilege in the Roman empire, Oxford 1970.

Gaudemet, J.   Iustum matrimonium, RIDA 2, 1949, 309–366.

Geiger, J.   Tiberius and the lex Papia Poppaea, SCI 2, 1975, 150–156.

Gelzer, M.   Die Nobilität der römischen Republik, Leipzig/Berlin 1912.

Gilbert, R.   Die Beziehungen zwischen Princeps und stadtrömischer Plebs im frühen Prinzipat, Bochum 1976.

Girard, P.F.   Manuel élémentaire de droit romain, Paris 1929[8].

Giraudias, E.   Études historiques sur les lois somptuaires, Thèse Poitiers 1910.

Giuffrè, V.   Un senatusconsulto ritrovato: il «SC de matronarum lenocinio coercendo», in: Atti dell'Accad. di Scienze Morali e Politiche 91, 1980, 7–40.

Greenidge, A.H.J.   Infamia. Its place in Roman public and private law, Oxford 1894.

Grelle, F.   La «correctio morum» nelle legislazione flavia, ANRW II 13, 1980, 340–365.

Grenade, P.   Essai sur les origines de principat, Paris 1961.

Griffin, J.   Augustan poetry and the life of luxury, JRS 66, 1976, 87–105.

Guarino, A.   Quaestus omnis patribus indecorus, Labeo 28, 1982, 7–16.

Guarino, A.   Lex Voconia, Labeo 28, 1982, 188–191.

Guarino, A.   I gladiatores e l'auctoramentum, Labeo 29, 1983, 7–24.

Hackl, U.   Senat und Magistratur in Rom von der Mitte des 2.Jahrhunderts v.Chr. bis zur Diktatur Sullas, Kallmünz 1982.

Hammond, M.   The Augustan principate in theory and practice during the Julio-Claudian period, Cambridge 1933.

Haury, A.   Une année de la femme à Rome 195 avant J.C., in: L'Italie préromaine et la Rome républicaine. Mélanges offerts à J.Heurgon, Paris 1976, 427–436.

Heinze, R.   Die augusteische Kultur, Leipzig/Berlin 1930.

Hellmann, F.   Zur Cato- und Valerius-Rede (Liv.34, 1–7), NJAB N.F.3, 1940, 81–86.

Heuß, A.   Römische Geschichte, Braunschweig 1976[4].

Hill, H.   The Roman middle-class in the republican period, Oxford 1952.

Hopkins, K.   Death and renewal. Sociological studies in Roman history II, Cambridge 1983.

Houwing, J.F.   De Romanorum legibus sumptuariis, Leiden 1883.

Humbert, M.   Le remariage à Rome. Étude d' histoire juridique et sociale, Mailand 1972.

Jaczynowska, M.   Les organisations de iuvenes et l'aristocratie municipale au temps de l'empire romain, in: Recherches des structures sociales dans l'antiquité classique 1, 1970, 265–274.

Janzer, B.   Historische Untersuchungen zu den Redefragmenten des M.Porcius Cato. Beiträge zur Lebensgeschichte und Politik Catos, Diss. Würzburg 1937.

Jhering, R. v.   Geist des römischen Rechts auf den verschiedenen Stufen seiner Entwicklung, Aalen 1968[10] (3 Bde.).

Jörs, P.   Über das Verhältnis der lex Julia de maritandis ordinibus zur lex Papia Poppaea, Diss. Bonn 1882.

Jörs, P.   Die Ehegesetze des Augustus, in: Festschrift f. Th. Mommsen zum fünfzigjährigen Doctorjubiläum, Marburg 1893.

Jörs, P.   Römisches Privatrecht, Berlin/Göttingen/Heidelberg 1949[2].

Jones, A. H. M.   Studies in Roman government and law, Oxford 1960.

Kaden, E. H.   Lex Cincia, Labeo 9, 1963, 248–252.

Kahn, F.   Zur Geschichte des Frauenerbrechts, Leipzig 1884.

Kaser, M.   Der Inhalt der patria potestas, ZRG 58, 1938, 62–87.

Kaser, M.   Mores maiorum und Gewohnheitsrecht, ZRG 59, 1939, 52–101.

Kaser, M.   Römisches Recht als Gemeinschaftsordnung, Tübingen 1939.

Kaser, M.   Eigentum und Besitz im älteren römischen Recht, Weimar 1943.

Kaser, M.   Das altrömische ius, Göttingen 1949.

Kaser, M.   Das römische Privatrecht, München 1955–1959 (2 Bde.).

Kaser, M.   Infamie und ignominia in den römischen Rechtsquellen, ZRG 73, 1956, 220–278.

Kaser, M.   Über Verbotsgesetze und verbotswidrige Geschäfte im römischen Recht, Wien 1977.

Kienast, D.   Cato der Zensor. Seine Persönlichkeit und seine Zeit, Heidelberg 1954.

Kienast, D.   Der augusteische Prinzipat als Rechtsordnung, ZRG 101, 1984, 115–141.

Kloft, H.   Liberalitas principis, Köln 1970.

Kolb, F.   Zur Statussymbolik im antiken Rom, Chiron 7, 1977, 239-259.

Kreck, B.   Untersuchungen zur politischen und sozialen Rolle der Frau in der späteren römischen Republik. Diss. Marburg 1975.

Kroll, W.   Die Kultur der ciceronischen Zeit, I, Politik und Wirtschaft; II, Religion. Gesellschaft. Bildung. Kunst, Leipzig 1933.

Krüger, M.   Die Abschaffung der lex Oppia (Liv. 34, 1–8, 3), NJAB N. F. 3, 1940, 65–81.

Kübler, B.   RE IV A (1931), s. v. sumptus, 901–908.

Kunkel, W.   Auctoratus, Eos 48, 3, 1957, 207–229 (Symbolae R. Taubenschlag III).

Kunkel, W.   Das Konsilium im Hausgericht, ZRG 83, 1966, 219–251.

Lafaye, G.   DS II/2 (1896), s. v. Gladiator, 1563–1599.

Lange, L.   Römische Alterthümer, Berlin 1876–1879[3] (3 Bde.).

Last, H.   The social policy of Augustus, CAH X 1966, 425–464 (ND von 1934).

Levi, M. A.   Un senatusconsulto del 19 d. C., in: Studi in onore di A. Biscardi I, Mailand 1982, 69–74.

Levick, B.   Tiberius the politician, London 1976.

Levick, B.   The politics of the early principate, in: Roman political life 90 BC - AD 69, University of Exeter 1985.

Lintott, A.   Imperial expansion and moral decline in the Roman empire, Historia 21, 1972, 626–638.

Lippold, A.   Consules. Untersuchungen zur Geschichte des römischen Konsulates von 264 bis 201 v. Chr., Bonn 1963.

Lübtow, U. v.   Das römische Volk, sein Staat und sein Recht, Frankfurt 1955.

Malavolta, M.   A proposito del nuovo SC da Larino, in: Sesta miscellanea greca e romana, Studi pubblicati dall'Istituto italiano per la storia antica 27, Rom 1978, 347–382.

Malcovati, H.   Oratorum Romanorum fragmenta liberae rei publicae, Turin 1976[4].

Marquardt, J.   Römische Staatsverwaltung, Leipzig 1885 (3 Bde.).

Marquardt, J.   Das Privatleben der Römer, Leipzig 1886[2] (2 Bde.).

Martino, F. de   Storia della costituzione romana, Neapel 1958–1972 (6 Bde.); 2. Aufl.: Neapel 1972–1974 (4 Bde.).

Martino, F. de   Storia economica di Roma antica, Florenz 1979 (2 Bde.).

Meier, Chr.   Res publica amissa. Eine Studie zu Verfassung und Geschichte der späten römischen Republik, Wiesbaden 1966.

Metro, A.   Il «legatum partitionis», Labeo 9, 1963, 291–330.

Meyer, E.   Römischer Staat und Staatsgedanke, Zürich/München 1975[4].

Millar, F.   The emperor in the Roman world, London 1977.

Mohler, S. L.   The iuvenes and Roman education, TAPhA 68, 1937, 442–479.

Mommsen, Th.   Die ludi magni und Romani, Röm. Forsch. II, Berlin 1879, 42–57 (= RhM f. Philol. 14, 1859, 79–87).

Mommsen, Th.   Römisches Staatsrecht, Leipzig 1887–1888[3] (3 Bde.).

Mommsen, Th.   Römisches Strafrecht, Leipzig 1899.

Mommsen, Th.   Römische Geschichte, Berlin 1907–1909[10] (3 Bde.).

Mommsen, Th.   Senatus consultum de sumptibus ludorum gladiatorum minuendis factum a. p. c. 176/7, in: Ges. Schr. VIII, Berlin 1913, 499–531 (= Eph. epigr. VII, Heft 3, 1890, 388–428).

Nardi, E.   La incapacità delle feminae probrosae, Studi Sassaresi 1938, 5–11.

Nardi, E.   La reciproca posizione successoria dei coniugi privi di conubium, Mailand 1938.

Newbold, R. F.   Social tension at Rome in the early years of Tiberius' reign, Athenaeum 52, 1974, 110–143.

Niccolini, G.   I fasti dei tribuni della plebe, Mailand 1934.

Nicolet, C.   L'ordre équestre à l'époque républicaine (312 – 43 av. J. C.) I, Definitions juridiques et structures sociales, Paris 1966; II, Prosopographie des chevaliers romains, Paris 1974.

Nicolet, C.   Le métier de citoyen dans la Rome républicaine, Paris 1976.

Nicolet, C.   Les classes dirigentes romaines sous la république, Annales (ESC) 32, 1977, 726–755.

Nicolet, C.   Rome et la conquête du monde méditerranée (264 – 27 av. J. C.) I, Les structures de l'Italie romaine, Paris 1977.

Nicolet, C.   Économie, société et institutions au IIe s av. J. C. De la lex Claudia à l'ager exceptus, Annales (ESC) 35, 1980, 871–894.

Nicolet, C. (ed.) Des ordres à Rome, Paris 1984.

Nörr, D.   Rechtskritik in der Antike, München 1974.

Nörr, D.   Planung in der Antike. Über die Ehegesetze des Augustus, in: Freiheit und Sachzwang, Beiträge zu Ehren Helmut Schelsky, Opladen 1977, 309–334.

Nörr, D.   The matrimonial legislation of Augustus, Irish Jurist 16, 1981, 350–364.

Nowak, M.	Die Strafverhängungen der Censoren, Diss. Breslau 1909.
Ors, A. d'	Epigrafía jurídica de la España romana, Madrid 1953.
Orta, M. d'	Il divieto per i senatori di possedere navi ex lege Julia de pecuniis repetundis. Nota sulla legislazione Cesariana del 59 a. C., AIIS 5, 1976–78, 183–220.
Pais, E.	I pontifici, l'agricoltura e l'«annona». «Leges regiae» e «leges sumptuariae», in: Ricerche sulla storia e sul diritto pubblico di Roma I, Rom 1915, 423–465.
Parsi Magdelain, B.	La cura legum et morum, RD 42, 1964, 373–412.
Passerini, A.	La τρυφή nella storiografia ellenistica, Studi di filologia classica, N. S. XI, 1934, 35–56.
Pavis d'Esurac, H.	Aristocratie sénatoriale et profits commerciaux, Ktema 2, 1977, 339–355.
Pelletier, A.	A propos de la Lex Claudia de 218 av. J. C., RELig 35, 1969, 7–14.
Penning, A. E.	De luxu et legibus sumptuariis ex oeconomia politica diiudicandes, Leiden 1826.
Pfister, G.	Die Erneuerung der römischen iuventus durch Augustus, Bochum 1977.
Pfister, G.	Die römische iuventus, in: Geschichte der Leibesübungen, hrsg. v. H. Überhorst, II, Berlin 1978, 250–279.
Piéri, G.	L'histoire du cens jusqu'à la fin de la république romaine, Sirey 1968.
Piganiol, A.	Recherches sur les jeux romaines, Straßburg 1923.
Platner, F.	De legibus sumptuariis exercitatio, Leipzig 1751.
Pociña Pérez, A.	Los éspectadores, la lex Roscia theatralis y la organización de la cavea en los teatros romanos, Zephyrus 26–27, 1976, 435–442.
Pólay, E.	Das «regimen morum» des Zensors und die sogenannte Hausgerichtsbarkeit, in: Studi in onore di E. Volterra, Mailand 1971, III, 263–317.
Premerstein, A. v.	Vom Wesen und Werden des Prinzipats, München 1937.
Rabello, A. M.	Effetti personali della patria potestas I, Dalle origini al periodo degli Antonini, Mailand 1979.
Raditsa, L. F.	Augustus' legislation concerning marriage, procreation, love affairs, and adultery, ANRW II 13, 1980, 278–339.
Rambach, A. v.	Inhalt der Lex Cincia, Diss. Leipzig 1908.
Rech, H.	Mos maiorum. Wesen und Wirkung der Tradition in Rom, Diss. Marburg 1936.
Reinhold, M.	Usurpation of status and status symbols in the Roman empire, Historia 20, 1971, 275–302.
Riccobono, S. (ed.)	Acta divi Augusti, Rom 1945.
Robert, L.	Les gladiateurs dans l'Orient grec, Paris 1940.
Rostovtzew, M. I.	Römische Bleitesserae, Klio Beiheft 3, Leipzig 1905.
Rotondi, G.	Leges publicae populi Romani, Hildesheim 1962 (Reprogr. Nachdr. d. Ausg. v. 1912).
Sanctis, G. de	Storia dei Romani I–III, Mailand/Turin/Rom 1907–1917; IV 1, Turin 1923; IV 2, Florenz 1953; IV 3, Florenz 1964.
Sanfilippo, C.	Gli «auctorati», in: Studi in onore di A. Biscardi I, Mailand 1982, 181–192.
Sattler, P.	Augustus und der Senat, Göttingen 1960.

Sauerwein, I.   Die leges sumptuariae als römische Maßnahme gegen den Sittenverfall, Diss. Hamburg 1970.

Savio, E.   Intorno alle leggi suntuarie, Aevum 14, 1940, 174–194.

Scamuzzi, U.   Studio sulla «Lex Roscia theatralis» (con una breve appendice sulla gens Roscia), RSC 17, 1969, 133–165; 259–319; 18, 1970, 5–57; 374–447.

Schlag, U.   Regnum in senatu. Das Wirken römischer Staatsmänner von 200 bis 191 v. Chr., Stuttgart 1968.

Schleich, T.   Überlegungen zum Problem senatorischer Handelsaktivitäten, Münstersche Beiträge zur antiken Handelsgeschichte II 2, 1983, 65–90; III 1, 1984, 37–76.

Schmähling, E.   Die Sittenaufsicht der Censoren, Stuttgart 1938.

Schneider, H.   Wirtschaft und Politik. Untersuchungen zur Geschichte der späten römischen Republik, Diss. Erlangen 1974.

Schneider, K.   RE Suppl. III (1918), s. v. Gladiatoren, 760–784.

Schönhardt, C.   Über die Bestrafung des Glücksspiels im älteren römischen Recht, Stuttgart 1885.

Schulz, F.   Classical Roman law, Oxford 1951.

Scullard, H. H.   Roman politics 220–150 B. C., Oxford 1951.

Shatzman, I.   Senatorial wealth and Roman politics, Coll. Latomus 42, Brüssel 1975.

Siber, H.   Die Ehegesetzgebung des Augustus. Inhalt, Ziel und Auswirkung, Deutsche Rechtswissenschaft 4, 1939, 156–167.

Siber, H.   Das Führeramt des Augustus, Leipzig 1940.

Siber, H.   Römisches Verfassungsrecht in geschichtlicher Entwicklung, Lahr 1952.

Simshäuser, W.   Sozialbindungen des spätrepublikanisch-klassischen römischen Privateigentums, in: Europäisches Rechtsdenken in Geschichte und Gegenwart. Festschr. für H. Coing zum 70. Geburtstag, hrsg. v. N. Horn in Verbindung mit K. Luig & A. Soellner, München 1982, I, 329–363.

Sirago, V. A.   Principato di Augusto. Concentrazione di proprietà e di poteri nelle mani dell'imperatore, Bari 1978.

Solazzi, S.   Una data per la storia del testamento romano?, Jura 4, 1953, 149–157.

Solazzi, S.   Glossemi nelle fonti giuridiche romane, I, Prostitute e donne di teatro nelle leggi augustee, in: ders., Scritti di diritto romano, Neapel 1963, IV, 181–195 (= BIDR 46, 1939, 49–67).

Solazzi, S.   Sui divieti matrimoniali delle leggi augustee, in: ders., Scritti di diritto romano, Neapel 1963, IV, 81–98 (= Atti Acc. Napoli 59, 1939, 269–290).

Spruit, J. E.   De juridische en sociale positie van de romeinse acteurs, Diss. Assen 1966.

Stein, A.   Der römische Ritterstand, München 1927.

Stein, P.   Lex Cincia, Athenaeum 73, 1985, 145–153.

Suolahti, J.   The Roman censors. A study on social structure, Helsinki 1963.

Syme, R.   The Roman revolution, Oxford 1939.

Talbert, R. J. A.   The senate of imperial Rome, Princeton/New Jersey 1984.

Taylor, L. R.   Party politics in the age of Caesar, Berkeley/Los Angeles 1949.

Tengström, E.	Theater und Politik im kaiserlichen Rom, Eranos 75, 1977, 43–56.
Teufer, J.	Zur Geschichte der Frauenemanzipation im alten Rom (Eine Studie zu Livius 34, 1–8), Berlin 1913.
Toynbee, J.M.C.	Death and burial in the Roman world, Ithaca 1971.
Triebel, C.A.M.	Ackergesetze und politische Reformen, Diss. Bonn 1980.
Vangerow, C.A.v.	Über die lex Voconia, Heidelberg 1863.
Vigneron, R.	L'antifeministe loi Voconia et les Schleichwege des Lebens, Labeo 29, 1983, 140–153.
Ville, G.	La gladiature en Occident des origines à la mort de Domitien, Paris 1981.
Villers, R.	Le mariage envisagé comme institution d'Etat dans le droit classique de Rome, ANRW II 14, 1982, 285–301.
Voigt, M.	Über die lex Cornelia sumptuaria, Berichte über die Verhandlungen der königl. sächs. Gesellsch. d. Wissensch. Leipzig, phil.-hist. Kl. 42, 1890, 244–290.
Volterra, E.	Il preteso tribunale domestico in diritto romano, RISG 2, 1948, 103–153.
Volterra, E.	Sui mores della famiglia romana, RAL 8. ser. IV, 1949, 516–534.
Wallace-Hadrill, A.	Familiy inheritance in the Augustan marriage laws, PCPhS 27, 1981, 58–80.
Watson, A.	The law of succession in the later Roman republic, Oxford 1971.
Weber, W.	Princeps. Studien zur Geschichte des Augustus, Stuttgart/Berlin 1936.
Wesel, U.	Über den Zusammenhang der lex Furia, Voconia und Falcidia, ZRG 81, 1964, 308–316.
Wieacker, F.	Hausgenossenschaft und Erbeinsetzung. Über die Anfänge des römischen Testaments, Festschr. für H.Siber, Leipzig 1940.
Wieacker, F.	Zwölftafelprobleme, RIDA 3.ser.3, 1956, 459–491.
Wieacker, F.	Vom römischen Recht, Stuttgart 1961².
Wieacker, F.	Solon und die XII Tafeln, in: Studi in onore di E.Volterra, Mailand 1971, III, 757–784.
Willems, P.	Le sénat de la république romaine, Löwen 1878–1883 (2 Bde.).
Wirszubski, Ch.	Libertas als politische Idee im Rom der späten Republik und des frühen Prinzipats, Darmstadt 1967 (engl. Fassung Cambridge 1950).
Wiseman, T.P.	New men in the Roman senate 139 B.C. – A.D 14, London 1971.
Wissowa, G.	Religion und Kultus der Römer, München 1912².
Woeß, F.v.	Das römische Erbrecht und die Erbanwärter, Berlin 1911.
Yavetz, Z.	The policy of C.Flaminius and the plebiscitum Claudianum. A reconsideration, Athenaeum 40, 1962, 325–344.
Yavetz, Z.	Plebs and princeps, Oxford 1969.

Register

Namen und Sachen*

Abrogation (Abschaffung): 49; 57f.; 61; 62, Anm.152; 78; 84; 93; 97; 124f.; 179; 191

Aedil: 47; 50; 103; 106ff.; 155, Anm.149; 156, Anm.151; 160; 167, Anm.235; 168; 182; 202, Anm.44

Q.Aelius Tubero: 83; 84, Anm.301; 122, Anm.568; 124

M.Aemilius Scaurus *(princeps senatus):* 19, Anm.85; 26, Anm.125; 39; 86f.; 102; 108, Anm.461

M.Aemilius Scaurus (Aedil 58): 20, Anm.89f.; 108, Anm.462; Anm.464; 109, Anm.466; 116, Anm.523; 118, Anm.533

Aerarier: 11, Anm.33f.; 12; 20; 22, Anm.102; 25, Anm.119

Agrarverfassung: 35; 51; 72; 76

ambitus: 61; 80, Anm.272; 81; 84; 93, Anm.362; 98, Anm.399; 99; 102; 107; 113; 118f.; 129f.; 160, Anm.181; 163

L.Annius: 6, Anm.11; 9, Anm.21; 10, Anm.29; 14

C.Antius Restio: 96f.; 98, Anm.396; 125

Antoninus Pius: 162

M.Antonius *(IIIvir):* 3; 96; 100; 102; Anm.421; 104

C.Antonius Hybrida: 17, Anm.68; Anm.71; 24, Anm.117

ara pacis: 177

ars ludicra: 117

Asinius Gallus: 99, Anm.401; 126, Anm.599; 127, Anm.604; 155, Anm.148; Anm.150; 156

Asinius Pollio: 147, Anm.103; 148, Anm.107

auctorati: 147, Anm.99; 196, Anm.13; 203, Anm.53

C.Aufidius: 116f.

Augustus: 16, Anm.63; 19, Anm.80; 29; 38, Anm.56; 59ff.; 67; 96; 100ff.; 105; 125; 129; 133f.; 149; 151; 153ff.; 158ff.; 162ff.; 193; 197, Anm.16; 204; 206

Ausstoßung (aus dem Senat): 11ff.; 119, Anm.541; 140; 155; 157

Bauluxus: 19f.; 41f.; 50, Anm.78; 105; 154f.

Bestattungsluxus (s. Grabluxus)

Bevölkerungspolitik: 59; 61; 129; 173f.; 178; 188

caduca: 173, Anm.277; 181

caelebs: 25f., Anm.124; 166

Caesar: 17, Anm.71; 20f.; 28f.; 48ff.; 57; 59ff.; 96; 99f.; 102; 105; 108, Anm.462; 112, Anm.495; 113; 118; 121; 125; 129; 140, Anm.44; 145f.; 153; 182; 193, Anm.5; 197, Anm.16

Caligula: 144, Anm.82; 146, Anm.95; 151; 159; 160, Anm.180; Anm.182; 161, Anm.186ff.; 170, Anm.259; 187, Anm.379

capacitas: 166; 170; 181

Sp. Carvilius Ruga: 7, Anm.11; 14

M.Porcius Cato: 15f.; 20; 22f.; 25, Anm.123; 26; 37, Anm.50; Anm.52; 39; 43; 48; 51f.; 55, Anm.113; 56ff.; 65f.; 75; 78ff.; 81, Anm.273; 82, Anm.288; 87; 102; 111, Anm.489; 120f.; 123, Anm.571; 124; 126,

---

* Bekannte Personen (z.B. Cato) wurden unter ihrem geläufigen Namen in das Register eingeordnet; weniger bekannte Personen finden sich unter ihrem Gentilnamen.

Quellen

1. Literar. u. jurist. Quellen

Aelian, hist. anim. 3,42 (98, Anm. 400); 5,21 (97, Anm. 393; 98, Anm. 400); 8,4 (20, Anm. 98) – var. hist.: 9,12 (25, Anm. 123)

Ambrosius, offic. minist.: 2,21,109 (109, Anm. 467) – de Tobia: 11,38 (104, Anm. 436)

Ammianus Marcellinus: 14,6,15 (79, Anm. 260); 16,5 (94, Anm. 370; 125, Anm. 591); 16,5,1 (41)

Anthologia Palatina: 6,249 (62, Anm. 160)

Apicius, ars coq.: 8,9 (87, Anm. 320)

Appian, bell. civ.; 1,28 (13, Anm. 42; 117, Anm. 528); 1,40f. (89, Anm. 336); 1,69 (89, Anm. 337); 2,1 (109, Anm. 464); 2,3 (13, Anm. 42); 2,10 (59, Anm. 136; 182, Anm. 350); 3,2 (59, Anm. 136); 4,32–34 (56, Anm. 121); 4,33 (54, Anm. 112)

Arnobius, adv. nat.: 2,67 (27.Anm. 136)

Asconius (Stangl): 16 (10, Anm. 26); 22 (87, Anm. 316; 108, Anm. 464; 109, Anm. 466; 116, Anm. 523); 27 (20, Anm. 89); 55 (27, Anm. 135; 137, Anm. 24); 59 (79, Anm. 262); 61 (138, Anm. 26 u. Anm. 28); 65 (17, Anm. 68); 68 (112, Anm. 496); 72 (13, Anm. 42; 21, Anm. 98; 38, Anm. 56; 104, Anm. 433) – Ps.-Ascon. 189 (24, Anm. 112); 217 (106, Anm. 451); 248 (73, Anm. 223)

Athenaios: 2,29, 47 (79, Anm. 260); 6,46,245 (58, Anm. 131); 6,108,274 (78, Anm. 255; 82; 83, Anm. 290; Anm. 293; Anm. 296; 90, Anm. 349; 124, Anm. 584); 12,20,520 (58, Anm. 132); 12,61,543 (83, Anm. 296); 12,68,547 (25, Anm. 123)

Auctor de viris illustribus: 32 (10, Anm. 25); 34 (11, Anm. 29); 47 (15, Anm. 58; 53, Anm. 102; 112, Anm. 497); 50 (23, Anm. 111; 24, Anm. 114); 66 (109, Anm. 464); 72 (86, Anm. 315; 87, Anm. 316; Anm. 318ff.; 89, Anm. 330; 108, Anm. 461)

Augustinus, civ.dei: 1,31 (117, Anm. 528); 2,13 (20f., Anm. 94); 3,20 (74, Anm. 228); 3,21 (73, Anm. 224); 5,18 (18, Anm. 75)

Augustus, res gestae: 6 (172); 8 (2, Anm. 9; 180; 188, Anm. 382); 14 (186, Anm. 371); 15–23 (159, Anm. 173); 34 (133f., Anm. 5; 158, Anm. 170)

Caesar, bell.civ.: 3,32,2 (105, Anm. 443)

Calpurnius Siculus: 7,26f. (140, Anm. 40f.)

Cassiodor, chron.: 450 a.u.c. (27; 117, Anm. 530)

Cato, agric.: prooem. (30, Anm. 1; 34, Anm. 34); 2,7 (16, Anm. 63); 3,1 (16, Anm. 66; 20, Anm. 88); 10,1ff. (16, Anm. 63) – orig.: 2,10 (32, Anm. 9)

Catull: 44,6–12 (97, Anm. 390; 125, Anm. 586)

Cicero, acad. prior: 2,13 (32, Anm. 9; 33, Anm. 19) – pro Archia: 11 (89, Anm. 339) – ad Att.: 1,20,7 (65, Anm. 177; 67, Anm. 189); 2,1,1 (118, Anm. 536); 2,1,3 (138, Anm. 28); 2,16,13 (119, Anm. 543); 2,19,3 (138, Anm. 28); 4,16,6 (87, Anm. 316); 4,16,14 (10, Anm. 26); 4,17,4 (118, Anm. 532); 5,21,5 (109, Anm. 465; 115, Anm. 516); 6,1,21 (109, Anm. 465; 115, Anm. 516); 6,1,23 (108, Anm. 464); 12,13,2 (99, Anm. 404); 12,35,2 (49; 125, Anm. 589); 12,36,4 (49); 13,6,1 (50, Anm. 78; 105, Anm. 443); 13,7,1 (41; 49; 100, Anm. 410) – pro Balbo: 8,21 (70, Anm. 203; 72, Anm. 218; 73, Anm. 221) – Brutus: 57 (32, Anm. 9); 95 (19, Anm. 83); 97 (19, Anm. 83); 111 (87, Anm. 316); 162 (20, Anm. 87); 164f. (20, Anm. 87); 167 (83, Anm. 297); 320 (98, Anm. 400) – in

(47, Anm. 61 f.); 13,24 (104, Anm. 436)
– in Pisonem: 9 (10, Anm. 26); 67 (121,
Anm. 556); 79 (121, Anm. 556); 89
(109, Anm. 465) – pro Plancio: 45 (118,
Anm. 532; 119, Anm. 541); 47 (119,
Anm. 541); 66 (3 f.; 12, Anm. 41) – de
imp. Pomp.: 11 (31, Anm. 5); 17 (31,
Anm. 5); 51 (98, Anm. 400) – de prov.
cons.: 19,46 (10, Anm. 26) – ad Q. fratrem: 1,2,16 (116, Anm. 517); 1,2,26
(109, Anm. 465; 116, Anm. 518); 1,3,8
(79, Anm. 262); 3,6,6 (108, Anm. 464);
3,7,2 (108, Anm. 464) – de re publica:
2,7 (36, Anm. 43); 2,9 (36, Anm. 43);
2,36 (14, Anm. 54; 106, Anm. 447; 109,
Anm. 468; 183, Anm. 352); 2,46 (3,
Anm. 13; 13, Anm. 41); 3,7 (73,
Anm. 224); 3,16 (89, Anm. 339 f.); 3,17
(74, Anm. 228); 4,2 (15, Anm. 57); 4,6
(14, Anm. 53; 15, Anm. 62; 24,
Anm. 115; 25, Anm. 119; 55, Anm. 116;
167, Anm. 229); 4,7 (67, Anm. 191);
4,10 (20, Anm. 94); 5,1 (1; 2, Anm. 7) –
pro S. Roscio: 47 (31, Anm. 2); 50 (31,
Anm. 2) – in Sallust.: 6,16 (13, Anm. 42)
– pro Scauro: 1 (87, Anm. 316); 45 (20,
Anm. 89) – de senectute: 10 (63,
Anm. 165; 120, Anm. 551); 10,4 (63,
Anm. 167; Anm. 170); 11 (32, Anm.
9); 14 (73, Anm. 220; Anm. 222;
Anm. 224); 42 (15, Anm. 58; 112,
Anm. 497); 45 (82, Anm. 286); 51 (31,
Anm. 2) – pro Sestio: 6 (37, Anm. 51);
48 (89, Anm. 337); 55 (10, Anm. 26); 70
(13, Anm. 42); 96 ff. (138, Anm. 33);
101 (13, Anm. 42); 87, Anm. 316); 110
(164, Anm. 209); 133 ff. (119,
Anm. 542); 136 f. (15, Anm. 57) – pro
Sulla: 54 f. (112, Anm. 495) – Tusc.
disp.: 1,3 (111, Anm. 489); 2,55 (45,
Anm. 38; 46, Anm. 53); 3,31 (89,
Anm. 333); 5,112 (117, Anm. 525) – in
Vatinium: 37 (118, Anm. 540; 119,
Anm. 542) – in Verrem: 1,10,31 (110,
Anm. 472); 1,55,143 (27, Anm. 136);
2,1,33 (104, Anm. 436); 2,1,41 (73,
Anm. 224); 2,1,41 ff. (74, Anm. 228; 75,
Anm. 237); 2,1,104 ff. (73, Anm. 224);
2,1,110 (74, Anm. 229 f.); 2,2,122 (30,

Anm. 1; 31, Anm. 5); 2,3,161 (15,
Anm. 57); 2,4,6 (108, Anm. 462); 2,4,8
(30, Anm. 1); 2,5,45 (38, Anm. 54;
Anm. 58; 99, Anm. 400); 2,5,45 f. (30,
Anm. 1; 31, Anm. 5); 2,5,149 (31,
Anm. 5)

Q. Cicero, de pet. cons.: 2,8 (17,
Anm. 71); 9,34–37 (79, Anm. 262); 41
(79, Anm. 259); 42 (81, Anm. 272); 44
(81, Anm. 272)

Codex Iustinianus: 3,43,3 (103, Anm.
430); 5,1,1 (170, Anm. 255); 5,4,28 pr
(164, Anm. 207); 6,3,7,1 (165,
Anm. 219); 6,6,2 (166, Anm. 219);
8,57,2 (171, Anm. 265); 8,58/9 (171,
Anm. 259); 9,21 (144, Anm. 86); 9,31
(144, Anm. 86); 10,32,9 (165,
Anm. 216); 10,33,1 (144, Anm. 86)

Codex Theodosianus: 6,4 (162, Anm.
193); 8,12,4 (68, Anm. 196); 8,16 (171,
Anm. 265); 9,10 (144, Anm. 86)

Collatio legum Romanarum et Mosaica-
rum: 4,2,2 (168, Anm. 237; 182,
Anm. 347); 4,5 (167, Anm. 232); 9,2,2
(203, Anm. 53); 16,3,4 (169, Anm. 245);
16,3,20 (73, Anm. 226)

Columella: 1 praef. 10 (135, Anm. 18)

Corpus Glossariorum Latinorum: III
33,1–25 (187, Anm. 379); III 388,
11–21 (187, Anm. 379)

Cyprianus, ad Donat.: 11 (135, Anm. 18)

Digesta: 1,2,2,7 (11, Anm. 29); 1,2,2,17
(8, Anm. 14); 1,3,29 (197, Anm. 20);
1,3,30 (197, Anm. 20); 1,9,2 (68,
Anm. 198); 3,1,1,6 (21, Anm. 94);
3,2,1 pr (21, Anm. 94); 3,2,1 (31,
Anm. 6); 3,2,3 f. (31, Anm. 6); 4,4,2
(165, Anm. 216); 4,4,37 (167,
Anm. 235); 11,5,1 pr (103, Anm. 429);
11,5,2,1 (103); 11,5,3 (62, Anm. 154;
103); 11,5,4 (104, Anm. 437); 22,5,13 f.
(167, Anm. 234); 22,5,18 (167,
Anm. 234; 201, Anm. 38); 22,6,6 (176,
Anm. 296; 181, Anm. 339); 23,1,16
(165, Anm. 210); 23,2,19 (165,
Anm. 211); 23,2,21 (165, Anm. 211);
23,2,31 (164, Anm. 207); 23,2,41 pr
(201, Anm. 37); 23,2,43,6 (202,

17,6 (73, Anm. 222; Anm. 224); 17,21,44 (7, Anm. 11; 14; 15, Anm. 60); 18,2,11 (82, Anm. 281); 20,1,23 (74, Anm. 228; 75, Anm. 236; 85, Anm. 311; 125, Anm. 291); 20,3 (15, Anm. 60)

Harpokration: v. ὅτι χιλίας (58, Anm. 131)

Hesychios: v. πλάτανος (58, Anm. 131)

Hieronymos: ann. Abrah. 1936 (25, Anm. 123); ann. 46 (59)

Horaz, carm.: 4,5,21 f. (167, Anm. 228) – carm. saec.: 17 ff. (169, Anm. 249; 177, Anm. 305) – epist.: 1,1,62 (138, Anm. 28); 1,6,49 ff. (79, Anm. 259) – epod.: 2 (31, Anm. 2); 4,15 (138, Anm. 28) – sat.: 1,2,1 ff. (122, Anm. 569); 1,2,2 (147, Anm. 98); 1,2,58 (147, Anm. 98); 1,2,94 (166, Anm. 220); 1,6,100 ff. (122, Anm. 569; 135, Anm. 18); 1,10,6 (147, Anm. 98); 2,7,96 (145, Anm. 90); Schol. ad sat. 1,2,133 (201, Anm. 38); ad sat. 2,7,63 (177, Anm. 309)

Idios logos, Gnomon des: 29 (175); 30–32 (174 f.)

Institutiones Iustiniani: 2,22 pr (70, Anm. 204)

Iosephus, ant. Iud.; 5,10 (165, Anm. 216); 19,24 (139, Anm. 33; 144, Anm. 82; 146, Anm. 93)

Isidor, diff.: 1,208 (201, Anm. 36) – ethym.: 19,19 (45, Anm. 40) – orig.: 5,1,5 (98, Anm. 398)

Iuvenal: 1,55 (166, Anm. 226); 3,152 ff. (143, Anm. 82; 196, Anm. 12); 3,156 ff. (144, Anm. 82); 3,159 (138, Anm. 28); 3,212 ff. (135, Anm. 19); 4,94 ff. (152, Anm. 132); 6,229 f. (181, Anm. 335); 8 (147, Anm. 98); 8,183 ff. (152, Anm. 131); 9,140 ff. (18, Anm. 75); 11,19 (154, Anm. 135); 11,53 (147, Anm. 98); 14,324 (138, Anm. 28); Schol. ad 3,152 ff. (196, Anm. 12); ad 4,81 (68, Anm. 195); ad 5,108 (135, Anm. 19); ad 6,158 (178, Anm. 315)

Lactantius, inst. div.: 1,16 (164, Anm. 206)

Livius: praef. 9 (163, Anm. 200); 11 (121, Anm. 559); 1,20 (44, Anm. 32); 1,35,8 (27, Anm. 135; 137, Anm. 24); 1,35,9 (106, Anm. 447; 109, Anm. 468); 1,42 (8, Anm. 16); 1,43 (14, Anm. 57; 183, Anm. 352); 4,8 (7, Anm. 13; 8, Anm. 14; Anm. 17); 4,8,2 (5, Anm. 4); 4,12,2 (110, Anm. 479); 4,24,4 f. (9, Anm. 24); 4,24,7 (9, Anm. 20; Anm. 24); 4,25,12 (51 f., Anm. 91); 4,27 (109, Anm. 468); 5,1,2 (8, Anm. 15); 5,19 (109, Anm. 468); 5,19,6 (110, Anm. 479); 5,25,9 (53, Anm. 105); 6,4,2 (53, Anm. 105); 6,20,13 f. (7, Anm. 12); 7,2 (31, Anm. 6); 7,2,12 (20 f., Anm. 94); 7,11 (109, Anm. 468); 7,14,4 (110, Anm. 479); 8,12,6 (10, Anm. 25); 8,22 (182, Anm. 348); 8,25,2 (182, Anm. 348); 9,29,5 ff. (11, Anm. 29); 9,29,7 (10, Anm. 29); 9,30,1 f. (10 f., Anm. 29); 9,33 (9, Anm. 20; Anm. 24); 9,46,10 (11, Anm. 29); 10,23 (181, Anm. 335); 21,62,8 (55, Anm. 108); 21,62,10 (109, Anm. 470); 21,63 (21, Anm. 99; 31 f.; 33 f., Anm. 23); 22,1,17 f. (55, Anm. 114); 22,1,19 (62, Anm. 160); 22,9,10 (109, Anm. 468); 22,10,7 (107, Anm. 453; 110, Anm. 478); 22,25 (50, Anm. 80); 22,35,5 (24, Anm. 114); 22,53,4 f. (22, Anm. 102); 22,57,2 (55, Anm. 115); 22,58,6 ff. (22, Anm. 102); 22,59 ff. (22, Anm. 102); 22,59,5–13 (22, Anm. 102); 22,61,5 ff. (22, Anm. 102); 23,23 (12, Anm. 35); 24,8,13 f. (54, Anm. 106); 24,11,7 f. (53, Anm. 101; 54, Anm. 106); 24,18 (28, Anm. 138); 24,18,3 (22, Anm. 102); 24,18,5 (22, Anm. 102); 24,18,6 (22, Anm. 102); 24,18,7 ff. (11, Anm. 34); 24,18,13 f. (53, Anm. 101); 24,43,1 f. (22, Anm. 102); 25,1,7 (55, Anm. 115); 25,2 (108, Anm. 462); 25,2,9 (55, Anm. 115); 25,12,12 (107, Anm. 454); 26,26,10 f. (62, Anm. 153); 26,29 ff. (62, Anm. 153); 26,35,5 (125, Anm. 588); 26,36,5 (53, Anm. 101); 27,11,13 f. (22, Anm. 102); 27,11,15 (22, Anm. 102; 24, Anm. 114); 27,20 f. (62, Anm. 151 f.);

Anm. 339); 2,4,25 (139, Anm. 33; Anm. 39); 2,5 (177, Anm. 307); 2,7,2 ff. (21, Anm. 96); 3,13,1 (97, Anm. 393; 98, Anm. 400); 3,13,10 ff. (97, Anm. 393); 3,13,11 (142, Anm. 64); 3,15,3 ff. (19, Anm. 85; 20, Anm. 87); 3,16,14 (84, Anm. 298 f.; 124, Anm. 580); 3,16,15 f. (83, Anm. 295; 121, Anm. 554; 122, Anm. 563); 3,17 (41; 77); 3,17,1 (28, Anm. 140; 100, Anm. 409); 3,17,2 (77, Anm. 250; 78; 81, Anm. 274; 84, Anm. 302; 120); 3,17,3 (78, Anm. 253); 3,17,4 (82, Anm. 282; Anm. 287; 120; 122, Anm. 563); 3,17,5 (78, Anm. 255; 82, Anm. 288; 83, Anm. 290 f.; 123, Anm. 570); 3,17,6 (85; 124, Anm. 582); 3,17,7 (88, Anm. 328; 89, Anm. 331; 91; 92, Anm. 357; 121, Anm. 552); 3,17,8 f. (90); 3,17,11 (94); 3,17,13 (41; 86, Anm. 315; 96 f.; 98, Anm. 396; 124, Anm. 583); 3,17,14 (100, Anm. 412); 7,3,8 (141, Anm. 50; 145, Anm. 88) – somn. Scip.: 2,4,23 (15, Anm. 137); 2,7,3 f. (199, Anm. 27); 2,17,3 (66, Anm. 182)

Martial: 1,4,7 f. (103, Anm. 431); 2,91 f. (171, Anm. 259); 3,95,9 f. (142, Anm. 63); 4,67,5 (162, Anm. 193); 5,8 (144, Anm. 81); 5,14,2 (144, Anm. 81); 5,14,2 (144, Anm. 81); 5,23 (144, Anm. 81); 5,25 (144, Anm. 81); 5,25,9 (162, Anm. 193); 5,27 (144, Anm. 81); 5,38 (144, Anm. 81); 5,79 (154, Anm. 135); 5,84,6 (103, Anm. 431); 8,71 (62, Anm. 159); 10,41 (135, Anm. 19); 10,41,5 (162, Anm. 193); 10,97 (45, Anm. 42); 11,6,2 ff. (103, Anm. 431); 11,54 (45, Anm. 42); 12,26,1 ff. (135, Anm. 18); 12,41 (154, Anm. 135); 14,13 f. (103, Anm. 431)

Cornelius Nepos, Cato: 2,3 (26)

Nepotiani Epitome: 10,22 (112, Anm. 499)

Nonius (Lindsay): 172 (87, Anm. 320); 745 (18, Anm. 75); 869 (46, Anm. 53)

Novellae leges Iustiniani: 123,10 (103, Anm. 430)

Orat. Rom. Fragm. (Malcovati): 203 f., frg. 52 (93, Anm. 366); 255 L. Crassus frg. 45 (30, Anm. 1; 31, Anm. 5)

Orosius: 4,17,4 (53, Anm. 101); 4,20,14 (53, Anm. 102); 4,21,4 (117, Anm. 528 f.)

Ovid, ars amat.: 1,89 ff. (143, Anm. 73) – fast.: 4,179–372 (55, Anm. 114); 4,353–360 (82, Anm. 279); 4,383 f. (142, Anm. 63); 6,663 (45, Anm. 39; 47, Anm. 62) – trist.: 2,89 f. (186, Anm. 378); 2,471 f. (103); 2,541 f. (186, Anm. 378)

Paulus, sentent.: 2,26,6 (167, Anm. 231); 2,26,11 (167, Anm. 235; 201, Anm. 37); 2,26,14 (167, Anm. 235; 201, Anm. 38); 2,31,29 (51, Anm. 83); 3,46,2 (165, Anm. 212); 4,8,4 (169, Anm. 245); 4,8,20 (73, Anm. 226); 4,9,8 (171, Anm. 268); 5,4,10 (144, Anm. 84; 152, Anm. 132); 5,11,6 (64, Anm. 173); 5,25,12 (166, Anm. 220)

Petronius: 45,6 (113, Anm. 502; 162, Anm. 193)

Philo, leg.: 107 f. (151, Anm. 129); 110 (151, Anm. 129)

Philostratos, v. Apolonii 6,42 (89, Anm. 340) – v. Soph. 1,21 (89, Anm. 340)

Plautus, Aul. 148 f. (15, Anm. 60) – Capt. 8,8,9 (15, Anm. 60) – Menaech. 571 ff. (65, Anm. 181; 69, Anm. 202; 129, Anm. 614); 575 f. (77, Anm. 246) – mil. glor. 164 f. (103) – merc. 73 ff. (37, Anm. 52) – Pers. 3,1,27 (31, Anm. 6) – Trin. 331 (37, Anm. 52)

Plinius d. Ä., nat. hist.: 5,13,8 (67, Anm. 189); 5,16,7 (59, Anm. 135); 7,10 (55, Anm. 115); 7,79 (89, Anm. 333); 7,30,112 (25, Anm. 123); 7,139 (31); 7,149 (177, Anm. 307; 178, Anm. 315); 8,16 (108, Anm. 461); 8,21 (143, Anm. 80); 8,64 (116, Anm. 525); 8,30 [31], 116 (138, Anm. 28); 8,131 (116, Anm. 517); 8,135 (51, Anm. 83); 8,209 (26, Anm. 125; 27, Anm. 136; 88, Anm. 323); 8,223 (26, Anm. 125; 27, Anm. 136; 86, Anm. 315; 87, Anm. 320; 88, Anm. 323); 9,117 (123, Anm. 574);

Ti. Gracch. 9 (33, Anm. 17); 14 (20, Anm. 91) – de inim. util.: 5 (20, Anm. 87) – Lucull.: 21 (62, Anm. 158); 31 (83, Anm. 290); 37 (81, Anm. 272) – Marcell.: 23 (62, Anm. 153); 27 (62, Anm. 152; Anm. 155); 27,2–4 (62, Anm. 151) – Marius: 5,3 ff. (13, Anm. 42) – Numa: 12 (44, Anm. 32); 17 (16, Anm. 63) – Pomp.: 22 (23, Anm. 105; Anm. 110) – praec. ger. rei publ.: 14,24 (20, Anm. 87) – Pyrrh.: 18 (67, Anm. 191) – quaest. Rom.: 14 (7, Anm. 11; 11, Anm. 33); 49 (51, Anm. 88); 56 (53, Anm. 102); 83 (89, Anm. 335); 91 (7, Anm. 12) – Romulus: 13 (62, Anm. 158; 65, Anm. 181); 22 (16, Anm. 63) – de soll. anim.: 23,7 (20, Anm. 87) – Solon: 21,6 (46, Anm. 53) – Sulla: 1 (19, Anm. 81); 5 (108, Anm. 461); 35 (81, Anm. 272); 35,3 (48 f.; 95, Anm. 382); 35,5 (125, Anm. 585) – tranq. anim.: 10 (134, Anm. 13)

Pollux: 8,12 (58, Anm. 131)

Polybios: 2,21,7 f. (32, Anm. 9; Anm. 11), 6,51,3 (1, Anm. 3); 6,53 (48, Anm. 63); 6,56 (62, Anm. 158); 10,4 (51, Anm. 90); 10,4,8 (51, Anm. 89); 31,24 (95, Anm. 376); 31,25 (26, Anm. 130; 57, Anm. 127); 31,25,3 (1, Anm. 3); 31,26,1–7 (75, Anm. 241); 31,26,9 (67, Anm. 188); 31,27,1–8 (75, Anm. 241); 31,27,10–11 (67, Anm. 188); 31,28,1–8 (75, Anm. 241); 31,28,5–6 (113, Anm. 502); 31,28,11 (75, Anm. 241); 32,12 (67, Anm. 188); 32,13 (67, Anm. 188); 32,14 (48, Anm. 63); 33,113 (67, Anm. 191); 33,fr. 2 (25, Anm. 123)

Priscian, Inst.: 7,70 (196, Anm. 12); 9,38 (87, Anm. 321)

Propertius: 2,7 (163, Anm. 199; 179, Anm. 318; Anm. 326; 184, Anm. 358); 4,11,61 ff. (60, Anm. 143; 166, Anm. 220)

Quintilian, inst. orat.: 2,4,42 (25, Anm. 123); 3,6,18 (141, Anm. 53); 3,6,18 f. (139, Anm. 35; Anm. 38; 140, Anm. 47); 5,11,13 (23, Anm. 108); 8,5,19 (166, Anm. 226); 12,7,10 (68, Anm. 194) – decl.: 264 (74, Anm. 232); 302 (138, Anm. 28; 141, Anm. 455)

Rhetoric. ad Herenn.: 4,5 (19, Anm. 83)

Sallust, Cat.: 5,8 (121, Anm. 559); 7,4 (123, Anm. 571); 10,2 (1, Anm. 3); 13 (123, Anm. 570); 23,1 (13, Anm. 42); 52 (105, Anm. 444) – ep.: 1,5,3 f. (121, Anm. 558; 127, Anm. 605); 1,5,4 (100, Anm. 411; 121; 125, Anm. 591); 2,7 (100, Anm. 411; 121, Anm. 557) – Jug.: 4,3 (80, Anm. 272); 14,4 (87, Anm. 316); 41,2 ff. (1, Anm. 3); 85,39 ff. (92, Anm. 356)

Scholia Bobiensia (Stangl): 78 f. (119, Anm. 541); 140 (119, Anm. 542); 141 (78, Anm. 253; 79 f.; 123, Anm. 571; 124, Anm. 579)

Scriptores Hist. Aug.: Alex. Sev. 43 (162, Anm. 195) – Ant. Pius 12,3 (162, Anm. 196) – Comm. 16 (198, Anm. 21) – Did. Iul. 4,7 (144, Anm. 82) – Hadr. 3 (162, Anm. 193); 17 (138, Anm. 28) – Marc. Aurel. 11,4 (162, Anm. 197); 27,6 (162, Anm. 197) – Pesc. Nig. 3,1 (144, Anm. 82) – Verus 5,5 (83, Anm. 290)

Seneca d. Ä., contr.: 7,3,9 (21, Anm. 96; 141, Anm. 50; 145, Anm. 88); 9,2 (15, Anm. 58; 112, Anm. 497)

Seneca, de benef.: 2,7 f. (155, Anm. 145); 2,12,1 (151, Anm. 129); 2,21,5 (151, Anm. 129); 2,27,4 (134, Anm. 13); 3,16,2 (181, Anm. 335); 6,32 (177, Anm. 307); 7,9,4 (59, Anm. 135) – de brevit. vit.: 4,6 (178, Anm. 315); 20,1 (135, Anm. 18) – de clem.: 1,15,2 (7, Anm. 11) – ep.: 19,11 (79, Anm. 260); 72 (84, Anm. 301); 73 (84, Anm. 301); 88,18 (143, Anm. 74); 95 (84, Anm. 301); 95,41 (20, Anm. 91); 97, Anm. 393; 123, Anm. 570); 95,42 (154, Anm. 135; 157, Anm. 161); 112,10 (155, Anm. 147); 122 (135, Anm. 19); 122,14 (154, Anm. 147); 123,4 (97, Anm. 393) – de ira: 3,31,2 (134, Anm. 13) – de prov.: 4 (161, Anm. 184) – remed. fort.: 16,7 (59, Anm. 135) – tranq. anim.: 14,4

123; 81, Anm. 276); 2 (25, Anm. 123)

Symmachos: 9,126 (162, Anm. 193

Suidas: v. τιμητής (13, Anm. 41)

Tacitus, ann.: 1,2,1 (134, Anm. 6); 1,6 (178, Anm. 315); 1,10 (177, Anm. 310); 1,15 (135, Anm. 18); 1,53,3 (177, Anm. 307); 1,54,3 (161, Anm. 187); 1,72 (176, Anm. 296; 181, Anm. 339); 1,75 (155, Anm. 145); 1,76 (161, Anm. 190); 1,77 (149, Anm. 115; 161, Anm. 187); 2,6,1 f. (139, Anm. 33); 2,33 (99, Anm. 401; 126, Anm. 599; 127, Anm. 604; Anm. 607; 155, Anm. 148; 156, Anm. 154 f.); 2,35,2 (133, Anm. 2); 2,36 (134, Anm. 13); 2,37 (177, Anm. 307); 2,37 ff. (154, Anm. 137; 155, Anm. 145); 2,48 (135, Anm. 19; 154, Anm. 137; 155, Anm. 147); 2,50 (7, Anm. 11; 167, Anm. 229; 177, Anm. 309; 180, Anm. 334); 2,51,1 (165, Anm. 216); 2,83 (143, Anm. 72); 2,83,4 (143, Anm. 77); 2,85 (150, Anm. 124 f.; 157, Anm. 165, 167, Anm. 231; 168, Anm. 240; 200 ff.); 3,4,1 (140, Anm. 43); 3,4,2 (139, Anm. 33; 146, Anm. 95); 3,6,1 ff. (146, Anm. 95); 3,24 (177, Anm. 307; 178, Anm. 315); 3,25 (157, Anm. 165; 169, Anm. 247; 173, Anm. 277; 179, Anm. 326; 180, Anm. 327); 3,25 ff. (185, Anm. 363); 3,27 (180, Anm. 327); 3,28 (176, Anm. 296; 181, Anm. 339); 3,31 (142, Anm. 59); 3,33 (122, Anm. 562); 3,33 f. (53); 3,34 (126, Anm. 594); 127, Anm. 603); 3,52 (101, Anm. 410; 127, Anm. 605); 3,52 ff. (120; 125, Anm. 588; Anm. 591; 155 ff.); 3,52,3 (41); 3,52,8 (41); 3,53 (123, Anm. 573); 3,53,3 (153, Anm. 133); 3,54 (126; 127, Anm. 605 f.; 153, Anm. 133); 3,54 f. (123, Anm. 570); 3,55 (135, Anm. 19; 154, Anm. 134); 3,60,1 (134, Anm. 6); 3,69,1 (156, Anm. 152; 157, Anm. 158 f.); 3,70 (203, Anm. 50); 4,6 (149, Anm. 116); 4,13,5 (30, Anm. 1); 4,14 (149, Anm. 117); 4,14,3 (161, Anm. 187); 4,16 (142, Anm. 64); 4,20 (157, Anm. 158); 4,33 (157, Anm. 164 f.); 4,42 (134, Anm. 7); 4,44 (177, Anm. 307; Anm. 310); 4,62 (113, Anm. 502; 161, Anm. 184); 4,62,2 (146, Anm. 95); 4,71 (178, Anm. 315); 6,3 (134, Anm. 7; 142, Anm. 70); 6,3,1 (143, Anm. 77); 6,13 (139, Anm. 33; 146, Anm. 95); 6,16 (30, Anm. 1); 6,28 (45, Anm. 42); 11,5 (64, Anm. 174; Anm. 17; 67, Anm. 189; 68, Anm. 194); 11,5,1 (134, Anm. 6); 11,22,3 (162, Anm. 195); 11,25 (201, Anm. 36); 11,31,1 (162, Anm. 195); 12,56 (162, Anm. 195); 12,59 (134, Anm. 7); 13,5 (64, Anm. 174; Anm. 177; 68, Anm. 195); 13,5,1–2 (162, Anm. 195); 13,25 (151, Anm. 131); 13,32 (177, Anm. 309; 181, Anm. 334); 13,34 (154, Anm. 137); 13,42 (64, Anm. 174; Anm. 177; 68, Anm. 195); 13,49 (161, Anm. 186); 13,54,3 f. (139, Anm. 37); 14,14 (135, Anm. 19; 146, Anm. 95; 152, Anm. 131; 160, Anm. 182); 14,14 ff. (147, Anm. 98; 151, Anm. 131); 14,20 (143, Anm. 74; 147, Anm. 98; 151, Anm. 131); 14,42,2 (151, Anm. 131); 14,47,2 (152, Anm. 131); 15,20 (64, Anm. 174; Anm. 177; 68, Anm. 194); 15,31,2 (151, Anm. 131); 15,32 (138, Anm. 28; 143, Anm. 77; Anm. 80; 151, Anm. 131); 15,48 (135, Anm. 19); 16,12 (142, Anm. 68); 16,12,1 (142, Anm. 62); 16,17 (142, Anm. 67) – dial.: 8,2 (68, Anm. 195); 35 (25, Anm. 123) – hist.: 1,20 (152, Anm. 132); 2,62,4 (152, Anm. 132); 2,67 (152, Anm. 132); 2,70 f. (152, Anm. 132); 2,86,3 (142, Anm. 67); 2,87 (152, Anm. 132); 2,91 (152, Anm. 132); 4,42 (68, Anm. 195)

Terentius, Eun.: 257 (31, Anm. 6) – Hec.: 49–41 (112, Anm. 493; Anm. 497)

Tertull., anim.: 52 (89, Anm. 333) – apol.: 4 (164, Anm. 206); 6 (7, Anm. 11; 83, Anm. 292; 117, Anm. 528); 6,2 (83, Anm. 291); 6,3 (83, Anm. 291) – de coron.: 13 (198, Anm. 21) – de monog.: 9 (7, Anm. 11) – pall.: 5 (97, Anm. 393; 98, Anm. 400) – spect.: 10 (117, Anm. 528); 10,4 (20, Anm. 94); 12,1

2. Inschr. Quellen

Anm. 503); III 8754 (166, Anm. 220); VI 1375 (47, Anm. 61); VI 3823 (47, Anm. 61); VI 12389 (47, Anm. 61); VI 32323–32324 (140, Anm. 46; 163, Anm. 204; 166, Anm. 220); VI 32363 (142, Anm. 66); VIII 9052 (107, Anm. 456); X 829 (107, Anm. 456); X 4587 (141, Anm. 49); XI 5820 (107, Anm. 456); XI 6377 (107, Anm. 456); XII 670 (107, Anm. 456)

ILS: 917a (47, Anm. 61); 1910 (171, Anm. 259); 5049 (142, Anm. 66); 5142a u. b (147, Anm. 99); 5163 (113, Anm. 503); 5531 (107, Anm. 456); 5654 (143, Anm. 71); 5706 (107, Anm. 456); 8366 (47, Anm. 61); 8761 (97, Anm. 392)

lex Acilia repetund.: cap. 13 (31, Anm. 6); 16 (31, Anm. 6)

lex coloniae Genetivae Iuliae sive Ursonensis: (80, Anm. 271); cap. 66 (142, Anm. 65); 70 f. (107); 93 (67, Anm. 189; 68, Anm. 198); 125–127 (141, Anm. 51); 127 (137, Anm. 25)

lex Iulia municipalis: (31, Anm. 6); 112 (145, Anm. 91); 123 (145, Anm. 91); 133 (141); 137 (137, Anm. 25); 138 (141)

lex Malacitana: 56 (165, Anm. 216)

Weitere Veröffentlichungen der Kommission für Alte Geschichte und Epigraphik des Deutschen Archäologischen Instituts

VESTIGIA

Beiträge zur Alten Geschichte

Lieferbare Titel

Band 4: Hans-Georg Kolbe, Die Statthalter Numidiens von Gallien bis Konstantin (268–320), 1962. XII, 90 S. Geheftet

Band 5: Franz Kiechle, Lakonien und Sparta. 1963. XII, 276 S. Geheftet

Band 7: Hans-Werner Ritter, Diadem und Königsherrschaft. 1965. XIV, 191 S. Geheftet

Band 8: Werner Dahlheim, Struktur und Entwicklung des römischen Völkerrechts im 3. und 2. Jahrhundert v. Chr. 1968. VIII, 293 S. Leinen

Band 9: Karl-Ernst Petzold, Studien zur Methode des Polybios und zu ihrer historischen Auswertung. 1969. IX, 223 S. Leinen

Band 10: Eckhard Meise, Untersuchungen zur Geschichte der Julisch-Claudischen Dynastie. 1969. XI, 269 S. Leinen

Band 11: Jürgen von Ungern-Sternberg, Untersuchungen zum spätrepublikanischen Notstandsrecht. 1970. X, 153 S. Leinen

Band 12: Diederich Behrend, Attische Pachturkunden. 1970. X. 172 S. Leinen

Band 14: Michael Zahrnt, Olynth und die Chalkidier. 1971. X, 280 S. mit 5 Karten. Leinen

Band 15: Michael Maass, Die Prohedrie des Dionysostheaters in Athen. 1972. XII, 156 S. mit 91 Abb. und 8 Faltplänen. Leinen

Band 16: Peter Siewert, Der Eid von Plataiai. 1972. XI, 118 S. und 2 Tafeln. Leinen

Band 18: Jörg Schlumberger, Die Epitome de Caesaribus. 1974. XVI, 275 S. Leinen

Band 19: Thomas Schwertfeger, Der Achaiische Bund von 146 bis 27 v. Chr. 1974. X, 85 S. mit 1 Karte. Leinen

Band 20: Kurt Raaflaub, Dignitatis contentio. 1974. XVI, 358 S. Leinen

Band 21: Dieter Hennig, L. Aelius Seianus. 1975. XIII, 183 S. Leinen

Band 22: Wilfried Gawantka, Isopolitie. 1975. X, 234 S. Leinen

Band 23: Jürgen von Ungern-Sternberg, Capua im Zweiten Punischen Krieg. 1975. X, 136 S. mit 1 Karte. Leinen